金星教育

精品图书的追求者

金星教育以"关爱华夏学子，服务民族教育"为宗旨，先后研发、出版、发行了《基础知识手册》《中(小)学教材全解》《图解新教材》等十几个系列精品图书，为中国亿万幼儿、小学、中学、大学师生提供了教、学、练、考整体解决方案。金星教育将继续坚持"教考研发在先，出版发行在后"的出版理念，做精品图书的坚定追求者，为中国教育事业的发展贡献全部力量。

研发理念 金星教育研发中心全面关注和研究中国教育改革最新动态，专注教育研发出版工作，不断创新，打造精品，全心全意为中国师生家长服务。

研发实力 金星教育科学研究专家联合会100余人，专门从事中国教育科研工作；金星教育考试研究院500多人，专门从事图书研发工作；金星教育图书实验学校200多所，专门进行图书实验工作；金星教育名师俱乐部10000多人，专门进行教育资源库的建设；金星教育骨干作者4000多名，专门进行图书编写工作。

"全解"商标专利证书

《中（小）学教材全解》《图解新教材》的社会荣誉和质量管理体系认证

中国教育图书最具价值品牌

中国教育图书读者最喜爱品牌

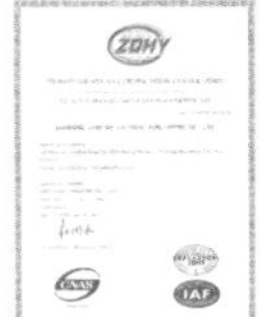
通过ISO9001质量管理体系认证

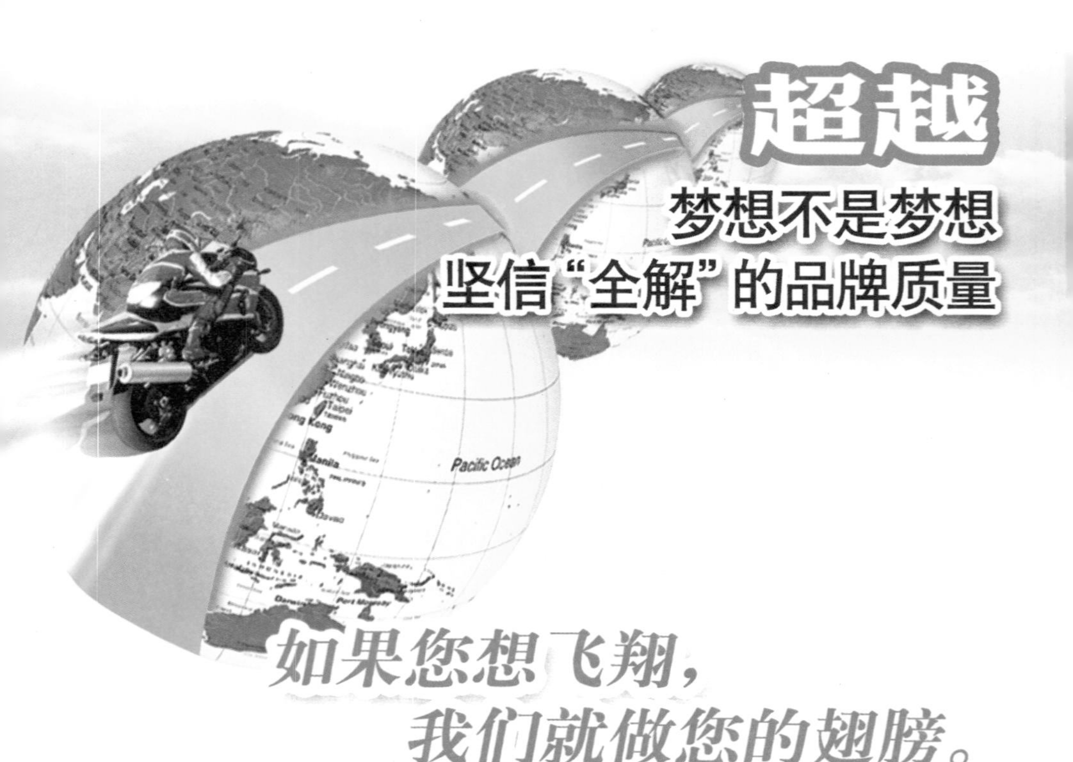

如果您想攀登，我们就做您的阶梯。
如果您想揽月，我们就来为您导航。

如果您想要一片枫叶，我们会给您整个森林。
如果您想要一点星辰，我们会给您整个银河。
这就是我们的超值服务，这就是我们对读者的承诺与奉献！

题记

TIJI

逐字逐词　逐句逐段

逐节逐课　逐题逐问

全面透彻　精细创新

全心全意　解疑解难

名师解读　祝您成功

专家设计　圆您梦想

《中学教材全解》编委会

出版前言

《中学教材全解》系列丛书是根据各版本最新教材编写的讲解类自学辅导用书。它以“逐字逐词，逐句逐段，逐节逐课，全析全解各科教材”为编写原则，以“全面透彻，精细创新，全心全意，解疑解难”为服务宗旨。这套丛书具有以下几个鲜明特色：

首先是知识点覆盖全。该丛书全面、详细地讲解了教材中所有的知识点，真正体现了“一册在手，学习内容全有”的编写思想。其次是方法技巧规律总结全。该丛书针对重要知识点配例题讲解并总结各种方法、技巧和规律。再次是适用对象全。该丛书面向中学所有师生，内容讲解由浅入深，由易到难，既方便教师备课，又利于学生自学。

首先是对教材讲解细致入微。以语文科为例，小到字的读音、词的辨析，大到阅读理解和作文训练都在本书中详尽体现。其次是重点难点讲解细致，既有解题过程又有思路点拨。其三是解题方法细，一题多解，多题一法，变通训练，总结规律。

首先是教材新。本书以新课程标准为依据，以现行初高中最新教材为蓝本编写。其次是体例新。紧扣教材，步步推进，设题解题，释疑解难，课后自测，迁移延伸，逐次深入。再次是题型(材料)新。书中选用的题型(材料)都是按中考、高考要求精心设计挑选的，让读者耳目一新。

首先是对课标、考纲研究得透彻。居高临下把握教材，立足于教材，又不拘泥于教材。其次是对学生学习需求研究得透。学习目标科学可行，注重知识“点”与“面”的联系，“教”与“学”的联系。再次是对问题讲解得透，一题多问，一题多解，培养求异思维和创新思维能力。

首先是教材内容讲解精。真正体现围绕重点，突破难点，引发思考，启迪思维。根据考点要求，精讲精析，使学生举一反三，触类旁通。其次是问题设置精，注重典型性，避免随意性，注重迁移性，避免孤立性，实现由知识到能力的过渡。

◎金星教育系列丛书 全心全意解疑解难◎

中学教材全解

八年级数学（上）

配套人民教育出版社实验教科书

总 主 编 薛金星
本册主编 王冬艳

陕西出版集团 陕西人民教育出版社

全心全意　解疑解难

——薛金星总主编对“全解”含义的界定

《中学教材全解》系列丛书是由薛金星先生策划并首创的一套“全解”形态的教辅图书。该丛书自2000年上市以来，备受广大中、小学师生的关注与厚爱，销量逐年猛增。开辟了“全解”的新兴市场，创造了业界的神话！一时间全国各类跟风、克隆、仿冒的所谓“全解”蜂拥而出，严重扭曲了其原创初衷，损害了广大读者的利益。为正本清源，我们专访了其原创总主编薛金星先生，请他就“全解”的含义进行了全方位的界定。

问：薛先生，当初您为什么要编这样一套丛书呢？

答：我们编写这套丛书有三个目的，一是给老师提供一套备课、上课、写教案的辅助资料，二是为中学生提供一套自学丛书，三是给有一定辅导能力的家长准备一本辅导孩子功课的参考书。这三个目的可以概括为“学生用它能自学，老师拿它能讲课，家长有它能辅导”，是一套三位一体的自学丛书。

问：您当初考虑的可真全面，我想“全解”的“全”不只是这三方面的含义吧？

答：你问得很好，当然不只这三方面的含义了。首先是全面涵盖小学、初高中乃至大学各学年段儿。目前这套丛书涵盖了小学的语、数、英三大主科，初、高中的九个学科，今年又跟进了大学英语教材全解；其次是各科知识覆盖面全，“全解”紧扣教材讲解知识，教材上的所有知识点包括插图无一落漏。

问：连图都包含了，真够全的，还有哪些方面呢？

答：再就是规律、方法、技巧总结全。本丛书在讲解到每一个知识点、每一课、每一节、每一章的时候，把与之相关的所有的规律、方法、技巧，不论课内课外都作了恰当的总结，呈献给学生。编写时，我们要求做到：点拨技巧，似春风化雨；传授方法，像洞穴探幽；总结规律，类渔夫收网。还有就是既要考虑平时自学、考试，又要瞄准中、高考，二者兼顾。同时又不忘与各学科的科技、生产、生活、实践全面联系，因为这是当前素质教育的基本要求。

问：看来您对素质教育的理解也很深刻到位，“全”我们基本上理解了，那么“解”又有什么含义呢？

答：这个问题问到点子上了。“解”简言之就是讲解、点拨和分析、概括。就是针对教材所涉及的知识、技巧、方法、规律，讲细、讲透、讲精、讲新、讲实、讲活、讲巧、讲典。我们要求编者必须紧扣教材讲解知识，巧设典例传授方法，构建网络总结规律，由浅入深，从易到难。力图实现本丛书“逐字逐词，逐句逐段，逐节逐课，全析全解各科教材；全面透彻，精细创新；全心全意，解疑解难”的编写理念和服务宗旨。

问：有读者反映您的《中学教材全解》题少，不利于学生提升能力，您怎么看？

答：这是一种误解，并不奇怪。首先要澄清什么是“题”？“全解”针对教材上的每一个知识点都配了极有对应性的例题和变式题，每章节后面都配有一定数量的跟踪训练题，还有课后练习题的答案详解，这些就是题呀。只不过我们的量小了一些，因为我们这套丛书的定位就是全面、细致地讲透教材，配那么多的练习题容易冲淡对知识的学习和方法的掌握，疲于奔命地解题不如首先掌握解题的工具。我们认为，对于学生而言，掌握一套方法比解一百道题更重要！

薛先生，感谢您在百忙中接受我们的采访，并为我们全方位界定了“全解”的含义。谢谢您！再见！

目录 CONTENTS

第十五章 整式的乘除与因式分解

全等三角形

本章综合解说

BENZHANGZONGHEJIESHUO

趣味情景激思

在我们的周围，经常可以看到形状、大小完全相同的图形. 怎样判定两个图形是否形状、大小完全相同呢？它们又具有怎样的性质呢？让我们一同走进《全等三角形》吧！

本章知识概览

全等三角形是我们研究图形的重要工具，它为后面学习四边形的性质提供了探索方法.

1. 本章主要内容：全等三角形的性质；三角形全等的判定；角的平分线的性质.

2. 本章重点:探究三角形全等的条件和角平分线的性质.难点是三角形全等的判定方法及实际应用,角平分线的识别及应用.

课标学法点津

1. 要从图形的各种变换中发现图形全等的特征.善于将复杂的图形拆分成简单的图形来识别全等三角形.

2. 一定要多动手,在实际作图中寻找、探索两个三角形全等的条件,区别SAS和SSA的不同,要根据题目的已知条件,选择合适的方法证明两个三角形全等,并在不断的实践中总结出证明两个三角形全等的一般解题思路.

3. 要认真体会证明的过程和技巧,解题步骤要规范,会利用平移、翻折、旋转得到全等三角形,注意所学的内容与现实生活的联系,注意经历观察、操作、推理、想象等探究过程,充分体会由特殊到一般的数学思想方法.

11.1　全等三角形

课程标准要求

KECHENGBIAOZHUNYAOQIU

1. 知道全等形和全等三角形的概念，掌握全等三角形的性质.

2. 通过剪裁，观察同一个底片的两张照片，以及平移、旋转和翻折一个三角形等活动，发现、感知两个全等三角形的特征，学会判断对应元素的方法.

相关知识链接

XIANGGUANZHISHILIANJIE

在我们的周围，经常可以看到形状、大小完全相同的图形.

我们还学过：作一条线段等于已知线段，所作出的线段与原来的线段完全重合；以相同的半径画出的两个圆，分别剪下后放在一起能够完全重合；边长相等的两个正方形，也可以完全重合. 两个能重合在一起的三角形的边、角有什么关系呢？通过怎样的变换才能使它们重合在一起呢？这是本节将要探究的问题.

教材知能全解

JIAOCAIZHINENGQUANJIE

知能点 1　全等形的概念

能够完全重合的两个图形叫做全等形.

全等形关注的是两个图形的形状和大小，而不是图形所在的位置. 看两个图形是否全等，只要把它们叠合在一起，看是否能够完全重合，能够完全重合即为全等形.

例 1　观察图 11-1-1 中的各个图形，指出其中的全等形.

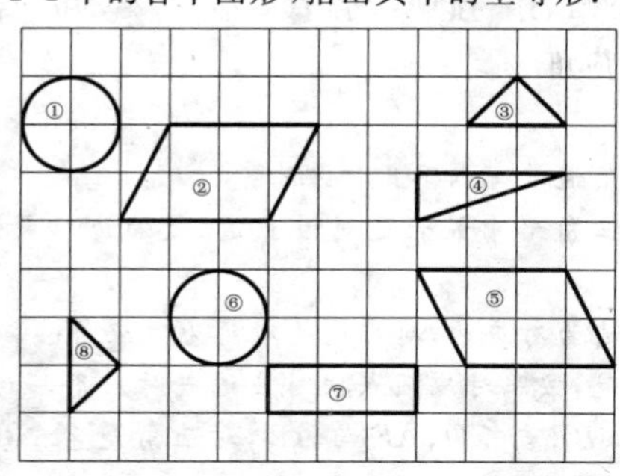

图 11-1-1

分析：根据所占的方格判断.

解：①和⑥、②和⑤、③和⑧分别为全等形.

点拨 DIANBO

各组图形的形状完全一样，通过平移、旋转后能够完全重合，所以是全等形. 将图形叠合来判断是否全等，直观形象，但有时不方便，借助网格背景来观察比较是一种非常方便的方法.

知能点 2　全等三角形的定义和表示方法

(1)能够完全重合的两个三角形叫做全等三角形.

(2)全等三角形是特殊的全等形，全等三角形关注的是两个三角形的形状和大小是否完全一样，叠合在一起是否重合，与它们的位置没有关系. 把两个全等的三角形叠合在一起，重合的顶点叫做对应顶点，重合的边叫做对应边，重合的角叫做对应角.

(3)“全等”用“≌”表示，读作“全等于”，记两个三角形全等时，通常把表示对应顶点的字母写在对应的位置上. 例如图 11-1-2 中的 $\triangle ABC$ 和 $\triangle DEF$ 全等，记作 $\triangle ABC \cong \triangle DEF$，其中点 A 和点 D、点 B 和点 E、点 C 和点 F 是对应顶点，AB 和 DE、BC 和 EF、AC 和 DF 是对应边，$\angle A$ 和 $\angle D$、$\angle B$ 和 $\angle E$、$\angle C$ 和 $\angle F$ 是对应角.

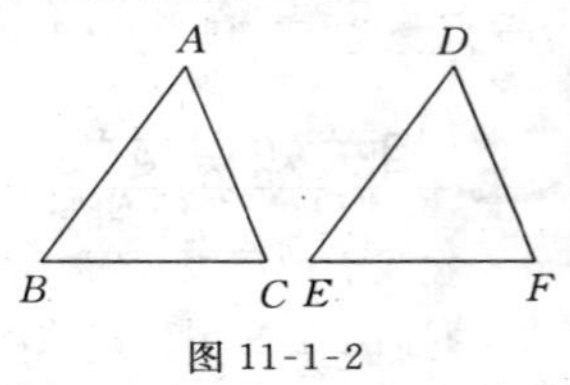

图 11-1-2

例 2　如图 11-1-3，$\triangle ABC \cong \triangle DCB$，指出所有的对应边和对应角.

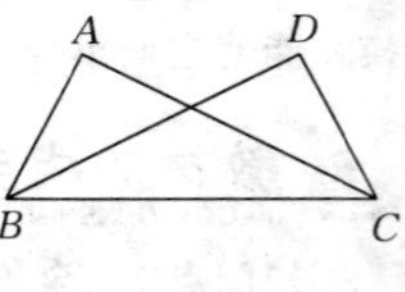

图 11-1-3

分析:(1)如图 11-1-3，已知 $\triangle ABC \cong \triangle DCB$，故公共边 BC 和 CB 是对应边，它们所对的 $\angle A$ 和 $\angle D$ 是对应角，最短边 AB 和 DC 是对应边，它们所对的 $\angle ACB$ 和 $\angle DBC$ 是对应角，余下的一对边和一对角分别是对应边和对应角. (2)根据书写规范可知点 A 和点 D、点 B 和点 C、点 C 和点 B 是对应顶点，两对应顶点的夹边是对应边，对应边所对的角是对应角.

解:AB 与 DC、AC 与 DB、BC 与 CB 是对应边；$\angle ABC$ 与 $\angle DCB$、$\angle A$ 与 $\angle D$、$\angle ACB$ 与 $\angle DBC$ 是对应角.

点拨 DIANBO

找对应边、对应角通常有以下几种方法：

(1)在两个全等三角形中最长边对最长边，最短边对最短边，最大角对最大角，最小角对最小角；

(2)对应角的对边为对应边，对应边的对角为对应角；

(3)根据书写规范，按照对应顶点找对应边或对应角，如 $\triangle ABE \cong \triangle ACD$，则对应边是 AB 与 AC、BE 与 CD、AE 与 AD，对应角是 $\angle ABE$ 与 $\angle ACD$、$\angle AEB$ 与 $\angle ADC$、$\angle BAE$ 与 $\angle CAD$.

知能点 3　全等三角形的性质(重点)

全等三角形的对应边相等，全等三角形的对应角相等，由全等三角形的定义还容易知道，全等三角形的周长相等，面积相等，对应边上的中线相等，对应角的平分线相等，对应边上的高相等.

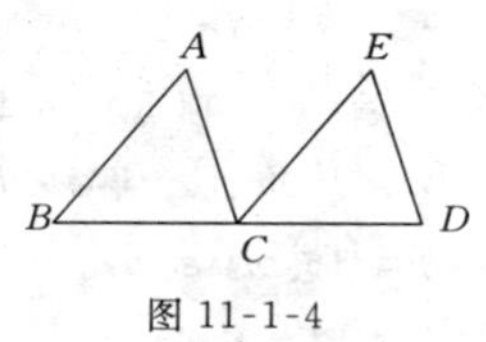

图 11-1-4

例 3　如图 11-1-4，$\triangle ABC$ 沿直线 BC 向右平移线段 BC 长的距离后与 $\triangle ECD$ 重合，则 $\triangle ABC\cong$______，相等的边有______、______、______，相等的角有______、______、______.

解析：找出平移方向，即可找出对应顶点、对应边和对应角.

答案：$\triangle ECD$　$AB=EC$　$BC=CD$　$AC=ED$

$\angle ABC=\angle ECD$　$\angle ACB=\angle EDC$　$\angle A=\angle E$

方法

三角形通过平移后仍与原三角形全等，根据全等三角形的性质，即可找出相等的线段和相等的角.

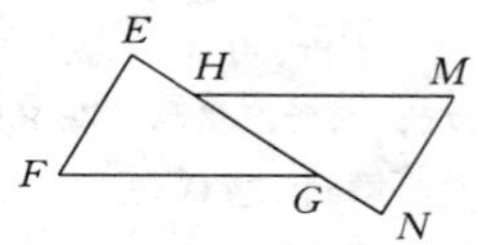

图 11-1-5

例 4　如图 11-1-5，$\triangle EFG\cong\triangle NMH$，$\angle F$ 和 $\angle M$ 是对应角，在 $\triangle EFG$ 中，FG 是最长边，在 $\triangle NMH$ 中，MH 是最长边，$EF=2.1$ cm，$EH=1.1$ cm，$HN=3.3$ cm.

(1)写出其他对应边及对应角；

(2)求线段 NM 及线段 HG 的长度.

分析：(1)根据 $\triangle EFG\cong\triangle NMH$ 的对应关系写出其他对应边及对应角；(2)因为线段 NM 和线段 EF 是对应边，所以 $NM=EF=2.1$ cm，要求线段 HG，可先求线段 GE 的长，而 $GE=HN=3.3$ cm.

解：(1)$\because$ $\triangle EFG\cong\triangle NMH$，$\therefore$ 最长边 FG 和 MH 是对应边，其他对应边是 EF 和 NM、EG 和 NH；对应角是 $\angle E$ 和 $\angle N$、$\angle EGF$ 和 $\angle NHM$、$\angle F$ 和 $\angle M$.

(2)由(1)可知 $NM=EF=2.1$ cm，$GE=HN=3.3$ cm，

$\therefore$ $HG=GE-EH=3.3-1.1=2.2$(cm).

规律

本题考查了全等三角形性质的应用，求线段长的有关问题往往利用全等三角形的性质求解.

全解小博士在线答疑

课本 P2(思考)：纸板和三角板形状、大小完全一样，放在一起能完全重合；两张照片也能完全重合.

课本 P3 (思考)：全等.

课本 P3 (思考)：对应边相等，对应角也相等.

典型例题全解

DIANXINGLITIQUANJIE

题型一　全等三角形性质的应用

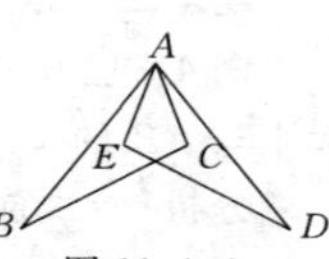

图 11-1-6

例 1　如图 11-1-6，$\triangle ABC\cong\triangle ADE$，写出其对应顶点、对应边、对应角.

分析：找对应元素，有一简便方法：先结合图形判断已知条件中的“$\triangle ABC\cong\triangle ADE$”是否是按照对应顶点的顺序写的，如果确

认顺序正确，则可以按照顺序 $\triangle ABC\cong\triangle ADE$ 写出它们的对应边：AB 与 AD、BC 和 DE、AC 与 AE，类似地，可以写出它们的对应顶点、对应角.

解：对应顶点有 A 与 A、B 与 D、C 与 E；对应边有 AB 与 AD、BC 与 DE、AC 与 AE；对应角有 $\angle B$ 与 $\angle D$、$\angle C$ 与 $\angle E$、$\angle BAC$ 与 $\angle DAE$.

点拨 DIANBO

根据 $\triangle ABC\cong\triangle ADE$ 的对应关系，可写出其对应边及对应角.

题型二　运用全等三角形的性质解决线段长问题

例 2　已知 $\triangle ABC\cong\triangle DEF$，$\triangle DEF$ 的周长为 32 cm，$DE=9$ cm，$EF=12$ cm，求 $\triangle ABC$ 各边的长.

分析：由 $\triangle ABC\cong\triangle DEF$，知两三角形的三边对应相等，可以在另一三角形中找出三边的长，所以根据已知只需求出 $\triangle DEF$ 的边 DF 的长度即可得到 $\triangle ABC$ 三边的长.

解：由题意，知 $DE+EF+DF=32$ cm.

因为 $DE=9$ cm，$EF=12$ cm，所以 $DF=11$ cm.

因为 $\triangle ABC\cong\triangle DEF$，

所以 $AB=DE=9$ cm，$BC=EF=12$ cm，$AC=DF=11$ cm.

答：$\triangle ABC$ 三边的长分别为 9 cm，12 cm，11 cm.

方法

求线段的长度问题要注意利用全等三角形的性质，找准对应边是解题的关键.

例 3　如图 11-1-7，已知 $\triangle ABC\cong\triangle DEF$，且点 D 与点 A 对应，求证：(1) $AB\parallel DE$；(2) $DC=AF$.

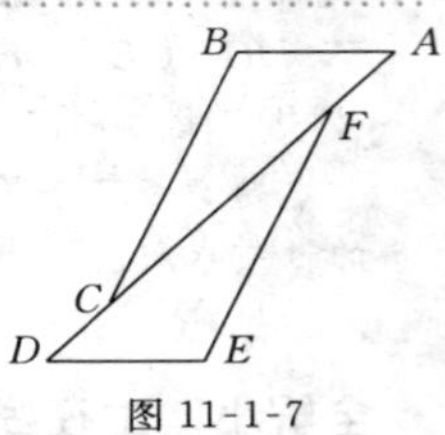

图 11-1-7

分析：(1) 由 $\triangle ABC\cong\triangle DEF$，可得 $\angle A=\angle D$，从而 $AB\parallel DE$；(2) 由 $\triangle ABC\cong\triangle DEF$，可得 $AC=DF$，因为 A、F、C、D 四点共线，可得出 $DC=AF$.

证明：(1) $\because \triangle ABC\cong\triangle DEF$，$\therefore \angle A=\angle D$. $\therefore AB\parallel DE$.

(2) $\because \triangle ABC\cong\triangle DEF$，$\therefore AC=DF$，

$\therefore AC-CF=DF-CF$，即 $DC=AF$.

点拨 DIANBO

本题是三角形全等的性质与两直线平行及线段相等的综合题，欲证两直线平行，先证两角相等；欲证线段相等，先探求三角形是否全等及对应关系.

题型三　运用全等三角形的性质解决角度问题

例 4　已知 $\triangle ABC\cong\triangle DEF$，且 $\angle A=52^\circ$，$\angle B=71^\circ31'$，$DE=8.5$ cm，求 $\angle F$ 的大小与 AB 的长.

分析：由三角形的内角和可求出 $\angle C$ 的度数，根据两三角形全等，对应角相等、对应边相等，即可求出 $\angle F$ 的大小和 AB 的长.

解：在$\triangle ABC$中，$\angle A+\angle B+\angle C=180^\circ$（三角形的内角和等于$180^\circ$），

$\therefore\ \angle C=180^\circ-(\angle A+\angle B)=180^\circ-(52^\circ+71^\circ31')=56^\circ29'$.

$\because\ \triangle ABC\cong\triangle DEF$，$DE=8.5$ cm，$\therefore\ \angle F=\angle C=56^\circ29'$，$AB=DE=8.5$ cm.

点拨 DIANBO

本题是全等三角形的性质与三角形内角和定理的综合题，要求$\angle F$和AB，可先找$\angle F$的对应角$\angle C$和AB的对应边DE，再根据全等三角形的性质求值.

例5　如图11-1-8所示，在平面上将$\triangle ABC$绕点B旋转到$\triangle A'B'C'$的位置时，$AA'\parallel BC$，$\angle ABC=70^\circ$，求$\angle CBC'$的大小.

分析：由旋转前后图形全等知$\triangle ABC\cong\triangle A'B'C'$，然后运用全等三角形的性质及平行线的性质求$\angle CBC'$的度数.

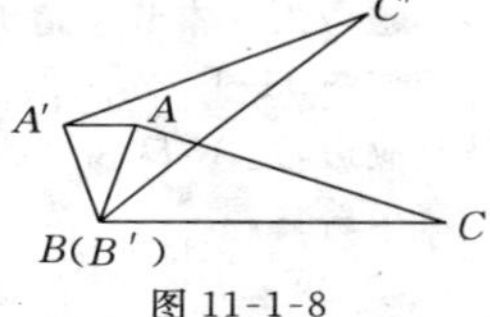

图 11-1-8

解：因为$\triangle A'B'C'$是由$\triangle ABC$旋转得到的，

所以$\triangle ABC\cong\triangle A'B'C'$.

所以$AB=A'B'$，$\angle A'B'C'=\angle ABC$.

所以$\angle CBC'=\angle A'BA$.

因为$AA'\parallel BC$，所以$\angle A'AB=\angle ABC=70^\circ$.

因为$AB=B'A'$，所以$\angle BA'A=\angle BAA'=70^\circ$.

所以$\angle A'BA=180^\circ-2\times70^\circ=40^\circ$. 所以$\angle CBC'=40^\circ$.

点拨 DIANBO

关键是对“全等变换”的理解，$\triangle ABC$绕点B旋转得到$\triangle A'B'C'$，那么这两个三角形是全等三角形.

题型四　全等三角形的面积问题

例6　如图11-1-9，四边形$ABCD$是梯形，$AD\parallel BC$. 若$DE\parallel AC$交BC的延长线于点E，且$\triangle ADC\cong\triangle ECD$，试问：梯形$ABCD$的面积和$\triangle BDE$的面积相等吗？谈谈你的看法.

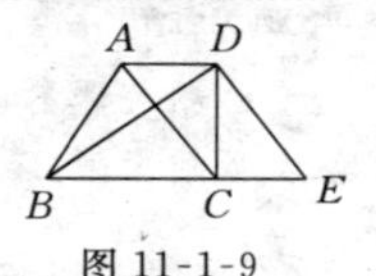

图 11-1-9

分析：此题可以根据面积的“割补法”来考虑梯形$ABCD$和$\triangle BDE$的面积.

解：$\because\ \triangle ADC\cong\triangle ECD$，$\therefore\ S_{\triangle ADC}=S_{\triangle ECD}$.

又$\because\ S_{\triangle ABD}=S_{\triangle ADC}$，$\therefore\ S_{\triangle ABD}=S_{\triangle DCE}$.

$\because\ S_{梯形ABCD}=S_{\triangle ABD}+S_{\triangle BCD}=S_{\triangle DCE}+S_{\triangle BCD}=S_{\triangle BDE}$，

$\therefore\ S_{梯形ABCD}=S_{\triangle BDE}$.

点拨 DIANBO

(1)全等三角形的面积相等；(2)等底等高的三角形面积相等.

题型五　全等三角形在作图题中的应用

例7　如图11-1-10是一个等边三角形，你能把它分成两个全等的三角形吗？你能把它分成三个、四个全等的三角形吗？试一试！

分析：通过动手折叠，大胆探索，可发现多种分法.

解:能,分法如图 11-1-11(答案不唯一).

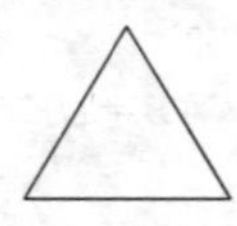

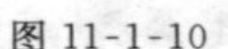

图 11-1-10

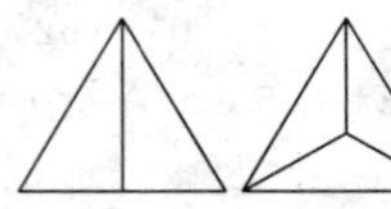

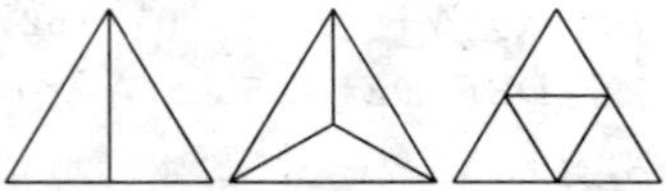

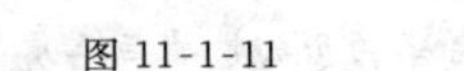

图 11-1-11

点拨 DIANBO

等边三角形也叫正三角形,它可以通过折叠、旋转、翻折得到几个全等的三角形.

题型六 本节习题 11.1(P5)拓广探索第 4 题与中考真题解密

如图 11-1-12,$\triangle ABC \cong \triangle DEC$,$CA$ 和 CD,CB 和 CE 是对应边,$\angle ACD$ 和 $\angle BCE$ 相等吗?为什么?

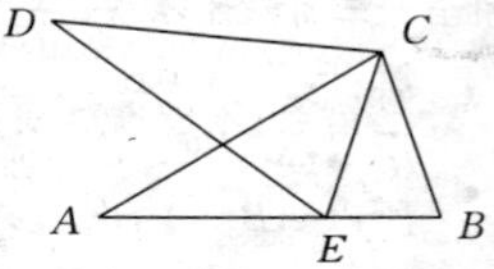

图 11-1-12

中考真题

(2009·太原中考)如图 11-1-13,$\triangle ACB \cong \triangle A'CB'$,$\angle BCB'=30°$,则 $\angle ACA'$ 等于(　　)

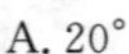

A. 20°　　B. 30°　　C. 35°　　D. 40

解析:因为 $\triangle ACB \cong \triangle A'CB'$,

所以 $\angle BCA=\angle B'CA'$.

而 $\angle ACB=\angle BCA'+\angle ACA'$,

$\angle B'CA'=\angle B'CB+\angle BCA'$,

所以 $\angle ACA'=\angle B'CB=30°$. 故应选择 B.　　**答案**:B

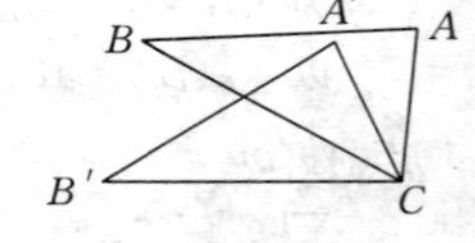

图 11-1-13

考题点睛

此题是课本习题的变式题,重点考查全等三角形的对应角相等,然后利用等式的基本性质求解.

挑战课标中考

TIAOZHANKEBIAOZHONGKAO

中考考点解读

有关三角形全等的概念和性质,在每年的中考中难度不大.试题多以填空题、选择题的形式出现,主要考查全等三角形的性质,只要我们能从全等三角形中找准对应边和对应角,就能学好本节内容.

中考典题全解

例 1　(2008·南通中考)如图 11-1-14,$\triangle OAD \cong \triangle OBC$,且 $\angle O=70°$,$\angle C=25°$,则 $\angle AEB=$ ____ 度.

解析:$\because$ $\triangle OAD \cong \triangle OBC$,$\therefore$ $\angle D=\angle C=25°$,

$\therefore$ $\angle CAE=\angle O+\angle D=95°$.

$\therefore$ $\angle AEB=\angle C+\angle CAE=25°+95°=120°$.　　**答案**:120

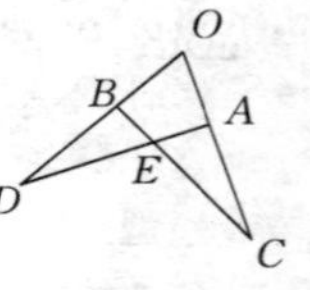

图 11-1-14

例 2　如图 11-1-15，将$\triangle OAB$绕点O按逆时针方向旋转至$\triangle OA'B'$，使点B恰好落在边$A'B'$上，已知$AB=4$ cm，$BB'=1$ cm，则$A'B$的长是________cm。

图 11-1-15

解析：由旋转的性质易知$\triangle OAB\cong OA'B'$，

$\therefore A'B'=AB=4$ cm．$\therefore A'B=A'B'-BB'=4-1=3$(cm)．

答案：3

旋转前后的两个三角形全等，全等三角形的对应边相等．

易错易误点全解

YICUOYIWUDIANQUANJIE

易错点：不能准确找出全等三角形的对应边和对应角

例　(1)如图 11-1-16，$\triangle ABC\cong\triangle CDA$，$AB$和$CD$、$BC$和$DA$是对应边，请说出对应角和另外一组对应边．

(2)如图 11-1-17，$\triangle ABE\cong\triangle ACD$，$\angle 1=\angle 2$，$\angle B=\angle C$，指出对应边和另外一组对应角．

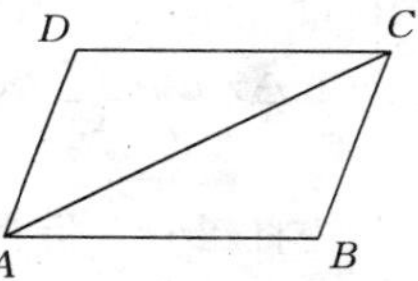

图 11-1-16

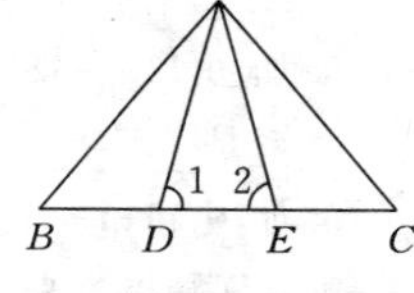

图 11-1-17

解：(1)对应角是$\angle B$和$\angle D$、$\angle BAC$和$\angle DCA$、$\angle BCA$和$\angle DAC$，另一组对应边是AC和CA．

(2)对应边是AB和AC、AE和AD、BE和CD，另一组对应角是$\angle BAE$和$\angle CAD$．

误区防火墙

(1)识图能力差，未能将两个全等三角形分离，并正确地识别对应边和对应角；(2)对全等三角形的表示法理解不透，没有根据对应的顶点确定对应角和对应边，在复杂图形中找全等三角形的对应元素时，一定要注意将全等三角形分离、重合，能重合的元素才是对应元素．

知能综合提升

ZHINENGZONGHETISHENG

知识梳理

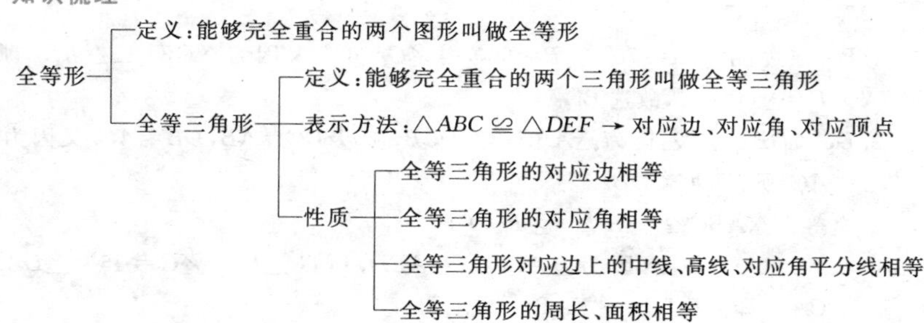

重点是全等三角形的性质和对应元素的找法.

难点是理解对应边、对应角的概念及在较复杂的图形中找全等三角形的对应元素.

技巧平台

在本节的学习中,要注意从全等三角形的概念出发,研究两个全等三角形的对应边、对应角相等的性质,注意认真观察所给的图形.找出能重合的边和角,并通过练习,逐步归纳、总结出判断两个全等三角形对应边、对应角的规律,进而掌握确定对应边、对应角的方法.

学习中一定要结合生活实践,通过平移、旋转和翻折,对两个全等三角形进行不同的组合变换,拼成不同的图形,并练习从中找出每种图形中的对应边、对应角.

跟踪训练

1. 若$\triangle DEF\cong\triangle ABC$,$\angle A=70°$,$\angle B=50°$,点$D$的对应点是$A$,$DE=AB$,那么$\angle F$等于(　　)

   A. 40°　　B. 60°　　C. 50°　　D. 以上都不对

2. 如图 11-1-18 所示,若$\triangle ABC\cong\triangle DCB$,且$AB<AC$,则$DC$与$DB$的大小关系是________.

3. 如图 11-1-19 所示,先将$\triangle ABC$沿直线AC向下平移AD的距离,再沿直线AD翻折过来,得到$\triangle DEF$,则$\triangle DEF$与$\triangle ABC$的关系是________,用符号可表示为________,图中与$\angle B$相等的角是________,与线段AB相等的线段是________.

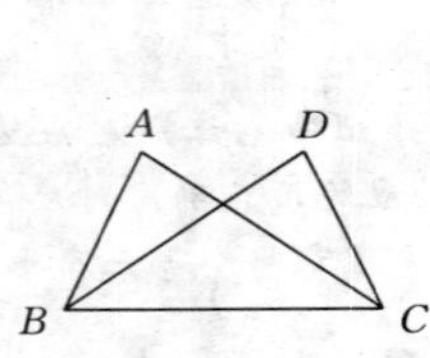

图 11-1-18

图 11-1-19

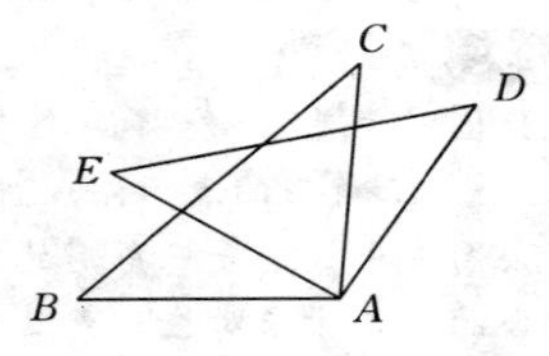

图 11-1-20

4. 如图 11-1-20 所示,$\triangle ABC\cong\triangle AED$,$\angle B=40°$,$\angle EAB=30°$,$\angle C=45°$,则$\angle D=$________,$\angle DAC=$________.

跟踪训练答案

1. B　点拨:由$\angle A=70°$,$\angle B=50°$,得$\angle C=60°$.又因为$\triangle DEF\cong\triangle ABC$,所以$\angle F=\angle C=60°$,故选 B.

2. $DC<DB$　点拨:因为$\triangle ABC\cong\triangle DCB$,所以$DC=AB$,$DB=AC$.又因为$AB<AC$,所以$DC<DB$.

3. 全等　$\triangle ABC\cong\triangle DFE$　$\angle F$　DF

4. 45°　30°　点拨:因为$\triangle ABC\cong\triangle AED$,所以$\angle D=\angle C=45°$,$\angle DAE=\angle CAB$,即$\angle DAC=\angle EAB=30°$.

课本习题解答

KEBENXITIJIEDA

练习(P4)

1. 在图 11.1-2 中，AB 和 DB、AC 和 DC、BC 和 BC 是对应边，$\angle A$ 和 $\angle D$、$\angle ABC$ 和 $\angle DBC$、$\angle ACB$ 和 $\angle DCB$ 是对应角；在图 11.1-3 中，AB 和 AE、AC 和 AD、BC 和 ED 是对应边，$\angle B$ 和 $\angle E$、$\angle C$ 和 $\angle D$、$\angle BAC$ 和 $\angle EAD$ 是对应角.
2. 相等的边有 $OC=OB$、$OA=OD$、$AC=DB$，相等的角有 $\angle A=\angle D$、$\angle C=\angle B$、$\angle AOC=\angle DOB$.

习题 11.1(P4)

1. 其他对应边是 AC 和 CA. 对应角是 $\angle B$ 和 $\angle D$、$\angle ACB$ 和 $\angle CAD$、$\angle CAB$ 和 $\angle ACD$.
2. 其他对应边是 AN 和 AM、BN 和 CM，对应角是 $\angle ANB$ 和 $\angle AMC$、$\angle BAN$ 和 $\angle CAM$.
3. 前面“教材知能全解”中的例 4.
4. $\angle ACD$ 和 $\angle BCE$ 相等. $\because$ $\triangle ABC\cong\triangle DEC$，$\therefore$ $\angle ACB=\angle DCE$. $\therefore$ $\angle ACB-\angle ACE=\angle DCE-\angle ACE$(等量减等量差相等)，即 $\angle ACD=\angle BCE$.

11.2　三角形全等的判定

课程标准要求

KECHENGBIAOZHUNYAOQIU

1. 掌握用 SSS、SAS、ASA 和 AAS 证明两个三角形全等，并会用 HL 证明两个直角三角形全等.

2. 能灵活运用全等三角形的证明方法解决线段或角相等的问题.

3. 通过画、量、观察、比较和猜想等过程，探索、归纳、证明两个三角形全等的条件，提高运用知识的能力.

相关知识链接

XIANGGUANZHISHILIANJIE

如图 11-2-1 所示，有一池塘，要测量池塘两端 A，B 的距离，可先在平地上取一个可以直接到达 A 和 B 的点 C，连接 AC 并延长到 D，使 $CD=CA$，连接 BC，并延长到 E，使 $CE=CB$，连接 DE，那么量出 DE 的长就是 AB 的长，你知道为什么吗？

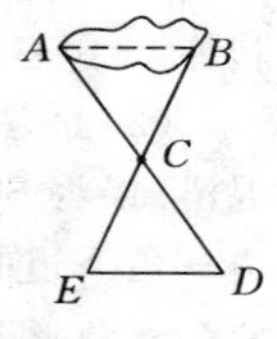

图 11-2-1

教材知能全解
JIAOCAIZHINENGQUANJIE

知能点1　三边对应相等的两个三角形全等，简写为“边边边”或“SSS”(重点)

我们所熟悉的三角形稳定性的结论，在实际生活中应用非常广泛.

例1　如图11-2-2，已知 $AB=AD$，$CB=CD$，那么 $\angle B=\angle D$ 吗？为什么？

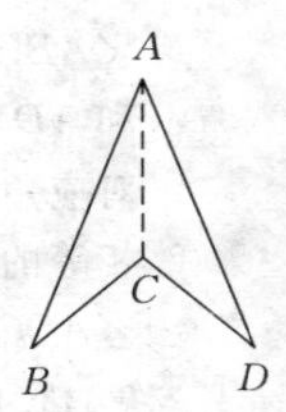

图11-2-2

分析：要证明 $\angle B=\angle D$，可设法使它们分别在两个三角形中，再证它们所在的两个三角形全等.本题中已有两组边分别对应相等，因此只要连接 AC 即可构成全等三角形.

解：连接 AC，在 $\triangle ABC$ 和 $\triangle ADC$ 中，$\begin{cases}AB=AD,\\CB=CD,\\AC=AC,\end{cases}$

$\therefore \triangle ABC\cong\triangle ADC$(SSS). $\therefore \angle B=\angle D$(全等三角形的对应角相等).

点拨 DIANBO

证明两个角相等或两条线段相等，往往利用全等三角形的性质求解.有时根据问题的需要添加适当的辅助线构造全等三角形.

例2　如图11-2-3，$\triangle ABC$ 是一个风筝架，$AB=AC$，AD 是连接点 A 与 BC 中点 D 的支架.求证：$AD\perp BC$.

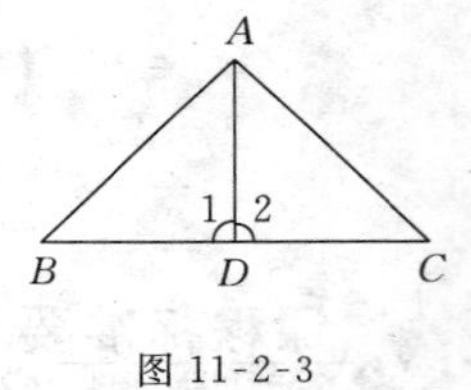

图11-2-3

分析：要证 $AD\perp BC$，根据垂直定义，需证 $\angle 1=\angle 2$，而 $\angle 1=\angle 2$ 可由 $\triangle ABD\cong\triangle ACD$ 求得.

证明：$\because$ D 是 BC 的中点，$\therefore BD=CD$.

在 $\triangle ABD$ 和 $\triangle ACD$ 中，$\begin{cases}AB=AC,\\BD=CD,\\AD=AD,\end{cases}$

$\therefore \triangle ABD\cong\triangle ACD$(SSS). $\therefore \angle 1=\angle 2$(全等三角形的对应角相等).

$\because \angle 1+\angle 2=180^\circ$(平角的定义)，$\therefore \angle 1=\angle 2=90^\circ$. $\therefore AD\perp BC$(垂直的定义).

知能点2　两边和它们的夹角对应相等的两个三角形全等，可以简写成“边角边”或“SAS”(重点)

(1)此方法包含“边”和“角”两种元素，是两边夹一角而不是两边及一边对角对应相等，一定要注意元素的“对应”关系.

(2)此方法是证明两个三角形全等最常用的方法之一，易和边边角(SSA)相混淆.误将SAS的条件写成SSA来证明两个三角形全等.在应用时，一定要按边→角→边的顺序排列条件，不能出现边→边→角的错误，因为边边角不能保证两个三角形全等.

例3　如图11-2-4，$AB=AC$，$AD=AE$.求证：$\angle B=\angle C$.

分析：利用SAS证明两个三角形全等，$\angle A$ 是公共角.

证明：在$\triangle ABE$和$\triangle ACD$中，

$$\begin{cases}AB=AC,\\ \angle A=\angle A,\\ AE=AD,\end{cases}\therefore\ \triangle ABE\cong\triangle ACD(\text{SAS}).$$

$\therefore\ \angle B=\angle C$(全等三角形的对应角相等).

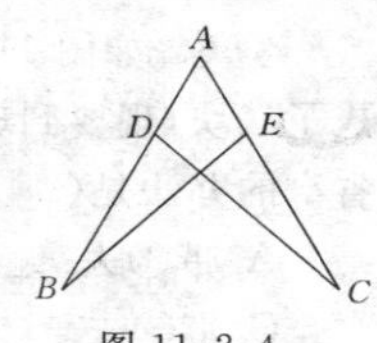

图 11-2-4

点拨 DIANBO

欲证$\angle B=\angle C$，需证$\triangle ABE\cong\triangle ACD$. 找条件时，注意图中隐含的公共角是解题的关键.

例 4　如图 11-2-5，已知E、F是线段AB上的两点，且$AE=BF$，$AD=BC$，$\angle A=\angle B$. 求证：$DF=CE$.

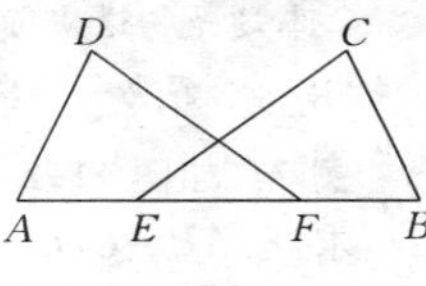

图 11-2-5

分析：先证明$AF=BE$，再用 SAS 证明两个三角形全等.

证明：$\because\ AE=BF$(已知)，

$\therefore\ AE+EF=BF+FE$，即$AF=BE$.

在$\triangle DAF$和$\triangle CBE$中，$\begin{cases}AD=BC(\text{已知}),\\ \angle A=\angle B(\text{已知}),\\ AF=BE(\text{已证}),\end{cases}$

$\therefore\ \triangle DAF\cong\triangle CBE(\text{SAS})$.

$\therefore\ DF=CE$(全等三角形的对应边相等).

点拨 DIANBO

本题直接给出了一边一角对应相等，因此根据 SAS 再证出另一边(即$AF=BE$)相等即可，进而推出对应边相等.

例 5　如图 11-2-6 所示，AB、CD互相平分于点O，请尽可能地说出你从图中获得的信息(不需添加辅助线).

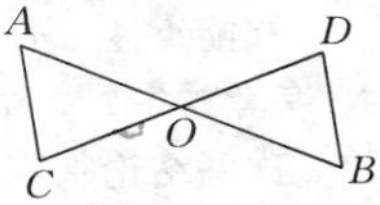

分析：由 SAS 可得$\triangle AOC\cong\triangle BOD$，从而可得出对应边相等、对应角相等，再由内错角相等，可得$AC\parallel BD$.

图 11-2-6

解：(1)$\triangle AOC\cong\triangle BOD$；(2)$AC=BD$；

(3)$\angle A=\angle B$，$\angle C=\angle D$；(4)$AC\parallel BD$.

点拨 DIANBO

此题能够看到用图中隐含的对顶角相等来证明$\triangle AOC\cong\triangle BOD$是解题的关键，进一步得出对应角相等，再由对应角相等拓展到$AC\parallel BD$.

知能点 3　两角和它们的夹边对应相等的两个三角形全等，可以简写成“角边角”或“ASA”(重点)

警示：(1)用“ASA”来判定两个三角形全等，一定要证明这两个三角形有两个角以及这两个角的夹边对应相等，证明时要加强对夹边的认识；(2)在书写两个三角形全等的条件时，一般把夹边相等写在中间，以突出边角的位置关系.

例6 如图11-2-7,某同学把一块三角形的玻璃打碎成了三块,现要到玻璃店去配一块完全一样的玻璃,那么最省事的办法是( )

A. 带①去　　B. 带②去

C. 带③去　　D. 带①和②去

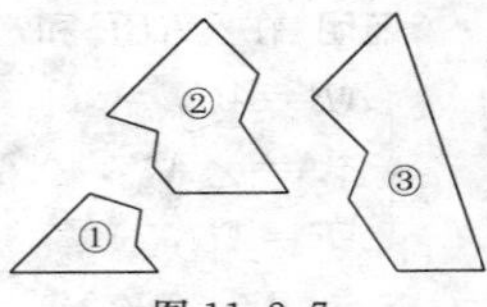

图11-2-7

解析:由三角形全等的条件可知带第③块玻璃去,由于已知两个角和一条夹边能确定三角形的形状. **答案**:C

点拨 DIANBO

本题是一道实际生活应用题,要灵活运用所学三角形的基本知识,注意与生产实践相结合,解决一些实际问题,这也是近年来中考命题的一个方向.

例7 如图11-2-8,$AB/\!/CD$,$AF/\!/DE$,$BE=CF$.

求证:$AB=CD$.

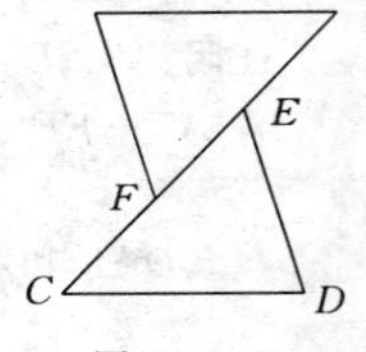

图11-2-8

分析:要证明$AB=CD$,由于AB、CD分别是$\triangle ABF$和$\triangle DCE$的边,可尝试证明$\triangle ABF\cong\triangle DCE$.由已知易证$\angle B=\angle C$,$\angle AFB=\angle DEC$,下面只需证明有一边对应相等即可.事实上,由$BE=CF$可证得$BF=CE$,由ASA即可证明两个三角形全等.

证明:$\because AB/\!/CD$,$\therefore \angle B=\angle C$(两直线平行,内错角相等).

又$\because AF/\!/DE$,$\therefore \angle AFB=\angle DEC$(同上).

又$\because BE=CF$,$\therefore BE+EF=CF+EF$,即$BF=CE$.

在$\triangle ABF$和$\triangle DCE$中,$\begin{cases}\angle B=\angle C(\text{已证}),\\ BF=CE(\text{已证}),\\ \angle AFB=\angle DEC(\text{已证}),\end{cases}$

$\therefore \triangle ABF\cong\triangle DCE$(ASA).$\therefore AB=CD$(全等三角形的对应边相等).

知能点4 两个角和其中一个角的对边对应相等的两个三角形全等,可以简写成"角角边"或"AAS"(重点)

这一结论很容易由ASA推得,将这一结论与ASA结合起来,即可得出:两个三角形如果具备两个角和一条边对应相等,就可判定其全等.

知识拓展:"有两角和一边分别相等的两个三角形全等"这句话正确吗?由于没有"对应"二字,结论不一定正确,这是因为:假如这条边是两角的夹边,则根据角边角可知正确;假如一边是两角的夹边,而与另一个三角形相等的边是其中一等角的对边,则两个三角形不一定全等.

例8 如图11-2-9,$AB\perp BC$,$AD\perp DC$,垂足分别为B、D,AC平分$\angle BAD$,求证:$AB=AD$.

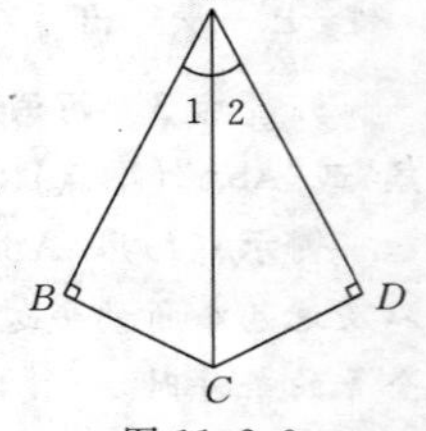

图11-2-9

分析:要证$AB=AD$,可证$\triangle ABC\cong\triangle ADC$.本题中已知一角和一公共边,再根据角平分线定义得$\angle 1=\angle 2$,符合条件AAS,从而问题得解.

证明:$\because AC$平分$\angle BAD$,$\therefore \angle 1=\angle 2$.

在$\triangle ABC$和$\triangle ADC$中，

$\begin{cases}\angle B=\angle D=90°,\\ \angle 1=\angle 2,\\ AC=AC(\text{公共边}),\end{cases}$ $\therefore \triangle ABC\cong\triangle ADC(\text{AAS})$.

$\therefore AB=AD$(全等三角形的对应边相等).

点拨 DIANBO

本题求出$\angle 1=\angle 2$后根据三角形内角和定理，可证$\angle ACB=\angle ACD$，从而可根据ASA证明$\triangle ABC\cong\triangle ADC$. 请同学们结合本例体会已知两角和一边对应相等证明三角形全等的方法.

例9　求证：三角形的一边的两端点到这边的中线或中线延长线的距离相等.

分析：这是文字题，必须先根据题意画出图形，再结合题意，写出已知、求证，再证明.

已知：如图11-2-10，AD为$\triangle ABC$的中线，且$CF\perp AD$于点F，$BE\perp AD$，交AD的延长线于点E.

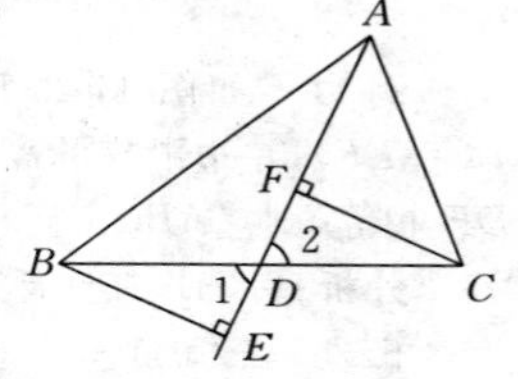

图 11-2-10

求证：$BE=CF$.

证法1：$\because AD$为$\triangle ABC$的中线，$\therefore BD=CD$.

$\because BE\perp AD, CF\perp AD$，$\therefore \angle BED=\angle CFD=90°$.

在$\triangle BED$与$\triangle CFD$中，$\begin{cases}\angle BED=\angle CFD,\\ \angle 1=\angle 2,\\ BD=CD,\end{cases}$

$\therefore \triangle BED\cong\triangle CFD(\text{AAS})$. $\therefore BE=CF$.

证法2：$\because S_{\triangle ABD}=\frac{1}{2}AD\cdot BE, S_{\triangle ACD}=\frac{1}{2}AD\cdot CF$，

且$S_{\triangle ABD}=S_{\triangle ACD}$(等底同高的两三角形面积相等)，

$\therefore \frac{1}{2}BE\cdot AD=\frac{1}{2}CF\cdot AD$. $\therefore BE=CF$.

点拨 DIANBO

在几何中，有很多问题可以通过面积问题来解决，使问题简化，达到事半功倍的效果.

知能点5　斜边和一条直角边对应相等的两个直角三角形全等，可以简写成"斜边、直角边"或"HL"(重点)

这是识别两个直角三角形全等的特殊方法，只对判定两直角三角形全等适用. 如图11-2-11，在$\text{Rt}\triangle ABC$和$\text{Rt}\triangle A'B'C'$中，若$AB=A'B'$，$AC=A'C'$(或$BC=B'C'$)，则$\text{Rt}\triangle ABC\cong\text{Rt}\triangle A'B'C'$. 另外判定一般三角形全等的所有方法对判定两个直角三角形全等同样适用. 至此我们可以根据SSS、SAS、ASA、AAS和HL五种方法去判定两个直

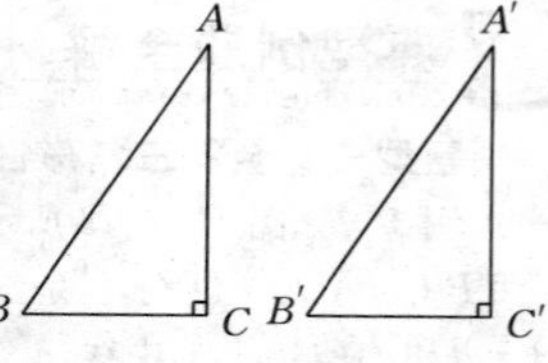

图 11-2-11

角三角形全等.在用一般方法证明时,因为两个直角三角形中已具备一对直角相等的条件,故只需找另外两个条件即可,在实际证明中可根据条件灵活选用不同的方法.

例 10 在 Rt$\triangle ABC$ 和 Rt$\triangle A'B'C'$ 中,$\angle C=\angle C'=90°$,下列条件中能判定 Rt$\triangle ABC\cong$Rt$\triangle A'B'C'$ 的个数有( )

(1) $AC=A'C'$,$\angle A=\angle A'$;(2) $AC=A'C'$,$AB=A'B'$;(3) $AC=A'C'$,$BC=B'C'$;(4) $AB=A'B'$,$\angle A=\angle A'$.

A. 1　　B. 2　　C. 3　　D. 4

解析:由条件(1),根据 ASA 可判定两个三角形全等;由条件(2),根据 HL 可判定两个三角形全等;由条件(3),根据 SAS 可判定两个三角形全等;由条件(4),根据 AAS 可判定两个三角形全等.　**答案**:D

点拨 DIANBO

灵活选用三角形全等的判定方法是解题关键.

例 11 如图 11-2-12 所示,有两个长度相等的滑梯(即 $BC=EF$),左边滑梯的高度 AC 与右边滑梯的水平方向的长度 DF 相等,则$\angle ABC+\angle DFE=$______.

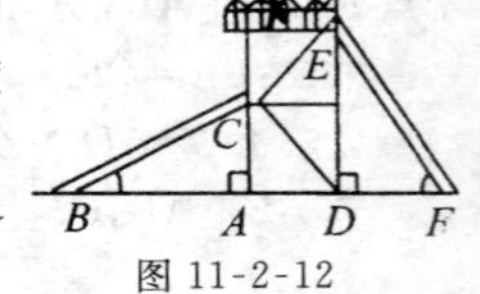

图 11-2-12

分析:由 HL 可得两个直角三角形全等,把要求的两角之和转化为一个直角三角形的两锐角之和.

解:由现实意义及图形提示可知 $CA\perp BF$,$ED\perp BF$,即$\angle BAC=\angle EDF=90°$.又因为 $BC=EF$,$AC=DF$,可知 Rt$\triangle ABC\cong$Rt$\triangle DEF$,得$\angle DFE=\angle ACB$.因为$\angle ACB+\angle ABC=90°$,故$\angle ABC+\angle DFE=90°$.　**答案**:90°

点拨 DIANBO

解决本题的关键是证明 Rt$\triangle ABC\cong$Rt$\triangle DEF$,由此,我们也知道三角形全等是解决问题的有利工具.

全解小博士在线答疑

课本 P9(想一想):$\angle 1=\angle 2$ 的根据是对顶角相等.

$AB=DE$ 的根据是全等三角形的对应边相等.

课本 P13 (思考):①两直角边对应相等;②一边、一锐角对应相等;③斜边、一直角边对应相等.

典型例题全解
DIANXINGLITIQUANJIE

题型一　全等三角形性质与判定的综合运用

例 1 如图 11-2-13 所示,已知$\triangle ABC\cong\triangle A'B'C'$,$AD$、$A'D'$分别是这两个三角形的 BC 边和 $B'C'$边上的中线.

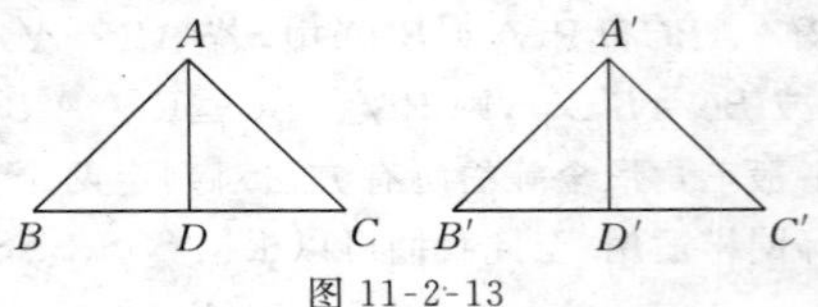

图 11-2-13

(1) $AD=A'D'$成立吗?为什么?

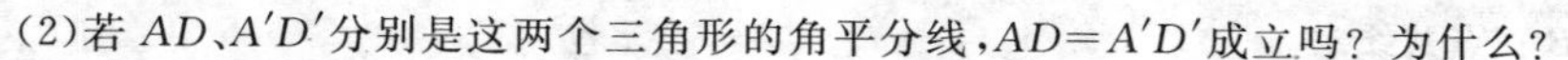

(2)若 AD、$A'D'$ 分别是这两个三角形的角平分线，$AD=A'D'$ 成立吗？为什么？

(3)若 AD、$A'D'$ 分别是这两个三角形的高，$AD=A'D'$ 成立吗？为什么？

分析：此题是证明全等三角形对应中线、对应角平分线、对应高相等的问题，我们可以把它看成是证明线段相等，只要证明 $\triangle ABD\cong\triangle A'B'D'$ 即可.

解：(1) AD 和 $A'D'$ 是否相等，关键是它们所在的 $\triangle ABD$ 和 $\triangle A'B'D'$ 是否全等.

由已知 $\triangle ABC\cong\triangle A'B'C'$，可得 $AB=A'B'$，$\angle B=\angle B'$，$BC=B'C'$.

由 AD、$A'D'$ 分别是 BC、$B'C'$ 上的中线，可得 $BD=\frac{1}{2}BC$，$B'D'=\frac{1}{2}B'C'$，故 $BD=B'D'$.

$\therefore$ $\triangle ABD\cong\triangle A'B'D'$(SAS)，故 $AD=A'D'$ 成立.

(2)由已知条件易得 $AB=A'B'$，$\angle B=\angle B'$，$\angle BAD=\angle B'A'D'$.

$\therefore$ $\triangle ABD\cong\triangle A'B'D'$(ASA)，故 $AD=A'D'$ 成立.

(3)由已知条件易得 $AB=A'B'$，$\angle B=\angle B'$，$\angle ADB=\angle A'D'B'=90°$.

$\therefore$ $\triangle ABD\cong\triangle A'B'D'$(AAS)，故 $AD=A'D'$ 成立.

点拨 DIANBO

这是关于全等三角形性质的进一步拓展的问题，也是一个综合运用全等三角形的几种判定方法的发散问题，从而证明了全等三角形的对应中线、对应角平分线和对应高都相等.

题型二　“截长补短法”证线段的和差关系

例 2　如图 11-2-14，已知 $AC\parallel BD$，EA、EB 分别平分 $\angle CAB$ 和 $\angle DBA$，E 点在 CD 上，求证：$AB=AC+BD$.

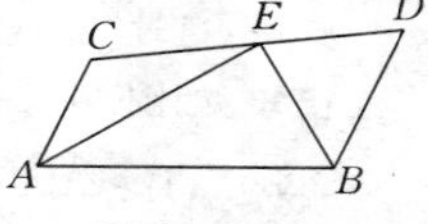

图 11-2-14

分析：证明 $AB=AC+BD$ 是我们学习了证明线段相等后遇到的新题型，通常是采用“截长补短法”，即一种是在“和线段”AB 上截取 $AF=AC$，再证 $BF=BD$，这种方法叫“截长法”；另一种是延长 AC 到 F，使 $AF=AB$，再证 $CF=BD$，这种方法叫“补短法”.

证法 1：(截长法)如图 11-2-15 所示，在 AB 上截取 $AF=AC$，连接 EF.

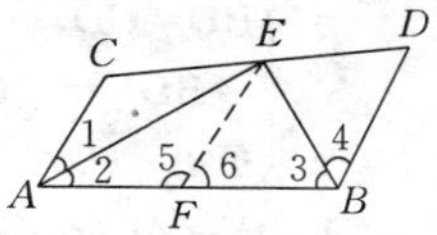

在 $\triangle ACE$ 和 $\triangle AFE$ 中，$\begin{cases}AC=AF,\\ \angle 1=\angle 2,\\ AE=AE,\end{cases}$

图 11-2-15

所以 $\triangle ACE\cong\triangle AFE$(SAS)，

所以 $\angle C=\angle 5$(全等三角形的对应角相等).

因为 $AC\parallel BD$，所以 $\angle C+\angle D=180°$. 因为 $\angle 5+\angle 6=180°$，所以 $\angle D=\angle 6$.

在 $\triangle BEF$ 和 $\triangle BED$ 中，$\begin{cases}\angle 6=\angle D,\\ \angle 3=\angle 4,\\ BE=BE,\end{cases}$

所以 $\triangle BEF\cong\triangle BED$(AAS)，所以 $BF=BD$.

所以 $AF+BF=AC+BD$，即 $AB=AC+BD$.

证法 2：(补短法)如图 11-2-16，延长 AC 至 F，使 $AF=AB$，连接 EF，易知 F、E、

B 三点共线.

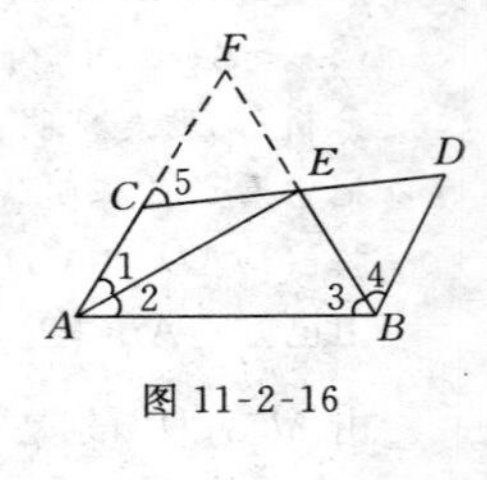

图 11-2-16

在$\triangle ABF$ 和$\triangle AEB$ 中，$\begin{cases} AF=AB, \\ \angle 1=\angle 2, \\ AE=AE, \end{cases}$

所以$\triangle AEF\cong\triangle AEB$(SAS).

所以 $EB=EF$(全等三角形的对应边相等).

因为 $AC\parallel BD$，所以$\angle 5=\angle D$，$\angle F=\angle 4$.

在$\triangle CEF$ 和$\triangle DEB$ 中，$\begin{cases} \angle F=\angle 4, \\ \angle 5=\angle D, \\ EF=EB, \end{cases}$

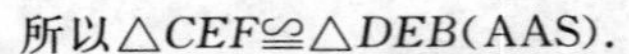

所以$\triangle CEF\cong\triangle DEB$(AAS).

所以 $CF=DB$(全等三角形的对应边相等).

因为 $AB=AC+CF$，所以 $AB=AC+BD$.

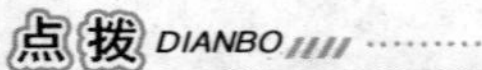

点拨 DIANBO

本题无论用哪种方法都是把证明线段和差问题转化为证明线段相等问题，同时作辅助线证三角形全等，是通向结论的桥梁.

题型三　问题探究型证明题

例 3　求证：三角形一边的中线小于其他两边和的一半.

分析：通过“创造”全等三角形，转化为三角形的一边小于其他两边的和.

已知：如图 11-2-17 所示，在$\triangle ABC$ 中，D 是 BC 边上的中点.

求证：$AD<\dfrac{AB+AC}{2}$.

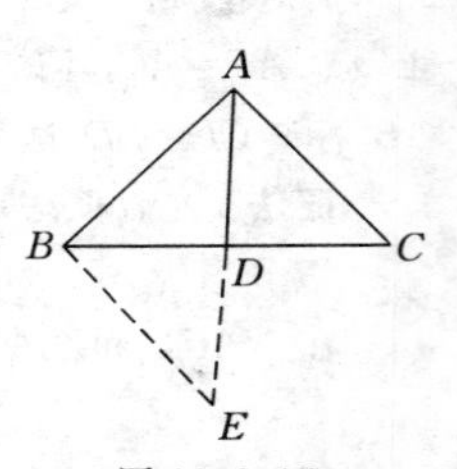

图 11-2-17

证明：延长 AD 至 E，使得 $DE=AD$，连接 BE，

$\because$ D 是 BC 的中点，$\therefore$ $BD=CD$.

在$\triangle BED$ 和$\triangle CAD$ 中，

$\because \begin{cases} BD=CD, \\ \angle BDE=\angle CDA, \\ ED=AD, \end{cases}$ $\therefore$ $\triangle BED\cong\triangle CAD$(SAS).

$\therefore$ $BE=AC$(全等三角形对应边相等).

在$\triangle ABE$ 中，有 $AE<AB+BE$，$\because$ $AE=AD+DE=2AD$，

$\therefore$ $2AD<AB+AC$，即 $AD<\dfrac{AB+AC}{2}$.

点拨 DIANBO

在本题中，借助于 D 为 BC 边上的中点，延长 AD 至 E，使得 $DE=AD$，连接 BE，在$\triangle ABC$ 外构造了一个$\triangle BDE$ 与$\triangle CDA$ 全等，这样的方法称之为“倍长中线”法.

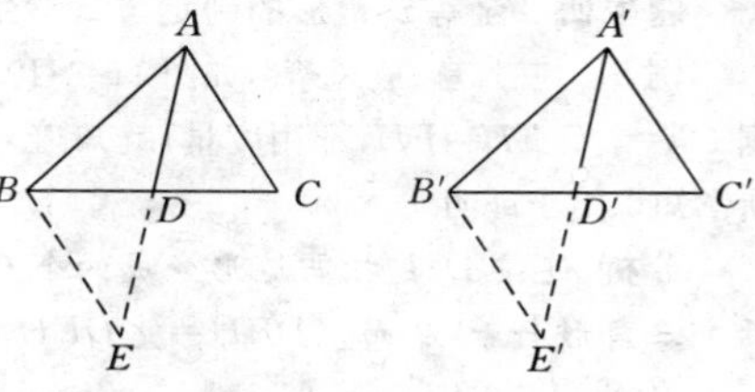

图 11-2-18

例 4　求证：两边及第三边上的中线对应相等的两个三角形全等.

分析：通过“倍长中线”法，“创造”全等三角形求证.

已知：如图 11-2-18 所示，在$\triangle ABC$和$\triangle A'B'C'$中，D是BC边上的中点，D'是$B'C'$边上的中点，$AB=A'B'$，$AC=A'C'$，$AD=A'D'$.

求证：$\triangle ABC\cong\triangle A'B'C'$.

证明：延长AD至E，使得$DE=AD$，连接BE.

延长$A'D'$至E'，使得$D'E'=A'D'$，连接$B'E'$，

$\because$ D是BC的中点，$\therefore$ $BD=CD$. 在$\triangle BDE$和$\triangle CDA$中，

$\because\begin{cases}BD=CD,\\ \angle BDE=\angle CDA,\\ ED=AD,\end{cases}$ $\therefore$ $\triangle BED\cong\triangle CAD$(SAS)，

$\therefore$ $BE=AC$(全等三角形对应边相等)，$\therefore$ $\angle E=\angle CAD$(全等三角形对应角相等).

同理，可以证明$\triangle B'E'D'\cong\triangle C'A'D'$(SAS)，$B'E'=A'C'$，$\angle E'=\angle C'A'D'$.

$\because$ $AC=A'C'$，$\therefore$ $BE=B'E'$.

$\because$ $AE=AD+DE=2AD$，$A'E'=A'D'+D'E'=2A'D'$，$AD=A'D'$，$\therefore$ $AE=A'E'$.

在$\triangle ABE$和$\triangle A'B'E'$中，$\because\begin{cases}AB=A'B',\\ BE=B'E',\\ AE=A'E',\end{cases}$ $\therefore$ $\triangle ABE\cong\triangle A'B'E'$(SSS)，

$\therefore$ $\angle BAE=\angle B'A'E'$，$\angle E=\angle E'$(全等三角形对应角相等).

$\because$ $\angle E=\angle CAD$，$\angle E'=\angle C'A'D'$，$\therefore$ $\angle CAD=\angle C'A'D'$.

$\because$ $\angle BAC=\angle BAD+\angle CAD$，$\angle B'A'C'=\angle B'A'D'+\angle C'A'D'$，

$\therefore$ $\angle BAC=\angle B'A'C'$.

在$\triangle ABC$和$\triangle A'B'C'$中，$\because\begin{cases}AB=A'B',\\ \angle BAC=\angle B'A'C',\\ AC=A'C',\end{cases}$

$\therefore$ $\triangle ABC\cong\triangle A'B'C'$(SAS).

点拨 DIANBO

直接证两个三角形全等，条件不具备，就通过作辅助线，构造全等三角形，“创造”条件，达到证明的目的，“倍长中线”法是常用的方法之一.

题型四 全等三角形的判定与日常生活相结合

例 5 “三月三,放风筝”,如图 11-2-19 是小明制作的风筝,他根据 $DE=DF$,$EH=FH$,不用度量,就知道$\angle DEH=\angle DFH$,请你用所学知识给予证明.

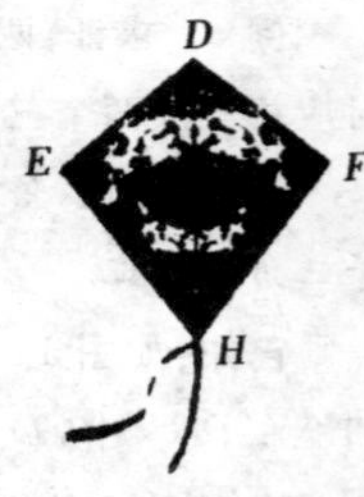

图 11-2-19

分析:连接 DH,把四边形分成两个三角形,由 SSS 可证明这两个三角形全等,从而$\angle DEH=\angle DFH$.

证明:连接 DH,在$\triangle DEH$和$\triangle DFH$中,$\begin{cases}DE=DF,\\EH=FH,\\DH=DH,\end{cases}$

$\therefore \triangle DEH\cong\triangle DFH$(SSS),$\therefore \angle DEH=\angle DFH$.

点拨 DIANBO

一定要多留心日常生活中经常遇到的数学问题,体会全等三角形知识在生活中的应用.

例 6 有一专用三角形模具,损坏后,只剩下如图 11-2-20中的阴影部分,你对图中做哪些数据度量后,就可以重新制作一块与原模具完全一样的模具,并说明其中的道理.

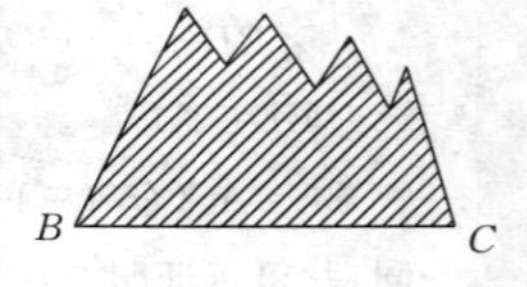

图 11-2-20

分析:根据判定两个三角形全等的条件度量.

解:度量出$\angle B$、$\angle C$ 的度数和线段 BC 的长后,依据这些数据重新制作一块新模具.由 ASA 可知它们全等.

点拨 DIANBO

本题主要考查同学们观察、识别图形的能力和用 ASA 来判定两个三角形全等.

题型五 全等三角形的判定与方案设计相结合

例 7 如图 11-2-21,要在湖的两岸 A、B 间建一座观赏桥,由于条件限制,无法直接度量 A、B 两点间的距离.请你用学过的数学知识按以下要求设计一测量方案:

(1)画出测量图案;

(2)写出测量步骤(测量数据用字母表示);

(3)计算 AB 的距离(写出求解或推理过程,结果用字母表示).

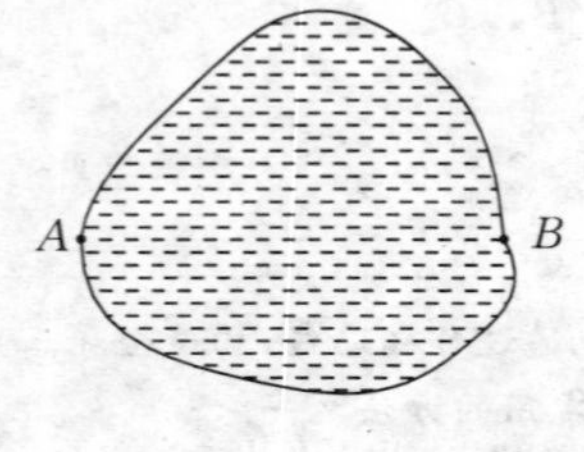

图 11-2-21

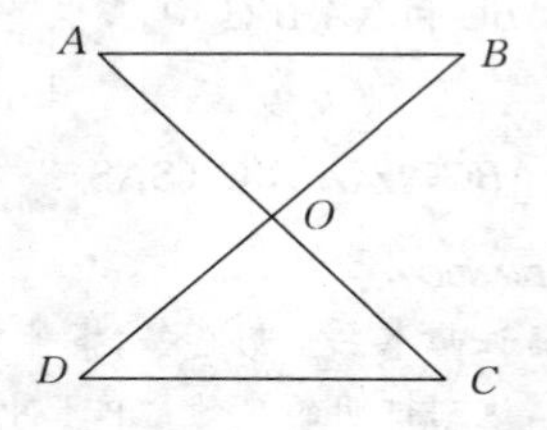

图 11-2-22

分析：可把此题转化为证两个三角形全等.(1)测量图案如图 11-2-22 所示.(2)测量步骤：先在陆地上找到一点 O，在 AO 的延长线上取一点 C，并测得 $OC=OA$，在 BO 的延长线上取一点 D，并测得 $OD=OB$，这时测 CD 的长为 a，则 AB 的长就是 a.(3)由(2)题易证 $\triangle AOB\cong\triangle COD$，所以 $AB=CD$，测量 CD 的长即可求得 AB 的长.

解：(1)如图 11-2-22 所示.

(2)在陆地上找到可以直接到达 A、B 的一点 O，在 AO 的延长线上取一点 C，使 $OC=OA$，在 BO 的延长线上取一点 D，使 $OD=OB$，这时测出 CD 的长为 a，则 AB 的长就是 a.

(3)理由：由测量方案可得 $OC=OA$，$OD=OB$，又$\because\angle COD=\angle AOB$，$\therefore\triangle COD\cong\triangle AOB$，$\therefore CD=AB=a$.

方法点拨

此题考查知识的综合运用时注意如下几点：(1)充分调动和运用所学的知识；(2)回忆教材所学过的和做过的相关实践活动，如利用三角形全等测距离、测量旗杆的高度等；(3)方案设计要语言规范，切合实际，可操作性强并符合题目的要求.

题型六　图形变换中的全等三角形

例 8　如图 11-2-23 中的甲所示，A、B、C、D 在同一直线上，$AB=CD$，$DE\parallel AF$，且 $DE=AF$，求证：$\triangle AFC\cong\triangle DEB$. 如果将 BD 沿着 AD 边的方向平行移动，B 点在 C 点右侧时，如图乙；B 点与 C 点重合时，如图丙，其余条件不变，结论是否仍成立，并说明理由.

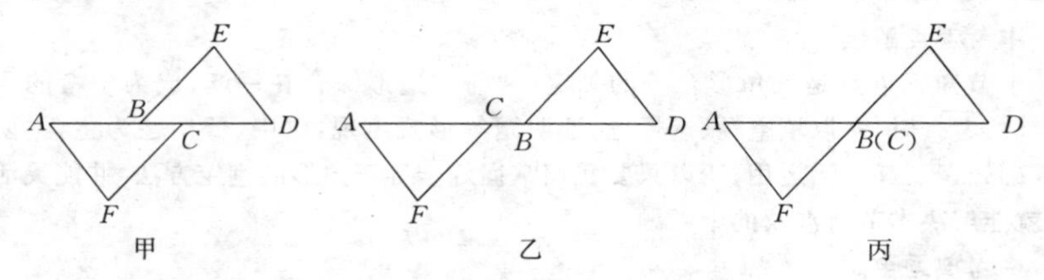

图 11-2-23

分析：在图形变化过程中，只是两个三角形的位置发生了变化，两个三角形的大小形状均不变.

解：(1)图甲：$\because DE\parallel AF$，$\therefore\angle EDB=\angle FAC$. $\because AB=CD$，$\therefore AB+BC=CD+BC$，即 $AC=BD$. 又$\because DE=AF$，$\therefore\triangle AFC\cong\triangle DEB$(SAS).

(2)图乙：仍然成立. 图丙：仍然成立，理由：$\triangle AFC$ 与 $\triangle DEB$ 形状大小未变.

点拨 DIANBO

在图形的变化过程中，要紧紧把握住图形的形状和大小是否发生变化，原有的规律是否存在是解决此类题目的关键.

题型七　本节例3(P12)与中考真题解密

如图11-2-24，D在AB上，E在AC上，$AB=AC$，$\angle B=\angle C$. 求证$AD=AE$.

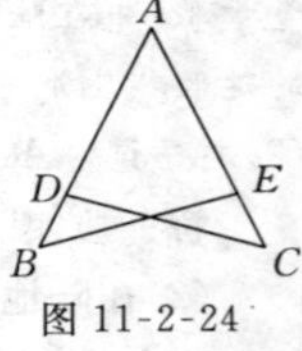

图11-2-24

中考真题

(2009·北京中考)如图11-2-25，在$\triangle ABC$中，$\angle ACB=90°$，$CD\perp AB$于点D，点E在AC上，$CE=BC$，过E点作AC的垂线，交CD的延长线于点F. 求证：$AB=FC$.

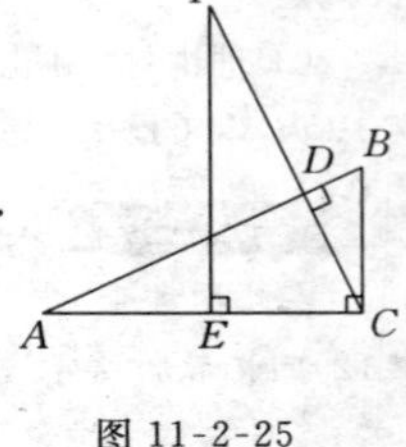

图11-2-25

分析：由已知条件，易证$\triangle ACB\cong\triangle FEC$，从而证明$AB=FC$.

证明：$\because$ $EF\perp AC$于点E，$\angle ACB=90°$，

$\therefore$ $\angle FEC=\angle ACB=90°$，$\angle F+\angle ECF=90°$.

又$\because$ $CD\perp AB$于点D，$\therefore$ $\angle A+\angle ECF=90°$. $\therefore$ $\angle A=\angle F$.

在$\triangle ABC$和$\triangle FCE$中，$\because \begin{cases}\angle A=\angle F,\\ \angle ACB=\angle FEC,\\ BC=CE,\end{cases}$

$\therefore$ $\triangle ABC\cong\triangle FCE$，$\therefore$ $AB=FC$.

考题点睛

上述两题都是通过证明三角形全等来得到对应线段相等，解决问题的突破点都是灵活运用"角边角"或其推论"角角边". 这两个方法可以相互转化，其实质是一致的.

中考考点解读

本节知识重点是三角形全等的判定，常与多边形综合在一起，成为中考的压轴题. 单独考查时，多以填空题、选择题、证明题等形式出现，以中、低档题为主，主要考查基础知识及其灵活运用，所以只要我们掌握好全等三角形的判定方法，并能灵活运用，就能解决本节所涉及的中考题.

中考典题全解

例1　(2009·江西中考)如图11-2-26，已知$AB=AD$，那么添加下列一个条件后，仍无法判定$\triangle ABC\cong\triangle ADC$的是(　　)

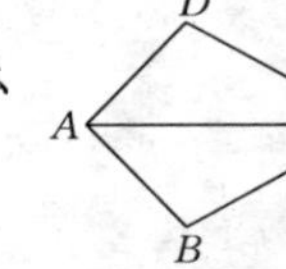

图11-2-26

A. $CB=CD$　　　　B. $\angle BAC=\angle DAC$

C. $\angle BCA=\angle DCA$　　　　D. $\angle B=\angle D=90°$

解析：添加A项条件，可利用SSS判定$\triangle ABC\cong\triangle ADC$；添加B项条件，可利用SAS判定$\triangle ABC\cong\triangle ADC$；添加D项条件，可利用HL判定$\triangle ABC\cong\triangle ADC$；添加C项条件，不能判定三角形全等.　**答案：**C

警示

此题是考查判定三角形全等的方法. 需要特别注意的是"SSA"不能作为判定三角形全等的方法. 另外要注意题目考查的是"无法判定三角形全等"，以防出错.

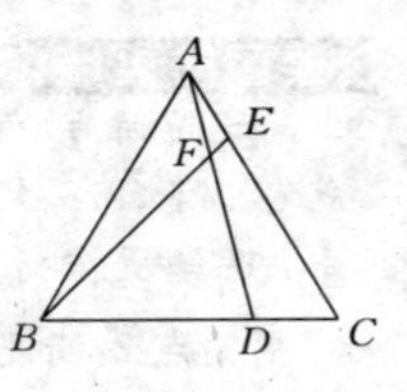

图 11-2-27

例 2　(2009·泸州中考)如图 11-2-27,已知$\triangle ABC$为等边三角形,点D、E分别在BC、AC边上,且$AE=CD$,AD与BE相交于点F.

(1)求证:$\triangle ABE\cong\triangle CAD$;(2)求$\angle BFD$的大小.

分析:因为$\triangle ABC$为等边三角形,所以$AB=AC$,$\angle BAE=\angle DCA=60°$.又因为$AE=CD$,所以$\triangle ABE\cong\triangle CAD$,而$\angle BFD=\angle ABE+\angle BAD$,而又$\angle ABE=\angle CAD$,所以$\angle BFD=\angle CAD+\angle BAD=\angle BAC=60°$.

(1)**证明:**$\because$ $\triangle ABC$为等边三角形,$\therefore$ $\angle BAC=\angle C=60°$,$AB=CA$.

在$\triangle ABE$和$\triangle CAD$中,$AB=CA$,$\angle BAC=\angle C$,$AE=CD$. $\therefore$ $\triangle ABE\cong\triangle CAD$.

(2)**解:**$\because$ $\angle BFD=\angle ABE+\angle BAD$.又$\because$ $\triangle ABE\cong\triangle CAD$,

$\therefore$ $\angle ABE=\angle CAD$. $\therefore$ $\angle BFD=\angle CAD+\angle BAD=\angle BAC=60°$.

提示

求角的度数往往可通过证明三角形全等得到.此题重点考查了判定三角形全等的方法与全等三角形性质的综合应用.

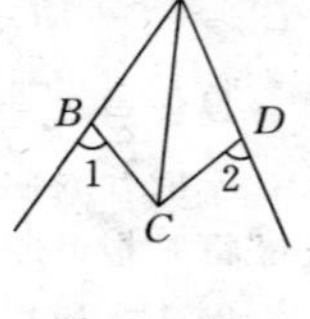

图 11-2-28

例 3　(2009·福州中考)如图 11-2-28 所示,已知AC平分$\angle BAD$,$\angle 1=\angle 2$,求证:$AB=AD$.

分析:由$\angle 1=\angle 2$,可得出$\angle ABC=\angle ADC$,又AC平分$\angle BAD$,所以$\angle BAC=\angle DAC$,所以$\triangle ABC\cong\triangle ADC$,故$AB=AD$.

证明:$\because$ AC平分$\angle BAD$,$\therefore$ $\angle BAC=\angle DAC$.

$\because$ $\angle 1=\angle 2$,$\therefore$ $\angle ABC=\angle ADC$.在$\triangle ABC$和$\triangle ADC$中,

$$\begin{cases}\angle BAC=\angle DAC,\\ \angle ABC=\angle ADC,\\ AC=AC,\end{cases}$$ $\therefore$ $\triangle ABC\cong\triangle ADC$(AAS). $\therefore$ $AB=AD$.

点拨 DIANBO

此题考查了三角形全等的证法,公共边是隐含的条件.

易错易误点全解

YICUOYIWUDIANQUANJIE

易错点 1:弄错对应关系

用三角形全等的条件证明三角形全等时,必须注意相关的三个元素对应相等,否则易出现错误.

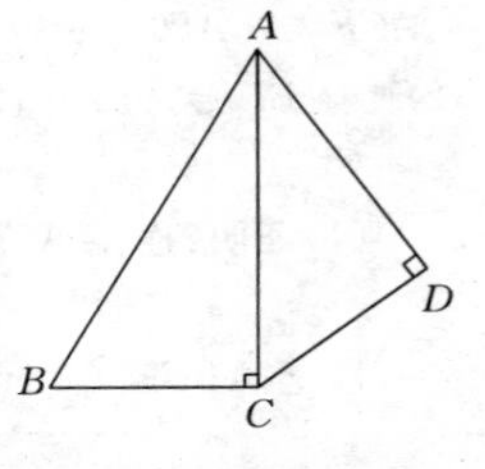

图 11-2-29

例 1　如图 11-2-29,$\angle B=\angle ACD$,$\angle ACB=\angle D=90°$,AC是$\triangle ABC$和$\triangle ACD$的公共边,所以就可以判定$\triangle ABC\cong\triangle ACD$.你认为正确吗?为什么?

解:不正确,因为不是对应边相等.

误区防火墙

这是因为“角角边”判定两个三角形全等时，这两个角与一边不是仅仅“相等”就可以了，而必须是“对应相等”．在$\triangle ABC$中，AC是锐角$\angle B$的对边，在$\triangle ACD$中，AC却是直角$\angle D$的对边，这样的边就不存在“对应相等”的关系．

易错点2:错误利用等量关系证全等

对于三角形全等的判定，应严格遵守判定定理对于边和角的要求，防止出现不加考虑而直接使用题设中的等量关系来证三角形全等的情形．

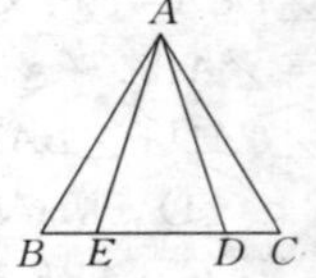

图 11-2-30

例2 如图 11-2-30 所示，$AB=AC$，$AD=AE$，$BE=CD$，求证$\triangle ABD\cong\triangle ACE$.

解: $\because BE=CD, ED=DE, \therefore BE+ED=CD+DE$，即$BD=CE$.

在$\triangle ABD$和$\triangle ACE$中，$\begin{cases}AB=AC,\\BD=CE,\\AD=AE,\end{cases}$ $\therefore \triangle ABD\cong\triangle ACE$.

误区防火墙

因为$BE=CD$不是$\triangle ABD$和$\triangle ACE$的对应边，所以不能直接使用，应先由$BE+ED=CD+DE$，得出$BD=CE$，才能作为论证$\triangle ABD$和$\triangle ACE$全等的一个依据．

易错点3:盲目得出结论，缺乏推理依据

一般开放性问题的结论通常较多，只要给出的结论适合题目要求即可，解这类题的关键是根据题意，进行多方位的思考，从而得出结论．

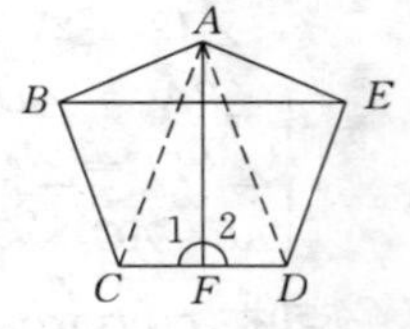

图 11-2-31

例3 如图 11-2-31 所示，$AB=AE$，$\angle ABC=\angle AED$，$BC=ED$，点F是CD的中点．

(1)求证：$AF\perp CD$.

(2)在连接BE后还能得出哪些结论？请写出3个(不要求证明)．

分析:(1)要证$AF\perp CD$，可考虑证明$\angle 1=90°$，由于$\angle 1+\angle 2=180°$，则只需证明$\angle 1=\angle 2$即可，于是要设法找到分别含$\angle 1$，$\angle 2$的两个三角形全等，进而考虑连接AC、AD，即可得到符合要求的$\triangle ACF$与$\triangle ADF$，要证它们全等，只要证明$AC=AD$即可，这可由$\triangle ABC\cong\triangle AED$得到．(2)连接$BE$后，由$AF\perp CD$可知$AF\perp BE$，$AF$平分$\angle BAE$等结论，只要正确即可．

(1)**证明:**连接AC，AD，在$\triangle ABC$和$\triangle AED$中，$\begin{cases}AB=AE,\\\angle ABC=\angle AED,\\BC=ED,\end{cases}$

$\therefore \triangle ABC\cong\triangle AED$(SAS)，$\therefore AC=AD$.

$\therefore$ 在$\triangle ACF$和$\triangle ADF$中，$\begin{cases}AC=AD,\\AF=AF,\\CF=FD,\end{cases}$ $\therefore \triangle ACF\cong\triangle ADF$(SSS)．$\therefore \angle 1=\angle 2$.

又∵ $\angle 1+\angle 2=180°$，∴ $\angle 1=\angle 2=90°$，∴ $AF\perp CD$.

(2)**解**：连接 BE 后可得到新的结论有：① $AF\perp BE$；② $BE\parallel CD$；③ $\angle EBC=\angle BED$(答案不唯一).

误区防火墙

由于 $AB=AE,BC=ED,CF=FD$，故有的同学可能会结合图形得到：沿直线 AF 将原图对折，则 AF 两边的部分能够完全重合，于是得到 $\angle 1=\angle 2=90°$，但说理不够充分，因而不宜采用.

知识梳理

	一般三角形	直角三角形
条件	边角边(SAS)　角边角(ASA) 边边边(SSS)　角角边(AAS)	斜边、直角边(HL)
性质	对应边相等、对应角相等、周长相等、面积相等、 对应线段(如对应边上的高、中线)相等	
备注	判定三角形全等必须至少有一组对应边相等	

注意：判定两个三角形全等必须具备的三个条件中"边"是不可缺少的，边边角(SSA)和角角角(AAA)不能作为判定两个三角形全等的方法.

技巧平台

证明两个三角形全等时要认真分析已知条件，仔细观察图形，弄清已具备了哪些条件，从中找出已知条件和所要说明结论的内在联系，从而选择最适当的方法，一般可按下面的思路进行：

- 已知两边
  - 找夹角⟶SAS
  - 第三边⟶SSS
  - 找直角⟶HL
- 已知一边一角
  - 边为角的对边⟶找任一角⟶AAS
  - 边为角的邻边
    - 找夹角的另一边⟶SAS
    - 找夹边的另一角⟶ASA
    - 找边的对角⟶AAS
- 已知两角
  - 找夹边⟶ASA
  - 找任一对边⟶AAS

跟踪训练

1. 作一个三角形与已知三角形全等，至少需要知道已知三角形中的(　　)个条件.

A. 1　　　　B. 2　　　　C. 3　　　　D. 4

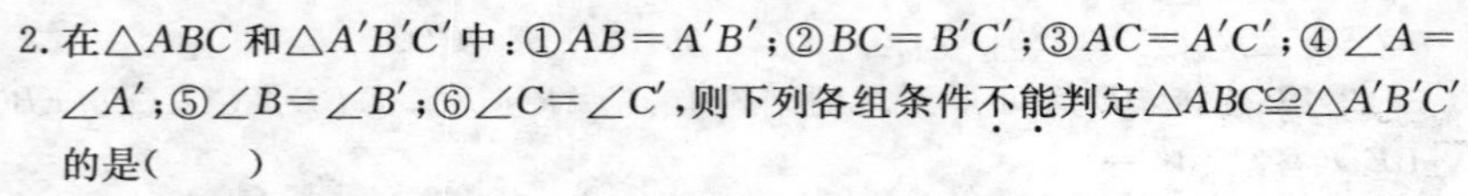

2. 在$\triangle ABC$和$\triangle A'B'C'$中：①$AB=A'B'$；②$BC=B'C'$；③$AC=A'C'$；④$\angle A=\angle A'$；⑤$\angle B=\angle B'$；⑥$\angle C=\angle C'$，则下列各组条件不能判定$\triangle ABC\cong\triangle A'B'C'$的是(　　)

A. ①②⑤　　B. ②⑤⑥　　C. ①②③　　D. ①②④

3. 已知：如图 11-2-32，在$\triangle ABC$中，$\angle 1=\angle 2$，要判定$\triangle ABD\cong\triangle ACD$：

①根据 SAS 还需添加一个条件________；

②根据 ASA 还需添加一个条件________；

③根据 AAS 还需添加一个条件________.

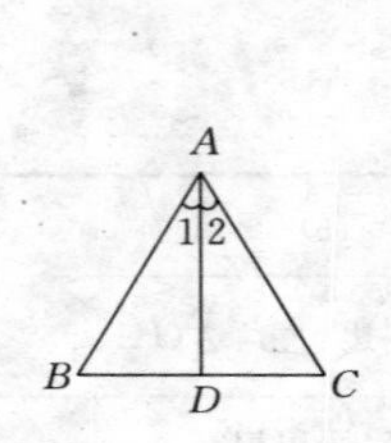

图 11-2-32

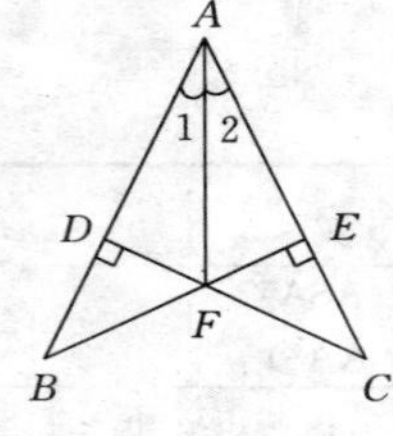

图 11-2-33

图 11-2-34

4. 已知如图 11-2-33 所示，已知$AB=AC$，$CD\perp AB$，$BE\perp AC$，垂足分别是D、E，CD、BE相交于点F，试判断AF是否平分$\angle BAC$，并说明理由.

5. 已知如图 11-2-34 所示，某一湖的湖岸有A、B两棵大树，想在两棵大树间架一条电话线路，为了计算两棵大树能承受的压力，需测量出A、B间的距离，但是A、B两点又不能直接到达. 你能用已学过的知识和方法设计测量方案，求出A、B两点间的距离吗？并说明理由.

跟踪训练答案

1. C　2. D　3. $AB=AC$；$\angle ADB=\angle ADC$(或$AD\perp BC$)；$\angle B=\angle C$

4. 解：AF平分$\angle BAC$. 理由：因为$CD\perp AB$，$BE\perp AC$，所以$\angle CDA=\angle BEA=90°$，在$\triangle ABE$和$\triangle ACD$中，$\begin{cases}\angle BEA=\angle CDA,\\ \angle BAE=\angle CAD,\\ AB=AC,\end{cases}$所以$\triangle ABE\cong\triangle ACD$(AAS)，所以$AE=AD$. 在$\text{Rt}\triangle ADF$和$\text{Rt}\triangle AEF$中，$\begin{cases}AF=AF(\text{公共边}),\\ AD=AE,\end{cases}$所以$\text{Rt}\triangle ADF\cong\text{Rt}\triangle AEF$(HL). 所以$\angle 1=\angle 2$. 即$AF$平分$\angle BAC$.

点拨：本题综合考查了三角形全等的判定“AAS”和“HL”及角的平分线，用到了两次全等.

5. 解：能利用“SAS”构造三角形全等的设计方案：先在地上取一个可以直接到达A点和B点的点C，连接BC并延长到E，使$CE=CB$；连接AC并延长到D，使$CD=CA$，连接DE并测量出它的长度，DE的长就是A、B间的距离.

理由:如图 11-2-35,在$\triangle ABC$和$\triangle DEC$中,$\begin{cases}CA=CD(\text{已作}),\\ \angle 1=\angle 2(\text{对顶角相等}),\\ CB=CE(\text{已作}),\end{cases}$

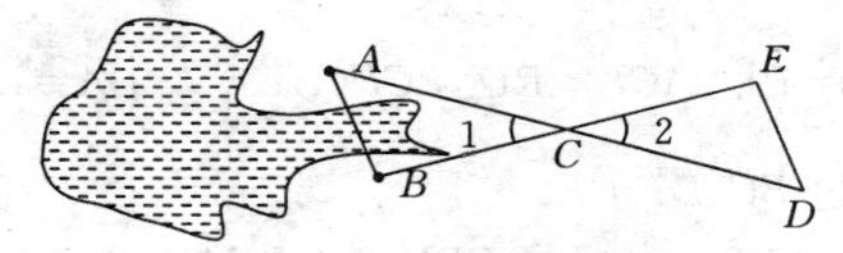

图 11-2-35

所以$\triangle ABC\cong\triangle DEC$(SAS).所以$AB=DE$(全等三角形的对应边相等).

课本习题解答

KEBENXITIJIEDA

练习(P8)

解:在$\triangle COM$和$\triangle CON$中,$\begin{cases}OM=ON,\\ OC=OC,\\ CM=CN,\end{cases}$ $\therefore\triangle COM\cong\triangle CON$(SSS).

$\therefore\angle COM=\angle CON$. $\therefore$ 射线 OC 是$\angle AOB$的平分线.

练习(P10)

1. 解:相等.理由:由题意知 $AD=AC,AB=AB,\angle BAD=\angle BAC=90^\circ$(题设),
   所以$\triangle BAD\cong\triangle BAC$,所以 $BD=BC$.
2. 证明:$\because BE=CF,\therefore BE+EF=CF+EF,\therefore BF=CE$.

   在$\triangle ABF$和$\triangle DCE$中,$\begin{cases}AB=DC,\\ \angle B=\angle C,\\ BF=CE,\end{cases}$ $\therefore\triangle ABF\cong\triangle DCE$(SAS).

   $\therefore\angle A=\angle D$(全等三角形的对应角相等).

练习(P13)

1. 解:$\because AB\perp BF,DE\perp BF,\therefore\angle B=\angle EDC=90^\circ$.

   在$\triangle ABC$和$\triangle EDC$中,$\begin{cases}\angle B=\angle EDC(\text{垂直定义}),\\ BC=DC,\\ \angle ACB=\angle ECD(\text{对顶角相等}),\end{cases}$

   $\therefore\triangle ABC\cong\triangle EDC$(ASA),$\therefore AB=DE$.
2. 证明:$\because AB\perp BC,AD\perp DC,\therefore\angle B=\angle D=90^\circ$.

   在$\triangle ABC$和$\triangle ADC$中,$\begin{cases}\angle 1=\angle 2,\\ \angle B=\angle D,\\ AC=AC(\text{公共边}),\end{cases}$

   $\therefore\triangle ABC\cong\triangle ADC$(AAS). $\therefore AB=AD$.

练习(P14)

1. 解:D、E与路段AB的距离相等. 理由如下:

∵ 在 Rt$\triangle ACD$和 Rt$\triangle BCE$中,

$\begin{cases} AC=BC, \\ DC=EC, \end{cases}$ ∴ Rt$\triangle ACD\cong$Rt$\triangle BCE$(HL). ∴ $DA=EB$.

2. 证明:∵ $AE\perp BC$,$DF\perp BC$,

∴ $\angle CFD=\angle BEA=90°$,$\triangle CFD$和$\triangle BEA$是直角三角形.

又∵ $CE=BF$,∴ $CE-EF=BF-EF$,∴ $CF=BE$.

在 Rt$\triangle BEA$和 Rt$\triangle CFD$中,

$\begin{cases} AB=DC, \\ BE=CF, \end{cases}$ ∴ Rt$\triangle BEA\cong$Rt$\triangle CFD$(HL). ∴ $AE=DF$.

习题 11.2(P15)

1. 解:$\triangle ABC$与$\triangle ADC$全等. ∵ 在$\triangle ABC$与$\triangle ADC$中,$AB=AD$,$CB=CD$,$AC=AC$(公共边),∴ $\triangle ABC\cong\triangle ADC$(SSS).

2. 证明:∵ C是AB的中点,∴ $AC=CB$.

在$\triangle ACD$和$\triangle CBE$中,$\begin{cases} AD=CE, \\ CD=BE, \\ AC=CB, \end{cases}$ ∴ $\triangle ACD\cong\triangle CBE$(SSS).

3. 证明:在$\triangle ABE$和$\triangle ACD$中,

$\begin{cases} AB=AC, \\ \angle A=\angle A(\text{公共角}), \\ AE=AD, \end{cases}$ ∴ $\triangle ABE\cong\triangle ACD$(SAS),

∴ $\angle B=\angle C$(全等三角形对应角相等).

4. 只要测量$A'B'$的长即可,因为$\triangle AOB\cong\triangle A'OB'$.

5. 证明:∵ $\angle 3=\angle 4$,∴ $\angle ABD=\angle ABC$(等角的补角相等).

在$\triangle ABC$和$\triangle ABD$中,

$\begin{cases} \angle 2=\angle 1, \\ AB=AB, \\ \angle ABC=\angle ABD, \end{cases}$ ∴ $\triangle ABC\cong\triangle ABD$(ASA). ∴ $AC=AD$.

6. 相等　理由:因为由题意知$AC=BC$,$\angle C=\angle C$,$\angle ADC=\angle BEC=90°$,所以$\triangle ADC\cong\triangle BEC$(AAS),所以$AD=BE$.

7. 证明:(1)在 Rt$\triangle ABD$和 Rt$\triangle ACD$中,

$\begin{cases} AB=AC, \\ AD=AD(\text{公共边}), \end{cases}$ ∴ Rt$\triangle ABD\cong$Rt$\triangle ACD$(HL). ∴ $BD=CD$.

(2)∵ Rt$\triangle ABD\cong$Rt$\triangle ACD$,∴ $\angle BAD=\angle CAD$.

8. 证明:∵ $AC\perp CB$,$DB\perp CB$,∴ $\angle ACB=\angle DBC=90°$.

$\therefore$ $\triangle ACB$ 和 $\triangle DBC$ 是直角三角形.

在 $Rt\triangle ACB$ 和 $Rt\triangle DBC$ 中,

$\begin{cases} AB=DC, \\ CB=BC(\text{公共边}), \end{cases}$ $\therefore$ $Rt\triangle ACB \cong Rt\triangle DBC(HL)$.

$\therefore$ $\angle ABC=\angle DCB$(全等三角形的对应角相等).

$\therefore$ $\angle ABD=\angle ACD$(等角的余角相等).

9. 证明:$\because$ $BE=CF$,$\therefore$ $BE+EC=CF+EC$(等量加等量和相等),$\therefore$ $BC=EF$.

在 $\triangle ABC$ 和 $\triangle DEF$ 中,$\begin{cases} AB=DE, \\ AC=DF, \\ BC=EF, \end{cases}$ $\therefore$ $\triangle ABC \cong \triangle DEF(SSS)$. $\therefore$ $\angle A=\angle D$.

10. 证明:在 $\triangle AOB$ 和 $\triangle COD$ 中,$\begin{cases} OA=OC, \\ \angle AOB=\angle COD(\text{对顶角相等}), \\ OB=OD, \end{cases}$

$\therefore$ $\triangle AOB \cong \triangle COD(SAS)$,$\therefore$ $\angle A=\angle C$,$\therefore$ $CD /\!/ AB$.

11. 证明:$\because$ $AB /\!/ ED$,$AC /\!/ FD$,$\therefore$ $\angle B=\angle E$,$\angle ACB=\angle DFE$.

又 $\because$ $FB=CE$,$\therefore$ $FB+FC=CE+FC$,$\therefore$ $BC=EF$.

在 $\triangle ABC$ 和 $\triangle DEF$ 中,$\begin{cases} \angle B=\angle E, \\ BC=EF, \\ \angle ACB=\angle DFE, \end{cases}$ $\therefore$ $\triangle ABC \cong \triangle DEF(ASA)$.

$\therefore$ $AB=DE$,$AC=DF$(全等三角形的对应边相等).

12. 解:$AE=CE$.

证明如下:$\because$ $FC /\!/ AB$,$\therefore$ $\angle F=\angle ADE$,$\angle FCE=\angle DAE$.

在 $\triangle CEF$ 和 $\triangle AED$ 中,$\begin{cases} \angle F=\angle ADE, \\ \angle FCE=\angle DAE, \\ FE=DE, \end{cases}$

$\therefore$ $\triangle CEF \cong \triangle AED(AAS)$,$\therefore$ $AE=CE$(全等三角形的对应边相等).

13. 解:$\triangle ABD \cong \triangle ACD$,$\triangle ABE \cong \triangle ACE$,$\triangle EBD \cong \triangle ECD$.

$\because$ $\begin{cases} AB=AC, \\ AD=AD, \\ BD=CD, \end{cases}$ $\therefore$ $\triangle ABD \cong \triangle ACD(SSS)$,$\therefore$ $\angle BAE=\angle CAE$.

$\because$ $\begin{cases} AB=AC, \\ \angle BAE=CAE, \\ AE=AE, \end{cases}$ $\therefore$ $\triangle ABE \cong \triangle ACE(SAS)$. $\therefore$ $BE=CE$.

$\because$ $\begin{cases} BD=CD, \\ ED=ED, \\ BE=CE, \end{cases}$ $\therefore$ $\triangle EBD \cong \triangle ECD(SSS)$.

11.3 角的平分线的性质

课程标准要求

KECHENGBIAOZHUNYAOQIU

1.(1)会作一个角的平分线,(2)掌握角平分线的性质和判定.

2.综合应用角的平分线的性质和判定解决相关问题.

相关知识链接

XIANGGUANZHISHILIANJIE

如图 11-3-1 所示,需在 S 区建一个集贸市场,使它到公路、铁路的距离相等,并且使集贸市场离公路与铁路交叉点 A 处 500 米.则这个集贸市场应建在何处呢?

通过本课的学习,相信你一定会迎刃而解的.

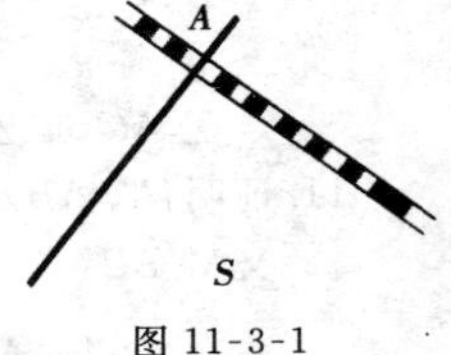

图 11-3-1

教材知能全解

JIAOCAIZHINENGQUANJIE

知能点 1 作已知角的平分线(重点)

把一个角分成两个相等的角的射线叫做角的平分线,作已知角的平分线的方法有很多,主要有折叠和尺规作图法.尺规作图是常用的方法.

例 1 分别画出已知钝角和平角的平分线.

解:如图 11-3-2,射线 OC 即为所求.

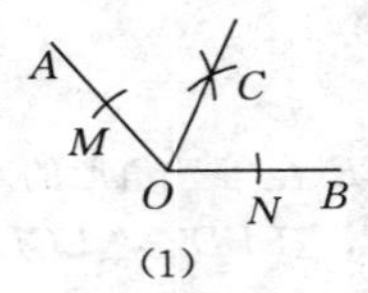

(1)

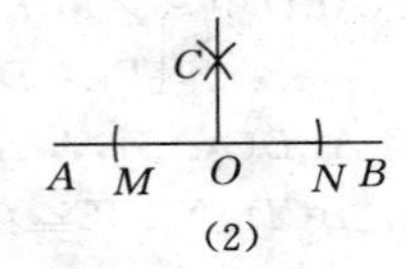

(2)

图 11-3-2

提示

尺规作图一定要保留作图痕迹,并且要有结论.

知能点 2 角平分线的性质(重点)

角的平分线上的点到角的两边的距离相等.我们可以用三角形全等来证明这个性质,首先要分清已知条件是一个点在一个角的平分线上;结论是它到角的两边的距离相等.

如图 11-3-3,已知 OM 是 $\angle AOB$ 的平分线,C 是 OM 上一点,$CE \perp OA$ 于 E,$CF \perp OB$ 于 F.

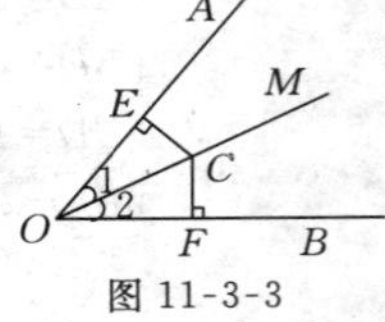

图 11-3-3

求证：$CE=CF$.

证明：在$\triangle OCE$与$\triangle OCF$中，$\begin{cases}\angle 1=\angle 2,\\ \angle OEC=\angle OFC=90^\circ,\\ OC=OC,\end{cases}$

$\therefore\ \triangle OCE\cong\triangle OCF$(AAS). $\therefore\ CE=CF$.

点拨 DIANBO

在理解和应用此性质时，必须注意是哪一点到哪两条直线的距离相等.

例 2 如图 11-3-4，在$\triangle ABC$中，$\angle C=90^\circ$，AD平分$\angle CAB$，$BD=2CD$，D到AB的距离为 5.6 cm，求BC的长.

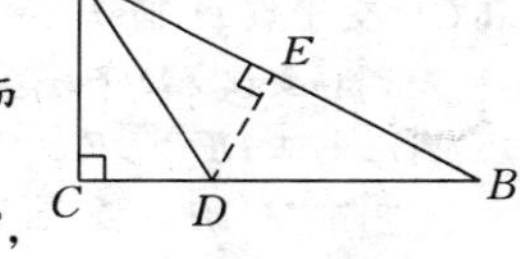

图 11-3-4

分析：由角平分线的性质可得$CD=DE=5.6$ cm，从而可求出BC的长.

解：过D作$DE\perp AB$于点E，$\because$ AD平分$\angle CAB$，$\angle C=90^\circ$，

$\therefore\ CD=DE=5.6$ cm.

又$\because$ $BD=2CD$，$\therefore$ $BD=2\times 5.6=11.2$(cm)，$\therefore$ $BC=CD+BD=16.8$ cm.

点拨 DIANBO

利用角平分线性质求出相等线段的长度，简便、直观.

例 3 如图 11-3-5，$\triangle ABC$的$\angle ABC$的外角的平分线BD与$\angle ACB$的外角的平分线CE相交于点P. 求证：点P到三边AB、BC、CA所在直线的距离相等.

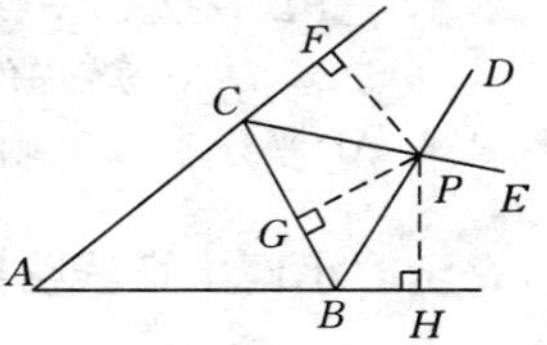

图 11-3-5

分析：由P点分别作AC、BC、AB的垂线，证明三条垂线段相等.

证明：过点P分别作PF、PG、PH垂直于直线AC、BC、AB，垂足为F、G、H.

$\because$ BD是$\triangle ABC$中$\angle ABC$外角的平分线，点P在BD上，

$\therefore$ $PG=PH$(角的平分线上的点到角的两边的距离相等).

同理$PF=PG$. $\therefore$ $PF=PG=PH$.

即点P到三边AB、BC、CA所在直线的距离相等.

点拨 DIANBO

(1)证明过程要作出P到三边的垂线段；(2)只要符合角平分线性质的条件，证明线段相等时，就不要再证三角形全等而走弯路.

知能点 3 角的平分线的判定(重点)

到角的两边的距离相等的点在角的平分线上，一定要区分这个命题与角的平分线的性质的已知和结论是不同的. 本命题的已知条件是一个点到一个角的两边的距离相等；结论是这个点在这个角的平分线上. 同样我们也可以用三角形

全等来证明这个性质.

如图 11-3-6,已知 $PE \perp OA$ 于 E,$PF \perp OB$ 于 F,且 $PE=PF$.

求证:点 P 在$\angle AOB$ 的平分线上.

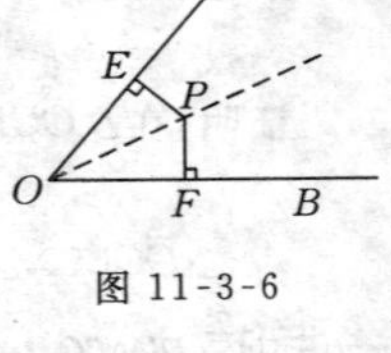

图 11-3-6

证明:作射线 OP.

在 Rt$\triangle OPE$ 与 Rt$\triangle OPF$ 中,$\begin{cases} PE=PF, \\ OP=OP, \end{cases}$

$\therefore$ Rt$\triangle OPE \cong$ Rt$\triangle OPF$(HL).

$\therefore \angle AOP=\angle BOP$,即 OP 是$\angle AOB$ 的平分线.

例 4 已知,如图 11-3-7,$BF \perp AC$ 于 F,$CE \perp AB$ 于 E,BF 和 CE 交于点 D,且 $BE=CF$,求证:AD 平分$\angle BAC$.

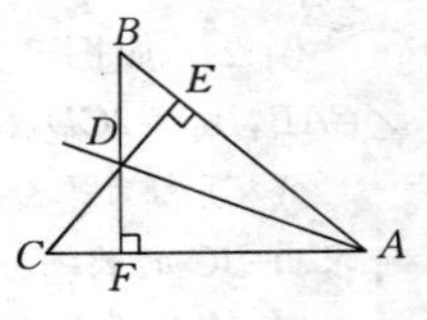

图 11-3-7

分析:要证 AD 平分$\angle BAC$,只需证得 $DE=DF$,问题就可以解决,因此先证 $DE=DF$.

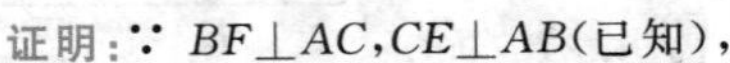

证明:$\because BF \perp AC$,$CE \perp AB$(已知),

$\therefore \angle DEB=\angle DFC=90^\circ$(垂直定义).

又知 $\angle BDE=\angle CDF$(对顶角相等),

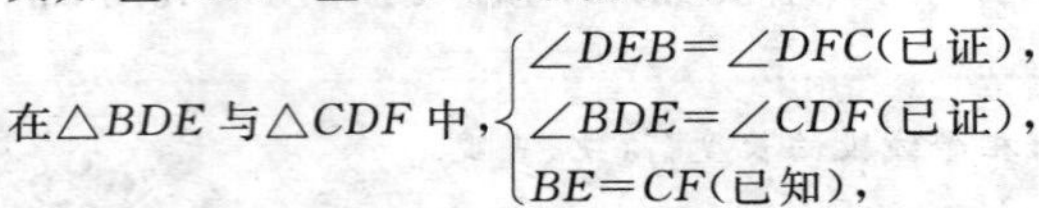

在$\triangle BDE$ 与$\triangle CDF$ 中,$\begin{cases} \angle DEB=\angle DFC(\text{已证}), \\ \angle BDE=\angle CDF(\text{已证}), \\ BE=CF(\text{已知}), \end{cases}$

$\therefore \triangle BDE \cong \triangle CDF$(AAS).

$\therefore DE=DF$(全等三角形对应边相等).

$\therefore AD$ 平分$\angle BAC$(到角的两边距离相等的点在角的平分线上).

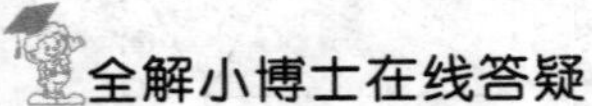

全解小博士在线答疑

课本 P19(探究):理由:在$\triangle ABC$ 与$\triangle ADC$ 中,$\begin{cases} AB=AD, \\ AC=AC, \\ BC=DC, \end{cases}$

$\therefore \triangle ABC \cong \triangle ADC$(SSS),$\therefore \angle CAB=\angle CAD$,即 AE 是$\angle DAB$ 的平分线.

课本 P21(思考):因为集贸市场到公路、铁路的距离相等,所以它应建在公路与铁路夹角的平分线上,且到图上交叉处的距离为 2.5 厘米. 图略.

课本 P21(问题):因为点 P 到$\angle A$ 两边的距离相等,所以点 P 在$\angle A$ 的平分线上,这说明三角形的三条内角平分线交于一点.

典型例题全解

DIANXINGLITIQUANJIE

题型一 利用角平分线的性质,求三角形的周长

例 1 如图 11-3-8 所示,在$\triangle ABC$ 中,$\angle C=90^\circ$,$AC=BC$,AD 平分$\angle CAB$,并交 BC 于 D,$DE \perp AB$ 于 E,若 $AB=6$ cm,求$\triangle DEB$ 的周长.

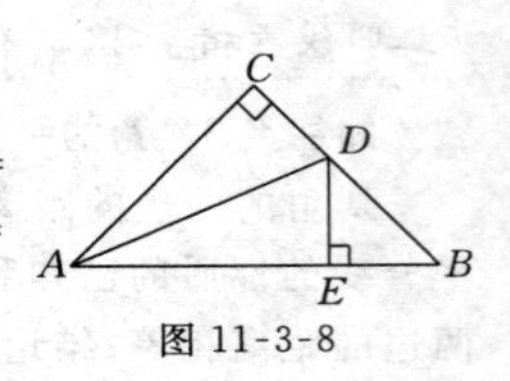

图 11-3-8

分析：利用角平分线的性质、三角形全等和等腰直角三角形的性质，把$\triangle DEB$的周长转化为AB的长.

解：$\because$ AD平分$\angle CAB$，$\angle C=90°$，$DE\perp AB$，$\therefore$ $CD=DE$.

在Rt$\triangle ACD$和Rt$\triangle AED$中，$\begin{cases}AD=AD,\\CD=ED,\end{cases}$

$\therefore$ Rt$\triangle ACD\cong$Rt$\triangle AED$(HL). $\therefore$ $AC=AE=CB$.

$\because$ $AB=6$ cm，$\therefore$ $\triangle DEB$的周长$=DB+DE+EB=CD+DB+EB=CB+EB=AE+EB=AB=6$(cm).

点拨 DIANBO

此题是角平分线性质与求三角形周长的综合应用题，找出题中的相等线段是解题的关键.

题型二 利用角平分线的性质，求线段相等

例2 如图11-3-9，D是$\triangle ABC$的外角$\angle ACE$的平分线上的一点，$DF\perp AC$于F，$DE\perp BC$，交BC的延长线于E.

求证：$CE=CF$.

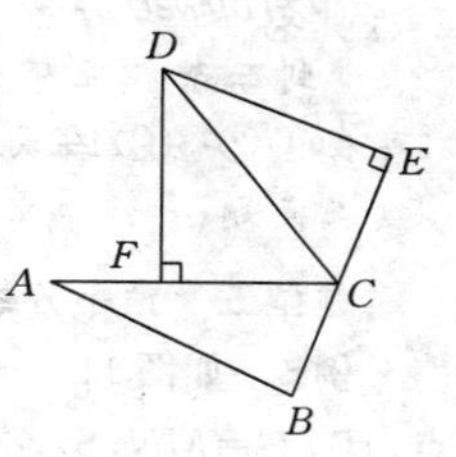

图 11-3-9

分析：欲证明$CE=CF$，则可以考虑证Rt$\triangle DEC\cong$Rt$\triangle DFC$，利用角平分线的性质和HL可以证得Rt$\triangle DEC\cong$Rt$\triangle DFC$.

解：$\because$ DC是$\angle ACE$的平分线，$DE\perp CE$，$DF\perp AC$，

$\therefore$ $\angle DEC=\angle DFC=90°$，$DE=DF$.

在Rt$\triangle DEC$和Rt$\triangle DFC$中，$\begin{cases}DC=DC,\\DE=DF,\end{cases}$

$\therefore$ Rt$\triangle DEC\cong$Rt$\triangle DFC$(HL). $\therefore$ $CE=CF$.

点拨 DIANBO

解题的关键是能准确地利用角平分线的已知条件去寻找可证的条件，例如角相等和线段相等.

题型三 角平分线的判定

例3 已知：如图11-3-10，在$\triangle ABC$中，$BD=DC$，$\angle 1=\angle 2$，求证：AD平分$\angle BAC$.

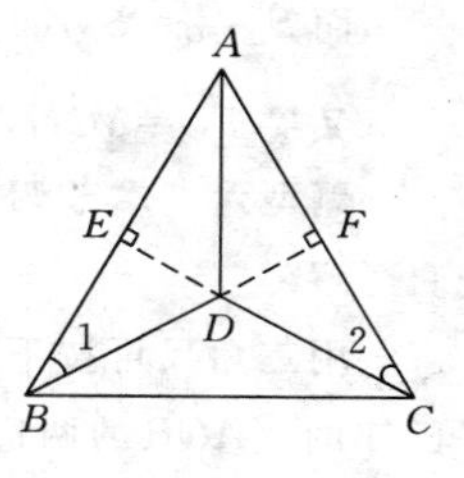

图 11-3-10

分析：过D作AB、AC的垂线，通过全等三角形证明两条垂线段相等，由角平分线的性质得AD平分$\angle BAC$.

证明：过D作$DE\perp AB$于E，$DF\perp AC$于F.

在$\triangle BED$和$\triangle CFD$中，$\begin{cases}\angle 1=\angle 2,\\\angle BED=\angle CFD=90°,\\BD=CD,\end{cases}$

$\therefore$ $\triangle BED\cong\triangle CFD$(AAS)，$\therefore$ $DE=DF$，$\therefore$ AD平分$\angle BAC$.

点拨 DIANBO

遇到有关角平分线的问题时，首先想到角平分线的性质，可引角的两边的垂线，证明垂线段相等.

题型四　角平分线的性质在选址问题中的应用

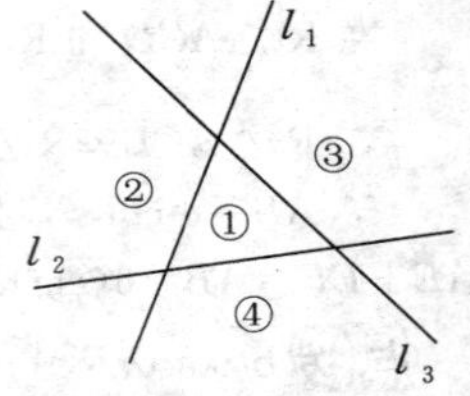

图 11-3-11

例 4　如图 11-3-11，直线 l_1、l_2、l_3 表示三条相互交叉的公路，现要建一个货物中转站，要求它到三条公路的距离相等，则可选择的地址有(　　)

A. 一处　　　　B. 两处

C. 三处　　　　D. 四处

解析：利用三角形内角平分线的交点到三边的距离相等和两外角平分线的交点到三角形的一边与其他两边延长线的距离相等可选择地址.　**答案**：D

点拨 DIANBO

到三条相互交叉的公路距离相等的地点应是三条角平分线的交点. 故可在①②③④区域选址，此例用角平分线的性质对实际问题建模，是中考的热点问题.

题型五　角平分线性质的综合应用

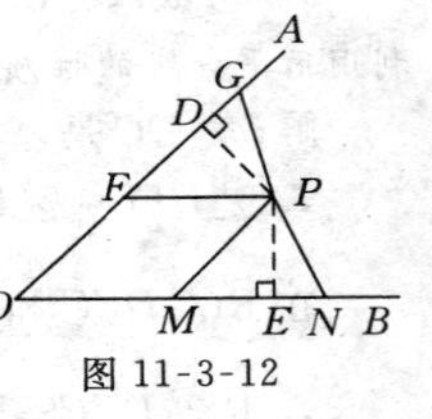

图 11-3-12

例 5　如图 11-3-12，F、G 是 OA 上两点，M、N 是 OB 上两点，且 $FG=MN$，$S_{\triangle PFG}=S_{\triangle PMN}$，试问点 P 是否在 $\angle AOB$ 的平分线上?

分析：根据两三角形的面积相等，且底相等，则高相等. 由角平分线的性质可判定点 P 在 $\angle AOB$ 的平分线上.

解：点 P 在 $\angle AOB$ 的平分线上.

作 $PD\perp OA$ 于 D，$PE\perp OB$ 于 E.

$\because S_{\triangle PFG}=\frac{1}{2}FG\cdot PD$，$S_{\triangle PMN}=\frac{1}{2}MN\cdot PE$，

而 $S_{\triangle PFG}=S_{\triangle PMN}$，$\therefore \frac{1}{2}FG\cdot PD=\frac{1}{2}MN\cdot PE$.

又 $\because FG=MN$，$\therefore PD=PE$，$\therefore$ 点 P 在 $\angle AOB$ 的平分线上.

> **名师点拨**
> 遇到角平分线时，常作垂线段，以便利用角平分线的性质解题.

题型六　本节习题 11.3(P22)复习巩固第 1 题与中考真题解密

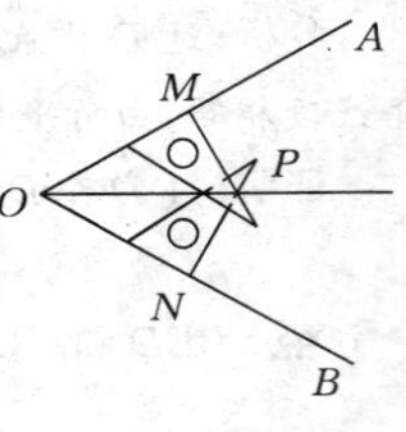

图 11-3-13

用三角尺可按下面方法画角平分线：如图 11-3-13，在已知的 $\angle AOB$ 的两边上，分别取 $OM=ON$，再分别过点 M、N 作 OA、OB 的垂线，交点为 P，画射线 OP，则 OP 平分 $\angle AOB$. 为什么?

中考真题

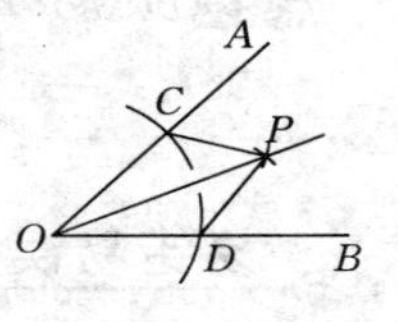

图 11-3-14

(2009·牡丹江中考)如图 11-3-14,尺规作图作$\angle AOB$的平分线的方法如下:以点O为圆心,任意长为半径画弧交OA、OB于点C、D,再分别以点C、D为圆心,以大于$\frac{1}{2}CD$长为半径画弧,两弧交于点P,作射线OP,由作法得$\triangle OCP\cong\triangle ODP$的根据是(　　)

A. SAS　　B. ASA　　C. AAS　　D. SSS

解析:通过作图步骤,$\triangle OCP\cong\triangle ODP$的根据是SSS,故应选D.　　答案:D

考题点睛

中考题运用了三角形全等的条件,但实质此题与课本习题所考查的重点都是角平分线的作法.

挑战课标中考

TIAOZHANKEBIAOZHONGKAO

中考考点解读

角平分线的性质是平面几何中的一个重要知识点,但在中考中独立命题不多,常与线段垂直平分线、三角形全等以及圆等其他几何知识相渗透,往往以填空题、解答题等形式出现,属于低、中档题目.

中考典题全解

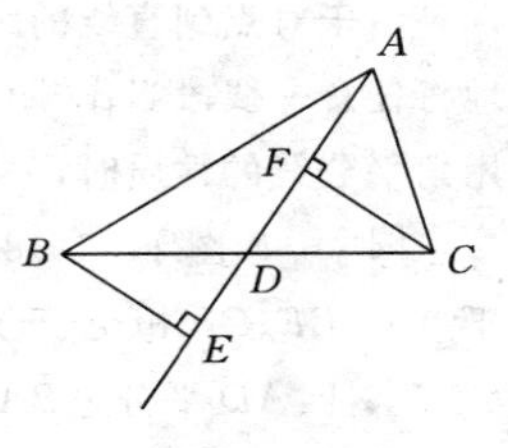

图 11-3-15

例 1　(2008·湖南中考)如图 11-3-15,已知$BE\perp AD$交AD的延长线于点E,$CF\perp AD$于点F,且$BE=CF$.请你判断AD是$\triangle ABC$的中线还是角平分线?并说明你判断的理由.

解:AD是$\triangle ABC$的中线.

理由如下:在$Rt\triangle BDE$和$Rt\triangle CDF$中,

$\because BE=CF,\angle BDE=\angle CDF,$

$\therefore Rt\triangle BDE\cong Rt\triangle CDF,\therefore BD=CD.$

故AD是$\triangle ABC$的中线.

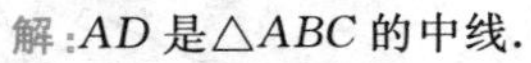

点拨 DIANBO

中线平分的是线段,角平分线平分的是角.

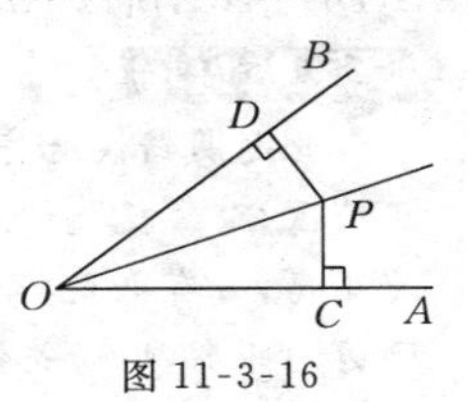

图 11-3-16

例 2　(2008·肇庆中考)如图 11-3-16 所示,P是$\angle AOB$的平分线上的一点,$PC\perp OA$于点C,$PD\perp OB$于点D,写出图中一对相等的线段________(只需写出一对即可).

解析:由角平分线的性质可得$PD=PC$,由三角形全等可得$OD=OC$.　　答案:$PD=PC$或$OD=OC$(答案不唯一)

点拨 DIANBO

此题是一道结论开放型题目,重点考查了角平分线的性质.

易错易误点全解

YICUOYIWUDIANQUANJIE

易错点1:不能正确理解角平分线的性质及其逆用

在运用角平分线的性质及其逆用时,常常忽略"到角两边的距离"的要求而导致出错.

例1 如图11-3-17所示,在$\triangle ABC$中,BD平分$\angle ABC$,交AC于点D,BC边上有一点E,连接DE,则AD与DE的关系为( )

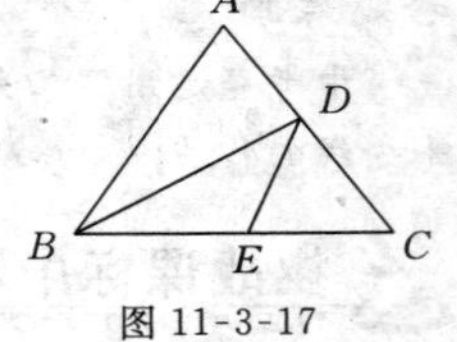

图11-3-17

A. $AD>DE$　　B. $AD=DE$

C. $AD<DE$　　D. 不确定

答案:D

误区防火墙

本题易出现错误的主要原因是误认为角平分线上的点与角两边上的任意一点连接的线段长相等,而忽略了"到角两边的距离"这一要求.

易错点2:误将线段当作距离

由于对点到直线的距离的概念理解不透彻,在利用角平分线的性质时,往往错误地将任意一线段当作"距离",究其原因是对角平分线的性质把握不准,因而我们在运用角平分线的性质时,一定要注意"距离"必须有垂直的条件.

例2 如图11-3-18所示,已知$BE\perp AC$于点E,$CF\perp AB$于点F,BE、CF相交于点D,$BD=CD$,连接AD并延长.

求证:AD平分$\angle BAC$.

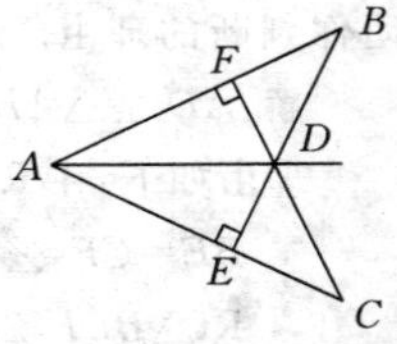

图11-3-18

证明:因为$CF\perp AB$,$BE\perp AC$,所以$\angle BFD=\angle CED=90^\circ$(垂直的定义).在$\triangle BFD$和$\triangle CED$中,$\begin{cases}\angle BFD=\angle CED,\\ \angle BDF=\angle CDE,\\ BD=CD,\end{cases}$所以$\triangle BFD\cong\triangle CED$(AAS),所以$DF=DE$(全等三角形的对应边相等).又因为$DF\perp AB$,$DE\perp AC$,所以$AD$平分$\angle BAC$.

误区防火墙

此题易错误地将BD、CD当作点D到$\angle BAC$两边的距离,错误原因是不能正确区分"线段"和"距离",尤其是对点到直线的距离是垂线段的长度掌握不好.有距离,必有垂直,否则,不能称为距离.本题中DF、DE的长才是点D到$\angle BAC$两边的距离,因而关键是证出$DF=DE$,才能确定点D在$\angle BAC$的平分线上.

知识梳理

角的平分线
- 定义：从角的顶点出发把一个角分成两个相等的角的射线
- 性质
  - 1. 在角平分线上的点到这个角两边的距离相等
  - 2. 到角两边距离相等的点在这个角的平分线上
- 应用：证明两条线段相等或两个角相等

技巧平台

本节主要学习角的平分线的两个性质，在学习中要注意区分两个性质的已知和结论. 这两个性质可以用三角形全等给出证明；而两个性质又给我们增加了证明线段相等或角相等的又一种方法. 在今后学习中能用两个性质直接得到线段（或角）相等的，就不要再用三角形全等间接证明，以减少麻烦.

跟踪训练

1. 如图 11-3-19 所示，OP 平分 $\angle AOB$，$PC\perp OA$ 于点 C，$PD\perp OB$ 于点 D，则 PC 与 PD 的大小关系是（　　）

A. $PC>PD$　　B. $PC=PD$　　C. $PC<PD$　　D. 不能确定

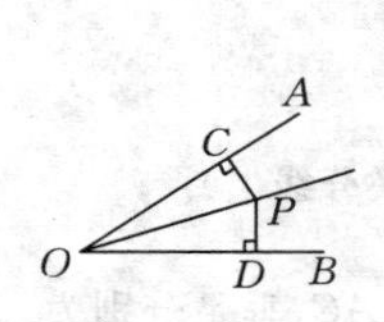

图 11-3-19

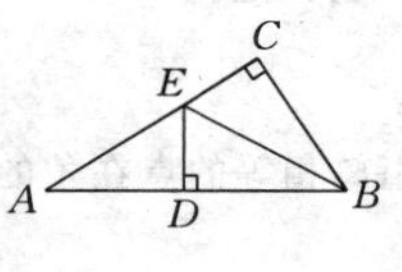

图 11-3-20

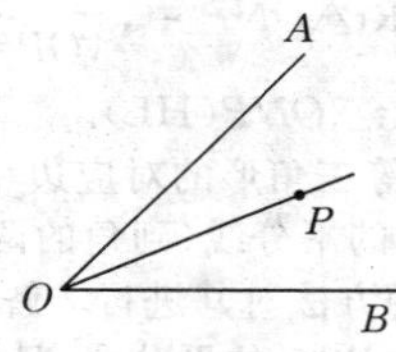

图 11-3-21

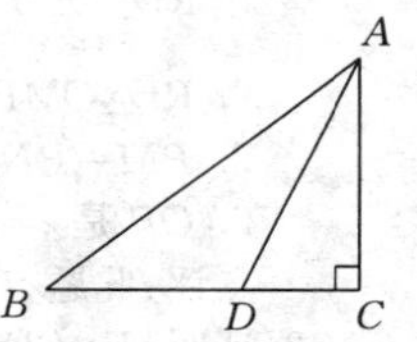

图 11-3-22

2. 如图 11-3-20 所示，在 $\triangle ABC$ 中，$\angle C=90°$，BE 平分 $\angle ABC$，$ED\perp AB$ 于点 D，若 $AC=6$ cm，则 $AE+DE$ 等于（　　）

A. 3 cm　　B. 4 cm　　C. 5 cm　　D. 6 cm

3. 如图 11-3-21 所示，点 P 到 $\angle AOB$ 两边的距离相等，若 $\angle POB=30°$，则 $\angle AOB=$ ________.

4. 如图 11-3-22 所示，$\triangle ABC$ 中，$\angle C=90°$，AD 平分 $\angle BAC$，$CD=3$ cm，$AB=10$ cm，则 $S_{\triangle ABD}=$ ________.

跟踪训练答案

1. B　点拨：考查角平分线上的点到角两边的距离相等.

2. D　点拨：∵ BE 平分 $\angle ABC$，$ED\perp AB$，$EC\perp BC$，
∴ $DE=CE$，∴ $AE+DE=AE+EC=AC=6$(cm). 故选 D.

3. $60°$　点拨：因为点 P 到 $\angle AOB$ 两边的距离相等，所以点 P 在 $\angle AOB$ 的平分线上，即 $\angle POA=\angle POB=30°$，所以 $\angle AOB=30°\times 2=60°$.

4. 15 cm^2　点拨：过点 D 作 $DE\perp AB$ 于点 E. 因为 AD 平分 $\angle BAC$，$DC\perp AC$，$DE\perp$

AB,所以 $DE=DC=3(\text{cm})$,所以 $S_{\triangle ABD}=\frac{1}{2}\times AB\times DE=\frac{1}{2}\times10\times3=15(\text{cm}^2)$.

课本习题解答

KEBENXITIJIEDA

练习(P19)

解:直线 CD 与直线 AB 是垂直关系.

点评:因为平角的平分线垂直于平角的两边,所以直线 CD 与直线 AB 是垂直关系.

练习(P22)

在知能点 2 例 3 中已证.

习题 11.3(P22)

1. 解法 1:∵ $PM\perp OA$,$PN\perp OB$,∴ $\angle OMP=\angle ONP=90°$.

在 Rt$\triangle OMP$ 和 Rt$\triangle ONP$ 中,$\begin{cases}OM=ON(\text{已知}),\\OP=OP(\text{公共边}),\end{cases}$

∴ Rt$\triangle OMP\cong$Rt$\triangle ONP$(HL).

∴ $\angle MOP=\angle NOP$(全等三角形的对应角相等),

即 OP 是$\angle AOB$ 的平分线(角平分线的定义).

解法 2:∵ $PM\perp OA$,$PN\perp OB$,∴ $\angle OMP=\angle ONP=90°$.

在 Rt$\triangle OMP$ 和 Rt$\triangle ONP$ 中,$\begin{cases}OM=ON(\text{已知}),\\OP=OP(\text{公共边}),\end{cases}$

∴ Rt$\triangle OMP\cong$Rt$\triangle ONP$(HL).

∴ $PM=PN$(全等三角形的对应边相等).

∴ OP 是$\angle AOB$ 的平分线(到角的两边距离相等的点在角的平分线上).

点评:此题有两种方法对其进行求解.

2. 证明:∵ AD 是$\angle BAC$ 的平分线,且 DE、DF 分别垂直于 AB、AC,垂足分别为 E、F,∴ $DE=DF$(角平分线上的点到角的两边距离相等).

在 Rt$\triangle BDE$ 和 Rt$\triangle CDF$ 中,$\begin{cases}BD=CD(\text{已知}),\\DE=DF(\text{已证}),\end{cases}$

∴ Rt$\triangle BDE\cong$Rt$\triangle CDF$(HL). ∴ $EB=FC$(全等三角形的对应边相等).

点评:欲证 $EB=FC$,只需证明 Rt$\triangle BED\cong$Rt$\triangle CFD$即可.

3. 证明:∵ $CD\perp AB$,$BE\perp AC$,∴ $\angle BDO=\angle CEO=90°$.

∵ $\angle DOB=\angle EOC$,$OB=OC$,∴ $\triangle DOB\cong\triangle EOC$.

∴ $OD=OE$. ∴ AO 是$\angle BAC$ 的平分线. ∴ $\angle1=\angle2$.

4. 证明:如图 11-3-23 所示,作 $DM\perp PE$ 交 PE 于 M,$DN\perp PF$ 交 PF 于 N,∵ AD 是$\angle BAC$ 的平分线,

∴ $\angle1=\angle2$(角的平分线的定义).

又∵ $PE/\!/AB$,$PF/\!/AC$(已知),

∴ $\angle1=\angle3$,$\angle2=\angle4$(两直线平行,同位角相等).

∴ $\angle3=\angle4$,∴ PD 是$\angle EPF$ 的平分线.

又∵ $DM\perp PE$,$DN\perp PF$,∴ $DM=DN$(角平分线上的点到角的两边的距离相等),即 D 到 PE 的距离与 D 到 PF 的距离相等.

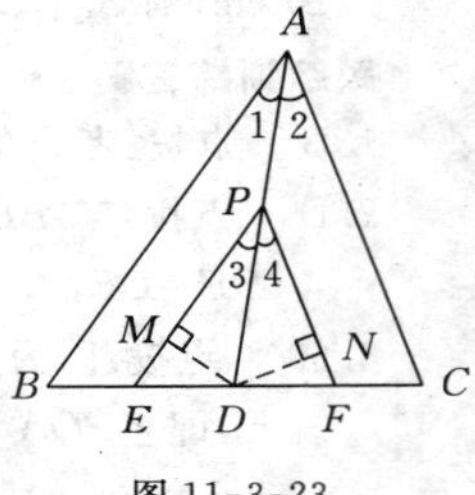

图 11-3-23

点评：先证明$\angle EPD=\angle FPD$后再证D到PE的距离与D到PF的距离相等.

5. 证明：$\because$ OC是$\angle AOB$的平分线，且$PD\perp OA$于D，$PE\perp OB$于E，

$\therefore$ $PD=PE$，$\angle OPD=\angle OPE$. $\therefore$ $\angle DPF=\angle EPF$.

在$\triangle DPF$和$\triangle EPF$中，$\begin{cases}PD=PE(\text{已证}),\\ \angle DPF=\angle EPF(\text{已证}),\\ PF=PF(\text{公共边}),\end{cases}$ $\therefore$ $\triangle DPF\cong\triangle EPF$(SAS).

$\therefore$ $DF=EF$(全等三角形的对应边相等).

6. 解：AD与EF垂直.

证明：$\because$ AD是$\triangle ABC$的角平分线，$DE\perp AB$，$DF\perp AC$，$\therefore$ $DE=DF$.

在$\mathrm{Rt}\triangle ADE$和$\mathrm{Rt}\triangle ADF$中，$\begin{cases}DE=DF,\\ AD=AD,\end{cases}$ $\therefore$ $\mathrm{Rt}\triangle ADE\cong\mathrm{Rt}\triangle ADF$(HL).

$\therefore$ $\angle ADE=\angle ADF$(全等三角形的对应角相等).

在$\triangle GDE$和$\triangle GDF$中，$\begin{cases}DE=DF,\\ \angle ADE=\angle ADF,\\ DG=DG,\end{cases}$ $\therefore$ $\triangle GDE\cong\triangle GDF$(SAS).

$\therefore$ $\angle DGE=\angle DGF$. 又$\because$ $\angle DGE+\angle DGF=180^\circ$，$\therefore$ $\angle DGE=\angle DGF=90^\circ$，

$\therefore$ $AD\perp EF$(垂直的定义).

章末总结与复习

知识网络归纳

ZHISHIWANGLUOGUINA

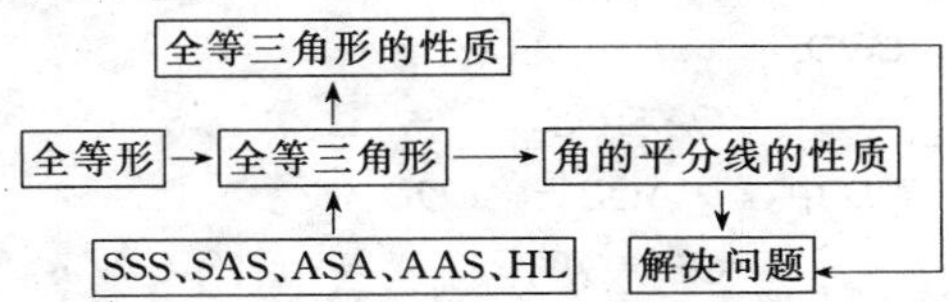

专题综合讲解

ZHUANTIZONGHEJIANGJIE

专题一　证明三角形全等的基本思路

在众多的判定方法中，选择哪种方法更适合是同学们普遍感到困难的一个方面. 其实，三角形全等的五种方法("SSS""SAS""ASA""AAS""HL")中，至少有一组相等的边，因此在应用时要养成先找边的习惯. 如果先找到了一组对应边，再找第二组条件，若找到一组对应边，则再找这两边的夹角用"SAS"或再找第三组对应边用"SSS"；若找到一组角，则需找另一组角(可以用"ASA"或"AAS")或夹这个角的另一组对应边用"SAS". 若是判定两个直角三角形全等，则优先考虑"HL"，上述思路可归纳为如图 11-4-1 所示的思维图.

S
- S
  - A(用 SAS)
  - S(用 SSS)
- A
  - S(用 SAS)
  - A(用 AAS 或 ASA)

图 11-4-1

专题二 构造全等三角形解题

我们知道,利用三角形全等是证明线段或角相等的重要方法之一,但有时不能直接应用,就需要根据条件通过作辅助线构造全等三角形,构造全等三角形的方法主要有翻折、旋转、平移、截取、延长等.

1. 平移法构造全等三角形

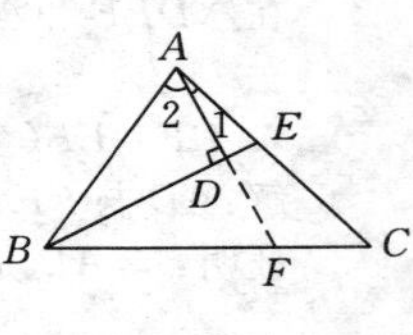

图 11-4-2

例 1 如图 11-4-2,在$\triangle ABC$中,BE是角平分线,$AD\perp BE$,垂足为D.求证:$\angle 2=\angle 1+\angle C$.

分析:BE是角平分线,而$AD\perp BE$,若延长AD交BC于点F,则易证$\angle 2=\angle AFB$.又$\angle AFB=\angle 1+\angle C$,故$\angle 2=\angle 1+\angle C$.

证明:延长AD交BC于点F,

$\because \angle ABD=\angle FBD, BD=BD, \angle ADB=\angle FDB=90^\circ$,

$\therefore \triangle ABD\cong\triangle FBD$(ASA). $\therefore \angle 2=\angle DFB$.

又$\because \angle DFB=\angle 1+\angle C$, $\therefore \angle 2=\angle 1+\angle C$.

点拨 DIANBO

在此题证明过程中,采用的主要方法是"线、角进行转移".

2. 翻折法构造全等三角形

例 2 如图 11-4-3,OP是$\angle AOC$和$\angle BOD$的平分线,$OA=OC$,$OB=OD$.求证:$AB=CD$.

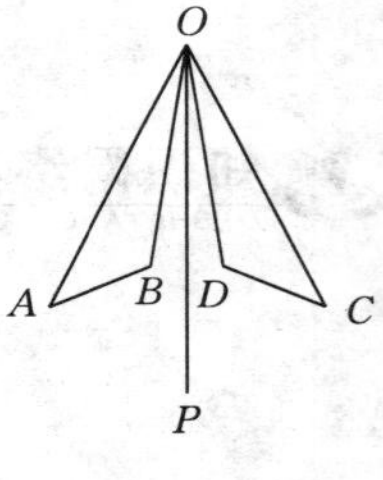

证明:因为OP是$\angle AOC$和$\angle BOD$的平分线,

所以$\angle AOP=\angle COP$,$\angle BOP=\angle DOP$.

所以$\angle AOB=\angle COD$.

在$\triangle AOB$和$\triangle COD$中,$\begin{cases}OA=OC,\\ \angle AOB=\angle COD,\\ OB=OD,\end{cases}$

所以$\triangle AOB\cong\triangle COD$.所以$AB=CD$.

图 11-4-3

点拨 DIANBO

两三角形可通过翻折法重合,清楚两三角形的重合方式,可显现出对应的边、角关系.

3. 旋转法构造全等三角形

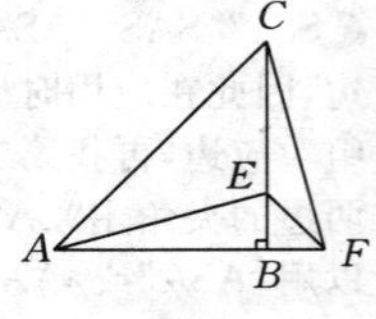

图 11-4-4

例 3 如图11-4-4,在$\triangle ABC$中,$AB=BC$,$\angle ABC=90^\circ$.F为AB延长线上一点,点E在BC上,$BE=BF$,连接AE、EF和CF.求证:$AE=CF$.

分析:证线段相等最常用的方法是证明三角形全等.

证明：∵ $\angle ABC=90^\circ$，F 为 AB 延长线上一点，∴ $\angle ABC=\angle CBF=90^\circ$.

又∵ $AB=BC$，$BE=BF$，∴ $\triangle ABE\cong\triangle CBF$，∴ $AE=CF$.

点拨 DIANBO

把$\triangle CBF$绕点B逆时针旋转90°与$\triangle ABE$重合，利用旋转法构造三角形全等是常用的方法.

专题三　思想方法专题

本章中所体现的数学思想方法主要有数形结合思想、转化思想和构造全等三角形的方法等.

1. 数形结合思想

数形结合思想在本章中有着普遍应用，读题识图同步进行，数形结合是本章证明和解答问题的关键.

例4　如图11-4-5，把长方形$ABCD$沿AE翻折，使点D落在BC边上的点F处，如果$\angle BAF=60^\circ$，那么$\angle DAE$为多少度？

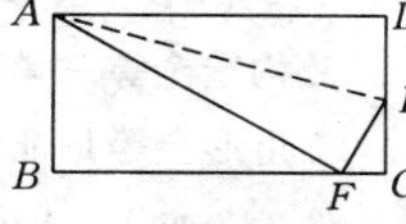

图 11-4-5

分析：由图11-4-5知，把长方形沿AE翻折，$\triangle ADE\cong\triangle AFE$，即$AE$平分$\angle DAF$，由$\angle BAF=60^\circ$，可得$\angle DAF=30^\circ$，从而可求出$\angle DAE$的大小.

解：∵ 在长方形$ABCD$中，$\angle BAD=90^\circ$，∴ $\angle DAF=\angle BAD-\angle BAF=30^\circ$.

∵ $\triangle AFE$是由$\triangle ADE$翻折得到的，∴ $\triangle ADE\cong\triangle AFE$，∴ $\angle DAE=\angle FAE$，

∴ $\angle DAE=\frac{1}{2}\angle DAF=15^\circ$.

点拨 DIANBO

本题通过读题识图、数形结合的思想方法，使问题得到求解. 折叠问题中，改变的是图形的位置，而不是图形的形状和大小，找出$\triangle AFE$与$\triangle ADE$的全等关系是解决本题的突破口.

2. 转化思想

转化思想就是把复杂的问题转化为简单的问题，把未知的问题转化为已知的问题来处理的一种数学思想，这种思想是我们解决问题中很重要的一种思想.

例5　如图11-4-6所示，在四边形$ABCD$中，已知$AB=CD$，$AD=CB$，$DE=BF$，且点E、F分别在AD、CB的延长线上. 求证：$BE=DF$.

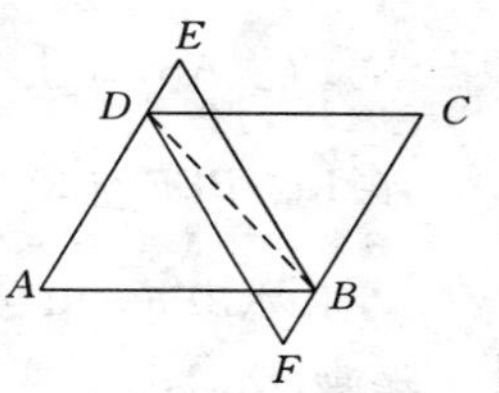

图 11-4-6

分析：欲证$BE=DF$，需证明$\triangle DEB\cong\triangle BFD$（或$\triangle AEB\cong\triangle CFD$），在$\triangle DEB$和$\triangle BFD$中，已有两组对应边相等：$DE=BF$，$BD$是公共边，第三组边是证明的问题，所以只能选择相等的两边的夹角相等，即$\angle EDB=\angle FBD$，而由已知条件可证$\triangle ABD\cong\triangle CDB$，得$\angle ADB=\angle CBD$，进而可得$\angle EDB=\angle FBD$，由此得证.

证明:连接 BD,在△ABD 和△CDB 中,$\begin{cases}AB=CD,\\BD=DB,\\AD=CB,\end{cases}$

∴ △ABD≌△CDB,∴ ∠ADB=∠CBD,∴ ∠EDB=∠FBD.

在△DEB 和△BFD 中,$\begin{cases}DE=BF,\\\angle EDB=\angle FBD,\\DB=BD,\end{cases}$∴ △$DEB$≌△$BFD$,∴ $BE=DF$.

点拨 DIANBO

作辅助线是进行几何图形转化的常用手段,本例通过作辅助线,把四边形问题转化为三角形问题,从而使问题得证,这也是解几何题的一般思路.实际上,转化思想在每一道题目中都有所体现,如从高向低转化,从新向旧转化,由复杂向简单转化等.善于转化是解决一个新问题的基本要求.

3. 构造全等三角形的解题方法

三角形全等是证明线段相等、角相等最基本、最常用的方法.

例 6 如图 11-4-7,在△ABC 中,D 是 BC 边的中点,$DE\perp BC$ 交∠BAC 的平分线于点 E,$EF\perp AB$ 于点 F,$EG\perp AC$ 交 AC 的延长线于点 G.求证:$BF=CG$.

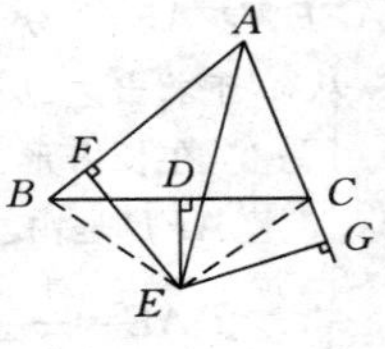

图 11-4-7

分析:要证 $BF=CG$,显然要构造三角形找全等,由 $ED\perp BC$,D 为 BC 中点可证△BDE≌△CDE,得 $EB=EC$.又 AE 为∠BAC 的平分线,且 $EF\perp AB$,$EG\perp AC$,根据角平分线的性质可得 $EF=EG$,从而 Rt△EBF≌Rt△ECG(HL),再由全等三角形的对应边相等可得 $BF=CG$.

证明:连接 EB、EC,∵ $ED\perp BC$,∴ ∠BDE=∠CDE=90°.

在△BDE 与△CDE 中,$\begin{cases}BD=CD,\\\angle BDE=\angle CDE,\\DE=DE,\end{cases}$∴ △$BDE$≌△$CDE$.∴ $BE=CE$.

∵ $EF\perp AB$,$EG\perp AC$,AE 平分∠BAC,∴ $EF=EG$.

在 Rt△BEF 与 Rt△CEG 中,$\begin{cases}EF=EG,\\EB=EC,\end{cases}$

∴ Rt△BEF≌Rt△CEG(HL),∴ $BF=CG$.

点拨 DIANBO

当给定的题设条件及图形并不具有明显的全等条件时,需要我们认真观察、分析,根据图形的结构特征,挖掘潜在因素,通过添加适当的辅助线,巧构全等三角形,借助全等三角形的有关性质,就可迅速找到证题的途径.

专题四 中考热点专题

1. 会运用三角形全等的性质和判定进行有关的计算和推理.

2. 能运用三角形全等的知识和角平分线的性质解决一些实际问题.

3. 本章是初中数学的重点，全等是解决数学中几何问题的工具，因此也是中考的重要考查内容，本章知识常与其他数学知识构成综合题，考查学生综合运用知识解决问题的能力.

例7 (2009·哈尔滨中考)如图11-4-8，在⊙O中，D、E分别为半径OA、OB上的点，且$AD=BE$.点C为$\overset{\frown}{AB}$上一点，连接CD、CE、CO，$\angle AOC=\angle BOC$.求证：$CD=CE$.

分析：由$OA=OB$，$AD=BE$，知$AO-AD=BO-BE$，即$OD=OE$，从而易证$\triangle ODC\cong\triangle OEC$.

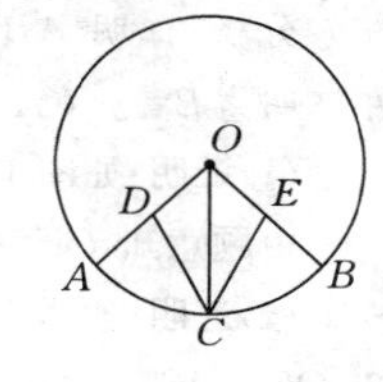

图 11-4-8

证明：∵ $OA=OB$，$AD=BE$，

∴ $OA-AD=OB-BE$，即$OD=OE$.

在$\triangle ODC$和$\triangle OEC$中，$\begin{cases}OD=OE,\\ \angle DOC=\angle EOC,\\ OC=OC,\end{cases}$

∴ $\triangle ODC\cong\triangle OEC$. ∴ $CD=CE$.

规律

证明两线段相等通常通过证三角形全等来解决.

例8 (2009·杭州中考)如图11-4-9，在等腰梯形$ABCD$中，$\angle BCD=60°$，$AD\parallel BC$，且$AD=DC$，E、F分别在AD、DC的延长线上，且$DE=CF$，AF、BE交于点P.

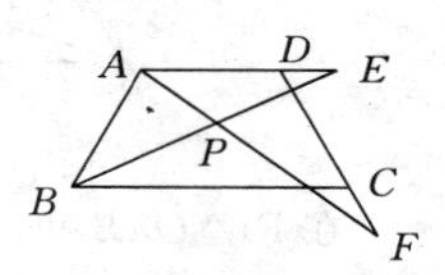

图 11-4-9

(1)求证：$AF=BE$；

(2)请你猜测$\angle BPF$的大小，并证明你的结论.

分析：(1)先证$\triangle BAE\cong\triangle ADF$；(2)由(1)可证$\angle ABE=\angle DAF$.再由$\triangle ABP$的外角性质可求$\angle BPF=\angle ABE+\angle BAP=\angle DAF+\angle BAP=\angle BAE=120°$.

(1)证明：∵ $AD=DC$，$DE=CF$，∴ $AE=DF$.

又∵ $BA=AD$，$\angle BAE=\angle ADF$，∴ $\triangle BAE\cong\triangle ADF$，∴ $BE=AF$.

(2)解：猜想$\angle BPF=120°$.

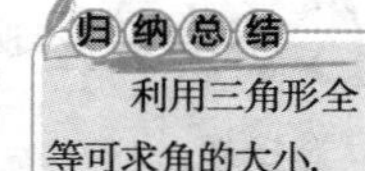

由(1)知$\triangle BAE\cong\triangle ADF$，∴ $\angle ABE=\angle DAF$.

∴ $\angle BPF=\angle ABE+\angle BAP=\angle DAF+\angle BAP=\angle BAE$.

而$AD\parallel BC$，$\angle BCD=\angle ABC=60°$，

∴ $\angle BAE=180°-\angle ABC=120°$.

∴ $\angle BPF=\angle BAE=120°$.

例 9 (2008·安徽中考)已知:点 O 到$\triangle ABC$ 的两边 AB、AC 所在直线的距离相等,且 $OB=OC$.

(1)如图 11-4-10(1),若点 O 在边 BC 上,求证:$AB=AC$.

(2)如图 11-4-10(2),若点 O 在$\triangle ABC$ 的内部,求证:$AB=AC$.

(3)若点 O 在$\triangle ABC$ 的外部,$AB=AC$ 成立吗?请画图表示.

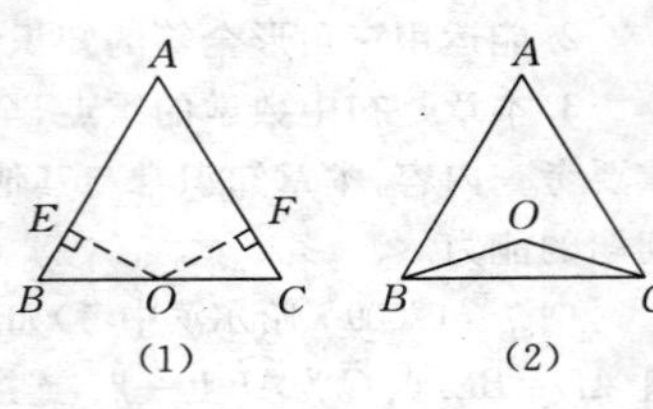

图 11-4-10

分析:证明 $AB=AC$,常考虑"等角对等边",即证明$\angle B=\angle C$.

(1)证明:如图 11-4-11,过点 O 分别作 $OE\perp AB$,$OF\perp AC$,E、F 分别是垂足.

由题意知,$OE=OF$,$OB=OC$,∴ Rt$\triangle OEB\cong$Rt$\triangle OFC$,∴ $\angle B=\angle C$,从而 $AB=AC$.

(2)证明:如图 11-4-11,过点 O 分别作 $OE\perp AB$,$OF\perp AC$,E、F 分别是垂足,由题意知,$OE=OF$.

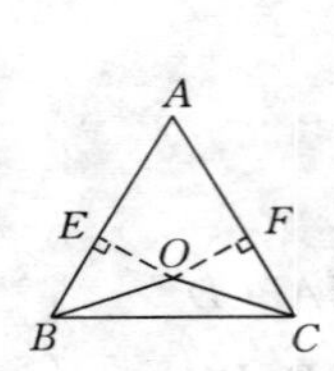

图 11-4-11

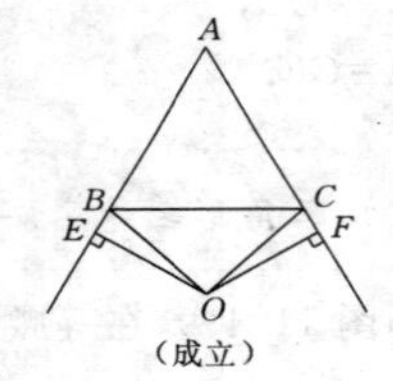

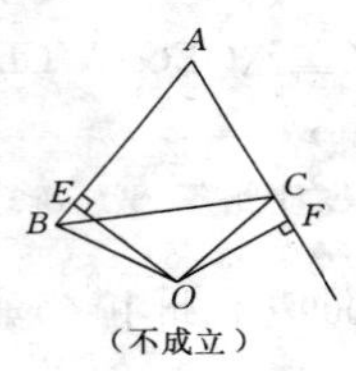

图 11-4-12

在 Rt$\triangle OEB$ 和 Rt$\triangle OFC$ 中,∵ $OE=OF$,$OB=OC$,

∴ Rt$\triangle OEB\cong$Rt$\triangle OFC$. ∴ $\angle OBE=\angle OCF$.

又由 $OB=OC$ 知$\angle OBC=\angle OCB$,∴ $\angle ABC=\angle ACB$,∴ $AB=AC$.

(3)解:不一定成立.(注:当$\angle A$ 的平分线所在直线与边 BC 的垂直平分线重合时,有 $AB=AC$;否则,$AB\neq AC$,如图 11-4-12.)

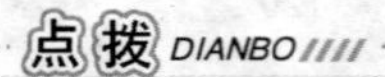

本题为开放性试题,考查运用三角形全等证明线段相等的方法.

本章达标测评

BENZHANGDABIAOCEPING

一、选择题

1. 如图 11-4-13,AD 是$\triangle ABC$ 的中线,E、F 分别是 AD、AD 的延长线上的点,且 $DE=DF$,连接 BF、CE,下列说法:①$CE=BF$;②$\triangle ABD$ 和$\triangle ACD$ 的面积相等;③$BF\parallel CE$;④$\triangle BDF\cong\triangle CDE$. 其中正确的有( )

   A. 1 个 B. 2 个 C. 3 个 D. 4 个

2. 如图 11-4-14，在$\triangle ABC$中，$AB=AC$，D是BC的中点，$DE\perp AB$于点E，$DF\perp AC$于点F，则图中的全等三角形共有（　　）

A. 5 对　　B. 4 对　　C. 3 对　　D. 2 对

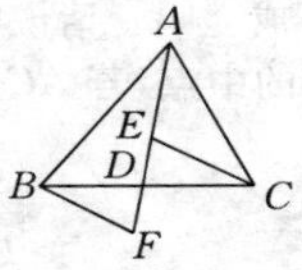

图 11-4-13

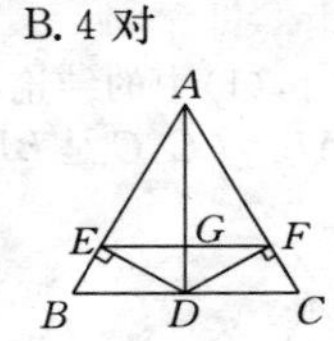

图 11-4-14

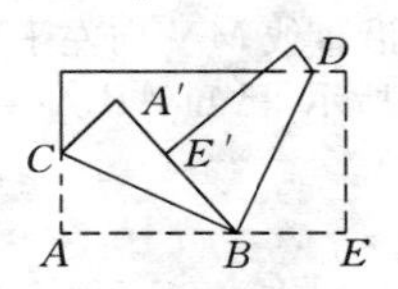

图 11-4-15

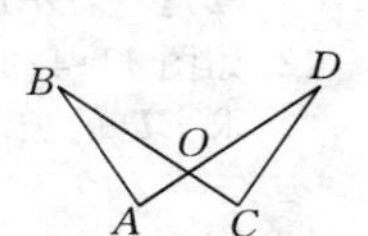

图 11-4-16

3. 将一张长方形纸片按如图 11-4-15 所示的方式折叠，BC、BD为折痕，则$\angle CBD$的大小为（　　）

A. 60°　　B. 75°　　C. 90°　　D. 95°

4. 如图 11-4-16，已知$AB=CD$，$BC=AD$，$\angle B=23^\circ$，则$\angle D$等于（　　）

A. 67°　　B. 46°　　C. 23°　　D. 无法确定

二. 填空题

5. 如图 11-4-17 所示，在$\triangle ABC$中，$\angle C=90^\circ$，$\angle ABC$的平分线BD交AC于点D，且$CD:AD=2:3$，$AC=10$ cm，则点D到AB的距离等于________cm.

6. 如图 11-4-18，BE、CD是$\triangle ABC$的高，且$BD=EC$，判定$\triangle BCD\cong\triangle CBE$的依据是“________”.

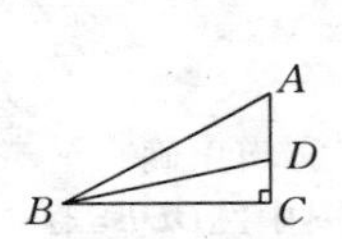

图 11-4-17

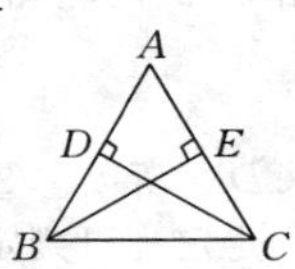

图 11-4-18

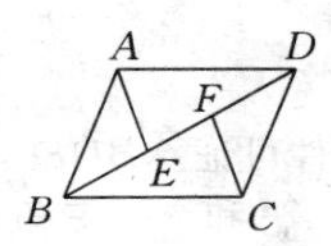

图 11-4-19

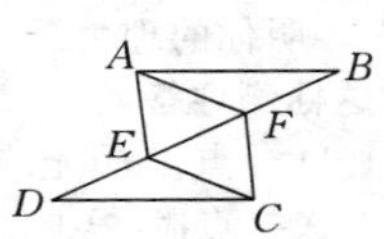

图 11-4-20

7. 如图 11-4-19，已知$AB=DC$，$AD=BC$，E、F是BD上两点，且$BE=DF$，若$\angle AEB=100^\circ$，$\angle ADB=30^\circ$，则$\angle BCF=$________.

三. 解答题

8. 如图 11-4-20，点D、E、F、B在一条直线上，$AB=CD$，$\angle ABE=\angle CDF$，$BF=DE$，$AE=10$ cm. (1)求CF的长；(2)求证：$AE\parallel CF$.

9. 如图 11-4-21，点A、F、M、E在同一直线上，且$BE\parallel CF$，$BE=CF$，问M是否为BC的中点. 若是，请给出证明；若不是，请说明理由.

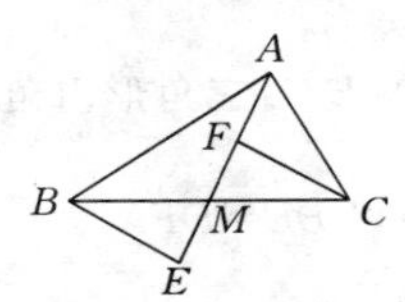

图 11-4-21

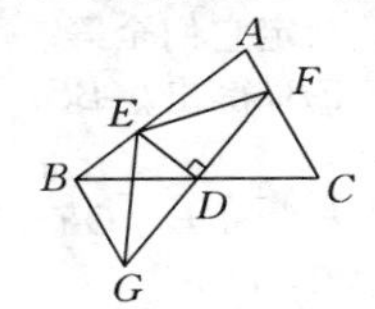

图 11-4-22

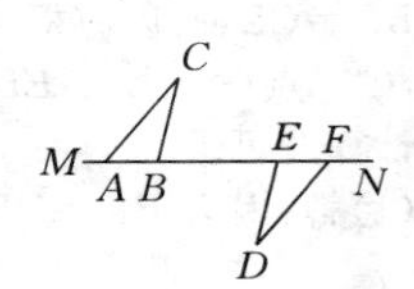

图 11-4-23

10. 如图 11-4-22，$\triangle ABC$中，D是BC的中点，过点D的直线GF交AC于点F，交AC的平行线BG于点G，$DE\perp GF$，交AB于点E，连接EG、EF.

(1)求证：$BG=CF$；

(2)请你判断$BE+CF$与EF的大小关系，并证明你的结论.

11. 如图 11-4-23 所示，$\triangle ABC$ 的 AB 边和 $\triangle DEF$ 的 EF 边都在直线 MN 上，且 $AC=DF$，$AE=BF$，$BC=DE$.

(1) DE 和 BC 平行吗？说明你的理由.

(2) 当 $\triangle DEF$ 沿直线 MN 向左平移时，(1)中的结论还成立吗？请说明理由.

12. 如图 11-4-24 所示，已知 $AB \parallel EC$，$AB=EC$，C 是 BD 的中点，若 $AC=4$ cm，求 ED 的长.

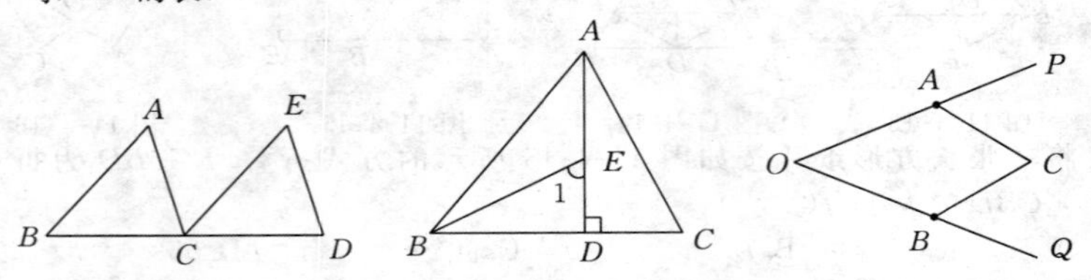

图 11-4-24　　图 11-4-25　　图 11-4-26

13. 如图 11-4-25 所示，已知 $AD \perp BC$ 于点 D，$AD=BD$，$AC=BE$.

(1) 求证：$\angle 1=\angle C$；

(2) 猜想并说明 DE 和 DC 有何特殊关系.

14. 如图 11-4-26 所示，O 为码头，A、B 两个灯塔与码头的距离相等，OP、OQ 为海岸线，一船从码头开出，计划沿 $\angle POQ$ 的平分线航行，航行途中，某时测得船所在的位置 C 与灯塔 A、B 的距离相等，此时轮船有没有偏离航线？并说明你的理由.

本章达标测评答案

1. D　点拨：由已知条件可证 $\triangle BDF \cong \triangle CDE$，所以①②③④均正确.

2. A　点拨：根据题中条件和全等三角形判定定理可判定，图中 $\triangle BDE \cong \triangle CDF$，$\triangle DEG \cong \triangle DFG$，$\triangle ADB \cong \triangle ADC$，$\triangle AGE \cong \triangle AGF$，$\triangle AED \cong \triangle AFD$.

3. C　点拨：由折叠原理知 $\angle ABC=\angle A'BC$，$\angle DBE=\angle DBE'$，所以 $(\angle CBA'+\angle DBE')\times 2=180°$，所以 $\angle CBD=\angle CBA'+\angle DBE'=90°$.

4. C　点拨：连接 AC，可证得 $\triangle BAC \cong \triangle DCA$(SSS)，所以 $\angle D=\angle B=23°$.

5. 4　点拨：由角平分线的性质易知点 D 到 AB 的距离等于 CD 的长，关键是求出 CD 的长. 遇比值常设未知量，由 $DC:AD=2:3$，可设 $DC=2x$，$AD=3x$，所以 $2x+3x=10$，解得 $x=2$，所以 CD 为 4 cm，即点 D 到 AB 的距离为 4 cm.

6. HL　点拨：因为 $\triangle BCD$ 和 $\triangle CBE$ 都是直角三角形，BC 是它们的公共斜边，$BD=CE$，所以应根据“HL”判定它们全等.

7. 70°　点拨：证 $\triangle AED \cong \triangle CFB$，得出 $\angle BCF=\angle DAE$，由三角形内角和公式计算即可.

8. (1) 解：因为 $BF=DE$，所以 $BF+EF=DE+EF$，所以 $BE=DF$.

在 $\triangle ABE$ 和 $\triangle CDF$ 中，$\begin{cases} AB=CD, \\ \angle ABE=\angle CDF, \\ BE=DF, \end{cases}$

所以 $\triangle ABE \cong \triangle CDF$(SAS)，所以 $CF=AE=10$(cm).

(2) 证明：因为 $\triangle ABE \cong \triangle CDF$，所以 $\angle AEB=\angle CFD$，所以 $AE \parallel CF$.

点拨：利用两个三角全等的性质求解此类型题目.

9. 解：M 是 BC 的中点.

理由：因为 $BE\parallel CF$，所以 $\angle FCM=\angle EBM$，$\angle CFM=\angle BEM$.

在 $\triangle CFM$ 和 $\triangle BEM$ 中，$\begin{cases}\angle FCM=\angle EBM,\\ CF=BE,\\ \angle CFM=\angle BEM,\end{cases}$ 所以 $\triangle CFM\cong\triangle BEM$(ASA)，

所以 $BM=MC$，所以 M 为 BC 的中点.

点拨：先根据两直线平行的性质，得两个三角形全等，再依据全等三角形的性质解此题.

10. (1) 证明：因为 $BG\parallel AC$，所以 $\angle DBG=\angle C$. 又因为 $BD=CD$，$\angle BDG=\angle CDF$，所以 $\triangle BGD\cong\triangle CFD$，所以 $BG=CF$.

(2) 解：$BE+CF>EF$.

证明：由 $\triangle BGD\cong\triangle CFD$，得 $GD=FD$，$BG=CF$. 又因为 $DE\perp GF$，$ED=ED$，所以 $\triangle EDG\cong\triangle EDF$，所以 $EG=EF$. 在 $\triangle BEG$ 中，有 $BE+BG>EG$，所以 $BE+CF>EF$.

点拨：先证两个三角形全等，得出对应关系，再把问题集中到一个三角形中，由三角形的性质求证 $BE+CF>EF$.

11. 解 (1) 平行. 理由：因为 $AE=BF$，所以 $AE-BE=BF-BE$，所以 $AB=FE$. 又 $AC=FD$，$BC=ED$，所以 $\triangle ABC\cong\triangle FED$，所以 $\angle ABC=\angle FED$，所以 $\angle CBE=\angle DEB$，所以 $BC\parallel DE$.

(2) 成立. 理由：因为 $\triangle DEF$ 沿直线 MN 向左平移时，$\triangle ABC\cong\triangle FED$ 仍成立，所以 $\angle ABC=\angle FED$，所以 $\angle CBE=\angle DEB$，所以 $BC\parallel DE$.

点拨：平移只改变图形的位置，不改变图形的大小和形状.

12. 解：因为 $AB\parallel EC$，所以 $\angle B=\angle ECD$. 因为 C 是 BD 的中点，所以 $BC=CD$. 在 $\triangle ABC$ 和 $\triangle ECD$ 中，$\begin{cases}AB=EC,\\ \angle B=\angle ECD,\\ BC=CD,\end{cases}$ 所以 $\triangle ABC\cong\triangle ECD$(SAS)，所以 $ED=AC=4$(cm).

点拨：本题主要考查了三角形全等的判定和全等三角形的性质.

13. (1) 证明：因为 $AD\perp BC$ 于点 D，所以 $\angle BDE=\angle ADC=90°$. 在 $\mathrm{Rt}\triangle BDE$ 和 $\mathrm{Rt}\triangle ADC$ 中，$\begin{cases}BE=AC,\\ BD=AD,\end{cases}$ 所以 $\mathrm{Rt}\triangle BDE\cong\mathrm{Rt}\triangle ADC$(HL)，所以 $\angle 1=\angle C$.

(2) 解：$DE\perp DC$ 且 $DE=DC$. 理由：因为 $AD\perp BC$ 于点 D，所以 $DE\perp DC$. 因为由 (1) 可知 $\mathrm{Rt}\triangle BDE\cong\mathrm{Rt}\triangle ADC$，所以 $DE=DC$.

14. 解：轮船没有偏离航线. 理由：如图 11-4-27 所示，连接 OC，在 $\triangle OAC$ 和 $\triangle OBC$ 中，$\begin{cases}OA=OB,\\ CA=CB,\\ OC=OC,\end{cases}$ 所以 $\triangle OAC\cong\triangle OBC$(SSS)，所以 $\angle AOC=\angle BOC$，即点 C 在 $\angle POQ$ 的平分线上.

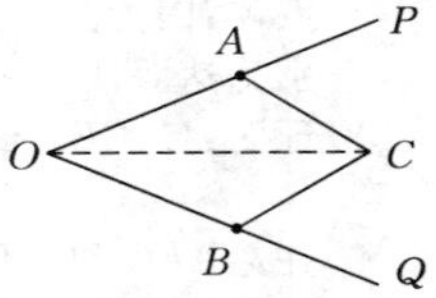

图 11-4-27

点拨：本题考查了三角形全等的判定和性质.

本章复习题全解

BENZHANGFUXITIQUANJIE

复习题 11(P26)

1.解：三种，每种各有两个.

点评：认真观察图形就可以得到答案.

2.解：(1)有，$\triangle ABD\cong\triangle CDB$；(2)有，$\triangle ABD$ 和 $\triangle AFD$，$\triangle ABF$ 和 $\triangle BFD$，$\triangle AFD$ 和 $\triangle BCD$.

3.证明：$\because \angle 1=\angle 2$，$\therefore \angle 1+\angle ACE=\angle 2+\angle ACE$，即 $\angle ACB=\angle DCE$.

在 $\triangle DEC$ 和 $\triangle ABC$ 中，$\begin{cases} CA=CD, \\ \angle ACB=\angle DCE, \\ BC=EC, \end{cases}$

$\therefore \triangle ABC\cong\triangle DEC(\text{SAS})$. $\therefore AB=DE$.

点评：DE 与 AB 分别是 $\triangle DEC$ 与 $\triangle ABC$ 的两边，欲证 $DE=AB$，最直接的证法就是证它们所在的三角形全等.

4.解：海岛 C、D 到观测点 A、B 所在海岸的距离相等. 理由如下：

$\because$ 海岛 C 在观测点 A 的正北方，海岛 D 在观测点 B 的正北方，

$\therefore \angle CAB=\angle DBA=90°$. $\because \angle CAD=\angle DBC$，

$\therefore \angle CAB-\angle CAD=\angle DBA-\angle DBC$，即 $\angle DAB=\angle CBA$.

在 $\triangle ABC$ 和 $\triangle BAD$ 中，$\begin{cases} \angle CAB=\angle DBA, \\ AB=BA, \\ \angle CBA=\angle DAB, \end{cases}$

$\therefore \triangle ABC\cong\triangle BAD(\text{ASA})$. $\therefore CA=DB$.

点评：问题是求 $CA=DB$，所以应选证 $\triangle ABC\cong\triangle BAD$.

5.证明：$\because DE\perp AB, DF\perp AC$，$\therefore \angle BED=\angle CFD=90°$.

$\because D$ 是 BC 的中点，$\therefore BD=CD$. 在 $\text{Rt}\triangle BDE$ 和 $\text{Rt}\triangle CDF$ 中，$\begin{cases} BE=CF, \\ BD=CD, \end{cases}$

$\therefore \text{Rt}\triangle BDE\cong\text{Rt}\triangle CDF(\text{HL})$. $\therefore DE=DF$，$\therefore AD$ 是 $\triangle ABC$ 的角平分线.

6.解：应在三条公路所围成的三角形的角平分线交点处修建度假村.

7.解：C、D 两地到路段 AB 的距离相等.

$\because AC\parallel BD$，$\therefore \angle CAE=\angle DBF$.

在 $\triangle ACE$ 和 $\triangle BDF$ 中，$\begin{cases} \angle CEA=\angle DFB, \\ \angle CAE=\angle DBF, \\ AC=BD, \end{cases}$ $\therefore \triangle ACE\cong\triangle BDF(\text{AAS})$，$\therefore CE=DF$.

点评：因为两车从路段 AB 的两端同时出发，以相同的速度行驶，相同时间后分别到达 C、D 两地，所以 $AC=BD$.

8.证明：$\because BE=CF$，$\therefore BE+EC=CF+EC$，即 $BC=EF$.

在 $\triangle ABC$ 和 $\triangle DEF$ 中，$\begin{cases} AB=DE, \\ AC=DF, \\ BC=EF, \end{cases}$ $\therefore \triangle ABC\cong\triangle DEF(\text{SSS})$.

$\therefore \angle ABC=\angle DEF$，$\angle ACB=\angle DFE$.

$\therefore AB\parallel DE$，$AC\parallel DF$(同位角相等，两直线平行).

点评：应用平行线的判定定理解答.

9. 解：∵ $\angle BCE+\angle ACD=90^\circ$，$\angle CAD+\angle ACD=90^\circ$，∴ $\angle BCE=\angle CAD$.

又∵ $BE\perp CE$，$AD\perp CE$，∴ $\angle E=\angle ADC=90^\circ$.

在$\triangle BCE$和$\triangle CAD$中，$\begin{cases}\angle E=\angle ADC,\\ \angle BCE=\angle CAD,\\ BC=CA,\end{cases}$ ∴ $\triangle BCE\cong\triangle CAD$(AAS).

∴ $CE=AD=2.59$(cm)，$BE=CD=CE-DE=2.5-1.7=0.8$(cm).

10. 解：$AD=A'D'$. 证明如下：∵ $\triangle ABC\cong\triangle A'B'C'$，

∴ $AB=A'B'$，$BC=B'C'$，$\angle B=\angle B'$(全等三角形的对应边相等，对应角相等).

又∵ AD和$A'D'$分别是BC和$B'C'$上的中线，

∴ $BD=\frac{1}{2}BC$，$B'D'=\frac{1}{2}B'C'$，∴ $BD=B'D'$.

在$\triangle ABD$和$\triangle A'B'D'$中，$\begin{cases}AB=A'B',\\ \angle B=\angle B',\\ BD=B'D',\end{cases}$

∴ $\triangle ABD\cong\triangle A'B'D'$(SAS). ∴ $AD=A'D'$(全等三角形的对应边相等).

11. 证明：作$DE\perp AB$于E，$DF\perp AC$于F. ∵ AD是$\triangle ABC$的角平分线，∴ $DE=DF$.

∴ $\dfrac{S_{\triangle ABD}}{S_{\triangle ACD}}=\dfrac{\frac{1}{2}AB\cdot DE}{\frac{1}{2}AC\cdot DF}=\dfrac{AB}{AC}$，即 $S_{\triangle ABD}:S_{\triangle ACD}=AB:AC$.

12. 已知：如图 11-4-28，在$\triangle ABC$与$\triangle A'B'C'$中，$AB=A'B'$，$AC=A'C'$，CD、$C'D'$分别是$\triangle ABC$、$\triangle A'B'C'$的中线，且$CD=C'D'$.

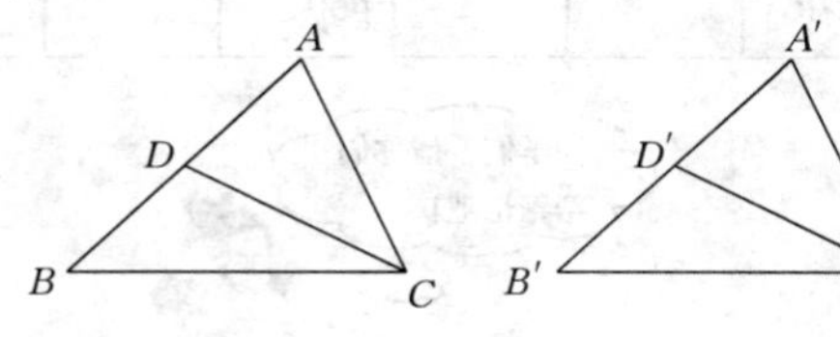

图 11-4-28

求证：$\triangle ABC\cong\triangle A'B'C'$.

证明：∵ $AB=A'B'$，∴ $\frac{1}{2}AB=\frac{1}{2}A'B'$，即 $AD=A'D'$.

在$\triangle ADC$与$\triangle A'D'C'$中，$\begin{cases}AD=A'D',\\ AC=A'C',\\ CD=C'D',\end{cases}$ ∴ $\triangle ADC\cong\triangle A'D'C'$(SSS)，

∴ $\angle A=\angle A'$.

在$\triangle ABC$与$\triangle A'B'C'$中，$\begin{cases}AB=A'B',\\ \angle A=\angle A',\\ AC=A'C',\end{cases}$ ∴ $\triangle ABC\cong\triangle A'B'C'$(SAS).

第十二章 轴对称

本章综合解说

BENZHANGZONGHEJIESHUO

趣味情景激思

下图是宣传委员梅林设计的黑板报的装饰花边.梅林在设计花边时留下四个空格,你想知道完整的图案吗?你能设计一种更好看的变换方式相同的图案吗?我们一起走进第十二章“轴对称”,感受它的美妙,探索它的奥秘吧!

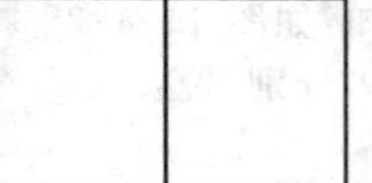

本章知识概览

1. 本章知识与现实生活联系密切,是人们日常生活和生产中应用较广的一种几何图形,是三角形知识的延续与拓展.

教材全解

2. 本章主要内容：学习轴对称及其基本性质，欣赏、体验轴对称在现实生活中的广泛应用，并利用轴对称性探索等腰三角形等简单图形的性质.

本章重点：认识轴对称图形及轴对称，并能掌握两者的区别与联系，了解线段垂直平分线的性质，掌握轴对称变换，正确理解等腰三角形的定义、性质及识别方法，并能灵活运用.

本章难点：正确画出轴对称图形的对称轴或成轴对称的两个图形的对称轴，能够进行简单的轴对称变换.

课标学法点津

1. 在本章的学习中，我们要在动手操作的过程中体会轴对称变换和数学美在现实生活中的广泛应用.

2. 通过观察、归纳等方法去探索和发现等腰三角形的有关性质. 在分析题目时多联想，完成题目后注意归纳总结题目的特点，寻求多种解法. 在学习过程中，充分体会转化的数学思想.

12.1 轴对称

课程标准要求

KECHENGBIAOZHUNYAOQIU

1. 了解轴对称图形,两个图形成轴对称的意义,并能作出它们的对称轴.
2. 掌握线段垂直平分线的判定和性质,会用集合的观点解释线段垂直平分线.
3. 通过自己动手画、作、测量、计算和推理证明,体会轴对称和线段垂直平分线的性质.

相关知识链接

XIANGGUANZHISHILIANJIE

轴对称在我们的生活中无处不在,无论是随风起舞的风筝,凌空翱翔的飞机,还是中外各式风格的典型建筑;无论是艺术家的创造,还是日常生活中图案的设计,甚至是照镜子都和对称密不可分.在这里我们将认识某些平面图形的对称美,并探索一些最简单的轴对称图形的性质,还能够根据自己的设想创造出对称的作品,装点生活.现在就让我们一起来认识这奇妙的数学世界吧!

图 12-1-1

教材知能全解

JIAOCAIZHINENGQUANJIE

知能点1 轴对称与轴对称图形(重点)

(1)轴对称

把一个图形沿着某一条直线折叠,如果它能够与另一个图形重合,那么就说这两个图形关于这条直线对称.两个图形关于直线对称也称为轴对称.折叠后重合的点是对应点,叫做关于这条直线的对称点,这条直线叫做对称轴.

(2)轴对称图形

如果一个图形沿一条直线折叠,直线两旁的部分能够互相重合,这个图形就叫做轴对称图形,这条直线就是它的对称轴.

警示:轴对称图形是指“一个图形”;轴对称是指“两个图形”的位置关系,在某种情况下,二者可以互相转换.

轴对称和轴对称图形都有对称轴.如果把成轴对称的两个图形看成一个整体,那么它就是一个轴对称图形;如果把轴对称图形沿对称轴分成两部分,那么这两个图形就关于对称轴对称.

如图 12-1-2,这些都是轴对称图形,图中的虚线就是对称轴.

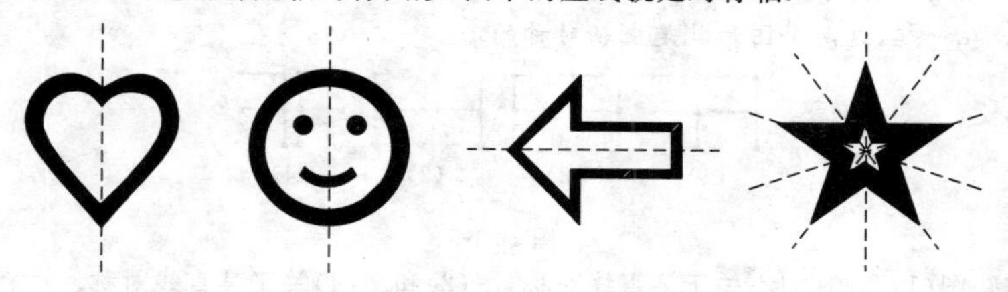

图 12-1-2

如图 12-1-3,每幅图中的两个图形都是成轴对称的,图中的虚线就是对称轴.

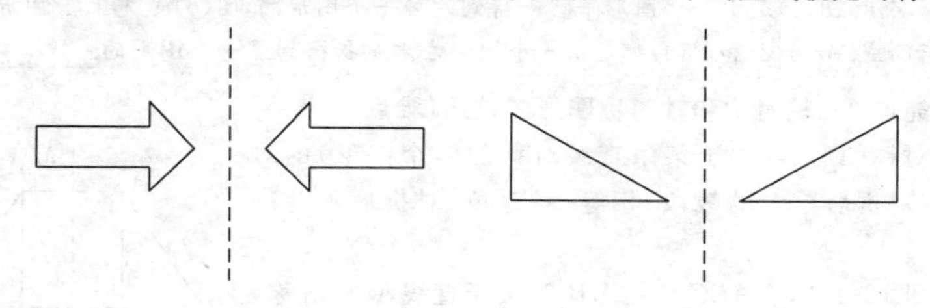

图 12-1-3

例 1　如图 12-1-4,判断下列图形是否为轴对称图形,若是,说出它们有几条对称轴.

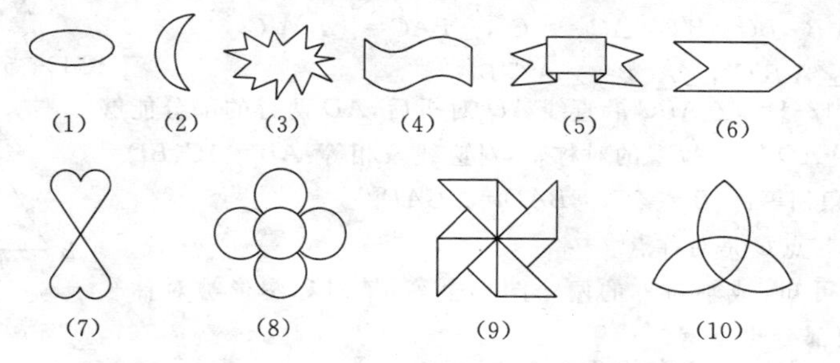

图 12-1-4

分析:按照轴对称图形的定义,只要图形能够找到一条直线,使之沿这条直线折叠之后两部分能重合在一起,这个图形就是轴对称图形,同时,该直线即为它的对称轴.注意一个轴对称图形的对称轴不一定只有一条,也许有两条或多条.

解:图(1)(2)(5)(6)(7)(8)(10)是轴对称图形.图(2)(5)(6)都有一条对称轴,图(1)(7)有两条对称轴,图(8)有 4 条对称轴,图(10)有 3 条对称轴.

点拨 DIANBO

找轴对称图形,可以试着画对称轴,通过观察两部分是否重合来判定;找对称轴要注意全方位去找,不要漏掉.

例 2 判断如图 12-1-5 中所示的图形是否关于某直线对称.

分析:按照两个图形关于某直线对称的定义,只要两个图形能够沿某条直线对折后重合在一起,这两个图形就是成轴对称的.

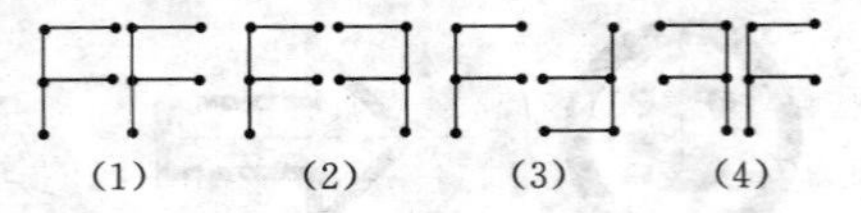

图 12-1-5

解:图(1)和图(3)不关于某直线对称,图(2)和图(4)关于某直线对称.

点拨 DIANBO

事实上,图(1)是由一个图形平移而得到的另一个图形的,图(3)是先上下翻折,再左右翻折而成.而图(2)和图(4)都是由一个图形左右翻折得到另一个图形的.

知能点 2 轴对称和轴对称图形的性质(难点)

轴对称图形(或关于某条直线对称的两个图形)的对应线段(对折后重合的线段)相等,对应角(对折后重合的角)相等.

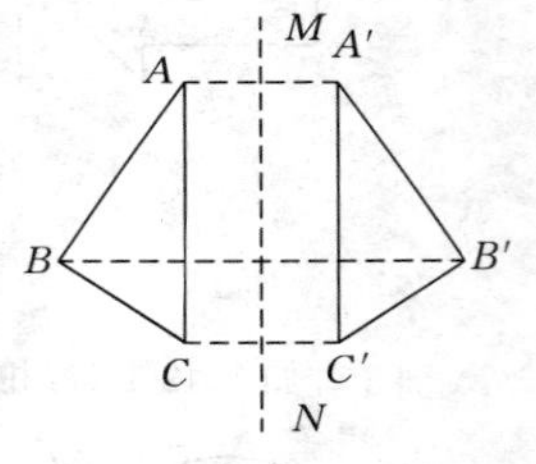

图 12-1-6

如图 12-1-6,$\triangle ABC$ 和 $\triangle A'B'C'$ 关于直线 MN 对称,此时 A 和 A',B 和 B',C 和 C' 分别是对应点,称为对称点.沿直线 MN 折叠后,A 与 A',B 与 B',C 与 C' 分别重合,则有 $AB=A'B'$,$BC=B'C'$,$AC=A'C'$,$\angle BAC=\angle B'A'C'$,$\angle ABC=\angle A'B'C'$,$\angle ACB=\angle A'C'B'$.

如图 12-1-7,$\triangle ABC$ 沿直线 AD 对折后,AD 两旁的部分能够重合,直线 AD 是 $\triangle ABC$ 的对称轴,对应线段相等:$AB=AC$,$BD=CD$.对应角相等:$\angle B=\angle C$,$\angle BAD=\angle CAD$.

点 B 与点 C 是对称点.

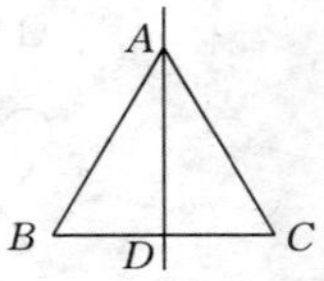

由此可知:成轴对称的两个图形全等;轴对称图形被对称轴分成的两部分也全等.

图 12-1-7

例 3 图 12-1-8 中的两个四边形关于某直线对称,根据图形提供的条件求 x、y.

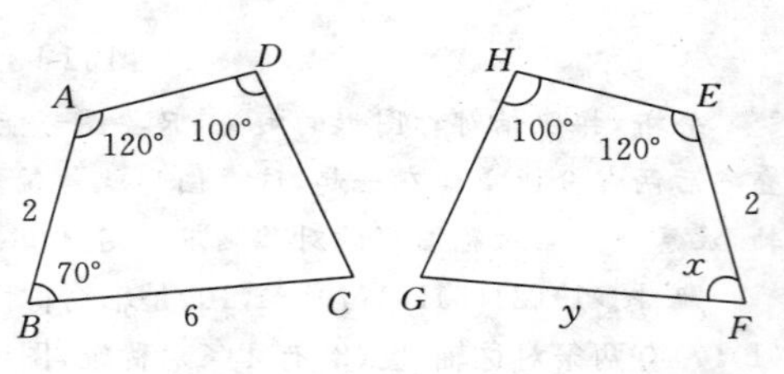

图 12-1-8

分析:由 $AB=EF=2$,$\angle A=\angle E=120°$,可知 A 与 E,B 与 F 是对称点.又由 $\angle D=\angle H=100°$ 可知 D 与 H,C 与 G 是对称点.

解:$\because$ $AB=EF=2$,$\angle A=\angle E=120°$,$\therefore$ A 与 E,B 与 F 是对称点,$\therefore$ $\angle F=\angle B$,即 $x=70°$.又 $\angle D=\angle H=100°$,$\therefore$ D 与

H,C与G是对称点,∴ $GF=BC$,即 $y=6$.

点拨 DIANBO

解决此类问题应先根据条件确定对称点,从而确定对应线段、对应角.

知能点3　线段垂直平分线的性质(重点)

经过线段中点并且垂直于这条线段的直线,叫做这条线段的垂直平分线,简称中垂线.

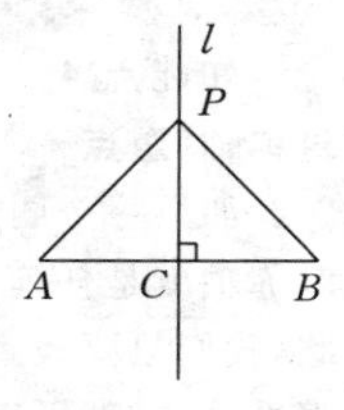

图 12-1-9

线段垂直平分线上的点与这条线段两个端点的距离相等.

与一条线段两个端点距离相等的点,在这条线段的垂直平分线上.

如图 12-1-9,直线 l 是线段 AB 的垂直平分线,P 为 l 上一点,则 $PA=PB$;反过来,如果 $PA=PB$,则点 P 在线段 AB 的垂直平分线上.

拓展:线段的中垂线可以看成是到线段两端距离相等的所有点的集合.

我们也可以利用全等知识证明线段垂直平分线的这两条性质.

例 4　(1)如图 12-1-10(1),已知线段 AB,l 为线段 AB 的垂直平分线,垂足为 C,P 为 l 上的任一点,求证:$PA=PB$.

(2)如图 12-1-10(2),已知线段 AB,$PA=PB$,求证:P 在线段 AB 的垂直平分线上.

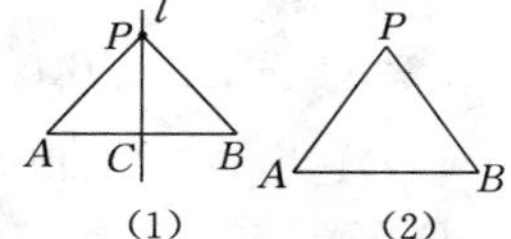

图 12-1-10

证明:(1)因为 l 为线段 AB 的垂直平分线,所以 $AC=BC$,且$\angle PCA=\angle PCB=90°$. 又因为 PC 为公共边,所以$\triangle PCA\cong\triangle PCB$(SAS),因此 $PA=PB$.

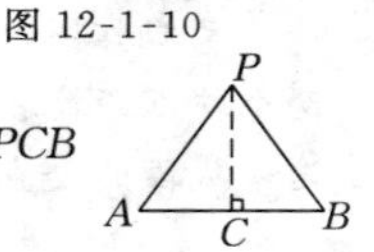

图 12-1-11

(2)过点 P 作 $PC\perp AB$,垂足为 C(如图 12-1-11). 因为 $PA=PB$,$PC=PC$,且$\angle PCA=\angle PCB=90°$,所以 Rt$\triangle PCA\cong$Rt$\triangle PCB$(HL),因此 C 为线段 AB 的中点. 又因为 $PC\perp AB$,所以 PC 在 AB 的垂直平分线上,因此点 P 在线段 AB 的垂直平分线上.

点拨 DIANBO

轴对称与全等的关系非常密切,上述证明的两个结论,第一个是线段中垂线的性质定理,第二个是线段中垂线的判定定理,是很重要的两个结论,要熟练掌握并能够灵活运用.

例 5　如图 12-1-12,$\triangle ABC$ 的边 AB、BC 的中垂线 PM、PN 相交于点 P. 求证:点 P 在 AC 的垂直平分线上.

分析:由中垂线提供了线段相等的条件,线段相等又可以确定点的位置.

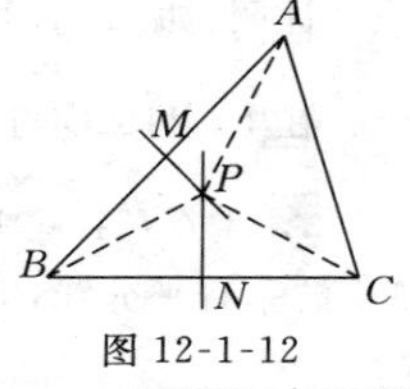

图 12-1-12

证明:连接 PA、PB、PC,∵ PM、PN 为 AB、BC 的中垂线,

$\therefore PA=PB, PB=PC, \therefore PA=PC$.

$\therefore$ 点 P 在 AC 的垂直平分线上.

点拨 DIANBO

到三角形三个顶点距离相等的点是三角形三边中垂线的交点，只要作出两条边的中垂线就可以确定这个点的位置.

知能点 4　画轴对称图形或成轴对称的两个图形的对称轴(重点)

如果一个图形是轴对称图形或两个图形成轴对称，其对称轴就是任何一对对应点所连线段的垂直平分线. 因此，我们只要找到一对对应点，作出连接它们的线段的垂直平分线，就可以得到它们的对称轴.

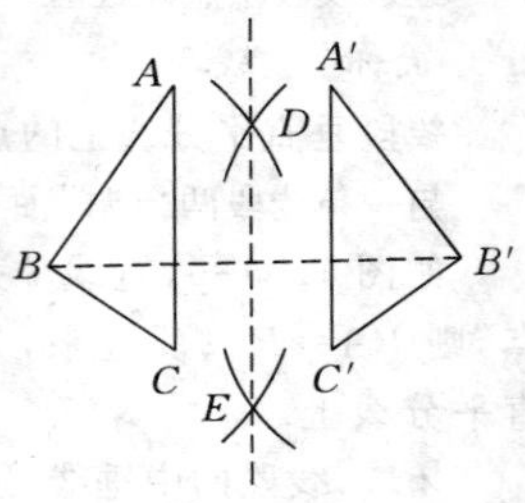

图 12-1-13

例 6　如图 12-1-13，$\triangle ABC$ 与 $\triangle A'B'C'$ 关于某条直线对称，请你作出这条直线.

分析：$\triangle ABC$ 与 $\triangle A'B'C'$ 中的点 A 与 A'，点 B 与 B'，点 C 与 C' 是对应点，连接一对对应点，如连接 BB'，作线段 BB' 的垂直平分线即可.

解：(1)分别以点 B、B' 为圆心，以大于 $\frac{1}{2}BB'$ 的长为半径作弧，两弧交于 D、E 两点；

(2)连接 DE，DE 即为所求的直线.

点拨 DIANBO

尺规作图，作线段的垂直平分线是线段垂直平分线性质的应用；与一条线段两个端点距离相等的点，在这条线段的垂直平分线上. 作出这样的两点，即可作出这条线段的垂直平分线. 一对对应点连线的中垂线，即为对称轴.

全解小博士在线答疑

课本 P31(思考)：成轴对称的两个图形如果沿对称轴折叠，能够完全重合，所以它们一定全等；如果把一个轴对称图形沿对称轴分成两个图形，那么这两个图形一定全等，并且关于这条对称轴对称.

课本 P33(探究)：把"箭"尾放在橡皮筋的中点，这样，由线段垂直平分线的性质可知，"箭"所在的直线就是木棒这条线段的垂直平分线，这样就能保证射出箭的方向与木棒垂直.

课本 P33(问题)：已知：$PA=PB$. 求证：点 P 在线段 AB 的垂直平分线上.

证明：如 12-1-14，过点 P 作 $PC\perp AB$，垂足为 C.

在 $Rt\triangle PAC$ 与 $Rt\triangle PBC$ 中，$\begin{cases} PA=PB(\text{已知}), \\ PC=PC(\text{公共边}), \end{cases}$

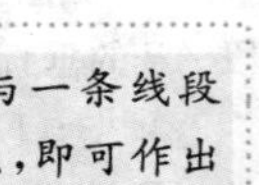

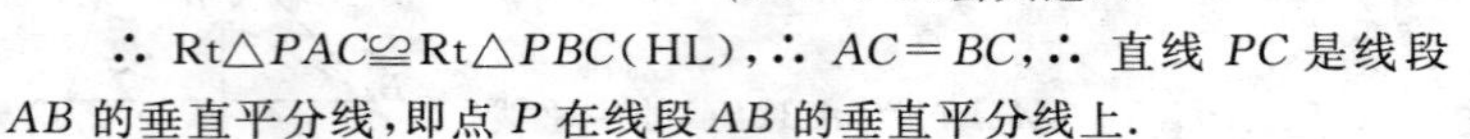

$\therefore Rt\triangle PAC\cong Rt\triangle PBC(HL)$，$\therefore AC=BC$，$\therefore$ 直线 PC 是线段 AB 的垂直平分线，即点 P 在线段 AB 的垂直平分线上.

P
A　C　B

图 12-1-14

典型例题全解

题型一　轴对称图形的判定

例 1　图 12-1-15 中的图形是轴对称图形吗？对称轴有几条？你能画出来吗？

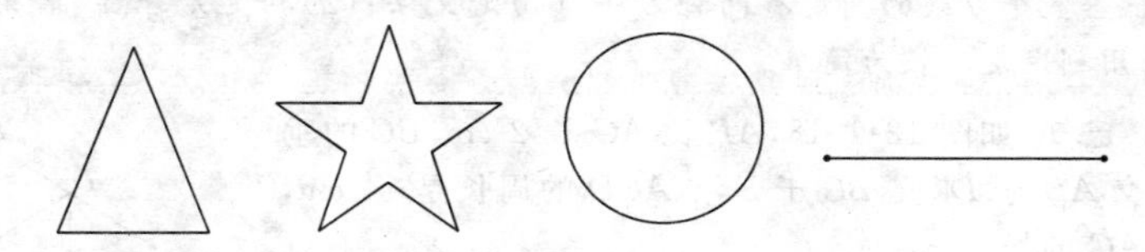

图 12-1-15

分析：首先弄清对称轴的定义，再来解决这个问题就很简单了．根据对称轴是任何一对对应点所连线段的垂直平分线，作出对应点所连线段的垂直平分线，该直线就是对称轴．

解：如图 12-1-16 所示（圆的对称轴有无数条）．

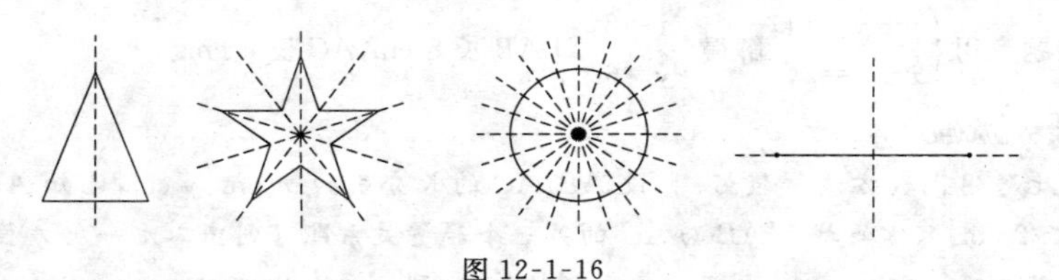

图 12-1-16

点拨 DIANBO

（1）对称轴是直线；（2）一个图形可能没有对称轴，也可能有很多条，不要多画，也不要漏画．

题型二　线段垂直平分线的判定与性质

例 2　如图 12-1-17，AD 是$\angle BAC$ 的平分线，$DE\perp AB$，$DF\perp AC$，垂足分别为 E、F，连接 EF，EF 与 AD 交于点 G．求证：AD 垂直平分 EF．

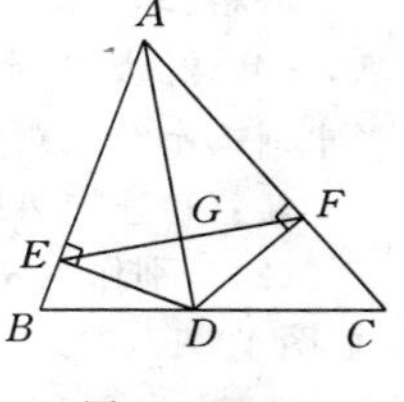

图 12-1-17

分析：无论你用定义法或判定定理，重要的是要理解垂直平分线的含义，再从已知条件着手进行证明．

证法 1：（定义法）$\because$ AD 平分$\angle BAC$，$DE\perp AB$，$DF\perp AC$，

$\therefore$ $DE=DF$．

又在 $\mathrm{Rt}\triangle AED$ 和 $\mathrm{Rt}\triangle AFD$ 中，$AD=AD$，$DE=DF$，

$\therefore$ $\mathrm{Rt}\triangle AED\cong\mathrm{Rt}\triangle AFD$(HL)．$\therefore$ $AE=AF$．

又 $AG=AG$，$\angle EAG=\angle FAG$，$\therefore$ $\triangle AEG\cong\triangle AFG$(SAS)．

$\therefore$ $EG=FG$，$\angle AGE=\angle AGF=90^\circ$．

$\therefore$ AD 垂直平分 EF（垂直平分线的定义）．

证法 2：（判定定理）$\because$ AD 平分$\angle BAC$，$DE\perp AB$，$DF\perp AC$，$\therefore$ $DE=DF$．

又 $AD=AD$，∴ Rt△AED≌Rt△AFD(HL)，∴ $AE=AF$.

∴ 点 A 在 EF 的垂直平分线上. 同理，点 D 也在 EF 的垂直平分线上.

∴ AD 垂直平分 EF(两点确定一条直线).

点拨 DIANBO

线段垂直平分线的判定有两种方法：(1)定义法；(2)判定定理. 一般用定义法，但利用判定定理较为简单.

例 3 已知：如图 12-1-18，AB 比 AC 长 2 cm，BC 的垂直平分线交 AB 于 D，交 BC 于 E，△ACD 的周长是 14 cm，求 AB 和 AC 的长.

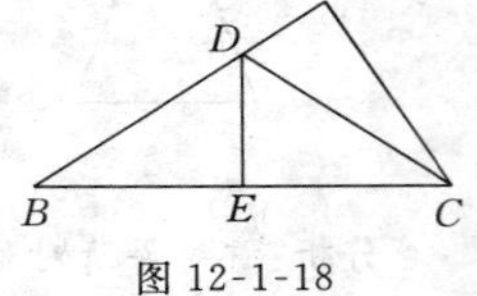

图 12-1-18

分析： 由对称可求出 AB 与 AC 的和，又已知 AB 与 AC 的差，利用方程组求解很简便.

解： ∵ DE 垂直平分 BC，∴ $DB=DC$.

∵ $AC+AD+DC=14$，∴ $AC+AD+BD=14$，即 $AC+AB=14$.

又∵ $AB-AC=2$，设 $AB=x$，$AC=y$，

依题意得 $\begin{cases}x+y=14,\\x-y=2,\end{cases}$ 解得 $\begin{cases}x=8,\\y=6.\end{cases}$ 即 AB 长 8 cm，AC 长 6 cm.

点拨 DIANBO

此题用代数方法解较好. 可设 AB、AC 的长分别为 x cm、y cm，已知 AB 比 AC 长 2 cm，只需再找到 AB 与 AC 的另一个等量关系即可列出二元一次方程组；还可以设 AC 长为 x cm，用其来表示 AB 的长，列一元一次方程.

例 4 如图 12-1-19，A、B、C 三点表示三个村庄，为了解决村民子女就近入学问题，计划新建一所小学，要使学校到三个村庄距离相等，请你在图中确定学校的位置.

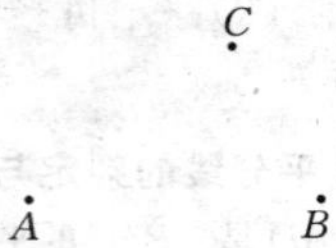

C

A　　B

图 12-1-19

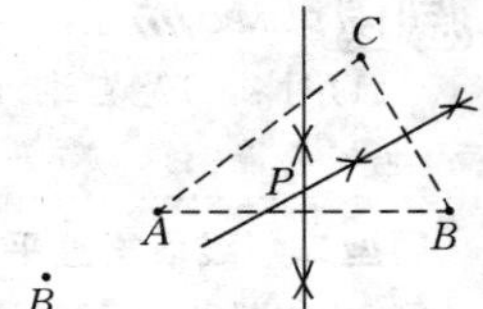

图 12-1-20

分析： 三角形三边的垂直平分线交于一点，并且这点到三个顶点的距离相等. 找三角形中到三个顶点距离相等的点的方法是找两边的垂直平分线的交点.

解： (1)连接 AB、AC、BC；

(2)分别作 AB、BC 的垂直平分线交于点 P，则点 P 就是所要确定的学校的位置(如图 12-1-20).

点拨 DIANBO

此题是一道数学与生活的综合题，解题中主要运用了作线段垂直平分线解决问题的方法. 因此，对现实生活中的问题注意与数学的联系，这是新课标理念的重要内涵.

题型三 利用轴对称的性质设计图案

例 5 用如图 12-1-21 所示的胶辊沿从左到右的方向将图案滚涂到墙上，给出

的四个图案中，符合图 12-1-21 中胶辊涂出的图案的是（　　）

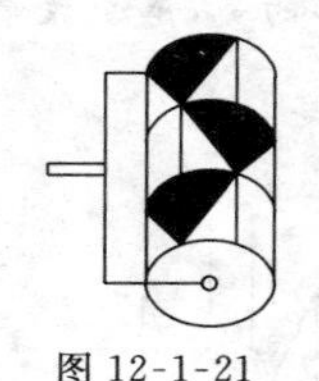
图 12-1-21

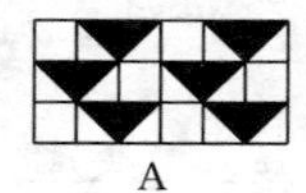
A

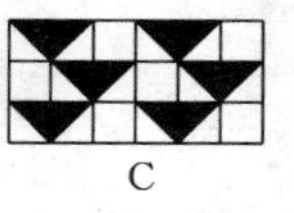
B

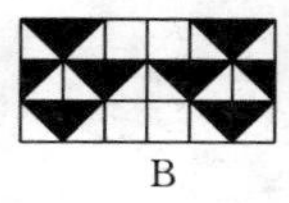
C

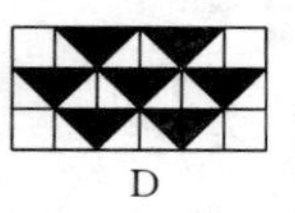
D

解析：观察胶辊上三个三角形的位置关系，可发现 A 图案符合.　　**答案**：A

点拨 DIANBO

此题考查空间想象能力及图形对称性的应用. 把胶辊沿从左到右的方向将图案滚涂到墙上，涂出的图案与胶辊上的图案二者成轴对称关系. 胶辊在墙上的压痕所在的直线就是对称轴.

例 6　一天，小明发现如果将 4 棵树栽于正方形的四个顶点上，如图 12-1-22(1)所示，恰好构成一个轴对称图形. 你还能找到其他两种栽树的方法，也使其组成一个轴对称图形吗？请在图(2)(3)上表示出来. 如果是栽 5 棵树，又如何呢？6 棵、7 棵呢？请分别在图(4)(5)(6)上表示出来.

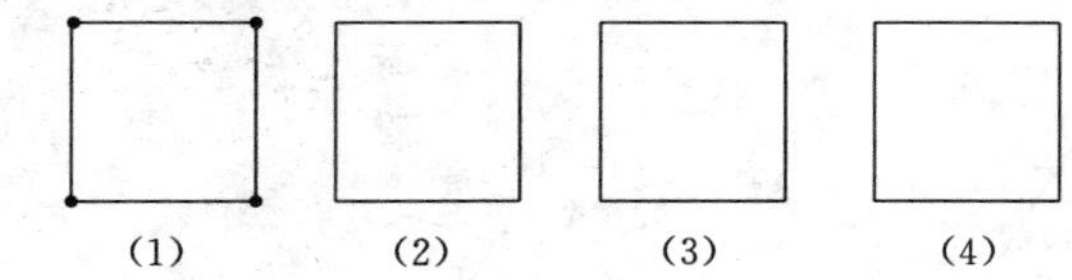
(1)　(2)　(3)　(4)　(5)　(6)

图 12-1-22

解：答案不唯一，如图 12-1-23.

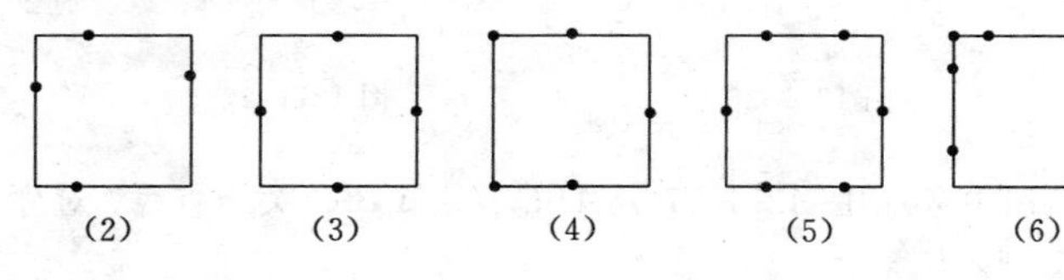
(2)　(3)　(4)　(5)　(6)

图 12-1-23

点拨 DIANBO

利用对称轴是对称点连线的垂直平分线的特点，找到问题的突破口，灵活运用.

例 7　以给定的图形"○○、△△、＝"(两个圆、两个三角形、两条平行线段)为构件，构思独特且有意义的轴对称图形. 举例：如图 12-1-24，左框中是符合要求的一个图形. 你还能构思出其他的图形吗？请在右框中画出

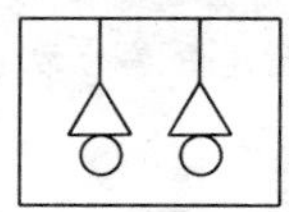

解说词：两盏电灯　　解说词：________

图 12-1-24

与之不同的一个图形,并写出一两句贴切、诙谐的解说词.

分析:设计成一个或一组轴对称图形,使人能感受到对称图形的美,感受数学的美妙无穷.

解:本题答案不唯一,下面仅举几例,如图 12-1-25 所示.

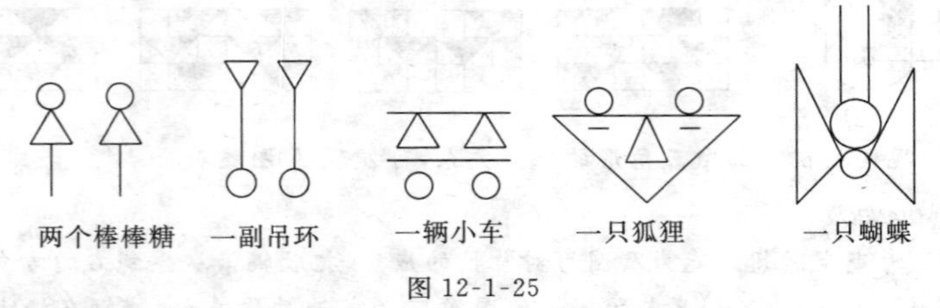

图 12-1-25

点拨 DIANBO

这是一道考查读者的图案设计能力和空间想象能力的趣味数学题,答案不唯一.

题型四　本节习题 12.1(P36)复习巩固第 3 题与中考真题解密

如图 12-1-26,$\triangle ABC$ 和$\triangle A'B'C'$关于直线 l 对称,根据图中的条件,求$\angle A'B'C'$的度数和 AB 的长.

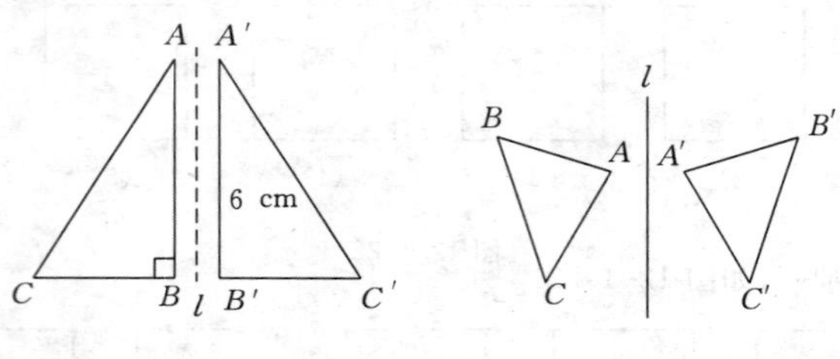

图 12-1-26　　　图 12-1-27

中考真题

(2009·黄冈中考)如图 12-1-27,$\triangle ABC$ 与$\triangle A'B'C'$关于直线 l 对称,且$\angle A=78°$,$\angle C'=48°$,则$\angle B$ 等于(　　)

A. 48°　　B. 54°　　C. 74°　　D. 78°

解析:$\angle C=\angle C'=48°$,在$\triangle ABC$ 中,$\angle B=180°-\angle A-\angle C=54°$.　　**答案**:B

考题点睛

两题考查的都是轴对称图形的性质,即轴对称或轴对称图形的对应线段和对应角分别相等,这一性质也是中考的常考内容之一.

挑战课标中考

TIAOZHANKEBIAOZHONGKAO

中考考点解读

本节知识点是中考热点内容之一,考查形式多为填空题、选择题和解答题,其中也不乏方案设计题，轴对称变换和后面将学到的旋转知识的综合题在近几年的中考中也时有出现.

中考典题全解

例 1　(2009 · 株洲中考)下列四个图形中，不是轴对称图形的是(　　)

解析：根据轴对称图形的概念，通过仔细观察可知图 A、B、C 都是轴对称图形，只有 D 不是，故应选 D.　　**答案**：D

例 2　(2009 · 日照中考)如图 12-1-28 所示，把一个长方形纸片沿 EF 折叠后，点 D、C 分别落在 D'、C' 的位置. 若 $\angle EFB=65^\circ$，则 $\angle AED'$ 等于(　　)

A. 70°　　B. 65°　　C. 50°　　D. 25°

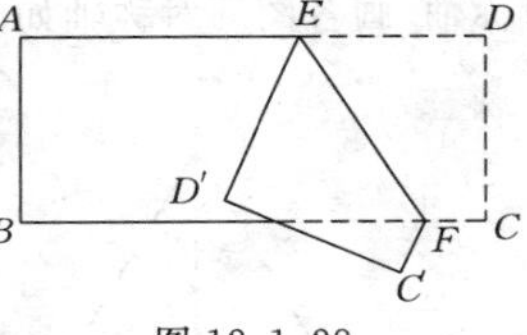

图 12-1-28

解析：折叠前后角相等，对应线段相等，由此可知 $\angle DEF=\angle D'EF$. 而 $AD\parallel BC$，所以 $\angle EFB=\angle DEF=65^\circ$，所以 $\angle DEF=\angle D'EF=65^\circ$. 所以 $\angle AED'=180^\circ-2\times65^\circ=50^\circ$.　　**答案**：C

易错易误点全解

YICUOYIWUDIANQUANJIE

易错点 1：不能正确理解对称轴的含义

在叙述轴对称图形的对称轴时，有些同学由于对对称轴的定义没把握好，而错把对称轴当成了射线或线段. 避免错误的方法是加强对定义的学习和认识. 要切实搞清轴对称图形的对称轴是直线，它既不是射线，也不是线段.

例 1　说出下列图形的对称轴.

(1)角；(2)圆.

解：(1)角的对称轴是角平分线所在的直线；(2)圆的对称轴是过圆心的任一条直线.

误区防火墙

轴对称图形和轴对称的对称轴都是直线，不是射线或线段，但有时会容易忽略这一点.

易错点 2：判断某轴对称图形的对称轴的条数时出错

判断一个图形是否为轴对称图形的关键是能不能确定对称轴，有几条对称轴，这关系到观察的方法，一个图形从不同的方位或角度观察，或把它沿不同的方向折叠，都会有不同的效果出现，得到不同的对称轴. 但有些同学观察不够认真，经常漏掉一些对称轴，避免错误的方法是观察图形时要认真、仔细，并要学会从不同的方向观察、想象和动手(画一画、折一折)相结合，最后确定答案.

例 2 如图 12-1-29,下列图形分别有几条对称轴?分别画出它们的对称轴.

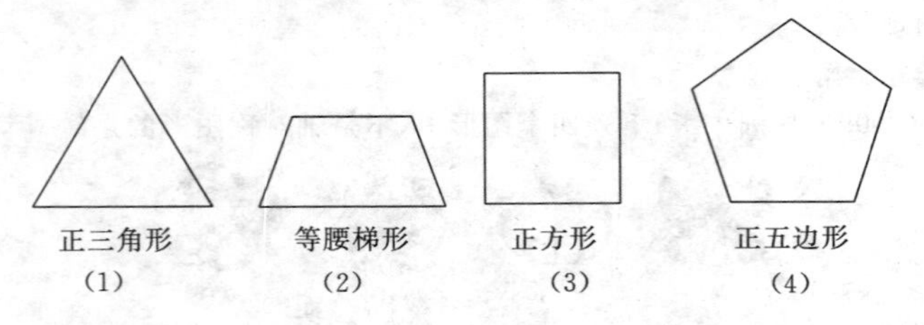

图 12-1-29

解:图(1)有 3 条对称轴;图(2)有 1 条对称轴;图(3)有 4 条对称轴;图(4)有 5 条对称轴.画各图的对称轴如图 12-1-30 中的虚线所示.

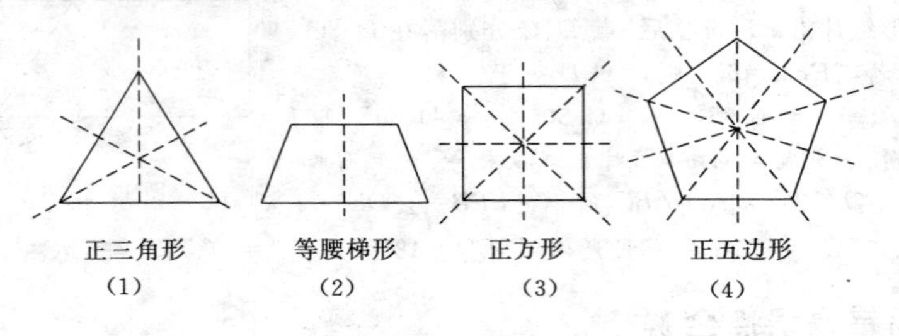

图 12-1-30

误区防火墙

图(2)有 1 条对称轴是正确的.但图(1)、图(3)、图(4)还有其他的对称轴.错误的原因是观察不够仔细,只从正对自己的方向看.应试着把图形折叠,先想象可能有哪些对称轴,再试着画一画或折一折,最终得出结论.

知识梳理

1.轴对称图形:一个图形沿一条直线折叠,直线两旁的部分能够互相重合,这个图形就叫轴对称图形.这条直线就是这个图形的对称轴.

2.轴对称:一个图形沿着某一条直线折叠,如果它能够与另一个图形重合,那么这两个图形成轴对称.这条直线叫做对称轴.

3.线段垂直平分线的性质:(1)线段垂直平分线上的点与这条线段两个端点的距离相等;(2)与一条线段两个端点距离相等的点,在这条线段的垂直平分线上.

生活中的对称 → 轴对称 → 作图形的对称轴 → 线段的轴对称性

技巧平台

1.对轴对称图形和轴对称的认识,结合图形会理解得比较深刻,要注意在观察中感受概念,在实践中探索性质,同时要注意它们的区别与联系.

2. 对线段垂直平分线性质的学习，要采取动手折叠的实验方法，并通过变换的方法探索其性质. 在探索过程中，注意观察操作与归纳推理相结合.

跟踪训练

1. 在日常生活中，事物所呈现的对称性能给人们以平衡与和谐的感觉，我们的汉字也有类似的情况，在汉字中成轴对称图形的有________.（请举出三个例子，笔画的粗细和书写的字体可忽略不计.）

2. 下列图形不一定是轴对称图形的是(　　)

A. 扇形　　B. 半圆　　C. 平行四边形　　D. 正方形

3. 如图 12-1-31 所示，有些国家的国旗设计成了轴对称图形，观察下列国旗图案（国旗颜色不同除外），是轴对称图形的有(　　)

加拿大

吉布提

澳大利亚

朝鲜

图 12-1-31

A. 4 个　　B. 3 个　　C. 2 个　　D. 1 个

4. 下列四个图形中，对称轴条数最多的一个图形是(　　)

A

B

C

D

5. 下列各组图形中，左右两个图形成轴对称的是(　　)

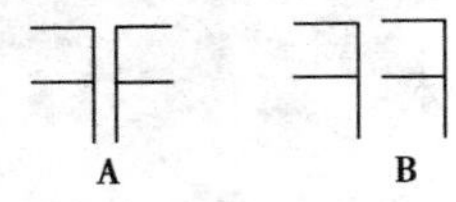
A　B

C

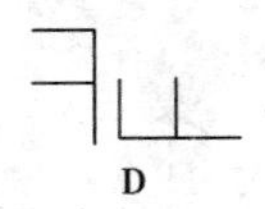
D

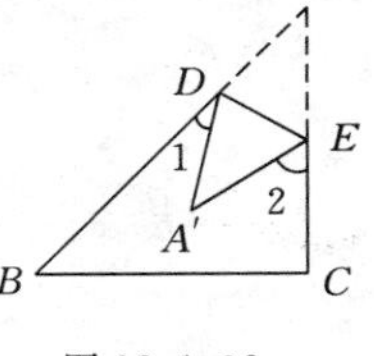

图 12-1-32

6. 一辆车的车牌号在水中的倒影是 EI7635，此车的车牌号为________.

7. 如图 12-1-32 所示，将纸片$\triangle ABC$沿 DE 折叠，点 A 落在点 A' 处，已知$\angle 1+\angle 2=100°$，则$\angle A$等于________.

跟踪训练答案

1. 答案不唯一，如："山""中""回"等

2. C

3. B　点拨：此题考查了轴对称图形的定义.

4. B　点拨：A 有 2 条对称轴，B 有 8 条对称轴，C 有 1 条对称轴，D 不是轴对称图形.

5. A　点拨：此题考查了轴对称的定义.

6. F17935　点拨：车牌号在水中的倒影和实际号码是成轴对称的.

7. 50°　点拨：$\triangle A'DE$ 是$\triangle ABC$的一角沿 DE 折叠得到的，也就是说$\triangle ADE$与$\triangle A'DE$关于 DE 所在直线对称. 由$\angle 1+\angle 2=100°$，得$\angle ADA'+\angle AEA'=$

$2\times180°-100°=260°$,易得$\angle ADE+\angle AED=130°$. 又$\angle A+\angle ADE+\angle AED=180°$,所以$\angle A=180°-130°=50°$.

课本习题解答

KEBENXITIJIEDA

练习(P30)

(1)(2)(3)(5)是轴对称图形,对称轴略.

练习(P31)

第(1)(3)(4)幅图形中的两个图案是轴对称的,对称轴和对称点略.

练习(P34)

1. 解:∵ $AD\perp BC$,$BD=DC$,∴ 点A在线段BC的垂直平分线上. 又∵ 点C在AC的垂直平分线上,∴ $AB=AC=CE$,$AB+BD=CE+CD=DE$.
2. 是.

练习(P35)

1. 解:如图12-1-33.

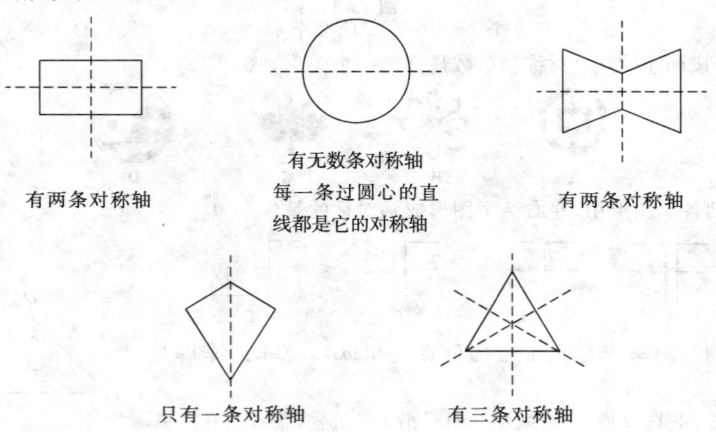

图12-1-33

2. 角是轴对称图形,它的对称轴是角平分线所在的直线.
3. 与图形A成轴对称的图形是B,对称轴略.

习题12.1(P36)

1. 它们都是轴对称图形,对称轴略.
2. 有阴影部分的三角形与1、3成轴对称;整个图形是轴对称图形,它共有两条对称轴.
3. $\angle A'B'C'=90°$,$AB=6$ cm.
4. 如果$\triangle ABC$和$\triangle A'B'C'$关于直线l对称,那么$\triangle ABC\cong\triangle A'B'C'$;如果$\triangle ABC\cong\triangle A'B'C'$,那么$\triangle ABC$与$\triangle A'B'C'$不一定关于某条直线$l$对称.
5. $\triangle ABC$的周长为19 cm.

6.如图 12-1-34.

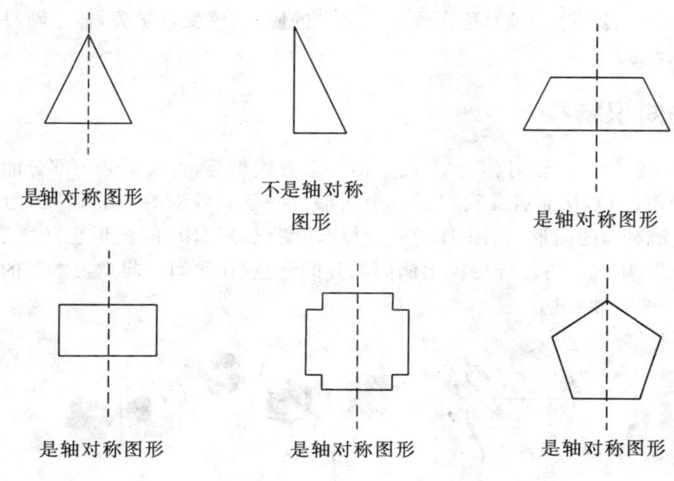

图 12-1-34

7.是轴对称图形，它有两条对称轴，图略.

8.图形的对称轴：直线 d、b、f.

9.线段 AB 的垂直平分线与公路的交点是公共汽车站所建的位置.

10.相交，交点在 l 上；成轴对称的两个图形中，对应线段的延长线如果相交，交点一定在这两个图形的对称轴上.

11.发射塔应建在两条高速公路 m 和 n 夹角的平分线与线段 AB 的垂直平分线的交点的位置上，图略.

12.(1)证明：∵ 点 P 在 AB 的垂直平分线上，∴ $PA=PB$.

又∵ 点 P 在 BC 的垂直平分线上，∴ $PB=PC$. ∴ $PA=PB=PC$.

(2)解：点 P 在 AC 的垂直平分线上. 三角形三边的垂直平分线相交于一点，这点到这个三角形三个顶点的距离相等.

12.2　作轴对称图形

1.了解轴对称变换的意义，并能够按要求作出简单平面图形经过一次轴对称变换后的图形.

2.能用坐标表示轴对称，在平面直角坐标系中作出一个关于坐标轴对称的图形，能够用轴对称的性质设计图案.

3.借助轴对称的意义,画出一个图形关于某一条直线对称的图形.

4.通过动手实践体会轴对称在现实生活中的应用,感受数学美,体会轴对称变换是物体的运动方式之一.

相关知识链接

XIANGGUANZHISHILIANJIE

上节中我们学习了轴对称:一个图形沿一条直线折叠,直线两旁的部分能够互相重合(如图 12-2-1),从而启发我们把一个图形沿一条直线对叠,能“印”出与这个图形全等且成轴对称的图形.如图 12-2-2,对称轴变化,所“印”的图形也随之变化.一朵美丽的花朵,用这种方法能变换出满园花开的春色,让我们一起学习本节的轴对称变换,探究它的奥妙吧!

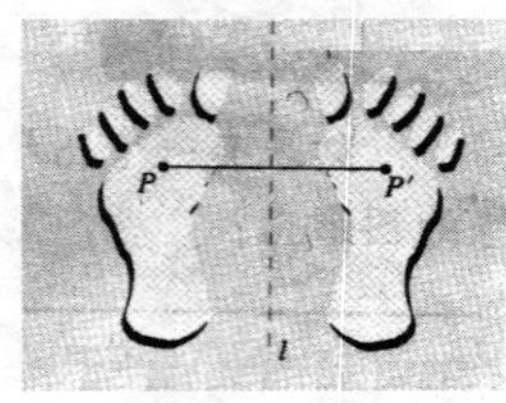

图 12-2-1

图 12-2-2

教材知能全解

JIAOCAIZHINENGQUANJIE

知能点 1 轴对称变换(重点)

(1)由一个平面图形得到它的轴对称图形叫做轴对称变换.

画一个图形关于某条直线对称的图形,只要分别作出这个图形上的关键点关于对称轴的对应点,再连接这些对应点,就可以得到原图形的轴对称图形.

(2)利用轴对称变换,可以设计出精美的图案.

例 1 如图 12-2-3,已知$\triangle ABC$,直线 MN.求作$\triangle A'B'C'$,使$\triangle A'B'C'$与$\triangle ABC$关于直线 MN 对称.

分析:首先作出点 A、B、C 关于直线 MN 的对称点 A'、B'、C',使直线 MN 为线段 AA'、BB'、CC'的垂直平分线,然后顺次连接 A'、B'、C',得$\triangle A'B'C'$.

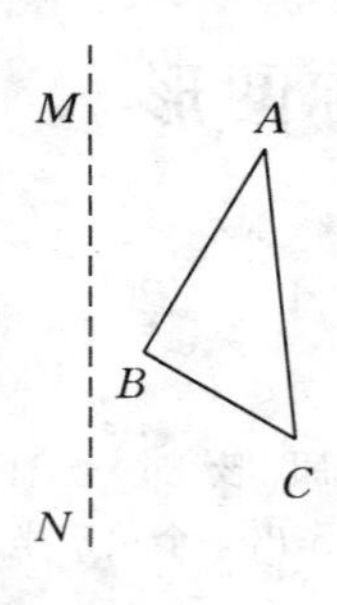

图 12-2-3

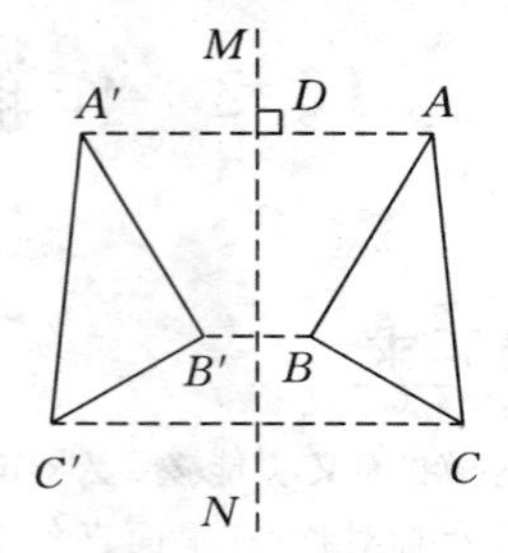

图 12-2-4

解:如图 12-2-4.(1)过点 A 作 $AD\perp MN$ 于点 D,延长 AD 至 A',使 $A'D=AD$,得点 A 关于直线 MN 的对称点 A';

(2)同样作出点 B、C 关于直线 MN 的对称点 B'、C';

(3)顺次连接 A'、B'、C',则 $\triangle A'B'C'$ 就是所求作的三角形.

点拨 DIANBO

如果图形是由直线、线段或射线组成的,那么在画它关于某一条直线的对称图形时,只要画出图形中的特殊点(如线段的端点、角的顶点等)的对称点,然后连接对称点,就可以画出原图形关于这条直线的对称图形.

例 2　请准备一张正方形纸片,按图 12-2-5 的 5 个步骤一起画.

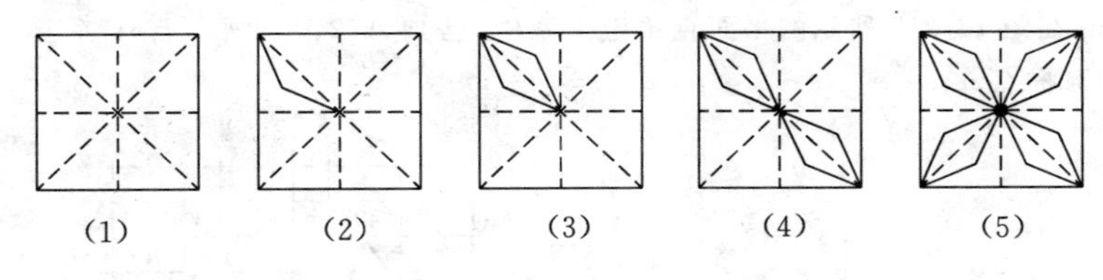
(1)　(2)　(3)　(4)　(5)

图 12-2-5

(1)在正方形纸片上用虚线画出四条对称轴.

(2)如图 12-2-5,在其中一个三角形中,画出图形形状的基本线条(注意:不同的线条最终会得到不同的图案,可以自己设计线条).

(3)按照其中一条斜的对称轴画出(2)中图形的对称图形.

(4)按照另一条斜的对称轴画出(3)中图形的对称图形.

(5)按照水平(或垂直)对称轴画出(4)中图形的对称图形就得到一幅对称的图案.

点拨 DIANBO

将轴对称与平移或旋转结合起来,可设计出更美丽的图案.

例 3　将一张正方形纸片沿图 12-2-6 中虚线剪开后,能拼成下列四个图形,则其中不能看成是由轴对称变换得到的是(　　)

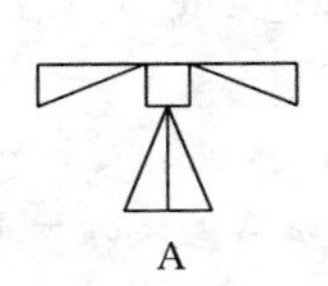
A

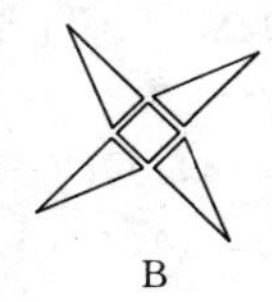
B

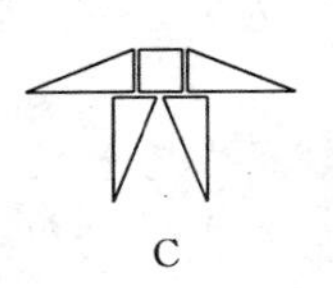
C

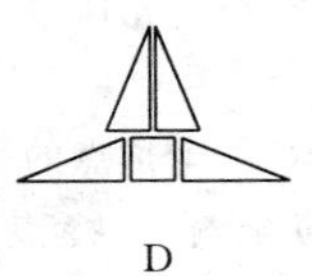
D

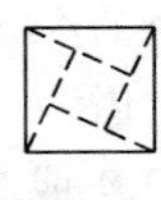
图 12-2-6

解析:由图 12-2-6 可知,四个直角三角形是全等的,中间是一个正方形,其中 A、C、D 沿中间一条直线对折,直线两旁的部分能够重合,因此,A、C、D 可以看成是由轴对称变换得到的.　**答案**:B

点拨 DIANBO

确定轴对称变换先确定轴对称图形的对称轴.

知能点 2 用坐标表示轴对称(难点)

在平面直角坐标系中,关于 x 轴对称的两个点的横坐标相同,纵坐标互为相反数;关于 y 轴对称的两个点的纵坐标相同,横坐标互为相反数. 如:$P(a,b)$关于 x 轴的对称点的坐标为$(a,-b)$,关于 y 轴的对称点的坐标为$(-a,b)$.

在平面直角坐标系中,画一个图形关于某一坐标轴对称的图形,只要分别描出这个图形关于此坐标轴对称的点,再连接这些对应点,就可以得到原图形关于这个坐标轴对称的图形.

如:在图 12-2-7 所示的平面直角坐标系中,已知 $A(2,3)$,画出点 A 关于 x 轴、y 轴的对称点 A'、A''.

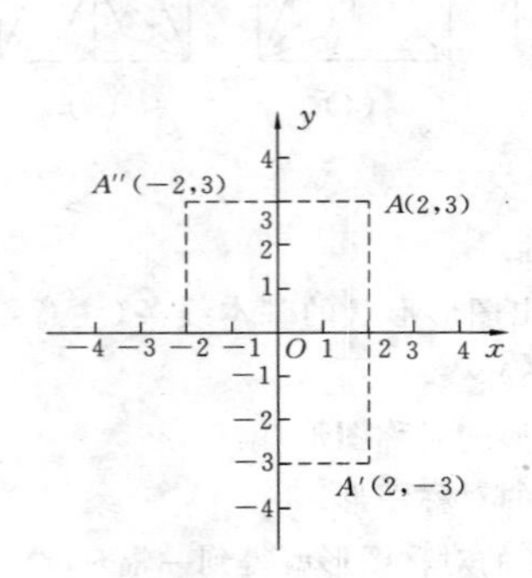

图 12-2-7

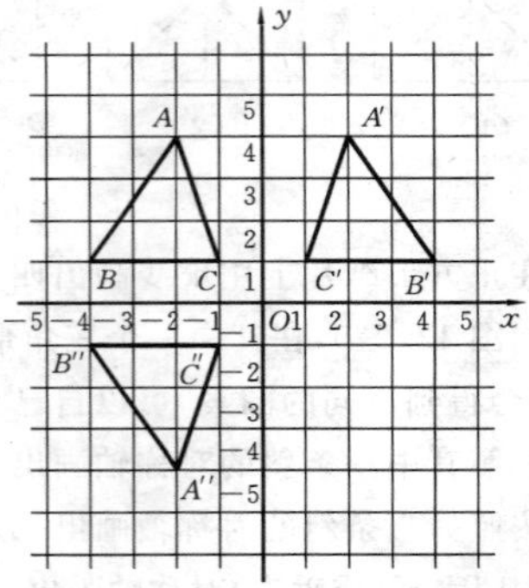

图 12-2-8

例 4 如图 12-2-8,利用关于坐标轴对称的点的坐标的特点,分别作出$\triangle ABC$关于 x 轴和 y 轴对称的图形,并指出其对称点的坐标.

分析:根据对称变换的意义,先分别作出$\triangle ABC$关于 x 轴和 y 轴对称的三角形,再利用关于坐标轴对称的点的坐标的特点,即可得出各对称点的坐标.

解:如图 12-2-8,先作$\triangle ABC$关于 y 轴对称的$\triangle A'B'C'$,再作$\triangle ABC$关于 x 轴对称的$\triangle A''B''C''$.

因为$\triangle ABC$三个顶点的坐标为$A(-2,4)$,$B(-4,1)$,$C(-1,1)$,根据关于坐标轴对称的点的坐标的特点可得 $A'(2,4)$,$B'(4,1)$,$C'(1,1)$;$A''(-2,-4)$,$B''(-4,-1)$,$C''(-1,-1)$.

点拨 DIANBO

关于 x 轴对称的点的坐标的特点是:横坐标相同,纵坐标互为相反数;关于 y 轴对称的点的坐标的特点是:纵坐标相同,横坐标互为相反数.

例 5　如图 12-2-9，作出四边形 $ABCD$ 关于直线 $x=1$ 对称的图形.

解：由图可知四边形 $ABCD$ 的顶点 A、B、C、D 的坐标分别为 $(-5,2)$、$(-3,0)$、$(-1,2)$、$(-2,3)$，它们关于直线 $x=1$ 的对称点为 $A'(7,2)$、$B'(5,0)$、$C'(3,2)$、$D'(4,3)$，在平面直角坐标系中分别描出这些点，依次连接 $A'B'$、$B'C'$、$C'D'$、$D'A'$，就可以得到四边形 $ABCD$ 关于直线 $x=1$ 对称的四边形 $A'B'C'D'$.

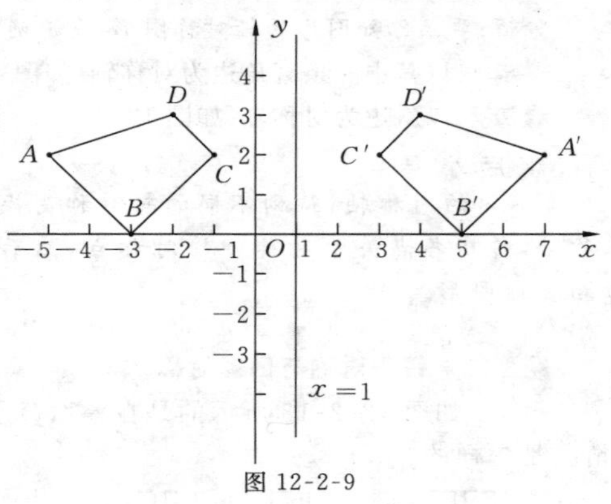

图 12-2-9

提示

点 $P(x,y)$ 关于直线 $x=1$ 对称的点的坐标为 $(-x+2,y)$.

全解小博士在线答疑

课本 P40(思考)：我们已经学过的平面图形有线段、直线、射线、三角形、多边形和圆等.

线段：作出线段两个端点关于直线 l 的对称点，再连接这两个对称点；

直线：作出直线上任意两点关于直线 l 的对称点，过这两个对称点作直线；

射线：作出射线的端点及除端点外射线上的任意一点的对称点，以端点的对称点为端点过另一点的对称点作射线；

三角形及多边形：作三角形及多边形各顶点关于直线 l 的对称点，再顺次连接各对称点；

圆：作出圆心关于直线 l 的对称点，以它为圆心，以原来圆的半径为半径画圆.

课本 P44(归纳)：点 (x,y) 关于 x 轴对称的点的坐标为 $(x,-y)$；

点 (x,y) 关于 y 轴对称的点的坐标为 $(-x,y)$.

典型例题全解

DIANXINGLITIQUANJIE

题型一　对称轴的确定

例 1　两个全等的三角板，可以拼出各种不同的图形. 如图 12-2-10，已画出其中一个三角板，请你补画出一个与其全等的三角板，使图形成轴对称.

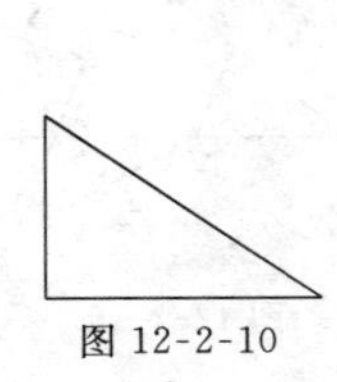
图 12-2-10

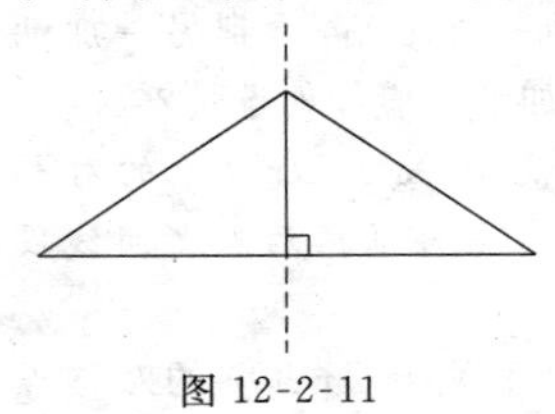
图 12-2-11

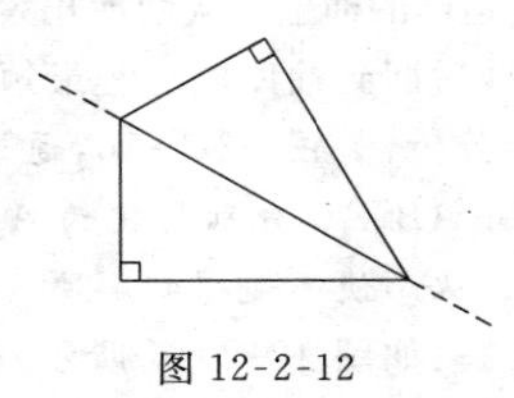
图 12-2-12

分析:要画已知图形的轴对称图形,先应确定对称轴.

解法1:以其中一条直角边为对称轴(如图12-2-11).

解法2:以斜边为对称轴(如图12-2-12).

题后小结

不同的对称轴,得到不同的轴对称变换图形.此类型题,关键在于确定对称轴,作出各点关于对称轴的对称点,然后连接各对称点,得到的图形即为轴对称图形.

题型二 镜面对称与倒影对称

例2 如图12-2-13所示的是在一面镜子里看到的一个算式,该算式的实际情况是怎样的?

图12-2-13　　　　图12-2-14

分析:可借助于镜子观察,从中得出规律.

解:实际情况如图12-2-14所示.

点拨 DIANBO

在算式的后面作一条竖直的对称轴,作出算式中每个数字或符号关于对称轴对称的数字或符号,即可得出该算式的实际情况.

例3 一辆汽车的车牌在水中的倒影如图12-2-15所示,根据所学知识,你能确定该车的车牌号码吗?

图12-2-15

分析:根据水中倒影与实际车牌号上、下对称的特点求解.

解:车牌号码为M17936.

点拨 DIANBO

在车牌号码水中倒影的上面作一条水平的对称轴,作出倒影关于这条对称轴对称的字母、数字,即可得到实际的车牌号码.

题型三 方(图)案设计

例4 如图12-2-16所示,Ox、Oy是两条公路,在两条公路夹角的内部有一油库A,现在想在两公路上分别建一个加油站,为使运油的油罐车从油库出发先到一加油站,再到另一加油站,最后回到油库的路程最短,问加油站应如何选址?

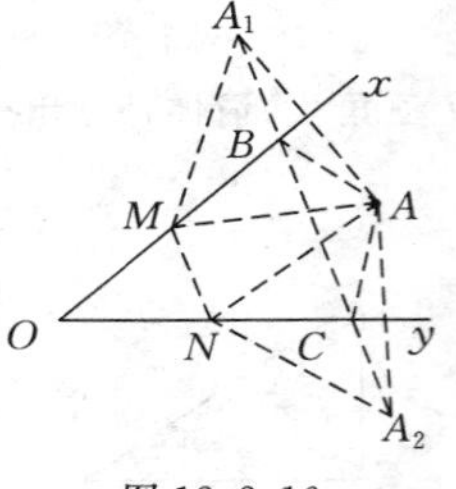

图12-2-16

分析:如图12-2-16,通过作点A关于Ox、Oy的对称点,将AB、AC分别转化为A_1B、A_2C,再根据两点之间线段最短,从而使问题得到解决.

解:如图12-2-16所示,作点A关于Ox、Oy的对称点

A_1、A_2，连接 A_1A_2 交 Ox、Oy 于 B、C 两点，则 B、C 两点就是加油站的位置.

理由：设 M、N 分别是 Ox、Oy 上除 B、C 以外的任意两点，

连接 A_1M、MN、NA_2、AB、AC、AM、AN.

因为点 A、A_1 关于 Ox 对称，所以 $A_1B=AB$.

又因为点 A、A_2 关于 Oy 对称，所以 $AC=A_2C$.

所以 $AB+BC+CA=A_1B+BC+CA_2=A_1A_2$.

又 $A_1M=AM$，$AN=A_2N$，$AM+MN+AN=A_1M+MN+NA_2$，

由两点之间线段最短，可知 $A_1M+MN+NA_2>A_1A_2$，所以 B、C 两点为加油站的最佳位置.

点拨 DIANBO

本题应用了轴对称及两点之间线段最短的知识，轴对称在本题中的主要作用是将线段在保证长度不变的情况下改变位置，注意体会轴对称在这方面的应用. 证明此类问题，通常采用另选一个量，通过与求证的那个“最大”或“最小”的量比较证明.

例 5　如图 12-2-17，$ABCD$ 是长方形的弹子球台面，有黑白两球分别位于 M、N 两点位置，试问：怎样撞击黑球 M，才能使黑球碰撞台边 AB 反弹后击中白球 N？

分析：要撞击黑球 M，使黑球 M 先碰撞台边 AB 上的 O 点反弹后击中白球 N，需 $\angle AOM=\angle BON$，如图 12-2-18，可作点 M 关于 AB 的对称点 M'，连接 $M'N$ 交 AB 于点 O，则点 O 即为所求的点.

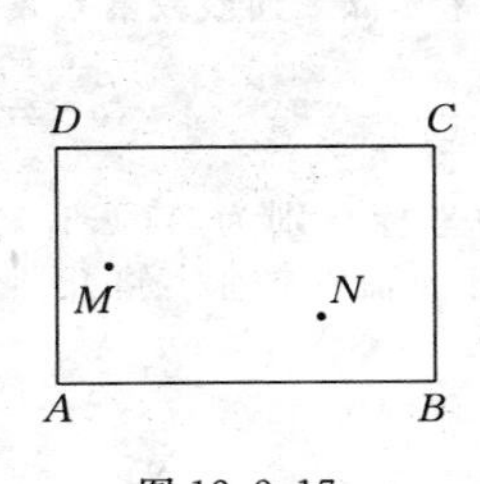

图 12-2-17

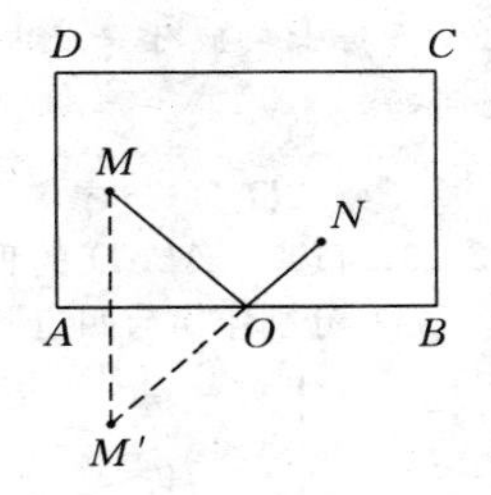

图 12-2-18

解：(1)如图 12-2-18，作点 M 关于 AB 的对称点 M'.

(2)连接 $M'N$ 交 AB 于点 O，则黑球 M 沿 MO 撞击台边 AB，必沿 ON 反弹击中白球 N.

点拨 DIANBO

小球经桌边反弹，类似于物理中学到的反射定律：入射角等于反射角，可利用轴对称找出其弹击路线.

例 6　如图 12-2-19(a)，要在河边修建一个水泵站，分别向张庄、李庄送水，水泵站修建在河边什么地方，可使所用的水管最短？

分析：将题意用数学语言叙述如下：

已知：如图 12-2-19(a)，直线 a 和 a 同侧的两点 A、B.

求作:点 C,使 C 在直线 a 上,并且 $AC+CB$ 最小.

(1)方法:此题实际上是求最短路线问题,需要比较线段的大小,与它有关的内容是:两点之间线段最短及三角形任意两边之和大于第三边.

(2)解题思路:①先研究点 A、B 在直线 a 异侧的情况:如图 12-2-19(b),直线 AB 与直线 a 的交点 C 即为所求点,直线 a 上其余点 C',总使 $AC'+C'B>AB$,即 $AC+CB$ 最小.

②A、B 两点在直线 a 的同侧,利用轴对称的性质将"同侧"转化为"异侧"来研究,解决方法是作其中任一点关于直线 a 的对称点,如图 12-2-19(c),作点 A 关于直线 a 的对称点 A',将 AC 转化为 $A'C$,利用"异侧"的结论解决.

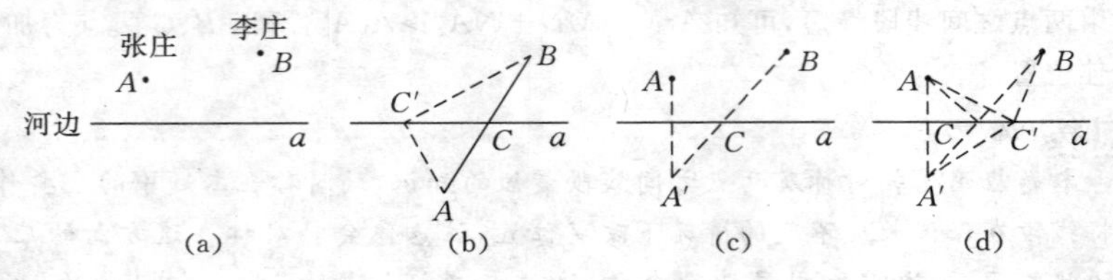

图 12-2-19

解:作法:如图 12-2-19(c),作点 A 关于直线 a 的对称点 A',连接 $A'B$ 交直线 a 于点 C,则点 C 即为水泵站的位置.

证明:如图 12-2-19(d),在直线 a 上任取一点 C'(异于点 C),连接 BC'、$A'C'$、AC'、AC.

$\because$ A 与 A' 关于直线 a 对称,$\therefore$ $AC=A'C$,$AC'=A'C'$.

$\therefore$ $AC+CB=A'C+CB=A'B<A'C'+BC'=AC'+BC'$.

点拨 DIANBO

证明路线最短常采取作对称点的方法,利用两点之间线段最短或三角形三边关系来解决问题.

题型四 本节例 2(P44)与中考真题解密

如图 12-2-20,四边形 $ABCD$ 的四个顶点的坐标分别为 $A(-5,1)$,$B(-2,1)$,$C(-2,5)$,$D(-5,4)$,分别作出与四边形 $ABCD$ 关于 y 轴和 x 轴对称的图形.

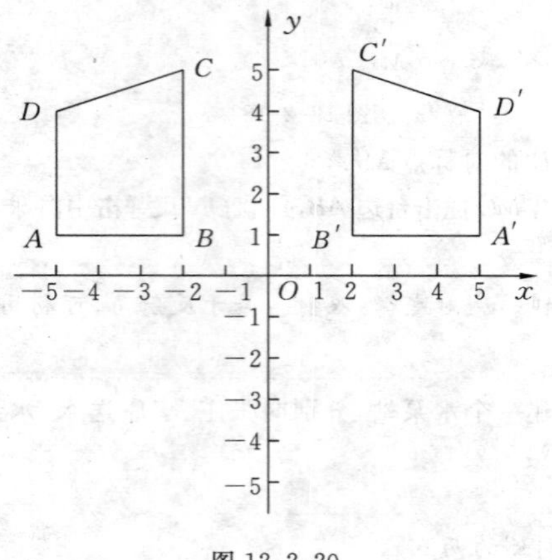

图 12-2-20

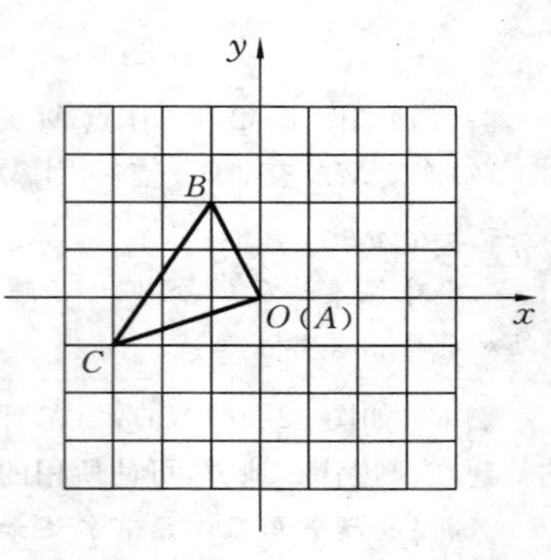

图 12-2-21

中考真题

(2009·襄樊中考)如图 12-2-21,在边长为 1 的正方形网格中,将$\triangle ABC$向右平移 2 个单位长度,再向下平移 1 个单位长度得到$\triangle A'B'C'$,则点 B'关于 x 轴对称的点的坐标是(　　)

A. (0,−1)　　　　B. (1,1)

C. (2,−1)　　　　D. (1,−1)

解析:点 B 向右平移 2 个单位长度为 $B(1,2)$,再向下平移 1 个单位长度得到 $B'(1,1)$,而 B'关于 x 轴对称的点的坐标为(1,−1).故应选择 D.　　**答案**:D

考题点睛

此题综合考查了图形的平移和对称,知识点源于课本例题中所体现的关于坐标轴对称的点的坐标.

挑战课标中考

TIAOZHANKEBIAOZHONGKAO

中考考点解读

轴对称变换及关于坐标轴对称的点的坐标,在各地历年的中考题中经常出现,做这类题目时要熟记对称的点的坐标特点及轴对称的性质,题型多为填空题、选择题和解答题中的作图题,属中低档题.轴对称与平移以及后面学习到的中心对称、旋转等知识的综合题在近几年的中考题中经常出现.

中考典题全解

例 1　(2008·重庆中考)如图 12-2-22,在 10×10 的方格纸中,有一个格点四边形 $ABCD$(即四边形的顶点都在格点上).

(1)在给出的方格纸中,画出四边形 $ABCD$ 向下平移 5 格后的四边形 $A_1B_1C_1D_1$;

(2)在给出的方格纸中,画出四边形 $ABCD$ 关于直线 l 对称的四边形 $A_2B_2C_2D_2$.

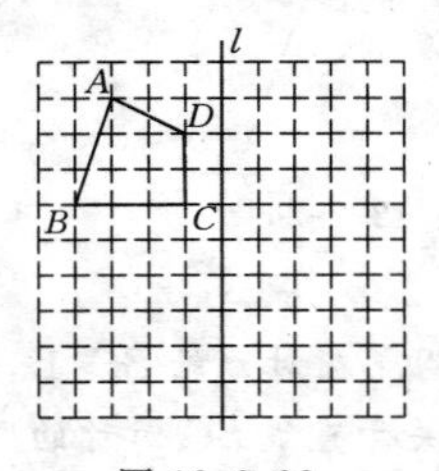

图 12-2-22

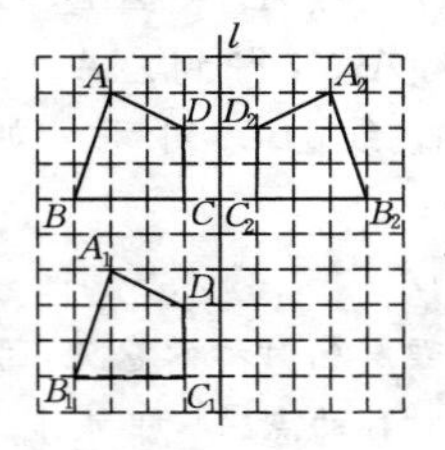

图 12-2-23

解:(1)(2)如图 12-2-23 所示.

例 2　(2009·南充中考)在平面直角坐标系中,点 $A(2,5)$与点 B 关于 y 轴对称,则点 B 的坐标是(　　)

A. (−5,−2)　　B. (−2,−5)　　C. (−2,5)　　D. (2,−5)

解析:因为点 A 与点 B 关于 y 轴对称,所以点 B 的坐标是(−2,5),故应选择 C.

答案:C

易错易误点全解

YICUOYIWUDIANQUANJIE

易错点 1:不能利用轴对称的知识准确判断出镜中图案

此类问题易出现的错误是直接将镜中画面误认为是原图.

例 1 中央电视台某栏目曾出现过这样一道题:小兰从镜子中看到挂在她背后墙上的四个时钟如下图所示,其中时间最接近四时的是( )

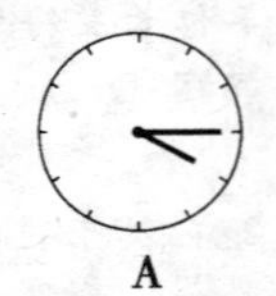

A

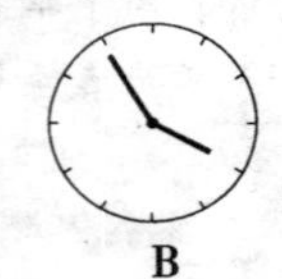

B

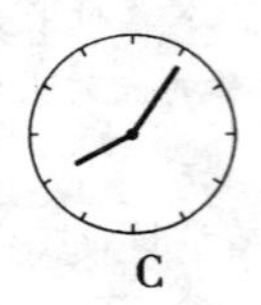

C

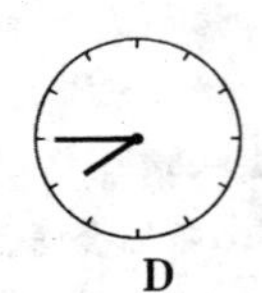

D

答案:C

误区防火墙

我们看到的 B 选项中的时间最接近四点,但图中的时钟与镜中的时钟是关于镜面成轴对称的,故 B 选项是错误的.

易错点 2:没有正确理解轴对称的性质而画错对称图形

关于某直线对称的两个图形是全等形,连接成轴对称的两个图形上的任意一对对应点的线段被对称轴垂直平分,有些同学由于没有正确理解对称轴垂直平分对称点所连接的线段而画错了对称图形. 避免该错误的关键是正确理解和掌握轴对称的性质,严格按性质要求作图.

例 2 如图 12-2-24 所示,作出$\triangle ABC$关于直线 BC 对称的图形.

解:过点 A 作 AD 垂直 CB 的延长线于点 D,延长 AD 至点 A',使 $A'D=AD$,分别连接 $A'B$,$A'C$,得到$\triangle A'BC$与$\triangle ABC$关于直线 BC 对称,如图 12-2-25 所示.

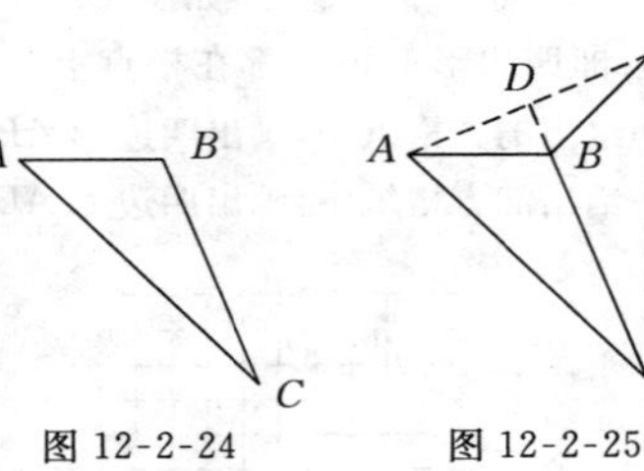

图 12-2-24　　图 12-2-25

误区防火墙

没有正确理解轴对称的意义,因为 B,C 两点在对称轴 BC 上,关键是作出点 A 关于对称轴对称的点 A',即可作出$\triangle ABC$关于直线 BC 对称的图形.

知识梳理

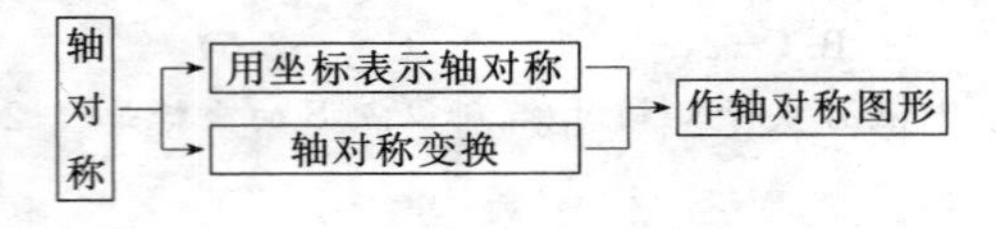

技巧平台

画轴对称图形时，首先要弄清关于某直线对称的两个图形是全等形——连接轴对称图形上任意一对对应点的线段被对称轴垂直平分．用坐标表示轴对称，坐标平面内任意一点(x,y)关于x轴的对称点是$(x,-y)$，关于y轴的对称点是$(-x,y)$，这是基础．只要掌握了轴对称图形的这些特点，就能够正确画出轴对称图形．

跟踪训练

1.图12-2-26是一只停泊在平静水面上的小船，它的“倒影”应是下列选项中的(　　)

图12-2-26

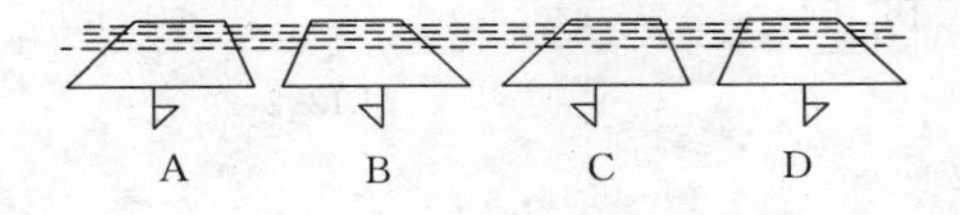

2.下列选项中，有且只有两条对称轴的是(　　)

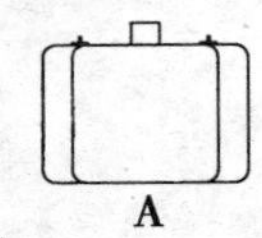

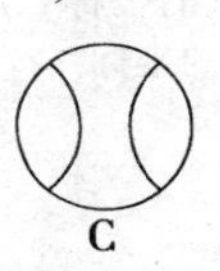

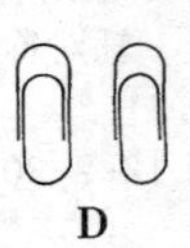

3.已知点$A(x+2,3)$与点$B(-5,y+7)$关于x轴对称，则$x=$________，$y=$________．

4.如图12-2-27所示，在平面直角坐标系xOy中，$A(-1,5)$、$B(-1,0)$、$C(-4,3)$．

(1)求出$\triangle ABC$的面积；

(2)在图中作出$\triangle ABC$关于y轴的对称图形$\triangle A_1B_1C_1$；

(3)写出点A_1、B_1、C_1的坐标．

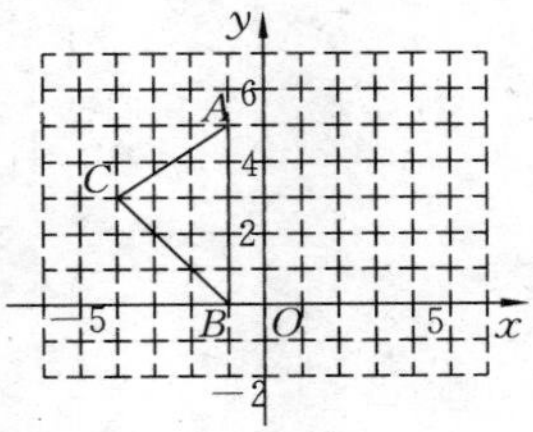

图12-2-27

跟踪训练答案

1.B　点拨：根据物体与水中的“倒影”左右不变、上下相反的特征来判断．故选B．

2.C　点拨：根据轴对称的意义即可判断只有C中图案有且只有两条对称轴．

3.-7；-10　点拨：因点$A(x+2,3)$与点$B(-5,y+7)$关于x轴对称，则$x+2=-5$，$y+7=-3$，故$x=-7$，$y=-10$．

4.解：(1)$S_{\triangle ABC}=\frac{1}{2}\times5\times3=\frac{15}{2}$．

(2)如图12-2-28所示．

(3)$A_1(1,5)$、$B_1(1,0)$、$C_1(4,3)$．

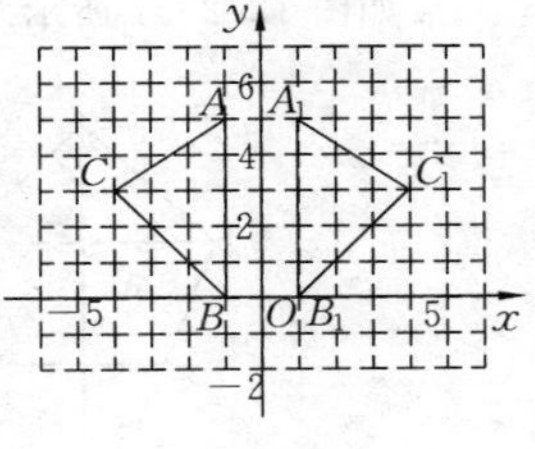

图12-2-28

课本习题解答
KEBENXITIJIEDA

练习(P41)

1. 如图 12-2-29 所示.

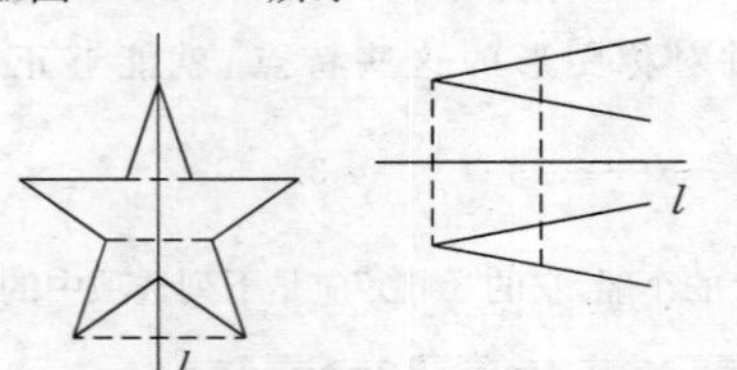

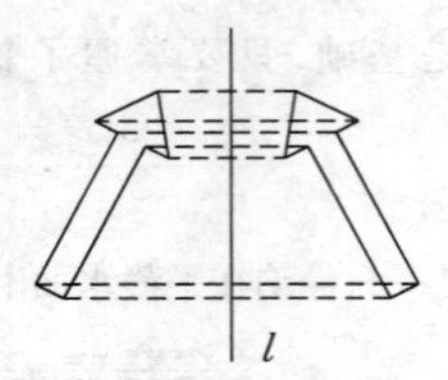

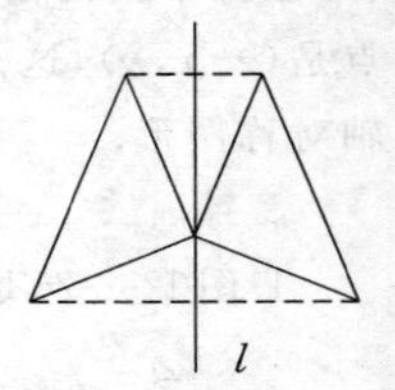

图 12-2-29

2. 略.

练习(P44)

1. 关于 x 轴对称的点的坐标:(−2,−6),(1,2),(−1,−3),(−4,2),(1,0);
   关于 y 轴对称的点的坐标:(2,6),(−1,−2),(1,3),(4,−2),(−1,0).
2. $B(1,2)$
3. 如图 12-2-30 所示.

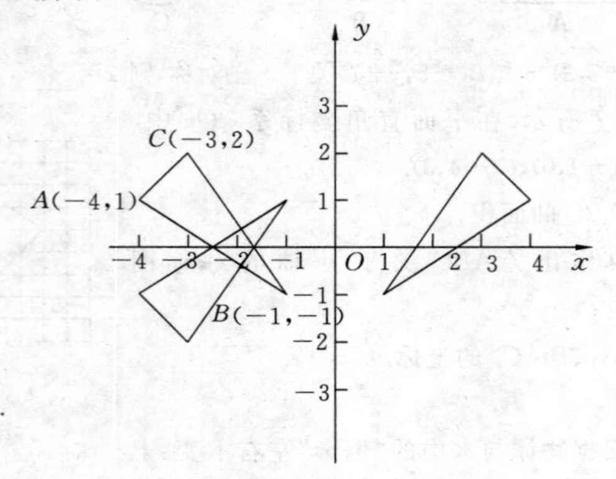

图 12-2-30

习题 12.2(P45)

1. 如图 12-2-31 所示.

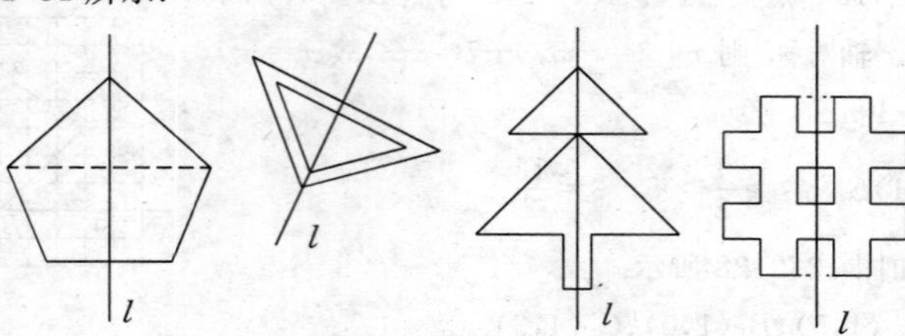

图 12-2-31

2. 关于 x 轴对称的点的坐标：$(3,-6)$，$(-7,-9)$，$(6,1)$，$(-3,5)$，$(0,-10)$；

关于 y 轴对称的点的坐标：$(-3,6)$，$(7,9)$，$(-6,-1)$，$(3,-5)$，$(0,10)$.

3. $B(1,-1)$，$C(-1,-1)$，$D(-1,1)$.

4. 如图 12-2-32 所示.

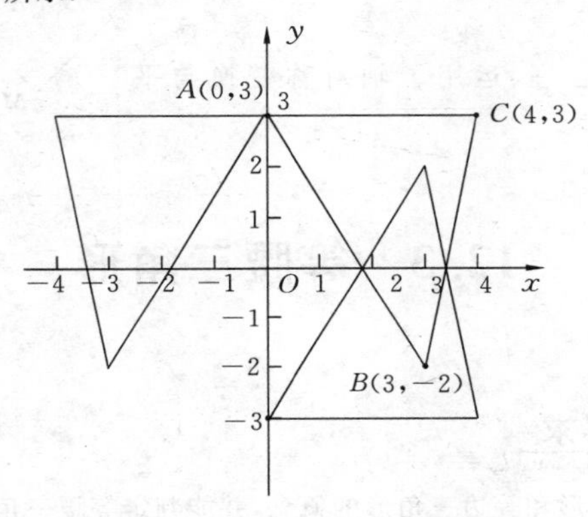

图 12-2-32

5. 略.

6. (1)关于 x 轴对称；(2)关于直线 $y=-3.5$ 对称；

(3)关于 y 轴对称；(4)关于原点对称.

7. $(3,0)$与$(5,0)$关于直线 l 对称，$(0,3)$与$(8,3)$关于直线 l 对称，$(1,4)$与$(7,4)$关于直线 l 对称.

小球的运动轨迹如图 12-2-33 所示.

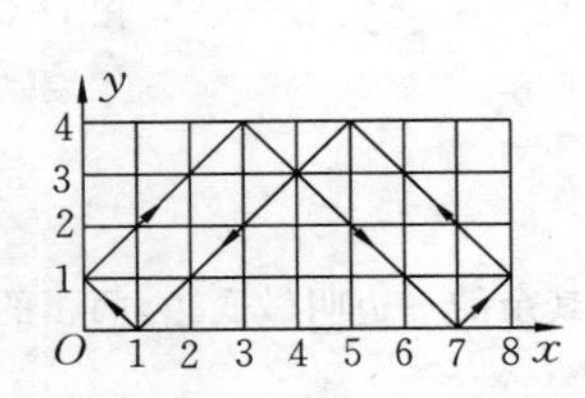

图 12-2-33

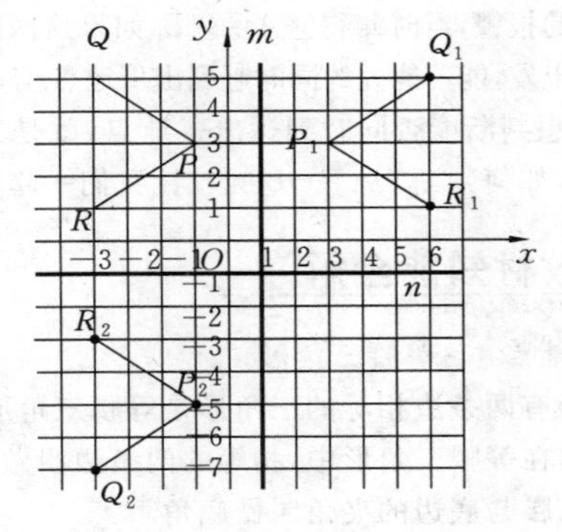

图 12-2-34

8. 如图 12-2-34，$\triangle PQR$ 关于直线 $x=1$ 对称的图形是$\triangle P_1Q_1R_1$；$\triangle PQR$ 关于直线 $y=-1$ 对称的图形是$\triangle P_2Q_2R_2$.

关于直线 $x=1$ 对称的点的坐标之间的关系是：纵坐标都相等；横坐标的和都是 2.

关于直线 $y=-1$ 对称的点的坐标之间的关系是：横坐标都相等；纵坐标

的和都是-2.

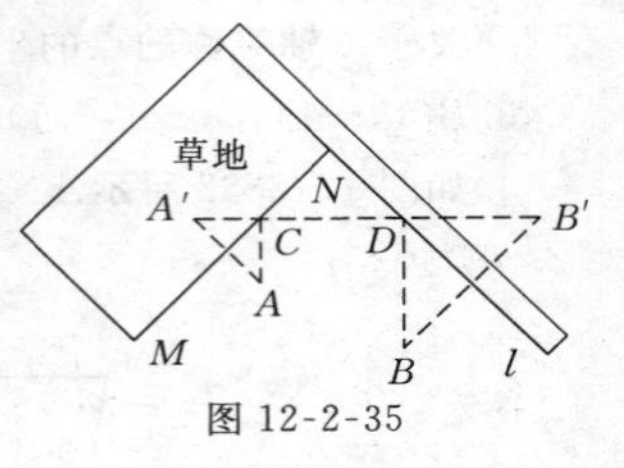

图 12-2-35

9. 如图 12-2-35,作点A关于MN的对称点A',再作B关于l的对称点B',连接$A'B'$,交MN于点C,交l于点D,则$A\longrightarrow C\longrightarrow D\longrightarrow B$是牧马人走的最短路线.

10. 只要设计合理,运用了轴对称变换与平移即可.

12.3 等腰三角形

课程标准要求

KECHENGBIAOZHUNYAOQIU

1. 了解等腰三角形和等边三角形的概念,并能判定等腰三角形和等边三角形.
2. 正确理解等腰三角形和等边三角形的性质,能运用它们的性质解决相关问题.
3. 借助轴对称图形的性质,得出等腰三角形、等边三角形、有一个角是30°的直角三角形的性质.

相关知识链接

XIANGGUANZHISHILIANJIE

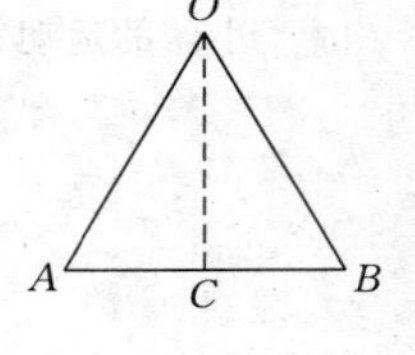

图 12-3-1

如图 12-3-1 所示,在海上A,B两处的两艘救生船接到O处遇险船只的报警,当时测得$\angle A=\angle B$.如果这两艘救生船以同样的速度同时出发,能不能大约同时赶到出事地点(不考虑风浪因素)?

若想判断能否同时到达出事地点,就是要判断OA与OB是否相等,如何判断$OA=OB$呢?让我们一起学习等腰三角形吧!

教材知能全解

JIAOCAIZHINENGQUANJIE

知能点1 等腰三角形

(1)有两条边相等的三角形是等腰三角形.

(2)在等腰三角形中,相等的两条边叫做腰,其余的一边叫做底边,两腰的夹角叫做顶角,腰与底边的夹角叫做底角.

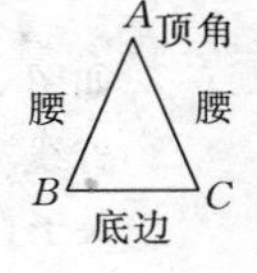

图 12-3-2

如图 12-3-2,在$\triangle ABC$中,AB、AC是腰,BC是底边,$\angle A$是顶角,$\angle B$、$\angle C$是底角.

例1 已知等腰三角形的底边$BC=8$,且$|AC-BC|=2$,那么腰AC的长为( )

A. 10 或 6　　B. 10　　C. 6　　D. 8 或 6

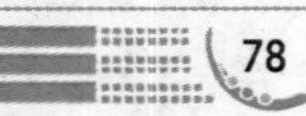

解析：∵ $|AC-BC|=2$，∴ $AC-BC=\pm 2$.

又 $BC=8$，∴ $AC=10$ 或 6. ∴ $AB=AC=10$ 或 6.　　**答案**：A

点拨 DIANBO

由 $|AC-BC|=2$，得 $AC-BC=\pm 2$，解题时容易只得出 $AC-BC=2$ 的错误结论.

例 2　(1)已知等腰三角形的一边等于 5，另一边等于 6，则它的周长为________.

(2)已知等腰三角形的周长为 13，其一边长为 3，则其他两边长分别为________.

解析：(1)因为边为 5 和 6，没说底边还是腰，所以有两种情况，可能是 5，5，6，也可能是 6，6，5，所以周长为 16 或 17.

(2)长为 3 的边可能是底边也可能是腰，当 3 为底边时，其他两边为 $(13-3)\div 2=5$；当 3 为腰时，其他两边为 3 和 $13-3-3=7$. 因为 $3+3=6<7$，所以不能构成三角形，故舍去，其他两边只能是 5，5.　　**答案**：(1)16 或 17　(2)5，5

点拨 DIANBO

对于底和腰不相等的等腰三角形，若条件中没有明确哪边是底哪边是腰时，应在符合三角形三边关系的前提下分类讨论.

知能点 2　等腰三角形的性质(重点)

等腰三角形是轴对称图形，由此可得等腰三角形的性质：

(1)等腰三角形的两个底角相等.(简写成"等边对等角")

(2)等腰三角形的顶角平分线，底边上的中线，底边上的高互相重合，简称"三线合一". 例如：如图 12-3-3.

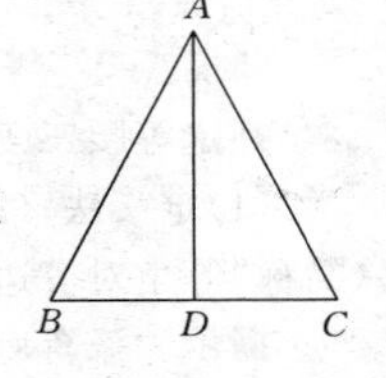

图 12-3-3

①∵ $AB=AC$，AD 平分 $\angle BAC$，∴ $AD\perp BC$，$BD=CD$.

②∵ $AB=AC$，$BD=CD$，∴ $\angle BAD=\angle CAD$，$AD\perp BC$.

③∵ $AB=AC$，$AD\perp BC$，∴ $\angle BAD=\angle CAD$，$BD=CD$.

注意：应用"三线合一"性质的前提条件必须是等腰三角形，且必须是底边上的中线，底边上的高和顶角的平分线互相重合，若是一腰上的高与中线就不一定重合.

例 3　如图 12-3-4，已知房屋的顶角 $\angle BAC=100°$，过屋顶 A 的立柱 $AD\perp BC$ 于点 D，屋椽 $AB=AC$，求顶架上 $\angle B$、$\angle C$、$\angle BAD$、$\angle CAD$ 的度数.

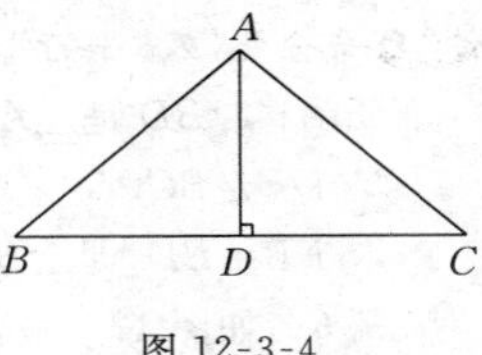

图 12-3-4

分析：由已知条件知 $\triangle ABC$ 是等腰三角形，可得 $\angle B=\angle C$，由 $AD\perp BC$ 知 AD 是高，又由等腰三角形的"三线合一"的性质知 AD 平分 $\angle BAC$.

解：∵ $AB=AC$，$\angle BAC=100°$，

∴ $\angle B=\angle C=\frac{1}{2}(180°-\angle BAC)=\frac{1}{2}\times(180°-100°)=40°$.

又 $AD\perp BC$，∴ $\angle BAD=\angle CAD=\frac{1}{2}\angle BAC=\frac{1}{2}\times 100°=50°$.

点拨 DIANBO

解决这个题目有很多途径，此处“三线合一”的性质是解决问题的关键．等腰三角形底边上的中线、高和顶角的平分线是我们以后解题常要添加的辅助线．

例4 如图12-3-5，已知$\triangle ABC$中，D、E为边BC上的点，$BD=AD$，$AE=EC$，$\angle ADE=80°$，$\angle AED=66°$．求$\triangle ABC$各内角的度数．

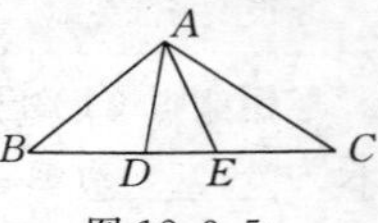

图12-3-5

分析：根据“等边对等角”的性质，可知$\angle B=\angle BAD$，$\angle C=\angle EAC$，由外角知识可求出$\angle B$和$\angle C$，再利用三角形内角和等于180°求$\angle BAC$．

解：$\because BD=AD$，$\therefore \angle B=\angle BAD$．又$\because \angle ADE=80°$，

$\therefore \angle B+\angle BAD=80°$，$\therefore \angle B=40°$．$\because AE=EC$，$\therefore \angle C=\angle EAC$．

$\because \angle AED=66°$，$\therefore \angle C=\angle EAC=33°$．

$\therefore \angle BAC=180°-\angle B-\angle C=180°-40°-33°=107°$．

点拨 DIANBO

分析图形问题的方法：首先，通过已知条件联想学过的知识；其次，根据结论考虑需要的条件．在分析过程中，这两点交替进行，条件与图形结合使用，一般题目均可以解决．

知能点3　等腰三角形的识别(重点)

判定等腰三角形的方法有两个：

(1)定义法；(2)如果一个三角形有两个角相等，那么这两个角所对的边也相等(简称“等角对等边”)．

提示：“等角对等边”也是我们今后证明两条线段相等的常用方法．

例5 如图12-3-6，已知BD是$\triangle ABC$的角平分线，$DE \parallel BC$交AB于点E．求证：$\triangle BED$是等腰三角形．

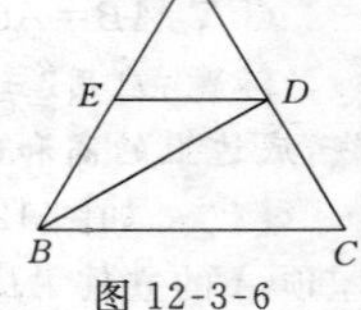

图12-3-6

分析：首先，从“结论”出发，识别一个三角形是等腰三角形，有两种方法：①是根据定义；②是根据“等角对等边”．然后看已知条件“角平分线”及“平行”都能提供角的条件，所以应选择方法②．

证明：$\because BD$是$\triangle ABC$的角平分线，$\therefore \angle EBD=\angle DBC$．

$\because DE \parallel BC$，$\therefore \angle EDB=\angle DBC$．$\therefore \angle EBD=\angle EDB$，

$\therefore EB=ED$，即$\triangle BED$是等腰三角形．

例6 如图12-3-7，$\triangle ABC$中，$AB=AC$，$\angle B=36°$，D、E是BC上两点，且$\angle ADE=\angle AED=2\angle BAD$，则图中的等腰三角形一共有(　　)

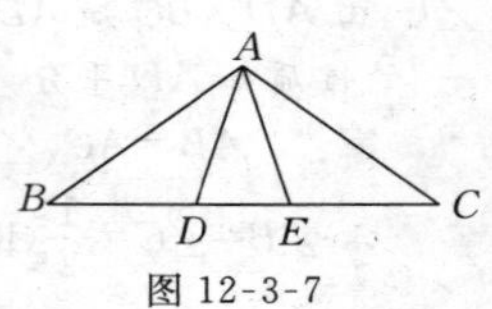

图12-3-7

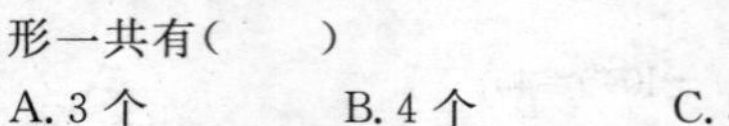
A. 3个　　B. 4个　　C. 5个　　D. 6个

解析：$\because AB=AC$，$\therefore \angle C=\angle B=36°$．$\therefore \angle BAC=108°$．

$\because \angle ADE=2\angle BAD=\angle BAD+\angle B$，$\therefore \angle BAD=\angle B=36°$．

同理$\angle EAC=\angle C=36°$. ∴ $\angle ADE=\angle AED=72°$，$\angle DAE=36°$.

∴ $\angle BAE=\angle CAD=72°$. ∴ △ABC、△ABD、△ACE、△ADE、△ABE、△ACD都是等腰三角形，共有 6 个. 故应选 D.　　**答案**：D

方法

"等角对等边"是判定等腰三角形的重要依据，运用十分广泛.

知能点 4　等边三角形及性质(重点)

(1)三条边都相等的三角形是等边三角形.

(2)等边三角形的各角都相等，并且每一个角都等于 60°.

例 7　如图 12-3-8，在等边△ABC 中，D 是 AC 边的中点，延长 BC 到点 E，使 CE=CD，连接 DE，试判断△BDE 的形状，并说明理由.

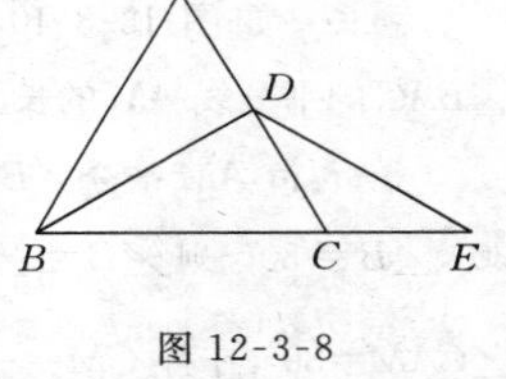

图 12-3-8

分析：利用等腰三角形的"三线合一"的性质和三角形外角的性质，证明$\angle DBE=\angle E$.

解：∵ △ABC 是等边三角形，D 是 AC 边的中点，

∴ $\angle ABC=\angle ACB=60°$，$\angle ABD=\angle DBC=\frac{1}{2}\angle ABC=30°$. 又 CE=CD，∴ $\angle E=\angle CDE$.

又∵ $\angle ACB=\angle E+\angle CDE$，

∴ $\angle E=\frac{1}{2}\angle ACB=30°$. ∴ $\angle DBC=\angle E$，

∴ BD=DE，即△BDE 是等腰三角形.

点拨 DIANBO

等边三角形是特殊的等腰三角形，因此等腰三角形"三线合一"的性质也适用于等边三角形.

知能点 5　等边三角形的识别(重点)

识别等边三角形的方法有三个：

(1)定义法；

(2)三个角都相等的三角形是等边三角形；

(3)有一个角是 60°的等腰三角形是等边三角形.

例 8　如图 12-3-9，在等边△ABC 中，∠ABC 和∠ACB 的平分线相交于点 O，BO、OC 的垂直平分线分别交 BC 于点 E、F，求证：△OEF 是等边三角形.

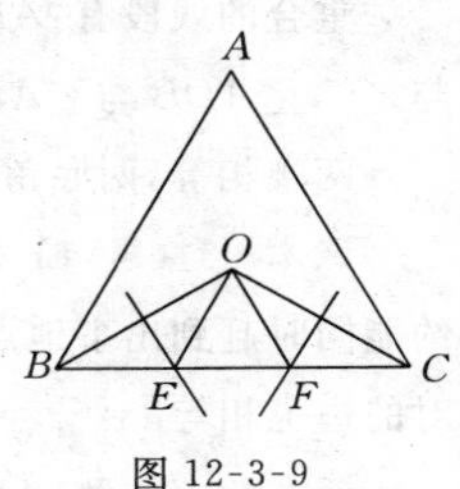

图 12-3-9

分析：利用三角形外角的性质，可求得$\angle OEF=\angle OFE=60°$，从而证明△OEF 是等边三角形.

证明：∵ E、F 分别是 BO、OC 的垂直平分线上的点，

∴ OE=BE，OF=CF.

∵ $\triangle ABC$ 是等边三角形，且 OB、OC 分别平分$\angle ABC$、$\angle ACB$，

∴ $\angle OBE=\angle BOE=\angle OCF=\angle COF=30°$.

∴ $\angle OEF=\angle OFE=60°$. ∴ $\angle EOF=60°$. ∴ $\triangle OEF$ 是等边三角形.

点拨 DIANBO

证明一个三角形是等边三角形，三种方法互相联系，要灵活运用，根据已知提供的条件选择适当的方法.

知能点 6　有一个角是 30°的直角三角形的性质(重点)

在直角三角形中，如果一个锐角等于 30°，那么它所对的直角边等于斜边的一半.

例 9　如图 12-3-10，在 $Rt\triangle ABC$ 中，$\angle C=90°$，$\angle BAC=60°$，$\angle BAC$ 的平分线 AM 的长为 15 cm，求 BC 的长.

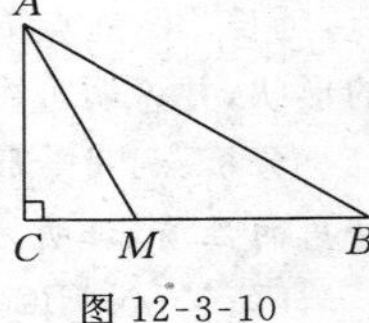

图 12-3-10

分析：由 AM 平分$\angle BAC$，$\angle BAC=60°$，可得$\angle CAM=\angle BAM=30°$，$\angle B=30°$，则$\angle B=\angle BAM$，所以 $AM=BM$. 在 $Rt\triangle ACM$ 中，$\angle CAM=30°$，可得 $CM=\frac{1}{2}AM$，由 $AM=15$ cm 可求出 BC 的长.

解：∵ 在 $Rt\triangle ABC$ 中，$\angle C=90°$，$\angle BAC=60°$，∴ $\angle B=30°$.

∵ AM 平分$\angle BAC$，∴ $\angle CAM=\angle BAM=30°$.

∴ $\angle B=\angle BAM$，∴ $AM=BM=15$ cm.

∵ 在 $Rt\triangle ACM$ 中，$\angle CAM=30°$，∴ $CM=\frac{1}{2}AM=7.5$(cm).

∴ $BC=CM+BM=7.5+15=22.5$(cm).

点拨 DIANBO

直角三角形的这个性质常与直角三角形的两个锐角互余一起运用，此性质是求线段长度和证明线段倍分问题的重要方法.

全解小博士在线答疑

课本 P49(思考)：上面剪出的等腰三角形是轴对称图形.

重合的线段有：AB 与 AC，BD 与 CD，AD 与 AD(自身重合)；重合的角有：$\angle B$ 与$\angle C$，$\angle ADB$ 与$\angle ADC$，$\angle DAC$ 与$\angle DAB$.

两腰相等，两底角相等等.

课本 P51(思考)：①因为$\triangle OAB$ 中，$\angle A=\angle B$，所以 $OA=OB$，即两艘救生船大约能同时赶到出事地点. ②在同一个三角形中，如果有两个角相等，那么这两个角所对的边也相等.

课本 P52(问题)：已知：如图 12-3-11，在$\triangle ABC$ 中，$\angle B=\angle C$，求证：$AB=AC$.

证明：过点 A 作 $AH\perp BC$，垂足为 H. $\therefore \angle AHB=\angle AHC=90^\circ$.

又$\because \angle B=\angle C$，$AH=AH$，$\therefore \triangle ABH\cong\triangle ACH$(AAS)，$\therefore AB=AC$.

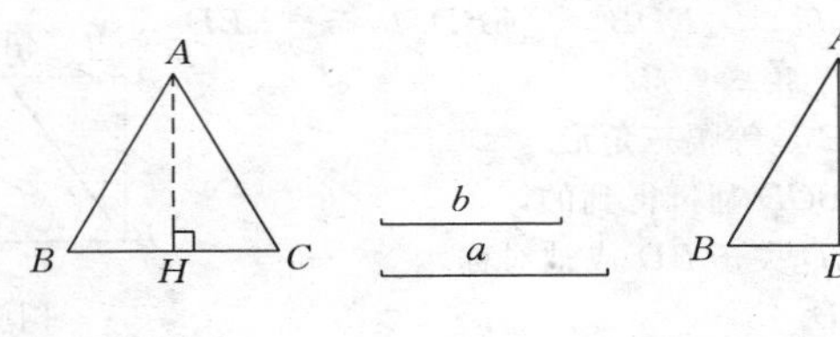

图 12-3-11

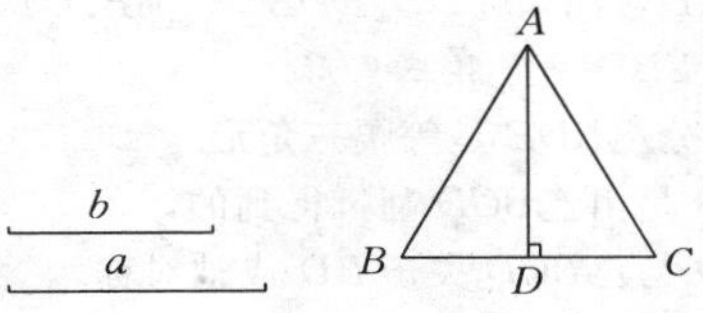

图 12-3-12

课本 P53(问题)：已知线段 a、b，以线段 a 为底边，线段 b 为底边上的高作等腰三角形.

作法：①作线段 $BC=a$；

②作 BC 的中垂线 MN 交 BC 于点 D；

③在射线 DM 上截取 $DA=b$；

④连接 AB、AC，则$\triangle ABC$ 就是所求作的等腰三角形. 如图 12-3-12.

课本 P55(问题)：已知：如图 12-3-13，在$\triangle ABC$ 中，$\angle ACB=90^\circ$，$\angle A=30^\circ$. 求证：$BC=\frac{1}{2}AB$.

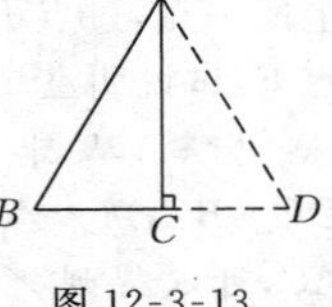

图 12-3-13

证明：延长 BC 到点 D，使 $CD=BC$，连接 AD.

在$\triangle ACB$ 与$\triangle ACD$ 中，$BC=DC$，$\angle ACB=\angle ACD=90^\circ$，$AC=AC$，

$\therefore \triangle ACB\cong\triangle ACD$. $\therefore AB=AD$，$\angle CAD=\angle CAB=30^\circ$，

即$\angle BAD=60^\circ$. $\therefore \triangle ABD$ 是等边三角形. $\because BC=\frac{1}{2}BD$，$\therefore BC=\frac{1}{2}AB$.

典型例题全解

DIANXINGLITIQUANJIE

题型一　等腰三角形性质的应用

例 1　已知等腰三角形的底边长为 10，周长不大于 40，求腰长的取值范围.

分析：由等腰三角形的周长不大于 40 和三角形的两边之和大于第三边可确定两个不等式，腰长的取值范围就是这两个不等式的公共解.

解：设腰长为 x，$\because$ 等腰三角形两腰相等，$\therefore 2x+10\leqslant 40$，$\therefore x\leqslant 15$.

又$\because$ 底边长为 10，两边之和要大于第三边，

$\therefore x+x>10$，$\therefore x>5$. 故腰长的取值范围为 $5<x\leqslant 15$.

点拨 DIANBO

此题既考查了等腰三角形的性质，又考查了三角形三边的关系，在确定三角形边的取值时考虑要全面、具体.

例 2 把一张矩形纸条按如图 12-3-14 那样折叠，重合部分是什么形状？

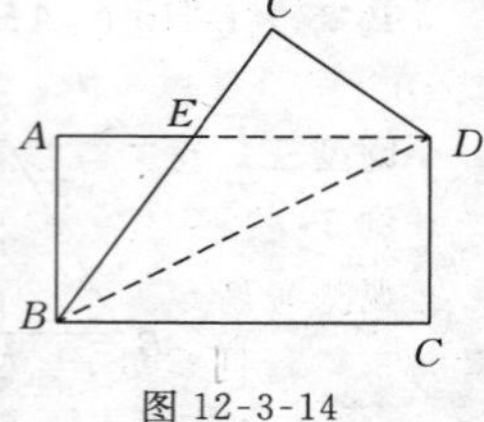

图 12-3-14

分析： 重合部分是$\triangle EBD$，由折叠可得：$\angle EBD=\angle EDB$，因为$AD\parallel BC$，所以$\angle EDB=\angle CBD$. 从而$\angle EBD=\angle EDB$，即$\triangle EBD$是等腰三角形.

解： 重合部分$\triangle BDE$是等腰三角形.

$\because$ $\triangle BC'D$是由$\triangle BCD$翻折得到的，

$\therefore$ $\triangle BC'D$与$\triangle BCD$关于BD成轴对称.

$\therefore$ $\angle C'BD=\angle CBD$.

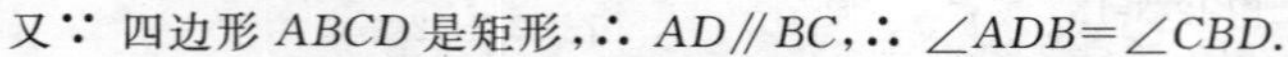

又$\because$ 四边形$ABCD$是矩形，$\therefore$ $AD\parallel BC$，$\therefore$ $\angle ADB=\angle CBD$.

$\therefore$ $\angle ADB=\angle C'BD$. $\therefore$ $BE=DE$，即$\triangle BDE$是等腰三角形.

点拨 DIANBO

解决此题运用了轴对称的性质及“等角对等边”. 折叠后的图形与原图形全等.

题型二 等腰三角形的判定

例 3 如图 12-3-15 所示，在$\triangle ABC$中，$AB=AC$，D是AB上的一点，过点D作$DE\perp BC$于点E，并与CA的延长线相交于点F，试说明$\triangle ADF$是等腰三角形.

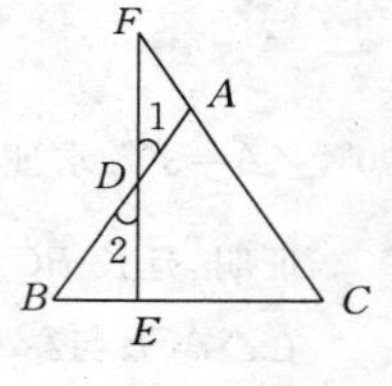

图 12-3-15

分析： 从图中可以知道$\angle 1=\angle 2$，先证明$\angle 2=\angle F$. 因为$DE\perp BC$，所以$\triangle BDE$与$\triangle FEC$都是直角三角形. 还知道$AB=AC$，可以得到$\angle B=\angle C$，可以利用等角的余角相等，即$\angle 2=\angle F$，因而得到$\triangle ADF$是等腰三角形.

解： 在$\triangle ABC$中，$\because$ $AB=AC$，$\therefore$ $\angle B=\angle C$(等边对等角).

又$\because$ $DE\perp BC$，$\therefore$ $\angle DEB=\angle DEC=90^\circ$(垂直的定义).

$\therefore$ $\angle 2+\angle B=90^\circ$，$\angle F+\angle C=90^\circ$. $\therefore$ $\angle 2=\angle F$(等角的余角相等).

又$\because$ $\angle 1=\angle 2$(对顶角相等)，$\therefore$ $\angle 1=\angle F$.

$\therefore$ $AF=AD$(等角对等边). $\therefore$ $\triangle ADF$是等腰三角形.

点拨 DIANBO

在解题过程中会出现不知如何证明$\angle 2=\angle F$的情况，这是因为不能正确使用$DE\perp BC$这一条件，其根本原因是不善于根据已知条件进行联想，不善于观察复杂的几何图形，我们可以采用“两头凑”的方法. 本题还可以作$AG\perp BC$，利用$AG\parallel EF$来解.

例 4 如图 12-3-16，在$\triangle ABC$中，已知$AB=AC$，要使$AD=AE$，需要添加的一个条件是________.

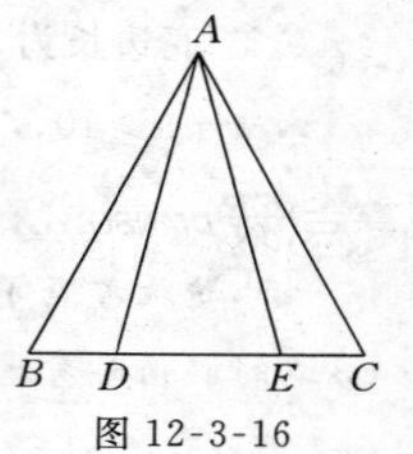

图 12-3-16

解析： 因为AD、AE在$\triangle ADE$中，可从判断$\triangle ADE$是等腰三角形着手，应添加$\angle ADB=\angle AEC$，或$\angle BAD=\angle CAE$，从而可得$\angle ADE=\angle AED$；从证明$\triangle ABD\cong\triangle ACE$，或$\triangle ABE\cong\triangle ACD$着手，应添加$BD=CE$或$BE=CD$等，这些条件都能保

证 $AD=AE$.

答案：$\angle ADB=\angle AEC$（或$\angle BAD=\angle CAE$，或$\angle ADE=\angle AED$，或 $BD=CE$，或 $BE=CD$ 等）

题型三　有关等腰三角形的综合运用

例 5　如图 12-3-17 所示，某船于上午 11 时 30 分在 A 处观测海岛 B 在北偏东 60°，该船以每小时 10 海里的速度向东航行到 C 处，再观测海岛 B 在北偏东 30°，航行到 D 处，观测到海岛 B 在北偏西 30°，当轮船到达 C 处时恰与海岛 B 相距 20 海里，请你确定轮船到达 C 处和 D 处的时间.

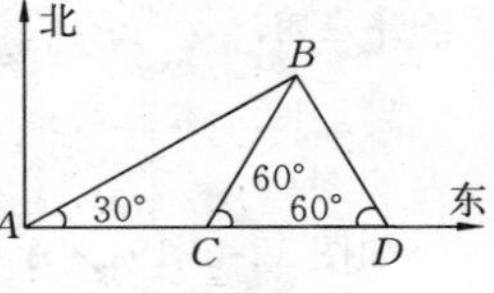

图 12-3-17

解：由题意，知$\angle BAD=30°$，$\angle BCD=\angle BDC=\angle CBD=60°$，所以$\triangle BCD$ 为等边三角形，$\triangle ABD$ 为直角三角形. 而 $BC=20$，所以 $CD=BD=20$.

又因为 $BD=\frac{1}{2}AD$（直角三角形中 30°角所对的直角边等于斜边的一半），所以 $AD=40$.

因为$\angle BCD=\angle BAC+\angle ABC$（外角性质），

所以$\angle ABC=60°-30°=30°$，所以$\triangle CAB$ 为等腰三角形. 所以 $CA=CB=20$.

所以轮船从 A 到 C 的时间为$\frac{20}{10}=2$（小时），从 A 到 D 的时间为$\frac{40}{10}=4$（小时）.

故轮船到达 C 处的时间为 13 时 30 分，到达 D 处的时间为 15 时 30 分.

点拨 DIANBO

本题主要是等腰三角形、等边三角形等知识在实际问题中的具体应用，同时也考查了有关方位角的知识. 解答此题的关键是证得$\triangle BCD$、$\triangle CAB$ 分别为等边三角形、等腰三角形.

例 6　如图 12-3-18，在$\triangle ABC$ 中，$\angle ACB=90°$，$AC=BC$，D 为 AB 的中点. (1)写出 D 点到$\triangle ABC$ 的三个顶点 A、B、C 的距离的关系（不要求证明）；(2)如果点 M、N 分别在线段 BC、AC 上移动，在移动过程中保持 $CN=BM$，请判断$\triangle DMN$ 的形状.

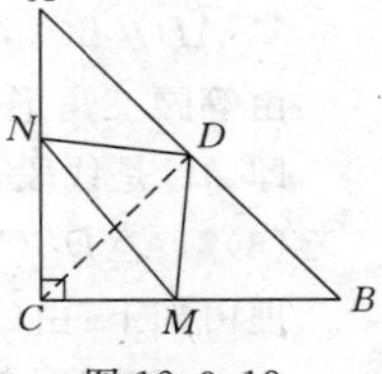

图 12-3-18

分析：由题意，$\triangle ABC$ 是等腰直角三角形，所以$\angle A=\angle B=45°$. (1)连接 CD，因为 D 为 AB 的中点，由等腰三角形的"三线合一"性质可得$\angle BCD=\angle ACD=\angle A=\angle B=45°$，所以 $AD=CD=BD$. (2)由"SAS"可证明$\triangle BDM\cong\triangle CDN$，从而 $DM=DN$，$\angle BDM=\angle CDN$. 由$\angle BDM+\angle CDM=90°$得$\angle CDN+\angle CDM=90°$，故$\triangle MDN$ 是等腰直角三角形.

解：(1)$CD=AD=BD$.

(2)∵ 在$\triangle ABC$ 中，$\angle ACB=90°$，$AC=BC$，D 为 AB 的中点，

∴ $\angle A=\angle B=45°$，$\angle ADC=\angle BDC=90°$.

在$\triangle BMD$ 与$\triangle CND$ 中，∵ $BD=CD$，$\angle B=\angle DCN=45°$，$BM=CN$，

∴ $\triangle BMD\cong\triangle CND$(SAS). ∴ $MD=ND$，$\angle BDM=\angle CDN$.

又∵ $\angle BDM+\angle MDC=90°$，∴ $\angle CDN+\angle CDM=90°$.

∴ $\triangle MDN$ 是等腰直角三角形.

点拨 DIANBO

可以先直观地观察$\triangle DMN$的形状,猜想其形状,然后证明.证明本题的关键是连接CD,由“三线合一”进而证明三角形全等.(1)中的结论可作为(2)中的条件应用.

题型四 本节习题12.3(P56)复习巩固第5题与中考真题解密

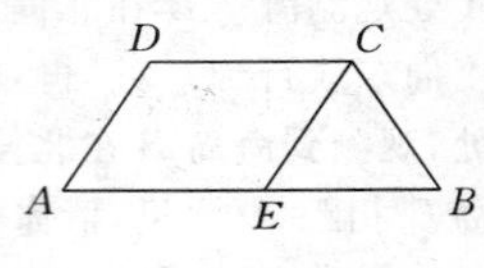

图 12-3-19

如图12-3-19,$\angle A=\angle B$,$CE\parallel DA$,CE交AB于E,求证$\triangle CEB$是等腰三角形.

中考真题

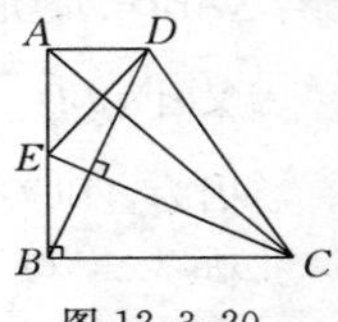

图 12-3-20

(2009·泰安中考)如图12-3-20所示,在直角梯形$ABCD$中,$\angle ABC=90^\circ$,$AD\parallel BC$,$AB=BC$,E是AB的中点,$CE\perp BD$.

(1)求证:$BE=AD$.

(2)求证:AC是线段ED的垂直平分线.

(3)$\triangle DBC$是等腰三角形吗?并说明理由.

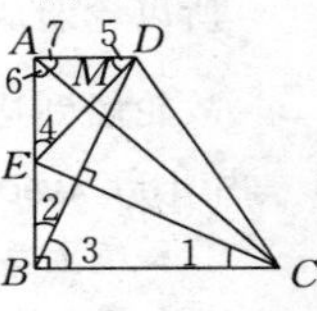

图 12-3-21

(1)**证明**:如图12-3-21,∵ $\angle ABC=90^\circ$,$BD\perp EC$,

∴ $\angle 1$与$\angle 3$互余,$\angle 2$与$\angle 3$互余.

∴ $\angle 1=\angle 2$. ∵ $AD\parallel BC$,∴ $\angle ABC=\angle DAB=90^\circ$.

又∵ $AB=BC$,∴ $\triangle BAD\cong\triangle CBE$,∴ $AD=BE$.

(2)**证明**:设AC与ED交于M点,∵ E是AB中点,

∴ $EB=EA$.由(1)$AD=BE$得$AE=AD$.

∵ $AB=BC$,$\angle ABC=90^\circ$,∴ $\angle 6=\angle ACB=45^\circ$.

∵ $AD\parallel BC$,∴ $\angle 7=\angle ACB=45^\circ$. ∴ $\angle 6=\angle 7$.

由等腰三角形的性质,得$EM=MD$,$AM\perp DE$,

即AC是线段ED的垂直平分线.

(3)**解**:$\triangle DBC$是等腰三角形($CD=BD$).

理由如下:由(2)得$CD=CE$,由(1)得$CE=BD$,∴ $CD=BD$.

∴ $\triangle DBC$是等腰三角形.

考题点睛

此题主要考查了等腰三角形的性质和判定,是课本例题的变式及拓展,两题目说明了等腰三角形的判定和性质在解决问题中的重要性,也是中考的重点内容之一.

挑战课标中考

TIAOZHANKEBIAOZHONGKAO

中考考点解读

本节知识是初中数学知识的基础,考试题型多,方法灵活.对这部分知识的命题方向是考查等腰三角形及等边三角形的性质和判定,即边角的相互转化.这部分内容

在中考中多以填空题、选择题的形式出现.在综合题中，等腰三角形的性质和判定的知识较为常见，中考中还经常出现与本节有关的探究性的问题，如函数中的动点，考查动点在何处时形成的图形是等腰三角形、等边三角形等.

中考典题全解

例1　(2009·宁波中考)等腰直角三角形的一个底角的大小是(　　)

A. $30°$　　B. $45°$　　C. $60°$　　D. $90°$

解析：由等腰直角三角形的性质可得一个底角等于$\frac{180°-90°}{2}=45°$，故应选择B.

答案：B

点拨 DIANBO

等腰直角三角形的两底角相等.

例2　(2009·河南中考)如图12-3-22所示，$\angle BAC=\angle ABD$，$AC=BD$，点O是AD、BC的交点，点E是AB的中点.试判断OE和AB的位置关系，并给出证明.

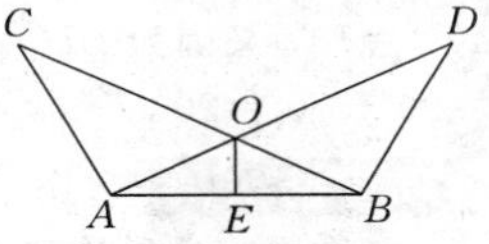

图 12-3-22

证明：在$\triangle BAC$和$\triangle ABD$中，

$\begin{cases}AC=BD,\\ \angle BAC=\angle ABD,\\ AB=BA,\end{cases}$ $\therefore\ \triangle BAC\cong\triangle ABD(\text{SAS})$.

$\therefore\ \angle OBA=\angle OAB$，$\therefore\ OA=OB$，即$\triangle OAB$为等腰三角形.

又$\because\ E$是AB的中点，$\therefore\ OE$是等腰$\triangle OAB$底边上的中线.$\therefore\ OE\perp AB$.

点拨 DIANBO

此题利用了等腰三角形的“三线合一”证明垂直.

易错易误点全解

YICUOYIWUDIANQUANJIE

易错点1：利用等腰三角形的性质解题时考虑问题不全面而出现错误

等腰三角形是一种特殊而且十分重要的三角形，正是因为等腰三角形具有特殊性，所以我们在解关于等腰三角形的计算这类题目时要慎重，但有些同学在解具体问题时往往由于粗心或考虑不全面而出现这样那样的漏解问题.避免漏解的方法：正确认识等腰三角形中的有关概念，审题要细心，考虑要全面.

例1　已知等腰三角形的一边长是5 cm，另一边长是7 cm，求该三角形的周长.

解：当腰长为5 cm时，三角形的周长为$5\times2+7=17$(cm)；

当腰长为7 cm时，三角形的周长为$7\times2+5=19$(cm).

答：该三角形的周长为17 cm或19 cm.

误区防火墙

5 cm 的边长既可以作底，也可以作腰，应分两种情况讨论，分析问题要全面，否则易出现丢解现象.

易错点 2:“三线合一”的误用

“三线合一”是等腰三角形中特殊线段具有的性质，并不是所有的“三线”都“合一”，因此在解题时一定要搞清这“三线”指的是哪三条线段，而不能乱用.部分同学由于对这“三线”的含义不太清楚，往往乱用“三线合一”，导致解题过程错误.

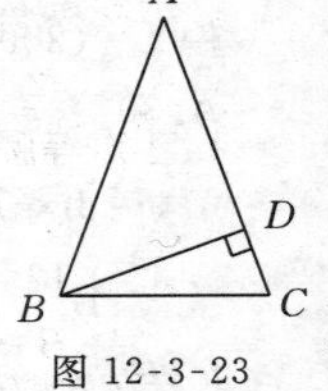

图 12-3-23

例 2 如图 12-3-23 所示，在$\triangle ABC$中，$AB=AC$，$BD\perp AC$，垂足为 D，$\angle A=40^\circ$，求$\angle DBC$的大小.

解:因为在$\triangle ABC$中，$AB=AC$，$\angle A=40^\circ$，所以$\angle ABC=\angle ACB=\frac{1}{2}\times(180^\circ-40^\circ)=70^\circ$.又因为 $BD\perp AC$，垂足为 D，所以$\angle BDC=90^\circ$.所以$\angle DBC=90^\circ-\angle ACB=90^\circ-70^\circ=20^\circ$.

误区防火墙

等腰三角形的“三线合一”指的是底边上的高、底边上的中线和顶角平分线互相重合，但对于腰上的高、中线、底角的平分线却不一定成立.不要盲目运用“三线合一”的性质解题.

知识梳理

1. 等腰三角形
   - 定义:有两条边相等的三角形是等腰三角形
   - 性质
     - ①等腰三角形的两个底角相等
     - ②等腰三角形的顶角平分线、底边上的中线、底边上的高互相重合
   - 识别
     - ①定义
     - ②一个三角形有两个角相等，那么这两个角所对的边也相等
2. 等边三角形
   - 定义:三条边相等的三角形
   - 性质:除具有等腰三角形的性质外，三个内角都相等，都等于 60°
   - 识别
     - ①三个内角都相等的三角形是等边三角形
     - ②有一个角是 60°的等腰三角形是等边三角形

3. 在直角三角形中，如果有一个锐角等于 30°，那么它所对的直角边等于斜边的一半.

技巧平台

(1)对于等腰三角形的概念与性质的学习，通过动手折纸，在操作过程中体会等腰三角形的概念及特征，探索等腰三角形的性质.

(2)注意常用结论的适用范围，在分析题目时善于联想，完成题目后注意归纳总结题目特点，寻求多种解法.在学习过程中，充分体会转化的数学思想，如“等边对等角”“等角对等边”体现了三角形中边相等与角相等关系的转化.

跟踪训练

1.等腰三角形的周长为10，腰长为x，则x的取值范围是(　　)

A.$x>2.5$　　B.$x<2.5$　　C.$2.5<x<5$　　D.$0<x<5$

2.已知等腰三角形的两边长为5，6，则此三角形的周长为(　　)

A.16　　B.17　　C.16或17　　D.无法确定

3.如图12-3-24，在$\triangle ABC$中，$AB=AC$，$\angle A=36^\circ$，BD、CE分别为$\angle ABC$与$\angle ACB$的平分线且相交于点F，则图中的等腰三角形有(　　)

A.6个　　B.7个　　C.8个　　D.9个

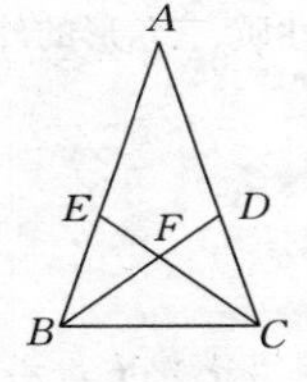

图12-3-24

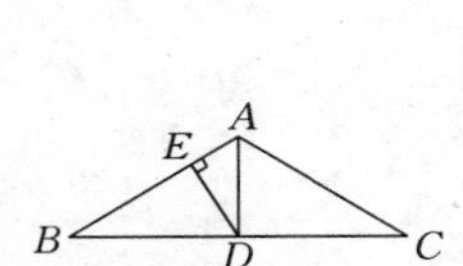

图12-3-25

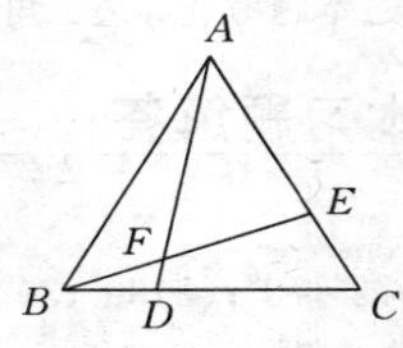

图12-3-26

4.如图12-3-25，在$\triangle ABC$中，$AB=AC$，$\angle BAC=120^\circ$，D是BC的中点，$DE\perp AB$于点E.求证：$EB=3EA$.

5.如图12-3-26所示，D，E分别为等边$\triangle ABC$的边BC，AC上的点，且$BD=CE$，连接BE，AD，它们交于点F.

求证：(1)$AD=BE$；(2)$\angle AFE=60^\circ$.

跟踪训练答案

1.C　点拨：x应满足$2x>10-2x$，$10-2x>0$，即$2.5<x<5$，故选C.

2.C　点拨：应有两种情况：当腰为5，底边为6时，三角形的周长$=5+5+6=16$；当腰为6，底边为5时，三角形的周长$=6+6+5=17$.故应选C.

3.C　点拨：在$\triangle ABC$中，由$AB=AC$，$\angle A=36^\circ$，得$\angle ABC=\angle ACB=72^\circ$.因为$BD$、$CE$分别为$\angle ABC$与$\angle ACB$的平分线，所以$\angle ABD=\angle CBD=\angle ACE=\angle BCE=36^\circ$，$\angle BEC=\angle BDC=\angle BFE=\angle DFC=72^\circ$，所以$\triangle ABD$、$\triangle BDC$、$\triangle AEC$、$\triangle BEC$、$\triangle BEF$、$\triangle CDF$、$\triangle BFC$、$\triangle ABC$为等腰三角形.

4.证明：因为$AB=AC$，$\angle BAC=120^\circ$，所以$\angle B=\angle C=30^\circ$.

又因为D是BC的中点，所以$AD\perp BC$.

在Rt$\triangle ABD$中，$\angle B+\angle BAD=90^\circ$，所以$\angle BAD=60^\circ$.

因为$DE\perp AB$，所以$\angle ADE+\angle DAE=90^\circ$，所以$\angle ADE=30^\circ$.

在Rt$\triangle ADE$中，$\angle ADE=30^\circ$，在Rt$\triangle ABD$中，$\angle B=30^\circ$.

所以$AE=\frac{1}{2}AD$，$AD=\frac{1}{2}AB$，所以$AE=\frac{1}{4}AB$.

又因为$AE+EB=AB$，所以$BE=\frac{3}{4}AB$，所以$EB=3EA$.

点拨:等腰三角形的性质定理和判定定理体现了同一个三角形中角与边的相等关系的相互转化.而“在直角三角形中,如果一个锐角等于30°,那么它所对的直角边等于斜边的一半”则常用于证明直角三角形中边之间的倍数关系.

5. 证明:(1)因为$\triangle ABC$为等边三角形,所以$AB=BC$,$\angle ABC=\angle BCA=60°$.

在$\triangle ABD$和$\triangle BCE$中,$\begin{cases}AB=BC,\\ \angle ABD=\angle BCE,\\ BD=CE.\end{cases}$所以$\triangle ABD\cong\triangle BCE$(SAS).所以

$AD=BE$(全等三角形的对应边相等).

(2)因为$\triangle ABD\cong\triangle BCE$,所以$\angle BAD=\angle CBE$(全等三角形的对应角相等).又因为$\angle AFE=\angle BAD+\angle FBA$(三角形的一个外角等于与它不相邻的两个内角之和),所以$\angle AFE=\angle CBE+\angle FBA$,所以$\angle AFE=\angle ABC=60°$.

点拨:本题考查等边三角形的性质和全等三角形的判定及性质、三角形的外角的性质.

课本习题解答

KEBENXITIJIEDA

练习(P51)

1. (1)72°,72°;(2)30°,30°.
2. $\angle B=45°$,$\angle C=45°$,$\angle BAD=\angle DAC=45°$;$AD=BD=CD$,$AB=AC$.
3. $\angle B=77°$,$\angle C=38.5°$.

练习(P53)

1. $\angle 1=72°$,$\angle 2=36°$;图中的等腰三角形有$\triangle ABD$,$\triangle BDC$,$\triangle ABC$.
2. 是,根据两直线平行内错角相等,可知重合部分三角形中有两个角相等.
3. 证明:由$OA=OB$,可得$\angle A=\angle B$.又$AB\parallel DC$,所以$\angle C=\angle A$,$\angle D=\angle B$.所以$\angle C=\angle D$,因此$OC=OD$.

练习(P54)

1. 等边三角形是轴对称图形,它有三条对称轴,对称轴是三个顶角的平分线所在的直线或三条边上的高、中线所在的直线.
2. 与BD相等的线段有CD、CF、BE、DE、FD、AF、AE.

练习(P56)

$\angle B=60°$,$\angle A=30°$,$AB=2BC$.

习题12.3(P56)

1. (1)35°,35°;(2)80°,20°或50°,50°.
2. 证明:$\because AD\parallel BC$,$\therefore \angle ADB=\angle DBC$.又$BD$平分$\angle ABC$,$\therefore \angle ABD=\angle DBC$.$\therefore \angle ABD=\angle ADB$,$\therefore AB=AD$.
3. 解:$\because$ 五角星的五个角都是顶角为36°的等腰三角形,
$\therefore$ 每个底角的度数是$\frac{1}{2}\times(180°-36°)=72°$.$\therefore \angle AMB=180°-72°=108°$.
4. 解:$\because AB=AC$,$\angle BAC=100°$,$\therefore \angle B=\angle C=\frac{1}{2}\times(180°-100°)=40°$.

又∵ $AD \perp BC$，∴ AD 是 $\angle BAC$ 的平分线. ∴ $\angle BAD=\angle CAD=\frac{1}{2}\times 100°=50°$.

5. 证明：∵ $CE /\!/ AD$，∴ $\angle A=\angle CEB$.
又∵ $\angle A=\angle B$，∴ $\angle CEB=\angle B$，∴ $CE=CB$，∴ $\triangle CEB$ 是等腰三角形.

6. 证明：∵ $AB=AC$，∴ $\angle B=\angle C$.
又∵ $AD=AE$，∴ $\angle ADE=\angle AED$，∴ $\angle ADB=\angle AEC$.
在 $\triangle ABD$ 和 $\triangle ACE$ 中，有 $\angle B=\angle C$，$\angle ADB=\angle AEC$，$AB=AC$，
∴ $\triangle ABD\cong\triangle ACE$(AAS). ∴ $BD=CE$.

7. 解：∵ $AB=AC$，$\angle A=40°$，∴ $\angle ABC=\angle C=\frac{1}{2}\times(180°-40°)=70°$.
又∵ MN 是 AB 的垂直平分线，∴ $DA=DB$.
∴ $\angle A=\angle DBA=40°$. ∴ $\angle DBC=\angle ABC-\angle ABD=70°-40°=30°$.

8. 他们的判断是对的. 理由略.

9. 解：∵ $\angle PAB=\angle PBA$，∴ $PA=PB$. 这是利用了等腰三角形的判定方法.

10. 解：∵ $\angle NBC=84°$，$\angle NAC=42°$，$\angle NBC=\angle NAC+\angle C$，即 $84°=42°+\angle C$，
∴ $\angle C=42°$，∴ $BC=BA$. 又∵ $BA=15\times(10-8)=30$(海里)，∴ $BC=30$ 海里，
即从海岛 B 到灯塔 C 的距离是 30 海里.

11. 证明：∵ $\triangle ABD$、$\triangle AEC$ 都是等边三角形，
∴ $AD=AB$，$AC=AE$，$\angle DAB=\angle EAC=60°$.
∴ $\angle DAB+\angle BAC=\angle EAC+\angle BAC$，即 $\angle DAC=\angle BAE$.
在 $\triangle ADC$ 和 $\triangle ABE$ 中，$\begin{cases}AD=AB,\\ \angle DAC=\angle BAE,\\ AC=AE,\end{cases}$
∴ $\triangle ADC\cong\triangle ABE$(SAS)，∴ $BE=DC$.

12. 解：等腰三角形两底角的平分线相等，等腰三角形两腰上的中线相等，等腰三角形两腰上的高相等.
以等腰三角形两腰上的高相等为例证明.
已知：如图 12-3-27 所示，在 $\triangle ABC$ 中，$AB=AC$，$BD\perp AC$，$CE\perp AB$，垂足分别为 D，E. 求证：$BD=CE$.

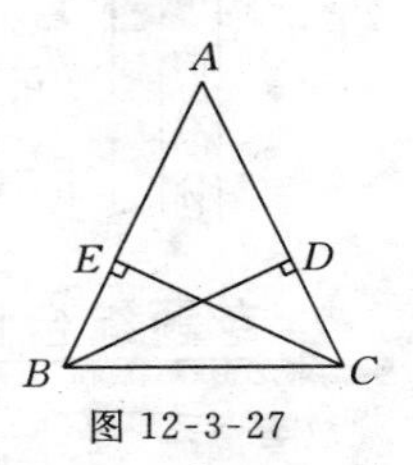

图 12-3-27

证明：∵ $AB=AC$，∴ $\angle ABC=\angle ACB$.
又∵ $BD\perp AC$，$CE\perp AB$，∴ $\angle BEC=\angle CDB=90°$.
在 Rt$\triangle BCE$ 和 Rt$\triangle CBD$ 中，$\begin{cases}\angle ABC=\angle ACB,\\ \angle BEC=\angle CDB,\\ BC=CB,\end{cases}$
∴ Rt$\triangle BCE\cong$Rt$\triangle CBD$(AAS)，∴ $BD=CE$.

13. 证明：(1)∵ OE 平分 $\angle AOB$，$ED\perp OB$，$EC\perp OA$，垂足分别为 D、C，
∴ $ED=EC$，∴ $\angle EDC=\angle ECD$.
(2)在 Rt$\triangle ODE$ 和 Rt$\triangle OCE$ 中，有 $OE=OE$，$ED=EC$，
∴ Rt$\triangle ODE\cong$Rt$\triangle OCE$(HL)，∴ $OD=OC$.

(3)$\because$ $OD=OC$,$\therefore$ $\triangle ODC$ 是等腰三角形.
又$\because$ OE 是$\angle DOC$ 的平分线,$\therefore$ OE 是底边 CD 上的高和中线,
即 OE 是线段 CD 的垂直平分线.

14. 解:如图 12-3-28,作$\angle A$ 的平分线 AD 交 BC 于点 D,过点 D 作 $DE\perp AB$ 于点 E,则$\triangle ADC\cong\triangle ADE\cong\triangle BDE$.
证明:$\because$ $\angle C=90°$,$\angle B=30°$,$\therefore$ $\angle CAB=60°$.
$\therefore$ $\angle 1=\angle 2=30°$.
又$\because$ $DE\perp AB$,$\angle C=90°$,$\therefore$ $\angle C=\angle AED=90°$.
在 $\mathrm{Rt}\triangle ACD$ 和 $\mathrm{Rt}\triangle AED$ 中,$\angle 1=\angle 2$,$\angle C=\angle AED$,$AD=AD$,$\therefore$ $\mathrm{Rt}\triangle ACD\cong\mathrm{Rt}\triangle AED$(AAS).
又$\because$ $DE\perp AB$,$\therefore$ $\angle AED=\angle BED=90°$.
在 $\mathrm{Rt}\triangle ADE$ 和 $\mathrm{Rt}\triangle BDE$ 中,$\angle 2=\angle B=30°$,$\angle AED=\angle BED$,$DE=DE$,
$\therefore$ $\mathrm{Rt}\triangle ADE\cong\mathrm{Rt}\triangle BDE$(AAS).$\therefore$ $\mathrm{Rt}\triangle ADC\cong\mathrm{Rt}\triangle ADE\cong\mathrm{Rt}\triangle BDE$.

图 12-3-28

章末总结与复习

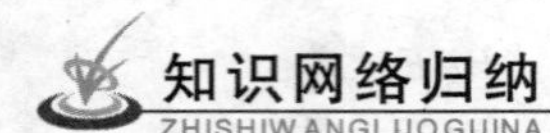

知识网络归纳

ZHISHIWANGLUOGUINA

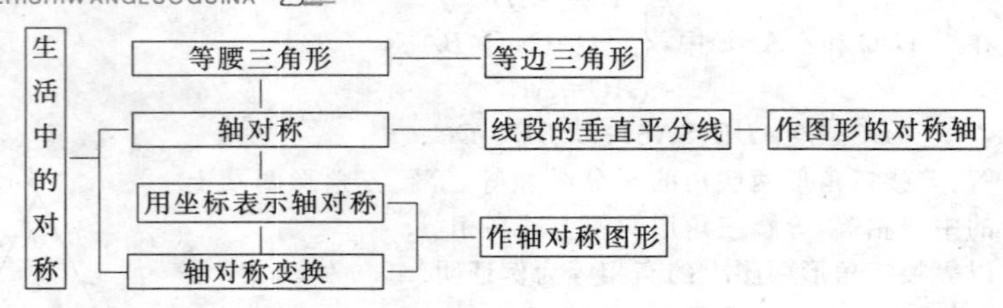

专题综合讲解

ZHUANTIZONGHEJIANGJIE

专题一 轴对称的应用

例 1 判断图 12-4-1 中的图形是否为轴对称图形,若是,说出它有几条对称轴.

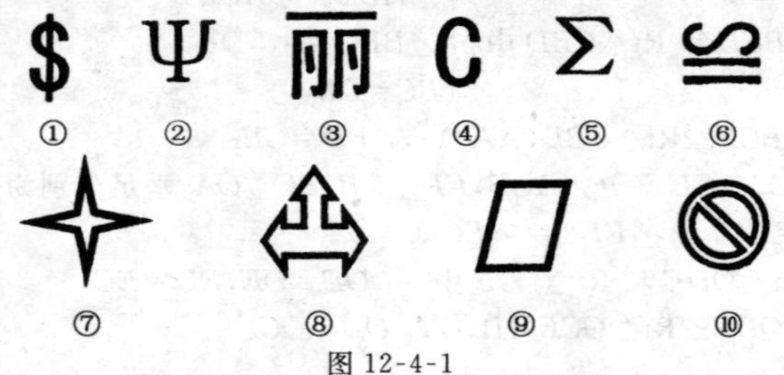

图 12-4-1

分析：解决这类问题应该应用轴对称图形的概念并展开想象.

解：图②④⑤⑦⑧⑩是轴对称图形.

图②④⑤⑧都有一条对称轴，图⑦有4条对称轴，图⑩有2条对称轴.

例2 如图12-4-2所示，A、B两点在直线l的两侧，在l上找一点C，使C到A、B的距离之差最大.

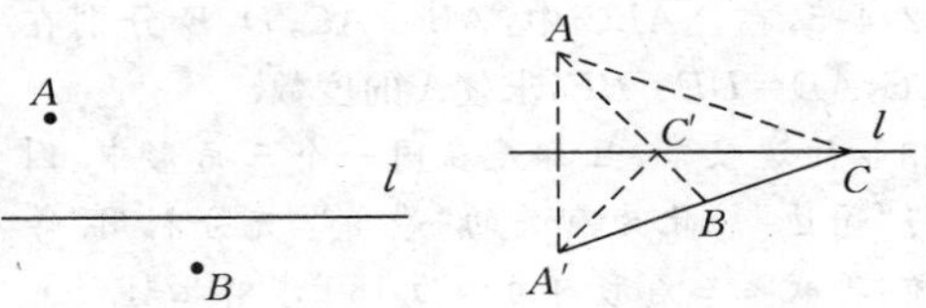

图12-4-2　　图12-4-3

分析：此题的突破点是作点A（或B）关于直线l的对称点A'（或B'），作直线$A'B$（或AB'）与直线l交于点C，把问题转化为三角形任意两边之差小于第三边解决.

解：如图12-4-3所示，以直线l为对称轴，作A关于直线l的对称点A'，$A'B$的连线交l于点C，则点C即为所求. 理由如下：在直线l上找一点C'异于C点，连接CA、$C'A$、$C'A'$、$C'B$. 因为A、A'关于直线l对称，所以l为线段AA'的垂直平分线，则$CA=CA'$，所以$CA-CB=CA'-CB=A'B$. 又因为C'在l上，所以$C'A=C'A'$. 在$\triangle A'BC'$中，$C'A'-C'B<A'B$，所以$C'A'-C'B<CA-CB$.

点拨 DIANBO

利用轴对称性质、三角形三边关系，通过比较来说明极值问题是常用的一种方法.

例3 如图12-4-4，在Rt$\triangle ABC$中，$\angle C=90°$，沿过B点的一条直线BE折叠$\triangle ABC$，使点C与AB边上的一点D重合. 当$\angle A$满足什么条件时，点D恰好为AB中点？写出一个你认为合适的条件，并以此条件证明D为AB中点.

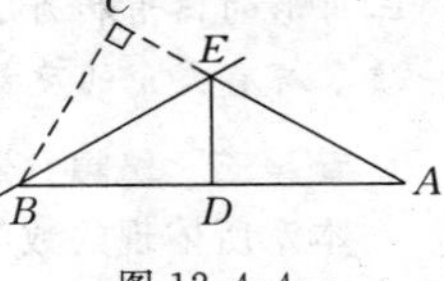

图12-4-4

分析：由题意知$ED\perp AB$，当点D是AB的中点时，$EA=EB$，即$\angle A=\angle EBA$，也就是$\angle A=\frac{1}{2}\angle ABC$.

解：$\angle A=30°\left(或\angle A=\frac{1}{2}\angle CBA\right)$.

$\because \angle A=30°, \angle C=90°, \therefore \angle CBA=60°$.

$\because$ 沿过B点的直线BE折叠$\triangle ABC$时点C与AB边上的点D重合，

$\therefore \triangle DBE\cong\triangle CBE, \therefore \angle EDB=\angle C=90°, \angle EBD=\angle CBE=\frac{1}{2}\angle CBA=30°$.

在$\triangle EDB$和$\triangle EDA$中，$\angle EBD=\angle A=30°$，$ED=ED$，$\angle EDB=\angle EDA=90°$，

$\therefore \triangle EDB\cong\triangle EDA, \therefore BD=AD$，即$D$为$AB$的中点.

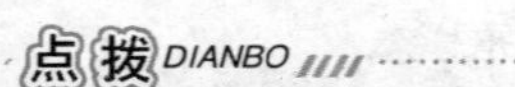

此题是利用折叠后对称图形全等来解决问题的开放性试题，逆用“三线合一”的性质解答问题.

专题二　等腰三角形的综合运用

例 4　如图 12-4-5，在$\triangle ABC$中，$AB=AC$，D、E分别在AC、AB上，$BD=BC$，$AD=DE=BE$，求$\angle A$的度数.

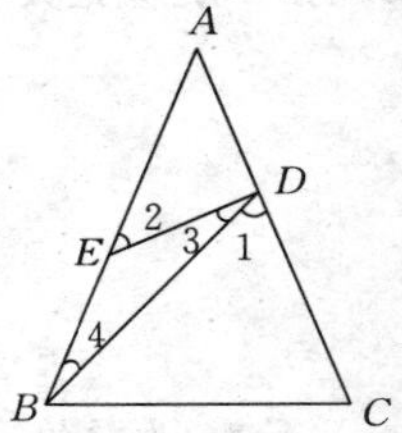

图 12-4-5

分析：题目中相等的边较多，且都是在同一个三角形中，因为求“角”的度数，将“等边”转化为有关的“等角”，充分利用“等边对等角”这一性质，再联系三角形内角和为 180°求解此题.

解：$\because AD=DE$，$\therefore \angle 2=\angle A$.

$\because DE=BE$，$\therefore \angle 3=\angle 4$.

又$\angle 2=\angle 3+\angle 4=2\angle 4$，$\therefore \angle 4=\frac{1}{2}\angle 2=\frac{1}{2}\angle A$.

又$\because AB=AC$，$\therefore \angle ABC=\angle C$.

$\because \angle A+\angle ABC+\angle C=180°$，$\therefore \angle A+2\angle C=180°$.

又$BD=BC$，$\therefore \angle 1=\angle C$.

$\because \angle DBC+\angle 1+\angle C=180°$，$\therefore \angle DBC+2\angle C=180°$.

$\therefore \angle A=\angle DBC$. $\therefore \angle C=\angle ABC=\angle 4+\angle DBC=\frac{1}{2}\angle A+\angle A=\frac{3}{2}\angle A$.

$\therefore \angle A+\frac{3}{2}\angle A+\frac{3}{2}\angle A=180°$，即$4\angle A=180°$，$\therefore \angle A=45°$.

点拨 DIANBO

本题反复运用了“等边对等角”，将已知的等边转化为有关角的关系，并联系三角形的内角和为 180°及三角形一个外角等于与它不相邻的两个内角的和的性质求解有关角的度数问题. 此题还有其他的解法，试试看！

专题三　思想方法专题

本章所体现的数学思想方法主要有转化思想、数形结合思想、方程思想和分类讨论思想.

1. 转化思想

在直角三角形中，30°的角所对的直角边等于斜边的一半. 这个性质常常用于计算三角形的边角，也是证明一边(30°角所对的直角边)等于另一边(斜边)的一半的重要依据之一. 当题目中已知的条件或结论倾向于该性质时，我们可运用转化思想，将线段或角转化，构造直角三角形，从而将陌生的问题转化为熟悉的问题.

例 6　如图 12-4-6，在$\triangle ABC$中，$BA=BC$，$\angle B=120°$，AB的垂直平分线交AC于点D，垂足为点F. 求证：$AD=\frac{1}{2}DC$.

分析：由DF是AB的垂直平分线可想到垂直平分线的性质，即$AD=BD$，要证

明 $AD=\frac{1}{2}DC$，考虑是否有 $30°$ 角的直角三角形.

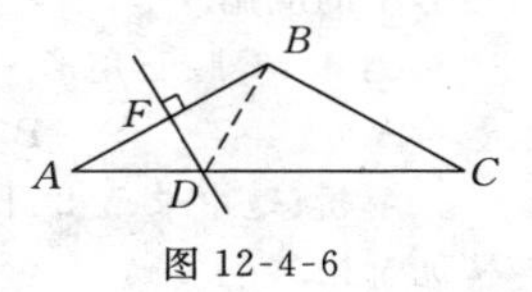

图 12-4-6

证明：连接 BD.

∵ FD 是 AB 的垂直平分线，且 $\angle ABC=120°$，$BA=BC$，

∴ $\angle DBA=\angle A=\angle C=30°$，$AD=BD$.

∴ $\angle CBD=90°$. ∴ $BD=\frac{1}{2}CD$，即 $AD=\frac{1}{2}DC$.

点拨 DIANBO

利用线段垂直平分线的性质把 AD 转化为 BD，结合直角三角形中 $30°$ 角所对的直角边等于斜边的一半，使问题得到解决.

2. 数形结合思想

利用数量关系来研究图形特征，利用图形特征来研究数量关系，即借助数与形的相互转化来研究和解决问题. 从实际问题中抽象出几何图形，借助图形求解是本章有关计算的最有效方法.

例 7　一艘轮船由西向东航行，在 A 处测得小岛 P 的方位是北偏东 $75°$，又航行 7 海里后，在 B 处测得小岛 P 的方位是北偏东 $60°$，若小岛周围 3.8 海里内有暗礁，问该船一直向东航行有无触礁的危险？

分析：根据题意画示意图 12-4-7，利用已知的方位角可得 $\triangle PAB$ 是等腰三角形，且在 $\text{Rt}\triangle PBC$ 中，$\angle PBC=30°$，从而得 $PC=\frac{1}{2}PB$.

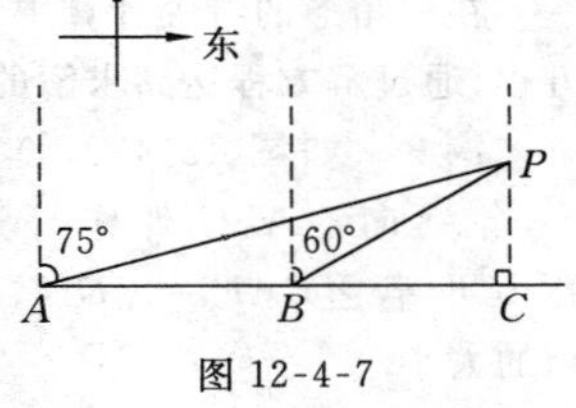

图 12-4-7

解：依题意，画图 12-4-7，则 $AB=7$ 海里，过点 P 作 $PC\perp AB$，垂足为 C，由题意可知 $\angle PBC=30°$，

∴ $\angle APB=\angle PBC-\angle PAB=30°-15°=15°$.

∴ $\angle PAB=\angle APB$，∴ $PB=AB=7$（海里）.

∴ $PC=\frac{1}{2}PB=\frac{1}{2}\times 7=3.5$（海里）.

∵ $PC<3.8$ 海里，∴ 该船一直向东航行有触礁的危险.

点拨 DIANBO

本题是一道实际应用题，解此类题目的关键是根据题意画出符合条件的图形，利用数形结合的思想，使问题得到解决.

3. 分类讨论思想

等腰三角形是一种特殊的三角形，它除了具有一般三角形的基本性质外，还具有自身独特的性质. 最主要的体现为它的两腰相等，两底角相等. 正是因为等腰三角形的特殊性，所以在解等腰三角形的有关题目时必须全面思考，分情况讨论，以防漏解. 关于等腰三角形的题目，很多情况下会有两个解. 例如，在等腰三角形的三个内角中，有顶角和底角两种情况，三条边中有腰和底边两种情况. 还要注意：求出的解必须满足三角形的内角和定理和三角形的三边关系,此类题体现了分类讨论思想在等腰三角形中的应用.

例 8 等腰三角形一腰上的高与另一腰的夹角为30°,则顶角是( )

A. 60° B. 120° C. 60°或150° D. 60°或120°

解析:题中未画出图形,实际上可分为锐角三角形和钝角三角形两种情况,需分情况讨论.

如图12-4-8(1),当等腰三角形为锐角三角形时,在△ABC中,$AB=AC$,$BD\perp AC$于点D,$\angle ABD=30°$,则$\angle A=90°-30°=60°$.

如图12-4-8(2),当等腰三角形为钝角三角形时,在△ABC中,$AB=AC$,$BD\perp CA$交CA的延长线于点D,$\angle DBA=30°$,则$\angle BAC=120°$,故选D. **答案:**D

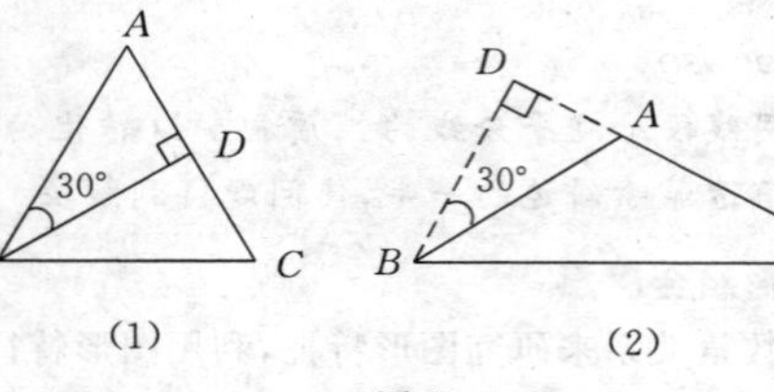

图12-4-8

点拨 DIANBO

本题易忽视三角形的形状造成漏解.

4. 方程思想

在三角形的有关计算中,往往通过设未知数,根据三角形中的特殊等量关系列出方程,通过解方程达到求解的目的.

例 9 如图12-4-9,△ABC是等腰三角形,分别向△ABC外作等边△ADB和等边△ACE.若$\angle DAE=\angle DBC$,求△ABC三个内角的大小.

分析:先利用$\angle DAE=\angle DBC$求出$\angle BAC$与$\angle ABC$之间的关系,再利用内角和定理求出它们的大小.

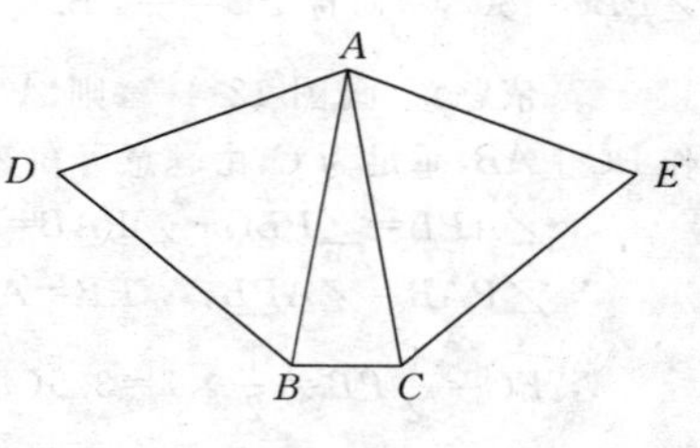

图12-4-9

解:∵ △ADB和△ACE是等边三角形,

∴ $\angle DAE=60°+\angle BAC+60°=120°+\angle BAC$,$\angle DBC=60°+\angle ABC$.

又$\angle DAE=\angle DBC$,∴ $120°+\angle BAC=60°+\angle ABC$,

即$\angle ABC=60°+\angle BAC$.又∵ △$ABC$是等腰三角形,

∴ $\angle ABC=\angle ACB=60°+\angle BAC$.

设$\angle BAC=x$,∴ $x+2(x+60°)=180°$,解得$x=20°$,

即△ABC三个内角的大小分别为20°,80°,80°.

方法

本题是几何和代数的综合题,先利用几何的等量关系,再列出方程求解.

专题四　中考热点聚焦

1. 通过具体实例识别轴对称、轴对称图形.

2. 理解轴对称图形和利用轴对称进行图案设计，探索图形之间的变换关系.

3. 掌握等腰三角形的性质和等腰三角形、等边三角形的识别，并能运用其性质解答实际问题.

从中考试题来看，本章知识以基础题为主，题型多以填空题、选择题的形式出现，也有简单的作图题和解答题. 等腰三角形图形的折叠与拼图和轴对称性质的应用是中考的热点题型.

例 10　(2009·兰州中考)如图 12-4-10 所示，将一张正方形纸片对折两次，然后在上面打 3 个洞，则纸片展开后是(　　)

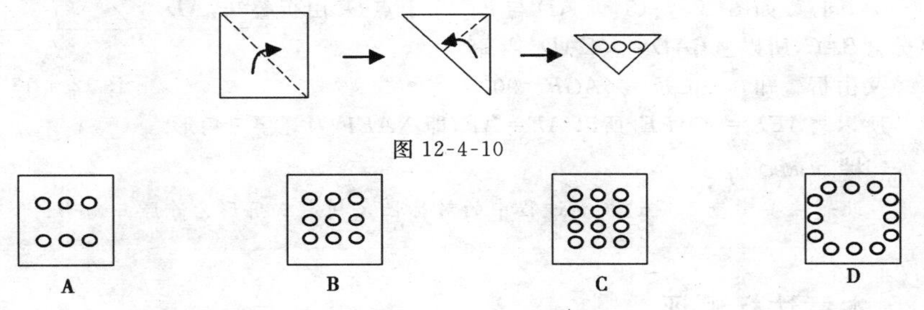

图 12-4-10

解析：把纸片对折两次后，所得图形为原正方形的$\frac{1}{4}$，展开后应是 D 项中的图形.

答案：D

例 11　(2009·黄冈中考)在△ABC 中，$AB=AC$，AB 的垂直平分线与 AC 所在的直线相交所得的锐角为 50°，则∠B 等于________.

解析：本题有两种情况：如图 12-4-11所示，第一种情况：如图(1)所示，△ABC 为锐角三角形时，∠$A=40°$，∠$B=\frac{180°-40°}{2}=70°$；第二种情况：如图(2)所示，AB 的垂直平分线与 CA 的延长线相交时，∠$BAC=140°$，所以∠$B=\frac{180°-140°}{2}=20°$.

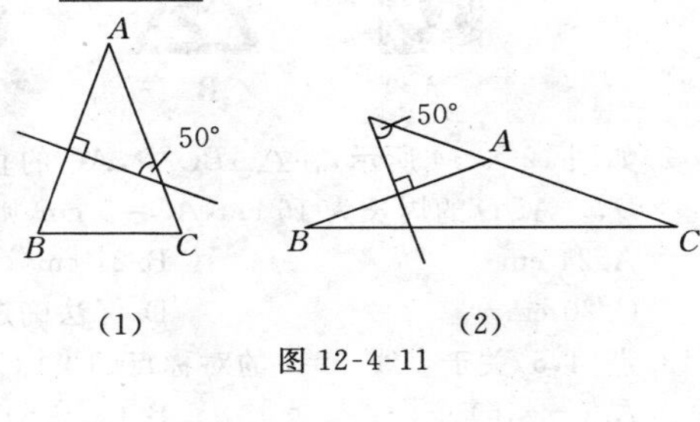

图 12-4-11

答案：70°或 20°

警示

解决此题要注意等腰三角形的特殊情况，要分锐角或钝角两种情况进行讨论.

例 12 小明将三角形纸片 $ABC(AB>AC)$ 沿过点 A 的直线折叠，使得 AC 落在 AB 边上，折痕为 AD，展开纸片(如图 12-4-12(1))，再次折叠该三角形纸片，使点 A 和 D 重合，折痕为 EF，展平纸片后得到 $\triangle AEF$(如图 12-4-12(2))．小明认为 $\triangle AEF$ 是等腰三角形，你同意吗？请说明理由．

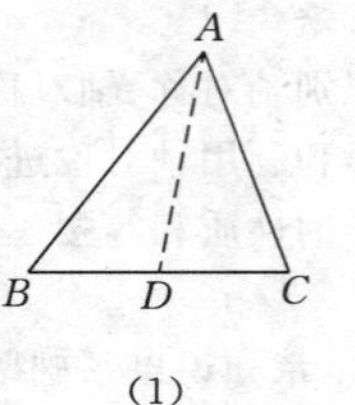

(1)

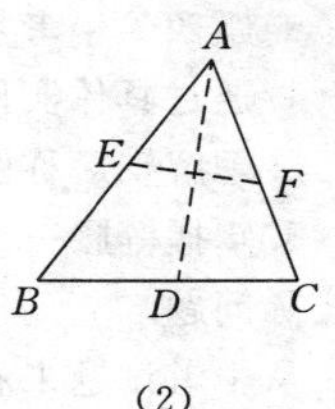

(2)

图 12-4-12

分析：由 A、D 两点关于折痕 EF 对称可得 $AD\perp EF$，而又知沿 AD 折叠，AC 落在 AB 边上，则知 $\angle CAD=\angle BAD$，所以 $\angle AEF=\angle AFE$，$\triangle AEF$ 为等腰三角形．

解：同意．如图 12-4-13，设 AD 与 EF 交于点 G．由折叠知，AD 平分 $\angle BAC$，所以 $\angle BAD=\angle CAD$．

又由折叠知，$\angle AGE=\angle AGF=90°$，

所以 $\angle AEF=\angle AFE$．所以 $AE=AF$，即 $\triangle AEF$ 为等腰三角形．

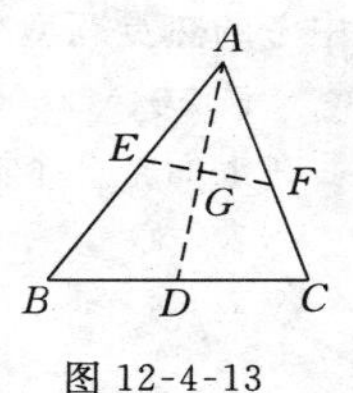

图 12-4-13

此题主要考查了通过折叠过程中的对称性来判定三角形为等腰三角形．

本章达标测评

BENZHANGDABIAOCEPING

一、选择题

1．下列图形中，是轴对称图形的是(　　)

A

B

C

D

2．如图 12-4-14 所示，在 $\triangle ABC$ 中，AC 的垂直平分线交 AC 于点 E，交 BC 于点 D，$\triangle ABD$ 的周长为 16 cm，$AC=5$ cm，则 $\triangle ABC$ 的周长是(　　)

A. 24 cm　　B. 21 cm

C. 20 cm　　D. 无法确定

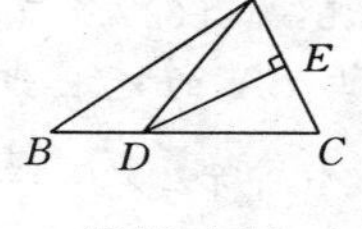

图 12-4-14

3．点(4,5)关于直线 $x=1$ 的对称点的坐标为(　　)

A. $(-4,5)$　　B. $(4,-5)$

C. $(-2,5)$　　D. $(5,5)$

4．等腰三角形有一个角是 45°，则这个三角形是(　　)

A. 锐角三角形　　B. 直角三角形

C. 钝角三角形　　D. 锐角三角形或直角三角形

5．等腰三角形一腰上的高与另一腰的夹角是 50°，则这个三角形的底角是(　　)

A. 70°　　B. 20°　　C. 70°或 20°　　D. 40°或 140°

6. 一天，红梅照镜子时，在镜中看到自己的手表的表盘如图 12-4-15 所示，则当时的时间是（　　）

A. 4:08　　B. 1:20　　C. 7:52　　D. 10:40

图 12-4-15

7. 已知一个三角形的每一个角的平分线都垂直于这个角所对的边，则这个三角形是（　　）

A. 直角三角形　　B. 钝角三角形

C. 任意三角形　　D. 等边三角形

二、填空题

8. 等腰三角形的底边长为 5 cm，一腰上的中线将其周长分成差为 3 cm 的两部分，则腰长为________.

9. 如图 12-4-16 所示，已知 B、D、F 三点在 AN 上，C、E 两点在 AG 上，且 $AB=BC=CD$，$EC=ED=EF$，$\angle A=20^\circ$，则 $\angle FEG=$________.

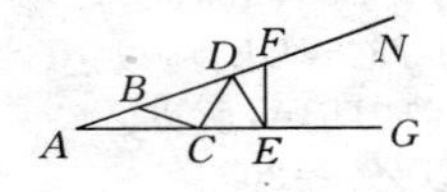

图 12-4-16

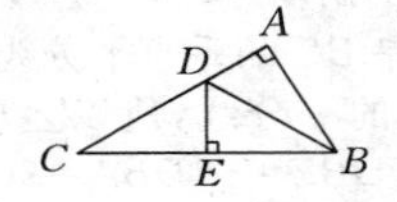

图 12-4-17

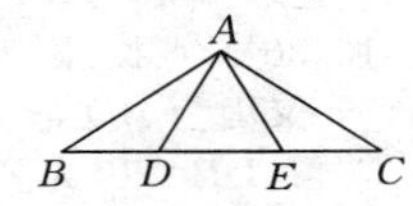

图 12-4-18

10. 如图 12-4-17 所示，在 $\triangle ABC$ 中，$\angle A=90^\circ$，BD 是 $\angle ABC$ 的平分线，DE 是 BC 的垂直平分线，则 $\angle C$________.

11. 如图 12-4-18，在 $\triangle ABC$ 中，已知 $AB=AC$，要使 $AD=AE$，需要添加的一个条件是________.

三、解答题

12. 如图 12-4-19 所示，在 $\triangle ABC$ 中，$\angle ACB$ 为直角，$AC=BC$，D 为 $\triangle ABC$ 外一点，且 $AD=BD$，$DE\perp AC$ 交 CA 的延长线于点 E. 试探求 ED、AE 和 BC 之间有何数量关系？

13. 如图 12-4-20 所示，在 $\triangle ABC$ 中，$AB=AC$，D 是 CB 延长线上的一点，$\angle ADB=60^\circ$，E 是 AD 上一点，且有 $DE=DB$. 求证：$AE=BE+BC$.

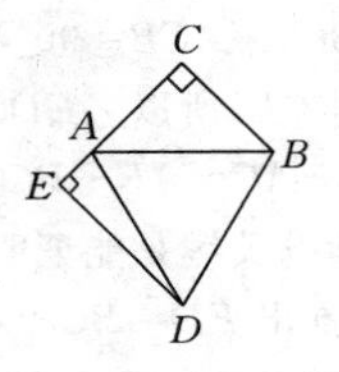

图 12-4-19

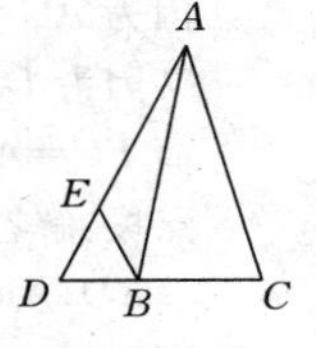

图 12-4-20

本章达标测评答案

1. D

2. B　点拨：利用线段的垂直平分线的性质可知 $AD=CD$，又因为 $\triangle ABD$ 的周长为 $AB+BD+AD=16$ cm，所以 $AB+BC=16$ cm. 又因为 $AC=5$ cm，所以 $\triangle ABC$ 的周长为 $16+5=21$(cm). 故选 B.

3. C　点拨：横坐标为 $1-(4-1)=-2$，故选 C. 本题也可以通过画图求得结果.

4. D　点拨：这个 45° 的角可能是顶角，也可能是底角.

5. C　点拨：这个等腰三角形可能是锐角三角形，也可能是钝角三角形，故要分两种情况.

6. D 点拨:镜中的像与实物的位置左右相反.

7. D 点拨:等边三角形有三条对称轴,它的任意一个内角平分线所在的直线都垂直平分这个角的对边.

8. 8 cm 点拨:图 12-4-21 所示,在$\triangle ABC$中,$AB=AC$,BD为AC边的中线.可能出现两种情况:(1)$(AB+AD)-(DC+BC)=3$.由于$AD=DC$,所以$AB-BC=3$(cm),所以$AB=BC+3=5+3=8$(cm).(2)$(BC+DC)-(AB+AD)=3$.由于$AD=DC$,所以$BC-AB=3$.因此$AB=BC-3=5-3=2$(cm).此时$\triangle ABC$的边长分别为2 cm,2 cm,5 cm.不符合三角形三边间的关系,因此三角形的腰长为8 cm.

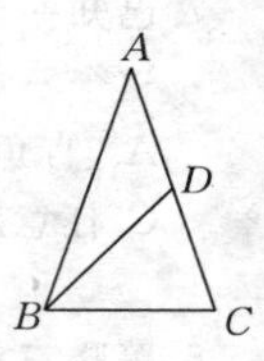

图 12-4-21

9. 100° 点拨:因为$AB=BC=CD$,$\angle A=20°$,所以$\angle ACB=20°$,$\angle DBC=40°$,$\angle BDC=40°$,所以$\angle DCE=20°+40°=60°$.因为$EC=ED=EF$,所以$\angle CDE=\angle DCE=60°$,$\angle FDE=180°-40°-60°=80°$,$\angle DFE=\angle FDE=80°$.因为$\angle FEG$是$\triangle AEF$的外角,所以$\angle FEG=\angle A+\angle AFE=20°+80°=100°$.

10. 30° 点拨:因为DE是BC的垂直平分线,所以$DC=DB$,所以$\angle C=\angle DBE$.又因为BD是$\angle ABC$的平分线,所以$\angle DBE=\angle DBA$,所以$\angle C=\angle DBE=\angle DBA$.因为$\angle C+\angle DBE+\angle DBA=90°$,所以$\angle C=30°$.

11. $BD=CE$或$BE=CD$等,答案不唯一. 点拨:要使$AD=AE$,须使$\triangle ABD\cong\triangle ACE$,添加的条件只要能使$\triangle ABD\cong\triangle ACE$就可以了.

12. 解:连接CD,交AB于点H,如图 12-4-22.

因为$AC=BC$,所以点C在AB的垂直平分线上.

同理点D也在AB的垂直平分线上,

所以CD即为AB的垂直平分线.

因为$AC=BC$,$\angle ACB=90°$,所以$\angle ECD=45°$.

又因为$DE\perp CE$,所以$\angle EDC=45°$,所以$EC=ED$.

而$EC=AE+AC=AE+BC$,所以$ED=BC+AE$.

点拨:解答此题关键是能证明$\triangle CED$为等腰直角三角形,故连接CD,得出$EC=ED$,从而推出$ED=BC+AE$.

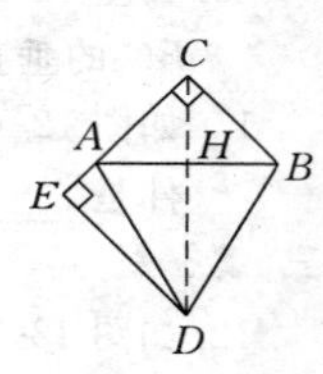

图 12-4-22

13. 证明:如图 12-4-23,延长EB到点P,使$BP=BC$,连接AP、CP.因为$DE=DB$,$\angle ADB=60°$,所以$\triangle BDE$是等边三角形,所以$\angle DBE=60°$,所以$\angle PBC=60°$,所以$\triangle PBC$是等边三角形,所以$BP=PC=BC$.在$\triangle ABP$和$\triangle ACP$中,$\begin{cases}AB=AC,\\AP=AP,\\BP=CP,\end{cases}$

所以$\triangle ABP\cong\triangle ACP$(SSS),所以$\angle BPA=\angle CPA$.

又因为$\angle ADB=\angle PCB=60°$,所以$PC\parallel DA$.

所以$\angle BPA=\angle CPA=\angle EAP$.所以$AE=EP$.

又$EP=EB+PB=BE+BC$,所以$AE=BE+BC$.

点拨:本题考查了等边三角形、平行线的性质等知识.

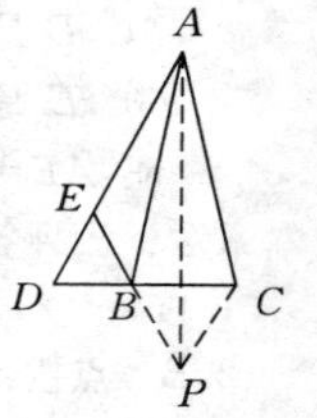

图 12-4-23

本章复习题全解

BENZHANGFUXITIQUANJIE

复习题 12(P63)

1. 解：除了第三幅图形，其余的都是轴对称图形. 找对称轴略.

2. 解：如图 12-4-24 所示.

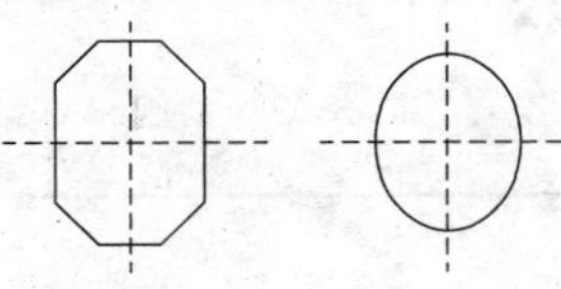

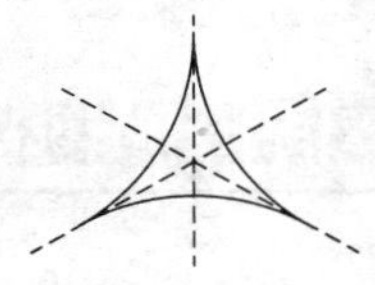

图 12-4-24

3. 解：点 A 与点 B 关于 x 轴对称，点 B 与点 E 关于 y 轴对称，点 C 与点 E 不关于x 轴对称，因为它们的纵坐标分别是 3、-2，不互为相反数.

4. $\angle D=25°$，$\angle E=40°$，$\angle DAE=115°$.

5. 证明：连接 BC，$\because$ 点 D 是 AB 的中点，$CD\perp AB$，$\therefore AC=BC$. 同理，$AB=BC$，$\therefore AC=AB$.

6. 证明：$\because AD=BC$，$AC=BD$，$AB=AB$，$\therefore \triangle ABD\cong\triangle BAC$. $\therefore \angle C=\angle D$.
又 $\because \angle DEA=\angle CEB$，$AD=BC$，$\therefore \triangle ADE\cong\triangle BCE$.
$\therefore AE=BE$. $\therefore \triangle EAB$ 是等腰三角形.

7. 证明：$\because$ 在$\triangle ABC$ 中，$\angle ACB=90°$，$\therefore \angle A+\angle B=90°$.
$\because \angle A=30°$，$\therefore \angle B=60°$，$BC=\frac{1}{2}AB$. 又 $\because CD\perp AB$，$\therefore \angle CDB=90°$.
$\therefore \angle B+\angle BCD=90°$. $\therefore \angle BCD=30°$. $\therefore BD=\frac{1}{2}BC$. $\therefore BD=\frac{1}{2}\times\frac{1}{2}AB=\frac{1}{4}AB$.

8. 解：等边三角形有 3 条对称轴，正方形有 4 条对称轴，正五边形有 5 条对称轴，正六边形有 6 条对称轴，正八边形有 8 条对称轴，正 n 边形有 n 条对称轴.

9. 第一、四组不是，第二、三组是. 画图略

10. 解：(1)(4)是轴对称；(2)(3)是平移. (1)的对称轴是 y 轴；(4)的对称轴是 x 轴；(2)中图Ⅰ先向下平移 3 个单位长度，再向左平移 5 个单位长度得到图Ⅱ；(3)中图Ⅰ先向右平移 5 个单位长度，再向下平移 3 个单位长度得到图Ⅱ.

11. 证明：AD 是角平分线，DE、DF 分别垂直于 AB、AC，所以 $DE=DF$，再由$\triangle ADE\cong\triangle ADF$，可知 $AE=AF$，由此 AD 垂直平分 EF.

12. 证明：$\because \triangle ABC$ 是等边三角形，$\therefore AB=BC=AC$，$\angle A=\angle B=\angle C=60°$.
又 $\because AD=BE=CF$，$\therefore BD=EC=AF$.
$\therefore \triangle ADF\cong\triangle BED\cong\triangle CFE$. $\therefore DF=ED=FE$，即$\triangle DEF$ 是等边三角形.

13. 略.

14. 证明：$\because \triangle ABC$ 是等边三角形，D 是 AC 的中点，
$\therefore \angle ABC=\angle ACB=60°$，$\angle ABD=\angle DBC=\frac{1}{2}\angle ABC=30°$.
又 $\because CD=CE$，$\therefore \angle CED=\angle CDE$. $\because \angle ACB=\angle CED+\angle CDE$，
$\therefore \angle CED=\frac{1}{2}\angle ACB=30°$. $\therefore \angle DBC=\angle CED$. $\therefore BD=DE$.

第十三章 实数

本章综合解说

BENZHANGZONGHEJIESHUO

趣味情景激思

洋洋在玩"七巧板"时，不小心把"七巧板"里面的正方形弄丢了，洋洋急坏了，爸爸决定做一个和原来一样的正方形，但现在只知道丢的正方形的面积，爸爸能完成这项任务吗？赶快行动吧，认真学完这一章的有关知识，相信你一定会得到满意的答案.

本章知识概览

1. 本章在初中数学教材中占有重要地位，起着重要作用，将会为进一步学习二次根式、一元二次方程、函数等奠定基础.

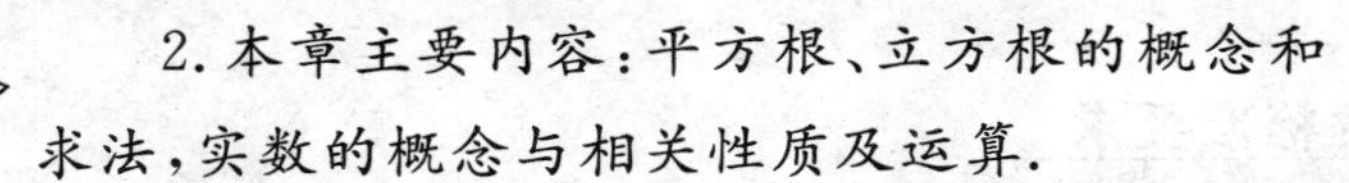

2. 本章主要内容：平方根、立方根的概念和求法，实数的概念与相关性质及运算.

本章重点：了解平方根、立方根及算术平方根的概念，会用根号表示数的平方根、立方根，会求某些非负数的平方根及某些数的立方根. 掌握无理数和实数的概念，知道实数与数轴上的点一一对应，并能进行实数的运算.

本章难点：掌握平方根、立方根等概念，掌握实数的含义及其运算.

课标学法点津

1. 学习本章的关键是正确理解与运用平方根、立方根、实数的概念及性质，在学习过程中要抓住新旧知识的联系，灵活运用乘方、开方的知识，实现知识的迁移，并使新旧知识融会贯通.

2. 在本章的学习中，要深刻理解并掌握类比的方法，使学生清楚新旧知识的区别与联系，同时，要启发学生积极动手、动脑，使学生明确数学来源于生活，又服务于生活.

13.1 平方根

课程标准要求

KECHENGBIAOZHUNYAOQIU

1.了解一个数的平方根和算术平方根的意义,理解和掌握平方根的性质.

2.会求一个非负数的平方根、算术平方根.

3.会用科学计算器求一个非负数的算术平方根.

相关知识链接

XIANGGUANZHISHILIANJIE

学校要举行美术作品比赛,小鸥很高兴.他想裁出一块面积为 25 dm^2 的正方形画布,画上自己的得意之作参加比赛,这块正方形画布的边长应取多少?

很容易,你一定会算出边长应取 5 dm.说一说,你是怎样算出来的?

教材知能全解

JIAOCAIZHINENGQUANJIE

知能点1 算术平方根的概念及表示方法(重点)

一般地,如果一个正数 x 的平方等于 a,即 $x^2=a$,那么这个正数 x 叫做 a 的算术平方根,a 的算术平方根记为$\sqrt{a}$,读作"根号 a",a 叫做被开方数.

特别提示:(1)特别地,规定 0 的算术平方根是 0,即$\sqrt{0}=0$.

(2)负数没有算术平方根,也就是说,当式子$\sqrt{a}$有意义时,a 一定表示一个非负数.

例1 求下列各数的算术平方根:

(1)256;(2) $\sqrt{625}$;(3) $\sqrt{41^2-40^2}$.

分析:根据算术平方根的意义解答即可.

解:(1)$\because$ $16^2=256$,$\therefore$ 256 的算术平方根是 16,即 $\sqrt{256}=16$.

(2)$\because$ $\sqrt{625}=25$,又 $5^2=25$,$\therefore$ $\sqrt{625}$的算术平方根是 5.

(3)$\because$ $\sqrt{41^2-40^2}=\sqrt{81}=9$,又 $3^2=9$,$\therefore$ $\sqrt{41^2-40^2}$的算术平方根是 3.

点拨 DIANBO

解题前要审清题意,不要被表面现象迷惑.如(2)和(3)两小题,实际上是求 625 和 41^2-40^2 的算术平方根的算术平方根.另外,还要防止 $\sqrt{a^2\pm b^2}=a\pm b$的错误.

知能点2 平方根的概念及其性质(难点)

(1)平方根的定义:一般地,如果一个数的平方等于 a,那么这个数叫做 a 的平方根或二次方根，这就是说，如果 $x^2=a$，那么 x 叫做 a 的平方根.

例如，3 和 -3 是 9 的平方根，简记为 ±3 是 9 的平方根.

(2)一个正数有两个平方根，它们互为相反数；0 的平方根是 0；负数没有平方根.正数 a 的平方根表示为 $\pm\sqrt{a}$.

(3)求一个数 a 的平方根的运算，叫做开平方，其中 a 叫做被开方数.

特别提示：(1)被开方数 a 是非负数(非负数即指正数和零).

(2)平方与开方是互逆运算关系.

例 2　求下列各数的平方根.

(1) $(-3)^2$；(2) $1\frac{15}{49}$；(3)0；(4)1.

分析：根据平方根的意义及性质解答，带分数 $1\frac{15}{49}$ 首先化成假分数 $\frac{64}{49}$.

解：(1)因为 $(-3)^2=9$，$(\pm3)^2=9$，所以 $(-3)^2$ 的平方根是 ±3；

(2)因为 $1\frac{15}{49}=\frac{64}{49}$，$\left(\pm\frac{8}{7}\right)^2=\frac{64}{49}$，所以 $1\frac{15}{49}$ 的平方根是 $\pm\frac{8}{7}$；

(3)因为 $0^2=0$，所以 0 的平方根是 0；

(4)因为 $(\pm1)^2=1$，所以 1 的平方根是 ±1.

点拨 DIANBO

求一个数的平方根，就是根据平方根的定义，看这个数是哪两个互为相反数的数的平方.

知能点 3　用计算器求一个正数的算术平方根

用计算器可以求出任何一个正数的算术平方根(或其近似值)，按键顺序为：(如求 $\sqrt{a}$) [ON] ⟶ [$\sqrt{\ }$] ⟶ [a] ⟶ [=].

特别提示：不同型号的计算器，按键顺序有所不同.

例 3　用计算器求下列各式的值.

(1) $\sqrt{9\ 801}$；(2) $\pm\sqrt{77.088\ 4}$；(3) $\sqrt{11}$.(精确到 0.01)

分析：按正确的按键顺序按键即可得出结果.

解：(1)依次按键 [ON] ⟶ [$\sqrt{\ }$] ⟶ [9 801] ⟶ [=]，显示：99，$\therefore\ \sqrt{9\ 801}=99$.

同理：(2)因为 $\sqrt{77.088\ 4}=8.78$，所以 $\pm\sqrt{77.088\ 4}=\pm8.78$.

(3) $\sqrt{11}\approx3.32$.

例 4　比较大小：

(1) $\sqrt{12}$ 和 4；(2) $\frac{\sqrt{3}-1}{2}$ 和 $\frac{1}{2}$.

解：(1)因为 $4^2=16$，$3^2=9$，所以 $3<\sqrt{12}<4$，即 $\sqrt{12}<4$.

(2)用计算器可求得 $\sqrt{3}\approx1.732$，而 $\frac{\sqrt{3}-1}{2}\approx\frac{0.732}{2}<\frac{1}{2}$，所以 $\frac{\sqrt{3}-1}{2}<\frac{1}{2}$.

点拨 DIANBO

对于带“$\sqrt{\ }$”的数的大小比较可以根据平方根的定义或用计算器进行估计.

全解小博士在线答疑

课本 P68(填表):

正方形的面积	1	9	16	36	$\frac{4}{25}$
边长	1	3	4	6	$\frac{2}{5}$

课本 P69(问题): 小正方形的对角线的长是 $\sqrt{2}$.

课本 P70(问题): 见过,如无理数 π.

课本 P71(探究):

(1)

…	$\sqrt{0.0625}$	$\sqrt{0.625}$	$\sqrt{6.25}$	$\sqrt{62.5}$	$\sqrt{625}$	$\sqrt{6250}$	$\sqrt{62500}$	…
…	0.25	0.79	2.5	7.9	25	79	250	…

从表中可以发现:被开方数的小数点向右(或向左)移动两位,开方后的结果向相同的方向移动一位.

(2)因为$\sqrt{3}\approx1.732$,所以 $\sqrt{0.03}\approx0.1732$; $\sqrt{300}\approx17.32$; $\sqrt{30000}\approx173.2$.根据$\sqrt{3}$的值不能说出 $\sqrt{30}$是多少.

课本 P74(归纳): 正数有两个平方根,它们互为相反数;0 的平方根是 0;负数没有平方根.

课本 P74(问题 1): 因为任何一个数的平方都不会是负数,所以负数不能开平方,即当 $a<0$ 时,$\sqrt{a}$无意义.

课本 P74(问题 2): 因为任何正数的平方根有两个,它们互为相反数.

典型例题全解
DIANXINGLITIQUANJIE

题型一 关于$\sqrt{a}$与$\sqrt{a^2}$的化简与应用

例 1 (1)$\sqrt{25}$的算术平方根是________;

(2)若 $\sqrt{x^2}=3$,则 $x=$________;

(3)$\sqrt{a}$的平方根是±3,则 $a=$________;

(4)$\sqrt{8^2}=$________,$\sqrt{(-7)^2}=$________.

解析:(1)先求 $\sqrt{25}=?$,再求“?”的算术平方根. $\sqrt{25}=5$,5 的算术平方根是$\sqrt{5}$.

(2)由 $\sqrt{x^2}=3$,可得 3 是 x^2 的算术平方根,所以 $x^2=9$,$x=\pm3$.

(3)$\sqrt{a}$的平方根是±3,可得$\sqrt{a}=9$,则 $a=81$.

(4) $\sqrt{8^2}=8$, $\sqrt{(-7)^2}=7$. 答案:(1)$\sqrt{5}$ (2)± 3 (3)81 (4)8 7

点拨 DIANBO

$$\sqrt{a^2}=|a|=\begin{cases}a & (a>0),\\0 & (a=0),\\-a & (a<0).\end{cases}$$

题型二 算术平方根与不等式的综合

例2 已知 $y=\sqrt{x-2}+\sqrt{2-x}+5$,求 $x+y$ 的值.

分析:因为只有非负数才有平方根,由此我们可以构建关于 x 的不等式或不等式组,求出不等式的解集,从而求解.

解:由题意知 $\begin{cases}x-2\geqslant 0,\\2-x\geqslant 0,\end{cases}$ 所以 $\begin{cases}x\geqslant 2,\\x\leqslant 2,\end{cases}$ 所以 $x=2$.

当 $x=2$ 时,$y=\sqrt{2-2}+\sqrt{2-2}+5=5$,所以 $x+y=2+5=7$.

点拨 DIANBO

在算术平方根中,当被开方数是相反数时,只有它们都等于0,这两个式子才有意义,根据这个特点,我们可以列出不等式组,从而求出这个不等式组的解集.

题型三 平方根与绝对值的综合

例3 已知 a、b 是实数,且 $\sqrt{2a+6}+|b-\sqrt{2}|=0$,解关于 x 的方程 $(a+2)x+b^2=a-1$.

分析:本题是非负数的性质与方程的知识相结合的一道题,应先求出 a、b 的值,再解方程.

解:因为 a、b 是实数,$\sqrt{2a+6}+|b-\sqrt{2}|=0$,$\sqrt{2a+6}\geqslant 0$,$|b-\sqrt{2}|\geqslant 0$,

所以 $2a+6=0$,$b-\sqrt{2}=0$. 所以 $a=-3$,$b=\sqrt{2}$.

把 $a=-3$,$b=\sqrt{2}$ 代入 $(a+2)x+b^2=a-1$,得 $-x+2=-4$,

所以 $x=6$.

点拨 DIANBO

此类题主要是考查完全平方式、算术平方根、绝对值三者的非负性,只需令每项分别等于零即可.

题型四 算术平方根与面积问题的综合

例4 某建筑工地,用一根钢筋围成一个面积是 25 m^2 的正方形后还剩下 7 m,你能求出这根钢筋的长度吗?

解:因为 $5^2=25$,所以正方形的边长为 $\sqrt{25}=5$(m). $5\times 4+7=27$(m).

答:这根钢筋的长度为 27 m.

点拨 DIANBO

先根据面积由算术平方根的定义求出边长,再求出周长,进而求出总长.

题型五　算术平方根应用于物理学中的电功率计算

例 5　用电器的电阻 R、功率 P 与它两端的电压 U 之间有关系 $P=\frac{U^2}{R}$，有一用电器的电阻是 15 欧，现测得该用电器的功率为 1 500 瓦，求该用电器的电压是多少伏？

分析：由公式 $P=\frac{U^2}{R}$ 变形求解.

解：因为 $P=\frac{U^2}{R}$，所以 $U^2=PR=1\ 500\times15=22\ 500$，所以 $U=\sqrt{22\ 500}=150$.

答：该用电器的电压为 150 伏.

点拨 DIANBO

利用物理学中的电功率公式及开平方的知识进行求解.

题型六　利用平方根的概念解方程

例 6　求下列各式中 x 的值.

(1)$x^2-81=0$；(2)$25x^2=36$.

解：(1)因为 $x^2-81=0$，移项得 $x^2=81$，所以 $x=\pm9$；

(2)因为 $25x^2=36$，两边同除以 25，得 $x^2=\frac{36}{25}$，所以 $x=\pm\sqrt{\frac{36}{25}}$，即 $x=\pm\frac{6}{5}$.

点拨 DIANBO

本题的实质是利用平方根的概念解方程，此方程是关于未知数 x 的二次方程，由此可见，开平方法是解二次方程最基本的方法.

题型七　算术平方根的概念适用于图案设计中的计算

例 7　李明同学是集邮爱好者，他用长 3 cm，宽 2.5 cm的邮票 30 枚摆成一个正方形，你能求出这个正方形的边长吗？有几种方法？

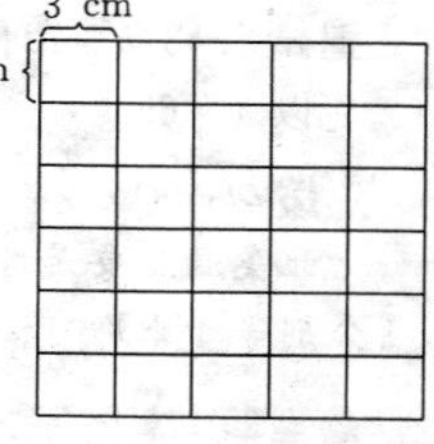

图 13-1-1

解法 1：$3\times2.5\times30=225(\text{cm}^2)$，$\sqrt{225}=15(\text{cm})$.

解法 2：由长 3 cm，宽 2.5 cm的邮票 30 枚摆成一个正方形，可知 $5\times3=6\times2.5=15$，即 5 个长＝6 个宽.

摆成如图 13-1-1 所示的形状，可知正方形的边长为 15 cm.

答：正方形的边长为 15 cm.

点拨 DIANBO

此题可采用多种方法解题，拓展思维. 解题的关键是要认真观察图形，查找其中隐含的规律.

挑战课标中考

TIAOZHANKEBIAOZHONGKAO

中考考点解读

本节内容是平方根和算术平方根的概念和性质，中考命题以考查对平方根、算术平方根的概念的理解程度和估算为主，多以选择题和填空题的形式出现，试题的难度不大，只要对平方根、算术平方根的有关概念和性质熟练掌握，就能解决中考试题.

中考典题全解

例 1 (2009·广东中考)4 的算术平方根是( )

A. ±2 B. 2 C. $\pm\sqrt{2}$ D. $\sqrt{2}$

解析：因为 $2^2=4$，所以 4 的算术平方根是 2. **答案：**B

点拨 DIANBO

此题主要考查算术平方根的意义.

例 2 (2009·济南中考)估计 20 的算术平方根的大小在( )

A. 2 与 3 之间 B. 3 与 4 之间

C. 4 与 5 之间 D. 5 与 6 之间

解析：因为 $16<20<25$，所以 $\sqrt{16}<\sqrt{20}<\sqrt{25}$，所以 $4<\sqrt{20}<5$. **答案：**C

点拨 DIANBO

此题主要考查学生对算术平方根的理解及估算能力.

易错易误点全解

YICUOYIWUDIANQUANJIE

易错点 1：对平方根的定义不理解

例 1 判断下列各式是否正确，说明理由.

(1) $\sqrt{(-8)^2}=-8$；(2) $\sqrt{(-8)^2}=\pm8$；(3) $\pm\sqrt{(-8)^2}=8$.

解：(1)不正确，因为 $\sqrt{(-8)^2}=8$；(2)不正确，因为 $\sqrt{(-8)^2}=8$；(3)不正确，因为 $\pm\sqrt{(-8)^2}=\pm8$.

误区防火墙

(1)不能正确理解平方根、算术平方根的意义.

(2)正确理解平方根、算术平方根的意义. $\sqrt{a}$表示 a 的算术平方根，$\pm\sqrt{a}$表示 a 的平方根，$-\sqrt{a}$表示的是 a 的算术平方根的相反数.

易错点 2：审题不认真被题目表面现象迷惑

例 2 求$\sqrt{4}$的平方根.

解：$\because \sqrt{4}=2$，$\therefore$ 2 的平方根是$\pm\sqrt{2}$.

误区防火墙

误将$\sqrt{4}$当成4.

易错点3:求带分数的平方根有误

例3 求$\sqrt{1\frac{9}{16}}$的值.

解:$\sqrt{1\frac{9}{16}}=\sqrt{\frac{25}{16}}=\frac{5}{4}=1\frac{1}{4}$.

误区防火墙

易将带分数的开方误认为是整数部分和小数部分分别开方,显然$\sqrt{1\frac{9}{16}}=\sqrt{\frac{25}{16}}=\frac{5}{4}=1\frac{1}{4}\neq\sqrt{1}+\sqrt{\frac{9}{16}}=1+\frac{3}{4}=1\frac{3}{4}$.

知能综合提升

ZHINENGZONGHETISHENG

知识梳理

平方根:

1. 算术平方根的概念及表示方法

一般地,如果一个正数x的平方等于a,即$x^2=a$,那么这个正数x叫做a的算术平方根.当$a\geqslant0$时,a的算术平方根记为$\sqrt{a}$,读作"根号a",a叫做被开方数

2. 平方根的概念及其性质

(1)平方根的定义:一般地,如果一个数的平方等于a,那么这个数叫做a的平方根或二次方根.这就是说,如果$x^2=a$,那么x叫做a的平方根.例如3和-3是9的平方根,简记为±3是9的平方根

(2)一个正数有两个平方根,它们互为相反数;0的平方根是0;负数没有平方根.当$a\geqslant0$时,a的平方根表示为$\pm\sqrt{a}$

(3)求一个数a的平方根的运算,叫做开平方,其中a叫做被开方数

3. 用计算器求一个正数的算术平方根

用计算器可以求出任何一个正数的算术平方根(或其近似值),按键顺序为:(如求$\sqrt{a}$) [ON] ⟶ [$\sqrt{\ }$] ⟶ [a] ⟶ [=]

技巧平台

1. 求一个数的算术平方根的方法就是看这个数是哪一个正数的平方,求一个数的平方根的方法就是看这个数是哪两个互为相反数的数的平方.

2. $\sqrt{a}$是一个非负数,现在我们学过的非负数的形式有三种:$\sqrt{a}\geqslant0$,$|a|\geqslant0$,$a^2\geqslant0$.

3. 一个数与它的算术平方根的小数位数有以下特点:一个数的小数点向左或向右移动两位,它的算术平方根的小数点向左或向右移动一位.

跟踪训练

1. 49 的平方根是(　　)

A. 7　　B. -7　　C. ± 7　　D. $\pm\sqrt{7}$

2. 下列说法中正确的是(　　)

A. $\sqrt{36}$的算术平方根是± 6　　B. $\sqrt{16}$的算术平方根是± 2

C. $\sqrt{36}$的平方根是± 6　　D. $\sqrt{16}$的平方根是± 2

3. 要使$\sqrt{a+4}$有意义，则 a 的取值范围是(　　)

A. $a>0$　　B. $a\geqslant 0$　　C. $a>-4$　　D. $a\geqslant -4$

4. $\sqrt{7}$的整数部分是________，小数部分是________.

5. 已知 a、b 满足 $\sqrt{(a+1)^2}+|b-3a-1|=0$，求 b^2-5a 的平方根.

跟踪训练答案

1. C　点拨：$\because (\pm 7)^2=49$，$\therefore \pm\sqrt{49}=\pm 7$，故选 C.

2. D　点拨：$\because \sqrt{16}=4$，$(\pm 2)^2=4$，$\therefore \pm\sqrt{4}=\pm 2$，故选 D.

3. D　点拨：要使式子 $\sqrt{a+4}$有意义，则 $a+4\geqslant 0$，即 $a\geqslant -4$，故选 D.

4. 2，$\sqrt{7}-2$　点拨：$\because \sqrt{4}<\sqrt{7}<\sqrt{9}$，即 $2<\sqrt{7}<3$，故整数部分是 2，小数部分是 $\sqrt{7}-2$.

5. 解：因为 $\sqrt{(a+1)^2}\geqslant 0$，$|b-3a-1|\geqslant 0$ 且 $\sqrt{(a+1)^2}+|b-3a-1|=0$，所以 $a+1=0$，$b-3a-1=0$，解得 $a=-1$，$b=-2$，所以 $\pm\sqrt{b^2-5a}=\pm\sqrt{(-2)^2-5\times(-1)}=\pm\sqrt{9}=\pm 3$.

课本习题解答

KEBENXITIJIEDA

练习(P69)

1. (1)0.05　(2)11　(3)3

2. (1)1　(2)$\frac{3}{5}$　(3)2

练习(P72)

1. (1)37　(2)10.06　(3)2.24

2. (1)$\sqrt{140}<12$　(2)$\frac{\sqrt{5}-1}{2}>0.5$

练习(P75)

1. 如下表所示.

x	8	-8	$\frac{3}{5}$	$-\frac{3}{5}$	11	-11	0.6	-0.6
x^2	64		$\frac{9}{25}$		121		0.36	

2.(1)13 (2)-0.07 (3)$\pm\frac{8}{9}$

3.$\sqrt{A}$

习题 13.1(P75)

1.(1)14 (2)$\frac{5}{8}$ (3)0.2 (4)10

2.(1)有意义 (2)无意义(负数没有算术平方根) (3)有意义 (4)有意义

3.±15 (2)$\pm\frac{1}{10^3}$ (3)$\pm\frac{11}{12}$ (4)$\pm\frac{3}{19}$

4.(1)正确 (2)正确 (3)不正确 (4)正确

5.(1)29.44 (2)0.68 (3)-0.57 (4)±49.01

6.6 和 7

7.(1)±16.4 (2)16.9

(3)16.4 和 16.5,因为 $268.96<270<272.25$,即 $16.4<\sqrt{270}<16.5$ (4)16.1

8.(1)$x=\pm5$ (2)$x=\pm9$ (3)$x=\pm\frac{6}{5}$

9.5 s 提示:将 $h=120$ 代入公式 $h=4.9t^2$,得 $t^2=\frac{120}{4.9}$,然后求其算术平方根.

10.解:设原正方形的面积为 1,则其边长为 1,变形后的正方形面积为 4,则边长为$\sqrt{4}=2$,所以边长为原来的 2 倍,同样的方法可得面积扩大为原来的 9 倍、n倍,边长分别为原来的$\sqrt{9}=3$ 倍、$\sqrt{n}$倍.

11.(1)2 3 5 6 7 0 $|a|=\begin{cases}a(a\geqslant0),\\-a(a<0)\end{cases}$

(2)4 9 25 36 49 0 $(\sqrt{a})^2=a$

12.最后结果趋向于 1.

13.2 立方根

课程标准要求

KECHENGBIAOZHUNYAOQIU

1.掌握立方根的意义,会求一个数的立方根.

2.了解开立方与立方的关系.

3.会用科学计算器求一个数的立方根.

相关知识链接

XIANGGUANZHISHILIANJIE

我们知道任何非负数都有平方根,开平方与平方互为逆运算.

已知体积为125 cm^3 的正方体，它的棱长是多少呢？也就是怎样求一个数的立方根呢？负数有立方根吗？

通过本节的学习，可以轻松地解决这些问题了.

教材知能全解

JIAOCAIZHINENGQUANJIE

知能点1 立方根的概念及表示方法(重点)

立方根：一般地，如果一个数的立方等于 a，那么这个数叫做 a 的立方根或三次方根(如果 $x^3=a$，那么 x 叫做 a 的立方根，记作 $\sqrt[3]{a}$). 正数的立方根是一个正数，负数的立方根是一个负数，0的立方根是0.

特别警示：$\sqrt{a}$实际上省略了$\sqrt[2]{a}$中的根指数2，但 $\sqrt[3]{a}$中的根指数3不能省略.

例1 求下列各数的立方根.

(1)343；(2)-125；(3)$-\frac{27}{64}$.

分析：根据立方根的定义，把下列各数化成一个数的立方.

解：(1)因为 $7^3=343$，所以343的立方根是7，即 $\sqrt[3]{343}=7$；

(2)因为 $(-5)^3=-125$，所以-125的立方根是-5，即 $\sqrt[3]{-125}=-5$；

(3)因为 $\left(-\frac{3}{4}\right)^3=-\frac{27}{64}$，所以$-\frac{27}{64}$的立方根是$-\frac{3}{4}$，即$\sqrt[3]{\frac{-27}{64}}=-\frac{3}{4}$.

点拨 DIANBO

(1)注意区别平方根与立方根，立方根只有一个；(2)求带分数的立方根必须将其化成假分数.

知能点2 开立方的概念(重点)

求一个数的立方根的运算，叫做开立方. 正如开平方与平方互为逆运算一样，开立方与立方也互为逆运算. 我们可以根据这种关系求一个数的立方根.

特别提示：被开立方的数可以是正数、负数，也可以是0.

例2 求下列各式的值.

(1)$-\sqrt[3]{-\frac{1}{8}}$；(2)$\sqrt[3]{1+\frac{91}{125}}$；(3) $\sqrt[3]{24\times45\times200}$.

分析：先把每个根号下的数化简，看是否是一个数的立方，再求值，带分数要先化成假分数.

解：(1)$-\sqrt[3]{-\frac{1}{8}}=\sqrt[3]{\frac{1}{8}}=\frac{1}{2}$；(2)$\sqrt[3]{1+\frac{91}{125}}=\sqrt[3]{\frac{216}{125}}=\sqrt[3]{\left(\frac{6}{5}\right)^3}=\frac{6}{5}$；

(3) $\sqrt[3]{24\times45\times200}=\sqrt[3]{2^3\times3\times5\times3^2\times2\times10^2}=\sqrt[3]{3^3\times2^3\times10^3}=60$.

提示

解决此类问题要注意符号问题，另外，在计算时，要注意化简和解题技巧的使用.

知能点3 用计算器求立方根

很多有理数的立方根是无限不循环小数，我们可用计算器求出它的近似值，如$\sqrt[3]{4}$，按键顺序为 ON → $\sqrt[3]{\ }$ → 4 → = .

点拨 DIANBO

不同的计算器按键顺序不同，应注意尝试操作.

例3 用计算器求下列各数的立方根.(结果保留4个有效数字)

(1)1 594.5;(2)0.001 237;(3)$-5\frac{3}{19}$.

解:(1)按键顺序为: $\sqrt[3]{\ }$ → 1 594.5 → = 显示:11.682 653 82,

所以$\sqrt[3]{1\ 594.5}\approx 11.68$;

同理:(2)$\sqrt[3]{0.001\ 237}\approx 0.107\ 3$;(3)$\sqrt[3]{-5\frac{3}{19}}\approx -1.728$.

全解小博士在线答疑

课本P77(探究):2;0.5,0.5;0,0;-2,-2;$-\frac{2}{3}$,$-\frac{2}{3}$

课本P78(归纳):正;负;0

课本P78(问题):数的平方根与数的立方根不同的是:

①正数的平方根有两个，且互为相反数，正数的立方根有一个，是正数;

②负数没有平方根，负数的立方根有一个，是负数.

课本P78(探究):-2,-2,=;-3,-3,=

课本P79(探究):0.06,0.6,6,60;发现规律:被开立方的数的小数点向右(或向左)移动三位，开立方的数的结果向相同的方向移动一位.

因为$\sqrt[3]{100}\approx 4.642$，所以$\sqrt[3]{0.1}\approx 0.464\ 2$，$\sqrt[3]{0.000\ 1}\approx 0.046\ 42$，$\sqrt[3]{100\ 000}\approx 46.42$.

典型例题全解
DIANXINGLITIQUANJIE

题型一 考查利用立方根的知识解方程

例1 求下列各式中的x.

(1)$64x^3+125=0$;(2)$(x-1)^3=8$.

分析:(1)因为$64x^3+125=0$，所以$64x^3=-125$.所以$x^3=-\frac{125}{64}$，所以x是$-\frac{125}{64}$的立方根.

(2)把$(x-1)^3=8$中的$x-1$看做一个整体，即$x-1$是8的立方根.

解:(1)因为$64x^3+125=0$，所以$x^3=-\frac{125}{64}$,

所以 $x=\sqrt[3]{-\frac{125}{64}}$，所以 $x=-\frac{5}{4}$；

(2)因为 $(x-1)^3=8$，所以 $x-1=\sqrt[3]{8}$，所以 $x-1=2$，所以 $x=3$.

点拨 DIANBO

(1)求立方根的运算，需转化为 $x^3=a$ 的简便形式.

(2)常常将 $(x-a)^2$ 或 $(x-a)^3$ 中的 $x-a$ 看做一个整体.

题型二　综合考查立方根与平方根的概念

例 2　已知 $M=\sqrt[m-n-1]{m+3}$ 是 $m+3$ 的算术平方根，$N=\sqrt[2m-4n+3]{n-2}$ 是 $n-2$ 的立方根，试求 $M-N$ 的值.

分析：由已知 $\sqrt[m-n-1]{m+3}$ 是 $m+3$ 的算术平方根可知 $m-n-1=2$，由 $\sqrt[2m-4n+3]{n-2}$ 是 $n-2$ 的立方根，可知 $2m-4n+3=3$，由此可得方程组，再进行求解 m、n 的值，从而求得 M 与 N 的值，最后求出 $M-N$ 的值.

解：由题意可知 $\begin{cases}m-n-1=2,\\2m-4n+3=3,\end{cases}$ 解方程组得 $\begin{cases}m=6,\\n=3.\end{cases}$

所以 $M=\sqrt{6+3}=3$，$N=\sqrt[3]{3-2}=1$，所以 $M-N=3-1=2$.

点拨 DIANBO

明确算术平方根和立方根的意义及表示方法.

题型三　开立方运算适用于物体的体积计算中

例 3　在做浮力实验时，小华用一根细线将一正方体铁块拴住，完全浸入盛满水的圆烧杯中，并用一量筒量得被铁块排开的水的体积为 40.5 cm^3. 小华又将铁块从水中提起量得烧杯中的水位下降了 0.62 cm，请问烧杯内部的底面半径和铁块的棱长各是多少？(用计算器计算，结果精确到0.1 cm)

解：设烧杯内部的底面半径是 x cm. 列方程，得 $\pi x^2\times0.62=40.5$，解得 $x\approx4.6$.

因此，烧杯内部的底面半径约是 4.6 cm.

设铁块的棱长是 y cm. 列方程，得 $y^3=40.5$，解得 $y\approx3.4$.

因此，铁块的棱长约是 3.4 cm.

例 4　李师傅打算制作一个正方体木箱，使其体积是3.375 m^3，试问此木箱至少需木板多少？

分析：已知正方体木箱的体积，可由体积公式直接开立方，求出正方体的棱长，然后求出一个面的面积，再乘 6，得出其表面积来. 本例应注意正方体有六个面，它们是面积相等的正方形，因此所求面积应是六个面的面积和.

解：设正方体的棱长为 x m，则 $x^3=3.375$，

所以 $x=1.5$，所以 $S=1.5^2\times6=13.5(m^2)$. 即此木箱至少需 13.5 m^2 的木板.

题型四 利用计算器探索数的立方根

例 5 任意找一个数,利用计算器对它不断进行开立方运算,你发现了什么?

解:①0 的立方根就是 0.

②当被开立方数 a 满足 $a>1$ 时,不断对此数进行开立方运算,发现结果越来越小,趋向于 1.

③当被开立方数 a 满足 $0<a<1$ 时,不断对此数进行开立方运算,显示结果越来越大,趋向于 1.

④当被开立方数 a 满足 $a<-1$ 时,其运算结果越来越大,趋向于 -1.

⑤当被开立方数 a 满足 $-1<a<0$ 时,其运算结果越来越小,趋向于 -1.

总之,当被开立方数为 0 时,结果为 0;当其为正数时,结果趋向于 1;为负数时,结果趋向于 -1.

点拨 DIANBO

解决此类问题时,不仅需要计算器开方运算结果,而且需要对被开方数进行分类运算来探究规律.

题型五 特殊数(或值)的立方根

例 6 已知 $\sqrt[3]{1-a^2}=1-a^2$,求 a 的值.

解:一个数的立方根等于它本身的数有 $0,1,-1$.

当 $1-a^2=0$ 时,$a^2=1,a=\pm1$;当 $1-a^2=1$ 时,$a^2=0,a=0$;

当 $1-a^2=-1$ 时,$a^2=2,a=\pm\sqrt{2}$,所以 a 的值为 $0,\pm1,\pm\sqrt{2}$.

点拨 DIANBO

本题考查了一种特殊情况"立方根等于它本身的数",答案不唯一,具有一定的开放性,解题时用到了分类讨论的数学思想.

挑战课标中考

TIAOZHANKEBIAOZHONGKAO

中考考点解读

本节内容主要是立方根的概念及其性质,在历年中考试题中都有涉及,命题形式以选择题和填空题为主,难度不大,只要把握好相关概念,比较容易得分.

中考典题全解

例 (2009·宁波中考)8 的立方根是________.

解析:因为 $2^3=8$,所以 8 的立方根是 2. 答案:2

警示

此题主要考查了怎样求一个数的立方根,注意不要与求平方根相混淆.

易错易误点全解

YICUOYIWUDIANQUANJIE

易错点1:混淆平方根与立方根的意义

例1 求$\sqrt[3]{8}$的值.

解:$\sqrt[3]{8}=2$.

误区防火墙

(1)立方根的意义与平方根的意义相混淆.(2)结合立方根的定义,明确立方根的唯一性.

易错点2:对题意不理解或粗心导致出错

例2 $\sqrt{64}$的立方根是________.

答案:2

误区防火墙

本题易错在将$\sqrt{64}$的立方根误认为是64的立方根,解题时,应先求64的算术平方根8,再求8的立方根.

知能综合提升

ZHINENGZONGHETISHENG

知识梳理

立方根
1. 立方根的概念及表示方法

   立方根:一般地,如果一个数的立方等于a,那么这个数叫做a的立方根或三次方根(如果$x^3=a$,那么x叫做a的立方根,记作$\sqrt[3]{a}$).正数的立方根是一个正数,负数的立方根是一个负数,0的立方根是0

2. 开立方的概念

   求一个数的立方根的运算,叫做开立方.正如开平方与平方互为逆运算一样,开立方与立方也互为逆运算,我们可以根据这种关系求一个数的立方根

3. 用计算器求立方根

   很多有理数的立方根是无限不循环小数,我们可用计算器求出它们的近似值.如$\sqrt[3]{4}$,按键顺序为:[ON]→[$\sqrt[3]{\ }$]→[4]→[=]

技巧平台

1.立方与开立方是互逆运算,在进行开立方运算时,往往通过立方的运算进行说明.

2.平方根与立方根的性质区别见下表.

	正 数	0	负 数
平方根	有两个平方根	0	没有平方根
立方根	一个立方根	0	一个立方根

3.立方根有以下特点:当一个数的小数点向左(或向右)移动3位,它的立方根的小数点向左(或向右)移动1位.

4.正数的立方根与其本身的大小存在以下规律：

如果 $a>1$,则 $\sqrt[3]{a}<a$;如果 $a=1$,则 $\sqrt[3]{a}=a$;如果 $a<1$,则 $\sqrt[3]{a}>a$.

跟踪训练

1.数 0.000 125 的立方根是( )

A. 0.5 B. ±0.5 C. 0.05 D. 0.005

2.若一个数的平方根是±8,则这个数的立方根是( )

A. 4 B. ±4 C. 2 D. ±2

3. -27 的立方根是________;$-\frac{64}{343}$的立方根是________;125 的立方根是________.

4.体积为 8 cm^3 的正方体的棱长是________ cm.

5.如果 $3x+16$ 的立方根是 4,求 $2x+4$ 的平方根.

跟踪训练答案

1. C 点拨:因为$0.05^3=0.000\ 125$,所以 0.000 125 的立方根是 0.05.故选 C.

2. A 点拨:若一个数的平方根是±8,则这个数是 64,$\sqrt[3]{64}=4$,故选 A.

3. -3;$-\frac{4}{7}$;5 点拨:寻找某数的立方等于该数.

4. 2 点拨:此题是利用立方根的定义解决实际问题.

5.解:由立方根的定义可知 $3x+16=4^3$,所以 $x=16$,所以 $2x+4=36$,所以 $2x+4$ 的平方根为±6.

课本习题解答

KEBENXITIJIEDA

练习(P79)

1. (1)10 (2)-0.1 (3)-1 (4)$-\frac{4}{5}$

2. (1)12 (2)25 (3)±13 3. $3<\sqrt[3]{50}<4$ 4. $\sqrt[3]{V}$

习题 13.2(P80)

1. (1)正确 (2)不正确 (3)正确 (4)正确

2.如下表所示.

x	4	5	6	7	8	9	10
x^3	64	125	216	343	512	729	1 000

3. (1)～(4)全有意义,因为任何数都有立方根.

4. (1)9.539 (2)0.753 (3)-0.684 (4)±13.392

5. (1)$x=0.2$ (2)$x=\frac{3}{2}$ (3)$x=3$

6.解:设正方体原来体积为 1,则棱长为 1.

当体积为 8 时，$\sqrt[3]{8}=2$，棱长为原来的 2 倍；

当体积为 27 时，$\sqrt[3]{27}=3$，棱长为原来的 3 倍；

当体积为 n 时，棱长为原来的$\sqrt[3]{n}$倍.

7. 解：设底面直径为 x 分米，

$\pi\left(\frac{x}{2}\right)^2\cdot 2x=50$，即 $\pi\cdot\frac{x^3}{2}=50$，解得 $x\approx3.2$.

答：底面直径约为 3.2 分米.

8. (1)$\sqrt[3]{9}<2.5$　(2)$\sqrt[3]{3}<\frac{3}{2}$

9. (1)2　-2　-3　4　0　a　(2)8　-8　27　-27　0　a

10. 最后结果趋向于 1　11. (1)2 位　(2)9　(3)3

13.3　实　数

课程标准要求

KECHENGBIAOZHUNYAOQIU

1. 了解无理数和实数的概念，知道实数和数轴上的点一一对应，能估算无理数的大小.

2. 正确理解有理数与无理数的区别.

3. 知道有理数的相反数、倒数、绝对值、大小的比较.

4. 会用计算器进行实数的运算，体会程序化思想.

相关知识链接

XIANGGUANZHISHILIANJIE

任何一个有理数都可以化成有限小数和无限循环小数，圆周率 π 是无限不循环小数，所以 π 不是有理数.

勾股定理的发现者毕达哥拉斯逐渐认识到$\sqrt{2}$不能用分数表示，从而人们对数有了新的认识. 除了有理数以外还有另一类数叫无理数. 本节让我们走进实数的家族，和它们成为朋友吧！

教材知能全解

JIAOCAIZHINENGQUANJIE

知能点 1　无理数的概念(重点)

很多数的平方根、立方根都是无限不循环小数，无限不循环小数叫做无理数. 如$\sqrt{2}$，$\sqrt{3}$，π 等.

特别提示： 无理数并不都是带根号的数，带根号的数也并不都是无理数(如 π 是无理

数但不带根号,$\sqrt{4}$带根号却不是无理数),我们目前所接触的无理数有如下三种形式:

第一种是开方开不尽的数,如$\sqrt{2}$,$-\sqrt{3}$,$\sqrt[3]{9}$,$-\sqrt[5]{9}$,…,但用根号形式表示的数却并不都是无理数,如$\sqrt{16}$,$-\sqrt[3]{27}$,….

第二种是圆周率π,它是圆周长与该圆直径的比值,是无限不循环小数.

第三种是类似0.101 001 000 1…(每两个1之间依次多一个0)这样的小数.

当然,还有其他形式的无理数,在今后的学习中会遇到.

例1 下列说法中正确的有( )

①无理数都是实数;②实数都是无理数;③无限小数都是有理数;④带根号的数都是无理数;⑤除了π之外不带根号的数都是有理数.

A.1个 B.2个 C.3个 D.4个

解析:由实数定义可知①是正确的;②错误,因为实数不都是无理数,还有有理数;③错误,无限不循环小数是无理数;④错误,如$\sqrt{4}$就是有理数;⑤错误,如0.010 010 001…就是无理数.所以正确的有1个. **答案:**A

点拨 DIANBO

本题主要考查无理数和实数的定义及包含关系,注意千万别认为带根号的数就是无理数.

知能点2 实数的概念及分类(重点)

(1)定义:有理数和无理数统称为实数.

(2)分类.

①按定义分类:

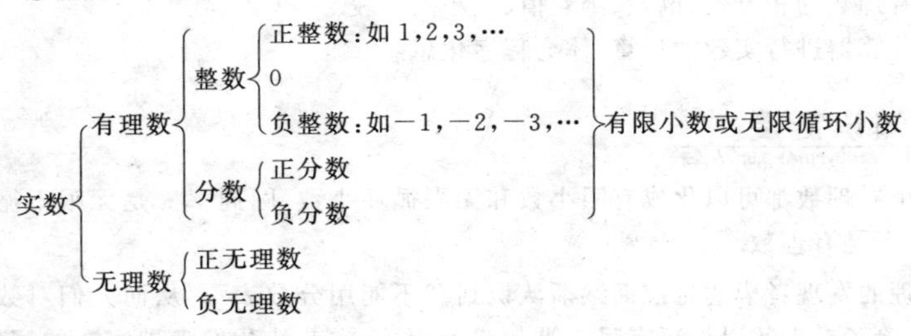

②按性质分类:(或按大小)

实数
- 正实数
  - 正有理数
  - 正无理数
- 0
- 负实数
  - 负有理数
  - 负无理数

(3)实数与数轴上的点是一一对应的关系.

特别提示:分类有不同的方法,但要按同一标准,不重不漏.

例 2　把下列各数填在相应的大括号内：

$0,\sqrt{8},-\sqrt[3]{\frac{8}{27}},\sqrt{16},-\sqrt{27},-2,\sqrt{3},|1-\sqrt{3}|,\frac{22}{7},\frac{\pi}{4}$,0.101 001 000 1…(两个1之间依次多1个0).

自然数集合{　　　　　　　　…}；

有理数集合{　　　　　　　　…}；

正数集合{　　　　　　　　…}；

整数集合{　　　　　　　　…}；

非负整数集合{　　　　　　　　…}；

分数集合{　　　　　　　　…}.

分析：$\sqrt{8}=2\sqrt{2},-\sqrt[3]{\frac{8}{27}}=-\frac{2}{3},\sqrt{16}=4,-\sqrt{27}=-3\sqrt{3},|1-\sqrt{3}|=\sqrt{3}-1$.

解：自然数集合$\{0,\sqrt{16},\cdots\}$；

有理数集合$\left\{0,-\sqrt[3]{\frac{8}{27}},\sqrt{16},-2,\frac{22}{7},\cdots\right\}$；

正数集合$\left\{\sqrt{8},\sqrt{16},\sqrt{3},|1-\sqrt{3}|,\frac{22}{7},\frac{\pi}{4}\right.$,0.101 001 000 1…(两个1之间依次多1个0)$\left.,\cdots\right\}$；

整数集合$\{0,\sqrt{16},-2,\cdots\}$；

非负整数集合$\{0,\sqrt{16},\cdots\}$；

分数集合$\left\{-\sqrt[3]{\frac{8}{27}},\frac{22}{7},\cdots\right\}$.

点拨 DIANBO

对实数进行分类时，应先对某些数进行计算或化简，然后根据它的最后结果进行分类，不能仅看到用根号表示的数就认为一定是无理数. 例如，因为$\sqrt{16}=4$，所以它是自然数，也是整数，也是有理数. 因为$-\sqrt[3]{\frac{8}{27}}=-\frac{2}{3}$，所以它是分数，也是有理数. 由于$\pi$是无理数，所以$\frac{\pi}{4}$也是无理数，千万不要把$\frac{\pi}{4}$当作分数.

知能点 3　实数的有关概念及运算(重点)

(1)有理数的大小比较法则在实数范围内仍成立，有理数的一些概念，如相反数、绝对值、倒数在实数范围内仍适用.

(2)对于实数a、b有如下性质：

①若a与b互为相反数，则$a+b=0$；

②a与b互为倒数$\Leftrightarrow ab=1$；

③任何实数的绝对值都是非负数，即$|a|\geqslant 0$；

④互为相反数的两个数的绝对值相等，即$|a|=|-a|$；

⑤正数的倒数是正数，负数的倒数是负数；

⑥零没有倒数.

(3)实数的混合运算顺序与有理数运算顺序基本相同，先乘方、开方，再乘除，最后算加减，同级运算按从左到右的顺序进行，有括号先算括号里的.

例3 计算下列各式的值.

(1)$3(\sqrt{2}+\sqrt{3})+3(\sqrt{2}-2\sqrt{3})$；(2)$|\sqrt{3}-\sqrt{5}|+3\sqrt{3}$.

分析：(1)利用去括号的法则去掉括号后为$3\sqrt{2}+3\sqrt{3}+3\sqrt{2}-6\sqrt{3}$，再将$3\sqrt{2}$与$3\sqrt{2}$、$3\sqrt{3}$与$-6\sqrt{3}$合并为$6\sqrt{2}$、$-3\sqrt{3}$.

(2)先求$\sqrt{3}-\sqrt{5}$的绝对值为$\sqrt{5}-\sqrt{3}$，再将$-\sqrt{3}$与$+3\sqrt{3}$合并.

解：(1)$3(\sqrt{2}+\sqrt{3})+3(\sqrt{2}-2\sqrt{3})=3\sqrt{2}+3\sqrt{3}+3\sqrt{2}-6\sqrt{3}=6\sqrt{2}-3\sqrt{3}$；

(2)$|\sqrt{3}-\sqrt{5}|+3\sqrt{3}=\sqrt{5}-\sqrt{3}+3\sqrt{3}=\sqrt{5}+2\sqrt{3}$.

点拨 DIANBO

计算时主要用到去括号法则，绝对值的意义和乘法结合律.

全解小博士在线答疑

课本P84(思考)：$-\sqrt{2}$，π，0；$\sqrt{2}$，π，0

典型例题全解

DIANXINGLITIQUANJIE

题型一 对非负数意义的考查

例1 已知$\dfrac{\sqrt{x-3y}+|x^2-9|}{(x+3)^2}=0$，求$\dfrac{x}{y}$的值.

解：由题意可知$\begin{cases}x-3y=0, & ①\\ x^2-9=0, & ②\\ x+3\neq 0. & ③\end{cases}$

由②得$x^2=9$，$x=\pm 3$. 因为$x+3\neq 0$，所以$x\neq -3$，则$x=3$.

把$x=3$代入①得$3-3y=0$，$y=1$. 所以$\dfrac{x}{y}=\dfrac{3}{1}=3$.

提示

不要忽略分母不为0，即$x+3\neq 0$.

题型二 利用数轴比较实数的大小

例2 实数x、y、z在数轴上对应点的位置如图13-3-1，则下列关系正确的是(　　)

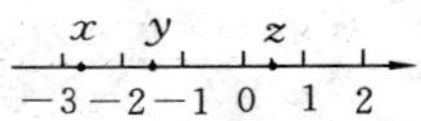

x y z
−3 −2 −1 0 1 2

图13-3-1

A. $x+y+z>0$　　B. $x+y+z<0$

C. $xz>yz$　　　　D. $xy<xz$

答案：B

点拨 DIANBO

从数轴上可以看出，$-3<x<-2$，$-2<y<-1$，$0<z<1$，所以很明显 $x+y+z<0$. 借助数轴来比较两数或几个数的大小是常用的方法.

题型三　实数的相反数、倒数、绝对值的意义的相关运算

例 3　求下列各数的相反数、倒数和绝对值.

(1) $-\sqrt{11}$；(2) $\sqrt[3]{\frac{27}{8}}$；(3) $3-\pi$.

分析：根据相反数、倒数和绝对值的意义即可求出.

解：(1) $-\sqrt{11}$ 的相反数为 $\sqrt{11}$，倒数为 $-\frac{1}{\sqrt{11}}$，绝对值为 $|-\sqrt{11}|=\sqrt{11}$；

(2) 因为 $\sqrt[3]{\frac{27}{8}}=\frac{3}{2}$，所以 $\sqrt[3]{\frac{27}{8}}$ 的相反数为 $-\frac{3}{2}$，倒数为 $\frac{2}{3}$，绝对值为 $\left|\frac{3}{2}\right|=\frac{3}{2}$；

(3) $3-\pi$ 的相反数为 $-(3-\pi)=\pi-3$，倒数为 $\frac{1}{3-\pi}$，绝对值为 $|3-\pi|=\pi-3$.

点拨 DIANBO

求相反数与绝对值时，与有理数的方法一样，即 $|a|=\begin{cases}a(a\geqslant 0),\\-a(a<0).\end{cases}$

题型四　估计一个无理数的大致范围

例 4　下列计算结果是否正确？说明判断的理由.

(1) $\sqrt{2\,430}\approx 9.8$；　　(2) $\sqrt[3]{983\,000}\approx 125$；

(3) $\sqrt[3]{890}\approx 95$；　　(4) $\sqrt{0.35}\approx 0.6$.

分析：通过估算检验计算结果的正确性是解本题的关键.

解：(1) ∵ $\sqrt{2\,430}>\sqrt{100}$，$\sqrt{2\,430}>\sqrt{10^2}$，即 $\sqrt{2\,430}>10$，

∴ $\sqrt{2\,430}\approx 9.8$ 是错误的.

(2) ∵ $\sqrt[3]{983\,000}<\sqrt[3]{1\,000\,000}$，$\sqrt[3]{983\,000}<\sqrt[3]{100^3}$，即 $\sqrt[3]{983\,000}<100$，

∴ $\sqrt[3]{983\,000}\approx 125$ 是错误的.

(3) ∵ $\sqrt[3]{890}<\sqrt[3]{1\,000}$，$\sqrt[3]{890}<\sqrt[3]{10^3}$，即 $\sqrt[3]{890}<10$，

∴ $\sqrt[3]{890}\approx 95$ 是错误的.

(4) ∵ $\sqrt{0.35}<\sqrt{0.36}$，即 $\sqrt{0.35}<0.6$，又 $0.35>0.55^2$，即 $\sqrt{0.35}>0.55$，

∴ $\sqrt{0.35}\approx 0.6$ 是正确的.

点拨 DIANBO

对于这类问题,首先应考虑找到一个与这个数最近的且开方开得尽的数,再进行近似计算.

题型五　实数在物理学科中计算的体现

例 5　飞出地球,遨游太空,长期以来就是人类的一个梦想,可是毕竟地球的引力太大了,飞机飞得再快也只能返回地面,炮弹打得再高也只能落回地面,只有物体的速度达到某一定值时,才能克服地球的引力围绕地球旋转,这个速度我们通常叫做第一宇宙速度,其计算公式为 $v=\sqrt{gR}$(单位:米/秒,其中 $g\approx0.009\ 8$ 千米/秒^2 是重力加速度,$R\approx6\ 370$ 千米是地球半径),请你算出第一宇宙速度.

解:因为 $g\approx0.009\ 8$ 千米/秒^2,$R\approx6\ 370$ 千米,

所以 $v=\sqrt{gR}\approx\sqrt{0.009\ 8\times6\ 370}\approx7.9$(千米/秒)$=7\ 900$(米/秒).

点拨 DIANBO

本题体现与物理学科的综合,是数学在科学技术中应用的体现.

题型六　实数计算在面积(或体积)变化中的体现

例 6　现有一面积为 150 平方米的正方形鱼池,为了增加养鱼量,欲把鱼池的边长增加 6 米,那么扩建后鱼池的面积为多少(最后结果保留 4 个有效数字)?

解:因为原正方形鱼池的面积为 150 平方米,根据面积公式,它的边长为 $\sqrt{150}\approx12.247$(米).

由题意可得扩建后的正方形鱼池的边长为$(12.247+6)$米,所以扩建后鱼池的面积为 $18.247^2\approx333.0$(平方米).

答:扩建后的鱼池的面积约为 333.0 平方米.

点拨 DIANBO

要求扩建后的鱼池的面积,应先求出其边长,而原鱼池的面积为 150 平方米,由此可得原鱼池的边长,再加上增加的 6 米,故新鱼池面积可求.

例 7　如果把两个棱长分别为 2.15 cm,3.24 cm 的正方体铁块熔化,制成一个大的正方体铁块,那么这个大的正方体铁块的棱长有多长(最后结果保留 2 个有效数字)?

解:设这个大正方体的棱长是 x cm.

根据题意,得 $x^3=2.15^3+3.24^3$,$x^3\approx9.94+34.0$,$x^3\approx43.9$,$x\approx3.5$.

答:这个大的正方体的棱长是 3.5 cm.

方法

题中要求最后结果保留 2 个有效数字,在解题过程中要保留 3 个有效数字.由于前后铁块的总体积不变,这样可以列方程求解.

题型七　实数在估算中的体现

例 8　你能求出大于 $-\sqrt{17}$ 且小于 $\sqrt{11}$ 的整数吗?

解:$-\sqrt{17}$在-5和-4之间,$\sqrt{11}$在 3 和 4 之间.

在数轴上表示如图 13-3-2 所示.

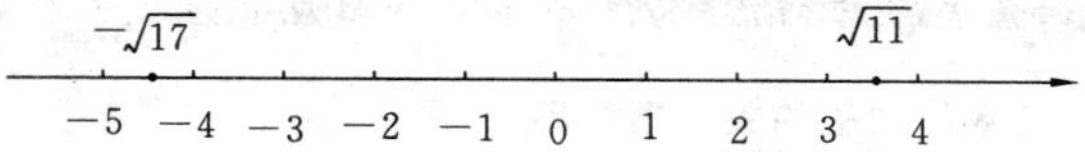

图 13-3-2

观察数轴可看出，大于$-\sqrt{17}$且小于$\sqrt{11}$的整数是$-4,-3,-2,-1,0,1,2,3$.

点拨 DIANBO

通过数形结合解决有关无理数的比较问题，简单、直观，不易出错.

题型八　本节例 2(P85)与中考真题解密

计算下列各式的值：

(1)$(\sqrt{3}+\sqrt{2})-\sqrt{2}$；(2)$3\sqrt{3}+2\sqrt{3}$.

中考真题

(2009·安顺中考)下列计算正确的是(　　)

A.$\sqrt{8}-\sqrt{2}=\sqrt{2}$　　B.$\sqrt{3}-\sqrt{2}=1$　　C.$\sqrt{3}+\sqrt{2}=\sqrt{5}$　　D.$2\sqrt{3}=\sqrt{6}$

解析：因为$\sqrt{8}-\sqrt{2}=2\sqrt{2}-\sqrt{2}=\sqrt{2}$，故应选 A.　　答案：A

考题点睛

此题主要考查了实数的运算.

挑战课标中考

TIAOZHANKEBIAOZHONGKAO

中考考点解读

实数与数轴是中考的必考内容，其中实数的有关概念是初中数学的重要概念，实数的运算是数学的基础，数轴是数形结合的具体体现，因此它是中考命题的热点，这类题型以填空题、选择题居多，试题难度为低、中档.

中考典题全解

例　(2009·泰安中考)化简：$3\sqrt{8}-5\sqrt{32}$的结果是________.

解析：$3\sqrt{8}-5\sqrt{32}=3\times2\sqrt{2}-5\times4\sqrt{2}=-14\sqrt{2}$.　　答案：$-14\sqrt{2}$

点拨 DIANBO

此题主要考查了实数的运算，有理数的运算律和运算法则在实数范围内同样适用.

易错易误点全解

YICUOYIWUDIANQUANJIE

易错点 1：对数轴上的点的距离分析不全，易漏解

例 1　在数轴上，一个点与原点的距离是$\sqrt{3}$，这个点所表示的数是________.

答案：$\pm\sqrt{3}$

误区防火墙

在数轴上与原点的距离相等的点有两个,所以应是$\pm\sqrt{3}$.

易错点 2:对实数和数轴的关系理解不透

例 2 和数轴上的点一一对应的数是( )

A. 整数　　B. 有理数　　C. 无理数　　D. 实数

答案:D

误区防火墙

没有完全理解有理数、无理数和实数的意义,造成错选.

知能综合提升

ZHINENGZONGHETISHENG

知识梳理

实数

1. 无理数的概念

很多数的平方根、立方根都是无限不循环小数,无限不循环小数叫做无理数,如$\sqrt{2}$,$\sqrt{3}$,π,…

2. 实数的概念及分类

(1)定义:有理数和无理数统称为实数

(2)分类:①按定义分类分为:有理数和无理数

②按性质分类分为:正实数、0、负实数

(3)实数与数轴上的点是一一对应的关系

3. 实数的有关概念及运算

(1)有理数的大小比较法则在实数范围内仍成立,有理数的一些概念,如相反数、绝对值、倒数在实数范围内仍适用

(2)对于实数a、b有如下性质:

①若a与b互为相反数,则$a+b=0$

②a与b互为倒数$\Leftrightarrow ab=1$

③任何实数的绝对值都是非负数,即$|a|\geqslant 0$

④互为相反数的两个数的绝对值相等,即$|a|=|-a|$

⑤正数的倒数是正数,负数的倒数是负数

⑥零没有倒数

(3)实数的混合运算顺序与有理数的运算顺序基本相同

技巧平台

1. 学习实数的有关概念时与有理数的有关概念类比,有理数的有关概念在实数范围内仍然适用.

2. 实数的大小比较法则与有理数的比较法则相同. 正数大于0,负数小于0,正数大于一切负数. 两个负数,绝对值大的反而小.

3.有理数的运算律在实数范围内仍然适用,可以运用有理数的运算律简化实数的运算.

4.确定一个数是否是无理数的关键是看这个数是否是无限不循环小数.

5.“数形结合”仍是本节常用的数学思想.

跟踪训练

1.在实数 π,$\sqrt{2}-1$,$\sqrt[3]{8}$,$\frac{3}{7}$,0.212 112 111 2…(两个2之间依次多1个1),$-\sqrt[3]{9}$中,无理数共有(　　)

A.2个　　B.3个　　C.4个　　D.5个

2.已知一个正方形的边长为 a,面积为 S,则(　　)

A.$S=\sqrt{a}$　　B.S 的平方根是 a

C.a 是 S 的算术平方根　　D.$a=\pm\sqrt{S}$

3.若 $|a+3|+\sqrt{b-2}+(m-21)^2=0$,则 $(a+b)^m=$________.

4.写出一个有理数和一个无理数,使它们都是大于 -2 的负数:________.

5.比较大小:$2\sqrt{3}$____$3\sqrt{2}$.

跟踪训练答案

1.C　点拨:此题考查无限不循环小数是无理数.

2.C　点拨:因为 $a^2=S$,故 a 是 S 的算术平方根.

3.-1　点拨:由题意可得,$a=-3$,$b=2$,$m=21$,即 $(-3+2)^{21}=-1$.

4.-1,$-\sqrt{3}$　点拨:此题是开放题,要确定大于 -2 的负数,在数轴上比较方便.

5.<　点拨:因为 $2\sqrt{3}=\sqrt{12}$,$3\sqrt{2}=\sqrt{18}$,而 $\sqrt{12}<\sqrt{18}$,故 $2\sqrt{3}<3\sqrt{2}$.

课本习题解答

KEBENXITIJIEDA

练习(P86)

1.解:A 表示 -1.5,B 表示 $\sqrt{2}$,C 表示 $\sqrt{5}$,D 表示3,E 表示 π.

2.解:2.5的相反数是 -2.5,$|2.5|=2.5$;$-\sqrt{7}$ 的相反数是 $\sqrt{7}$,$|-\sqrt{7}|=\sqrt{7}$;

$-\frac{\pi}{2}$ 的相反数 $\frac{\pi}{2}$,$\left|-\frac{\pi}{2}\right|=\frac{\pi}{2}$;$\sqrt{3}-2$ 的相反数是 $2-\sqrt{3}$,$|\sqrt{3}-2|=2-\sqrt{3}$;

0的相反数是0,$|0|=0$.

3.解:$S_{\triangle OAB}=\frac{1}{2}\times\sqrt{5}\times\sqrt{2}\approx1.6$.　4.(1)$-\sqrt{2}$　(2)$\sqrt{3}+\sqrt{2}$

习题13.3(P86)

1.(1)错误　(2)正确　(3)错误　(4)错误　(5)正确

2.解:如图 13-3-3.

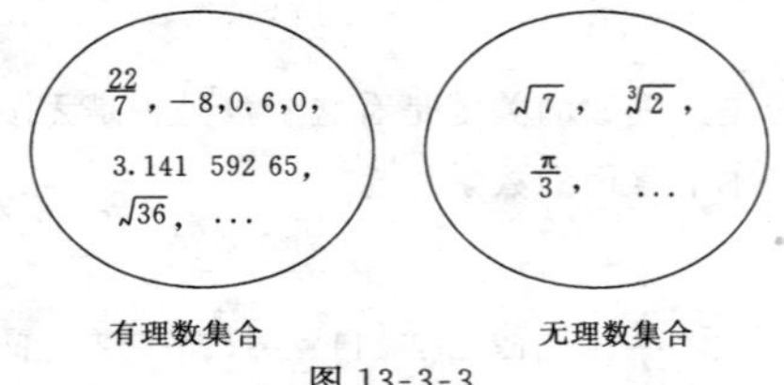

图 13-3-3

3.2 $\sqrt{17}$ $\frac{\sqrt{2}}{3}$ $\sqrt{3}-1.7$ $\sqrt{2}-1.4$

4.(1)0.65 (2)−2.74 5.(1)$5\sqrt{2}$ (2)0

6.(1)$4>\sqrt{15}$ (2)$\pi<3.1416$ (3)$\sqrt{3}-2>-\frac{\sqrt{3}}{2}$ (4)$\frac{\sqrt{2}}{2}>\frac{\sqrt{3}}{3}$

7.解:有最小的正整数 1;没有最小的整数;没有最小的有理数;没有最小的无理数;没有最小的实数;有绝对值最小的实数 0.

8.解:$t=2\pi\sqrt{\frac{l}{10}}=2\pi\cdot\sqrt{\frac{0.5}{10}}\approx1.4(\text{s})$.

答:小重物来回摆动一次所用的时间约为 1.4 s.

9.(1)长方形(矩形) (2)$3\sqrt{2}$ (3)四边形向下平移 $\sqrt{2}$个单位长度,各点横坐标不变,纵坐标都减 $\sqrt{2}$,得四个顶点坐标分别为 $A(2,\sqrt{2})$,$B(5,\sqrt{2})$,$C(5,0)$,$D(2,0)$,图略.

章末总结与复习

知识网络归纳

ZHISHIWANGLUOGUINA

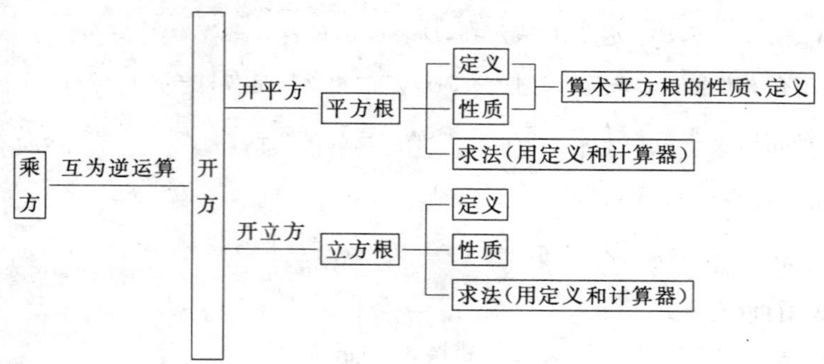

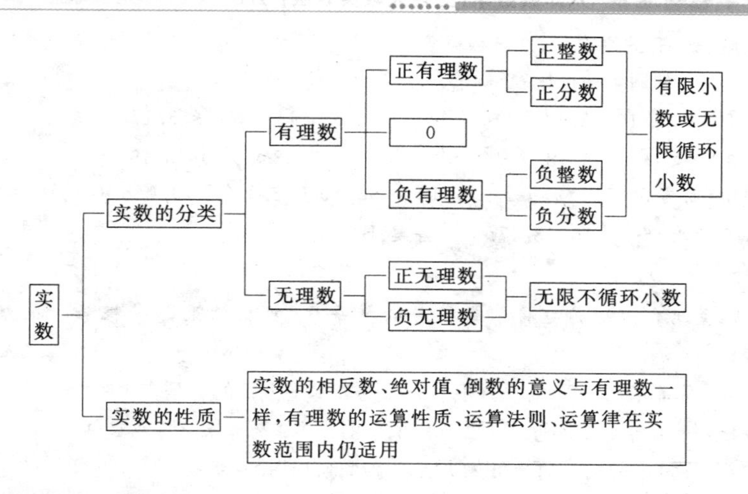

专题综合讲解

ZHUANTIZONGHEJIANGJIE

专题一 用计算器探索已知按一定规律排列的一组数

例 1 $1,\frac{1}{\sqrt{2}},\frac{1}{\sqrt{3}},\cdots,\frac{1}{\sqrt{19}},\frac{1}{\sqrt{20}}$,如果从中选出若干个数,使它们的和大于 3,那么至少要选________个数.

解析:将已知这组数 $1,\frac{1}{\sqrt{2}},\frac{1}{\sqrt{3}},\cdots,\frac{1}{\sqrt{19}},\frac{1}{\sqrt{20}}$ 依次化为小数:1,0.707 1,0.577 4,0.5,0.447 2,…,0.223 6.

这组数的特点是从 1 开始逐渐减小,其中前 5 个数之和为:

$1+\frac{1}{\sqrt{2}}+\frac{1}{\sqrt{3}}+\frac{1}{\sqrt{4}}+\frac{1}{\sqrt{5}}\approx1+0.7071+0.5774+0.5+0.4472>3$,故至少选 5 个数. **答案:**5

点拨 DIANBO

先观察这组数的特点,从 1 开始逐渐减小,再用计算器从大数开始试算.

专题二 有关实数概念问题的考查

例 2 下列结论:①绝对值最小的实数不存在;②无理数在数轴上对应的点不存在;③与本身的平方根相等的实数不存在;④最大的负数不存在.其中错误结论的个数是( )

A. 1　　B. 2　　C. 3　　D. 4

解析:①错误,绝对值最小的实数为 0;②错误,任何一个实数(实数包括无理数)都能在数轴上找到对应的点;③错误,与本身的平方根相等的实数为 0 和 1;④正确. **答案:**C

专题三 有关平方根、立方根概念的考查

例 3 下列四个结论中，正确的是( )

A. $3.15<\sqrt{10}<3.16$　　B. $3.16<\sqrt{10}<3.17$

C. $3.17<\sqrt{10}<3.18$　　D. $3.18<\sqrt{10}<3.19$

解析： 因为 $3.15^2=9.9225$，$3.16^2=9.9856$，$3.17^2=10.0489$，$3.16^2<10<3.17^2$，所以 $3.16<\sqrt{10}<3.17$。　**答案：** B

点拨 DIANBO

解决此类问题时可将不带根号的数平方，再把结果与带根号数的被开方数比较.

例 4 你能求出 -27 的立方根与 $\sqrt{81}$ 的算术平方根的和是多少吗？

分析： -27 的立方根为 $\sqrt[3]{-27}=-3$，$\sqrt{81}=9$，9 的算术平方根是 3.

解： $\sqrt[3]{-27}=-3$，$\sqrt{81}$ 的算术平方根是 3，所以 $-3+3=0$.

点拨 DIANBO

在正确理解概念的前提下，按叙述的内容一步步解答，注意思维要严谨.

专题四 对有关实数运算及大小比较问题的考查

例 5 计算：$3^2\div(-3)^2+\left|\dfrac{1}{6}\right|\times(-6)+\sqrt{49}$.

解： 原式 $=9\div9+\dfrac{1}{6}\times(-6)+7=1-1+7=7$.

点拨 DIANBO

按运算顺序一步步运算. 先算乘方、开方，再算乘除，最后算加减，有括号的要先算括号里的.

例 6 $-\pi$，-3，$\sqrt[3]{3}$，$\sqrt{3}$ 的大小顺序是( )

A. $-\pi<-3<\sqrt{3}<\sqrt[3]{3}$　　B. $-\pi<-3<\sqrt[3]{3}<\sqrt{3}$

C. $-3<-\pi<\sqrt[3]{3}<\sqrt{3}$　　D. $-3<-\pi<\sqrt{3}<\sqrt[3]{3}$

解析： 对于无理数，用计算器求出其近似值，$\pi\approx3.1415926$，$\sqrt[3]{3}\approx1.442$，$\sqrt{3}\approx1.732$.

答案： B

点拨 DIANBO

正数大于 0，负数小于 0，正数大于负数，两个负数绝对值大的反而小.

专题五 数学思想方法专题

1. 分类讨论的思想

当被研究的问题包含多种可能情况，不能一概而论时，应按可能的情况分别讨论，实数的分类是这一思想的具体体现，要学会运用分类思想对可能存在的情况分类讨论，要不重不漏.本章在研究平方根、立方根、算术平方根的性质以及化简绝对值时均用到了分类讨论思想.

例 7　已知$|x-1|=\sqrt{5}$，你能求出 x 的值吗？

分析：本题可采用分类讨论的方法，当 $x-1>0$ 时，$x-1=\sqrt{5}$；当 $x-1<0$ 时，$x-1=-\sqrt{5}$.

解：由$|x-1|=\sqrt{5}$可知，$x-1=\sqrt{5}$或 $x-1=-\sqrt{5}$.

当 $x-1=\sqrt{5}$时，$x=\sqrt{5}+1$；当 $x-1=-\sqrt{5}$时，$x=-\sqrt{5}+1$，

所以 x 的值为$\sqrt{5}+1$ 或$-\sqrt{5}+1$.

点拨 DIANBO

对含绝对值的问题，解决的方法多是分类讨论法，注意在求值时不要丢解.

2. 数形结合的思想

实数与数轴上的点是一一对应的，实数在数轴上的表示是数形结合思想的具体体现，通过把实数在数轴上直观地表示出来，可以形象、直观地感受实数的客观存在，为理解实数的概念及其相关性质提供了有力的帮助.

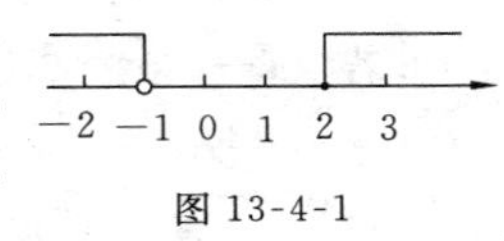

图 13-4-1

例 8　如图 13-4-1，写出 x 的取值范围，并由 x 的范围化简：$\sqrt{(x+1)^2}-|2-x|$.

解：由图可知 $x<-1$ 或 $x\geqslant 2$，当 $x<-1$ 时，原式$=-(x+1)-(2-x)=-3$；当 $x\geqslant 2$ 时，原式$=(x+1)-(x-2)=3$.

点拨 DIANBO

数形结合有助于对题目的理解，在数学中应用非常广泛.

专题六　中考热点聚焦

实数是数学知识的基础，也是其他学科的工具，近几年，在各地的中考试题中经常出现，题型有填空题、选择题和计算题，试题的特点是覆盖面广，既考查双基，又考查数学思想方法.

例 9　(2009 · 义乌中考)在实数 0，1，$\sqrt{2}$，0.123 5 中，无理数的个数为(　　)

A. 0　　B. 1　　C. 2　　D. 3

解析：只有$\sqrt{2}$是无理数，故应选择 B.　　答案：B

点拨 DIANBO

此题主要考查了无理数的概念及无理数与有理数间的区别和联系.

例 10　(2009 · 江西中考)写出一个大于 1 且小于 4 的无理数________.

解析：本题答案不唯一，符合题意即可.

答案：本题答案不唯一，如 π，$\sqrt{2}$，$\sqrt{3}$，$\sqrt{7}$等

点拨 DIANBO

此题主要考查了对无理数的估算能力.

本章达标测评

BENZHANGDABIAOCEPING

一、选择题

1. 下列运算中,不是总能进行的是(　　)

A. 平方　　B. 立方　　C. 开平方　　D. 开立方

2. 下列说法中,正确的是(　　)

A. 任意数的算术平方根是正数

B. 只有正数才有算术平方根

C. 因为 3 的平方是 9,所以 9 的平方根是 3

D. -1 是 1 的平方根

3. 若 $\sqrt{x-2}$ 有意义,则 x 的取值范围是(　　)

A. $x>2$　　B. $x\geqslant 2$　　C. $x<2$　　D. $x\leqslant 2$

4. 估算 $\sqrt{28}-\sqrt{7}$ 的值在(　　)

A. 7 和 8 之间　　B. 6 和 7 之间　　C. 3 和 4 之间　　D. 2 和 3 之间

5. 如果 $\sqrt[3]{(3-k)^3}=3-k$,那么 k 的取值范围是(　　)

A. $k\leqslant 3$　　B. $k\geqslant 3$　　C. $0\leqslant k\leqslant 3$　　D. k 为任意实数

6. 若 $\sqrt{2}\approx 1.414$,$\sqrt{a}\approx 14.14$,则整数 a 的值为(　　)

A. 20　　B. 2 000　　C. 200　　D. 20 000

二、填空题

7. $\sqrt{16}$ 的平方根是________.

8. 请你举出两个无理数,它们的和为有理数,这两个无理数为________.

9. 计算:$\sqrt{(-64)\times(-81)}=$________.

10. 在数轴上到原点距离等于 $\sqrt{7}$ 的点表示的数是________.

三、解答题

11. 已知实数 x,y 满足 $|x-5|+\sqrt{y+4}=0$,求代数式 $(x+y)^{2\,009}$ 的值.

12. 求式子中的 x 的值:$(2x-1)^3=-8$.

13. 先阅读理解,再回答问题:

因为 $\sqrt{1^2+1}=\sqrt{2}$,且 $1<\sqrt{2}<2$,所以 $\sqrt{1^2+1}$ 的整数部分是 1;

因为 $\sqrt{2^2+2}=\sqrt{6}$,且 $2<\sqrt{6}<3$,所以 $\sqrt{2^2+2}$ 的整数部分是 2;

因为 $\sqrt{3^2+3}=\sqrt{12}$,且 $3<\sqrt{12}<4$,所以 $\sqrt{3^2+3}$ 的整数部分是 3;

依次类推,发现 $\sqrt{n^2+n}$(n 为正整数)的整数部分是________,请说明理由.

本章达标测评答案

1. C 点拨：因为负数没有平方根，故选 C.

2. D 点拨：因为 1 的平方根是 ±1，所以 -1 是 1 的一个平方根.

3. B 点拨：此题考查被开方数为非负数，即 $x-2\geqslant0$，$x\geqslant2$.

4. D 点拨：因为 $\sqrt{28}-\sqrt{7}=\sqrt{7}$，$\sqrt{4}<\sqrt{7}<\sqrt{9}$，所以 $2<\sqrt{7}<3$. 故选 D.

5. D

6. C 点拨：平方根的小数点向右移动一位，被开方数的小数点向右移动两位.

7. ±2 点拨：因为 $\sqrt{16}=4$，所以此题考查 4 的平方根.

8. $\sqrt{3}$，$-\sqrt{3}$ 点拨：答案不唯一，又如 $-\sqrt{2}$，$\sqrt{2}$ 与 $\sqrt{5}$，$-\sqrt{5}$.

9. 72 点拨：原式 $=\sqrt{64\times81}=\sqrt{64}\times\sqrt{81}=72$.

10. $\pm\sqrt{7}$ 点拨：此题不要漏掉 $-\sqrt{7}$.

11. 解：由题意得 $x=5$，$y=-4$，故 $(x+y)^{2\,009}=1^{2\,009}=1$.

12. 解：因为 $(2x-1)^3=-8$，所以 $2x-1=-2$，即 $2x=-1$，所以 $x=-\frac{1}{2}$.

13. 解：n. 理由：因为 $\sqrt{n^2}<\sqrt{n^2+n}<\sqrt{(n+1)^2}$，即 $n<\sqrt{n^2+n}<n+1$，故 $\sqrt{n^2+n}$ 的整数部分是 n.

点拨：本题是阅读理解题，要求读懂题意，找出规律，并将其进行拓展.

本章复习题全解

BENZHANGFUXITIQUANJIE

复习题 13(P91)

1. (1) 1.5，±1.5 (2) 17，±17 (3) $\frac{12}{13}$，$\pm\frac{12}{13}$

(4) 125，±125 (5) $\frac{4}{13}$，$\pm\frac{4}{13}$ (6) 100，±100

2. (1) $\frac{4}{5}$ (2) -0.2 (3) 8 (4) 9 3. (1) $-\frac{7}{13}$ (2) -1 (3) 0.4 (4) $\frac{5}{3}$

4. (1) 因为 $\sqrt{25}<\sqrt{28}<\sqrt{36}$，所以 $\sqrt{28}$ 与 5 最接近.

(2) 因为 $\sqrt{36}<\sqrt{38}<\sqrt{49}$，所以 $\sqrt{38}$ 与 6 最接近.

(3) 因为 $\sqrt[3]{64}<\sqrt[3]{99}<\sqrt[3]{125}$，所以 $\sqrt[3]{99}$ 与 5 最接近.

5. (1) -9.711 (2) 0.755 (3) 235.000 (4) 324.000

6. 0，1，4，9 的平方根是有理数；2，3，5，6，7，8，10 的平方根是无理数；0，1，8 的立方根是有理数；2，3，4，5，6，7，9，10 的立方根是无理数.

7. (1) $|-1.5|<1.\dot{5}$ (2) $1.414<\sqrt{2}$ (3) $\frac{2}{3}<0.666\,67$ 8. (1) $2+2\sqrt{2}$ (2) 4

9. 解:因为$|x|<2\pi$,所以由绝对值的意义,得$-2\pi<x<2\pi$.

又因为x为整数,所以满足$-2\pi<x<2\pi$的值有$-6,-5,-4,-3,-2,-1,0,1,2,3,4,5,6$.

10. 解:把$h=1.5$ m代入公式,得$s^2=16.88\times1.5$,$s^2=25.32$,所以$s\approx5.03$.

即当眼睛离海平面的高度是1.5 m时,能看到5.03 km远.

把$h=35$ m代入公式,得$s^2=16.88\times35$,$s^2=590.8$,$s\approx24.31$.

即当眼睛离海平面的高度是35 m时,能看到24.31 km远.

11. 解:设圆的半径是R cm,则有$\pi R^2=2\pi$,$R^2=2$,$R=\sqrt{2}$.

因此,圆的周长$C=2\pi R\approx2\times3.14\times1.414\approx8.88$(cm).

设正方形的边长是x cm,则有$x^2=2\pi$,$x=\sqrt{2\pi}$.

因此,正方形的周长$=4x=4\sqrt{2\pi}\approx4\times\sqrt{6.28}\approx4\times2.51=10.04$(cm).

综上可知,正方形的周长较大.

从中得到的启示:当圆和正方形面积相等时,正方形的周长较大.

12. 解:当$V=500$升时,有$\frac{4}{3}\pi R^3=500$,解得$R\approx4.92$.

答:这种球形容器的半径约是4.92分米.

13. (1)0和1　0　0和1　(2)$-1,0,1$　$-1,0,1$

14. 解:(1)作$AD\perp OC$于点D,$BE\perp OC$于点E.如图13-4-2.

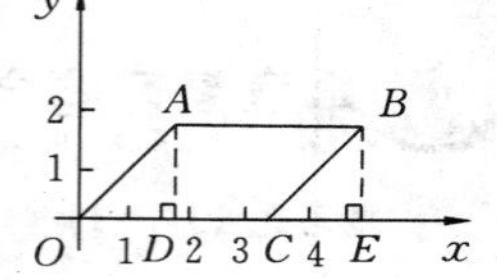

图 13-4-2

因为$A(\sqrt{3},\sqrt{3})$,$C(2\sqrt{3},0)$,所以$BE=AD=\sqrt{3}$,$CE=OD=\sqrt{3}$.

又因为$OE=OC+CE=2\sqrt{3}+\sqrt{3}=3\sqrt{3}$,所以点$B(3\sqrt{3},\sqrt{3})$.

(2)将平行四边形$OABC$向左平移$\sqrt{3}$个单位长度得到平行四边形$O'A'B'C'$,所得四边形的四个顶点的坐标分别是$O'(-\sqrt{3},0)$,$A'(0,\sqrt{3})$,$B'(2\sqrt{3},\sqrt{3})$,$C'(\sqrt{3},0)$.

(3)由于$OC=2\sqrt{3}$,$AD=\sqrt{3}$,所以平行四边形$OABC$的面积$=OC\cdot AD=2\sqrt{3}\times\sqrt{3}=6$.

第十四章

一次函数

本章综合解说

趣味情景激思

你想知道你家每月的电话费与通话时间的关系吗？你想知道乘出租车收费是怎样计算的吗？为了解决以上问题，让我们走进函数这个家庭，探索运动变化的规律吧！

本章知识概览

本章主要内容：函数的概念，表示方法及一次函数知识的系统介绍，前两节是本章的基础，后两节是对知识的综合运用，探索一次函数与方程(组)、不等式之间的联系以及利用一次函数解决生活中的实际问题，它是进一步学习方程，不等式及二次函数知识的基础.

BENZHANGZONGHEJIESHUO

本章重点:理解函数的概念,特别是一次函数和正比例函数的概念,掌握一次函数的图象及性质,会利用待定系数法求一次函数解析式.利用函数图象解决实际问题,初步体会方程与函数的关系及函数与不等式的关系.

本章难点:根据题设条件寻找一次函数关系式,熟练作出一次函数的图象,掌握好一次函数的图象和性质,求出一次函数的表达式,会利用函数图象解决实际问题.

课标学法点津

1.在学习函数和一次函数的概念并引入一次函数的图象、性质及其应用等过程中,同学们应主动观察、操作、交流、归纳,主动地参与数学学习活动,自主地解决问题.

2.实践和探索是新课程标准的特征,让我们初步体会数学中的“问题情境—建立模型—解释应用—回顾拓展”的学习方法,体会“数形结合”和“分类讨论”等数学思想方法.

14.1　变量与函数

课程标准要求

KECHENGBIAOZHUNYAOQIU

1. 了解常量、变量和函数的意义，并能在具体实例中分清常量、变量、自变量和函数.

2. 会确定简单函数表达式中自变量的取值范围，会求函数值，会用描点法画简单函数的图象.

3. 结合实例，了解函数有三种表示方法——解析式法、列表法、图象法，能用适当的函数表示法描述某些实际问题中变量之间的关系.

相关知识链接

XIANGGUANZHISHILIANJIE

我们学习了数轴和平面直角坐标系. 在数轴上，不同的点对应不同的实数，不同的实数也对应不同的点，数轴上的点和实数之间是一一对应关系；在平面直角坐标系中，点与有序实数对是一一对应关系. 它们的特点都是点随数动，数随点变.

在现实世界中，还存在着大量变化着的量，如图 14-1-1 是某地一天的气温随时间的变化图，你能从此图中获得什么信息？学完本节的内容就可以解决这个问题了.

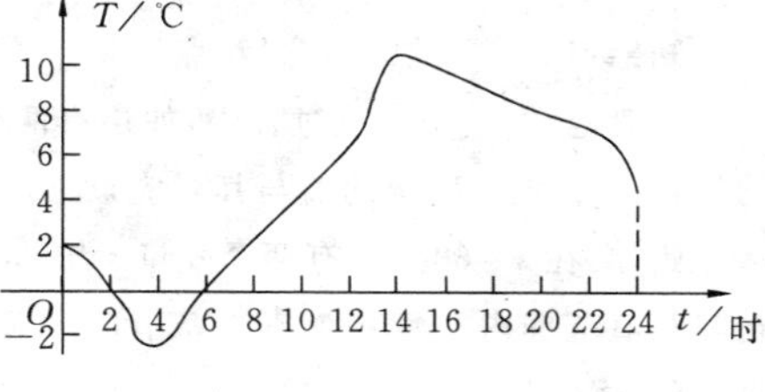

图 14-1-1

教材知能全解

JIAOCAIZHINENGQUANJIE

知能点 1　常量和变量(重点)

在一个变化过程中，我们称数值发生变化的量为变量，数值保持不变的量为常量.

例如，当速度 v 保持不变时，行走的路程 s 是随时间 t 的变化而变化的，那么，在这一过程中，v 是常量，而 s 和 t 是变量；当路程 s 是定值时，行走的时间 t 是随速度 v 的变化而变化的，那么，在这一过程中，s 是常量，而 v 和 t 是变量.

变量和常量往往是相对的，比如 s、v、t 三者之间，在不同的研究过程中，作为变量与常量的"身份"是可以相互转换的.

例 1　指出下列关系式中的变量和常量：(1) $y=2\pi x$；(2) $y=-2x^2$；(3) $y=ax^2+h$(a、h 为已知数).

分析：(1)中圆周率 π 和 2 保持不变，是常量，而 y 和 x 可以取不同的数值，是变量；(2)中 -2 保持不变，是常量，而 y 和 x 可以取不同的数值，是变量；(3)中 a、h 为已知数保持不变,是常量,而 y 和 x 可以取不同的数值,是变量.

解:(1)2、π 是常量,x、y 是变量.

(2)-2 是常量,x、y 是变量.

(3)a、h 是常量,x、y 是变量.

点拨 DIANBO

区分同一变化过程中的变量与常量的关键是理解哪些量发生了变化,哪些量始终不变.

例 2 (1)设圆柱的底面半径 R 不变,圆柱的体积 V 与圆柱的高 h 的关系式是 $V=\pi R^2h$. 在这个式子中常量和变量分别是什么?

(2)设圆柱的高 h 不变,圆柱的体积 V 与圆柱的底面半径 R 的关系式 $V=\pi R^2h$ 中,常量和变量又分别是什么?

分析:常量和变量往往是相对的,相对于某个变化过程,二者是可以相互转换的.

解:(1)常量是 π 和 R,变量是 V 和 h.(2)常量是 π 和 h,变量是 V 和 R.

点拨 DIANBO

教材虽然给出了常量与变量的概念,但不是严格定义的,在不同的研究过程中,变量与常量的身份是可以相互转换的.

知能点 2 函数的概念(难点)

一般地,在一个变化过程中,如果有两个变量 x 与 y,并且对于 x 的每一个确定的值,y 都有唯一确定的值与其对应,那么我们就说 x 是自变量,y 是 x 的函数.

例如:在 $s=60t$ 中,有两个变量 s 与 t,当 t 变化时,s 也随之发生变化,并且对于 t 在其取值范围内的每一个值,s 都有唯一确定的值与之对应,我们就称 t 是自变量,s 是 t 的函数.

对函数概念的理解,主要抓住以下三点:

(1)有两个变量;

(2)一个变量的数值随着另一个变量的数值的变化而变化;

(3)对自变量的每一个确定值,函数有且只有一个值与之对应.

例如:$y^2=x$,当 $x=1$ 时,y 有两个对应值,所以 y 不是 x 的函数. 对自变量 x 的不同的取值,y 的值可以相同,如函数 $y=x^2$,当 $x=1$ 和 $x=-1$ 时,y 的对应值都是 1.

例 3 中国淡水资源总量约为 2.75×10^4 亿立方米,则人均占有淡水资源量 y 立方米与人口数 n 的关系式为__________.

解析:由题意可知 $y=\dfrac{2.75\times10^4\times10^8}{n}$,其中人均占有淡水资源量 y 随人口数 n 的变化而变化,n 是自变量,y 是 n 的函数. 答案:$y=\dfrac{2.75\times10^{12}}{n}$

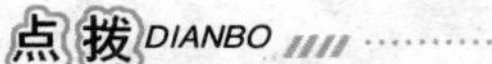

在函数关系中，两个变量 x、y 是有主次之分的．变量 x 的变化是主动的，称为自变量，而 y 是随 x 的变化而变化的，处于被动地位，称为 x 的函数．

知能点 3　自变量取值范围的确定(难点)

在一个函数关系式中，自变量的取值必须使函数解析式有意义，这就是函数自变量的取值范围．(1)解析式是整式时，自变量的取值范围是全体实数；(2)解析式是分式时，自变量的取值范围是使分母不为 0 的实数，如在函数 $y=\frac{1}{x}$ 中，$x\neq0$；(3)解析式是二次根式时，自变量的取值范围是使被开方数为非负实数，如在函数 $y=\sqrt{x}$ 中，$x\geqslant0$；(4)解析式是由整式、分式、二次根式组成的式子时，自变量的取值范围是使各式成立的公共解，如在函数 $y=\frac{\sqrt{x+3}}{|x|-2}$ 中，x 应满足 $\begin{cases}x+3\geqslant0,\\|x|-2\neq0,\end{cases}$ 即 $x\geqslant-3$ 且 $x\neq\pm2$；(5)对实际问题，其自变量的取值范围还应使实际问题有意义．

例 4　求下列函数中自变量 x 的取值范围：

(1) $y=3x-2$；(2) $y=\frac{x}{\sqrt{1-x}}$；(3) $y=\sqrt{x+3}$；(4) $y=\frac{\sqrt{2-x}}{x-1}$．

解：(1)自变量 x 取全体实数．

(2)要使 $\frac{x}{\sqrt{1-x}}$ 有意义，必须使 $1-x>0$，即 $x<1$．

(3)要使 $\sqrt{x+3}$ 有意义，需 $x+3\geqslant0$，解得 $x\geqslant-3$．

(4)要使 $\frac{\sqrt{2-x}}{x-1}$ 有意义，需 $2-x\geqslant0$，且 $x-1\neq0$，即 $x\leqslant2$ 且 $x\neq1$．

例 5　小强在劳动技术课中要制作一个周长为 80 cm 的等腰三角形，请你写出底边长 y(cm)与一腰长 x(cm)的函数关系式，并求出自变量 x 的取值范围．

解：由题意，得 $2x+y=80$，所以 $y=80-2x$．

由解析式本身有意义，得 x 为全体实数．

要使实际问题有意义，则要考虑到边长为正数，且要满足三角形三边关系定理，

所以有 $\begin{cases}x>0,\\y>0,\\2x>y,\end{cases}$ 即 $\begin{cases}x>0,\\-2x+80>0,\\2x>-2x+80.\end{cases}$ 解得 $20<x<40$．故 $y=80-2x(20<x<40)$．

点拨 DIANBO

在求实际问题中的函数自变量的取值范围时，既要注意使函数式有意义，又要使实际问题有意义．

知能点 4　函数值(重点)

对于自变量 x 在取值范围内的某个确定的值 a，函数 y 所对应的值为 b，即当 $x=a$，$y=b$ 时，b 叫做自变量 x 的值为 a 时的函数值．

例 6 已知函数 $y=\sqrt{13-4x}$.

(1)当 $x=3$ 时,求 y 的函数值;(2)当 x 为何值时,函数值为 2?

解:(1)当 $x=3$ 时,$y=\sqrt{13-4\times3}=\sqrt{1}=1$.

(2)当 $y=2$ 时,$2=\sqrt{13-4x}$,$4=13-4x$,所以 $x=\frac{9}{4}$.

点拨 DIANBO

要弄清函数值与自变量的值的关系,然后再代入求值.

知能点 5 函数的图象及画法(难点)

一般地,对于一个函数,如果把自变量与函数的每对对应值分别作为点的横、纵坐标,那么坐标平面内由这些点组成的图形,就是这个函数的图象.

例如,对于函数 $y=x$,在坐标平面内描出的点是横坐标与纵坐标相等的点,由这些点构成的直线就是函数 $y=x$ 的图象.如图 14-1-2 所示.

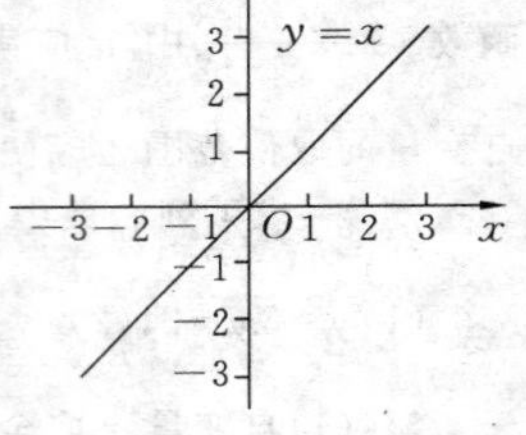

图 14-1-2

画函数图象,一般可运用描点法,其一般步骤是:

(1)列表:表中列举一些自变量的值及其对应的函数值;

(2)描点:在平面直角坐标系中,以自变量的值为横坐标,相应的函数值为纵坐标,描出表格中数值对应的点;

(3)连线:按照横坐标由小到大的顺序把所描出的点用平滑的曲线连接起来.有条件的同学,还可利用计算机画函数图象.

例 7 用描点法画出函数 $y=-2x+1$ 的图象.

解:列表:

x	…	−3	−2	−1	0	1	2	3	…
$y=-2x+1$	…	7	5	3	1	−1	−3	−5	…

描点,连线.所画图象如图 14-1-3.

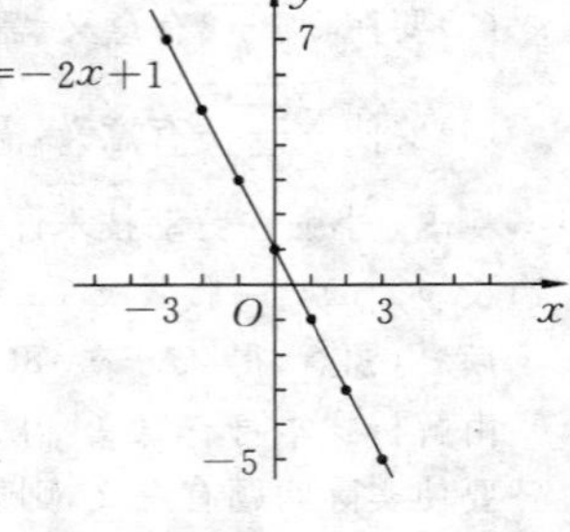

图 14-1-3

点拨 DIANBO

由图可知,函数的图象是一条直线,且这条直线从左到右下降,即 y 随 x 的增大而减小.

例 8 某校办工厂现在年产值是 15 万元,计划今后每年增加 2 万元.

(1)写出年产值 y(万元)与年数 x 之间的函数关系式;

(2)画出函数图象;

(3)求 5 年后的年产值.

解:(1)函数关系式为 $y=15+2x(x\geqslant0)$.

(2)列表：

x	0	1	2	3	4	5	6	…
$y=15+2x$	15	17	19	21	23	25	27	…

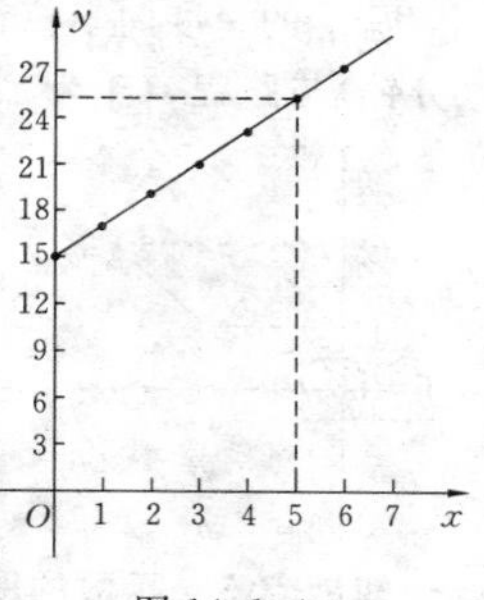

图 14-1-4

描点，连线，得到函数图象，如图 14-1-4.

(3)当 $x=5$ 时，$y=15+2\times5=25$.也可以从函数图象得出 $x=5$ 时，$y=25$.

所以 5 年后的年产值是 25 万元.

点拨 DIANBO

画函数图象应注意自变量的取值范围，这里自变量 $x\geqslant0$，由此可知，函数图象是一条射线，当图象有端点时，要注意端点是否有等号，有等号时画实心圆点，无等号时画空心圆圈.

知能点 6　函数图象的应用(难点)

图象信息应用广泛，通过看图获取信息，不仅可以解决生活中的实际问题，还可以提高分析问题、解决问题的能力.

温馨提示：能够正确观察函数图象，准确获取信息的关键是要弄清函数的本质，那就是函数图象是由无数个或一些点组成的.

例 9　图 14-1-5 所示的图象记录了某地一月份某天的温度随时间变化的情况.请仔细观察图象并回答下面的问题：

(1)20 时的温度是______℃，温度是 0 ℃时的时刻是______时，最暖和的时刻是______h，温度在 -3 ℃以下的持续时间为______h.

(2)从图象中还能获取哪些信息？(写出 2 条即可)

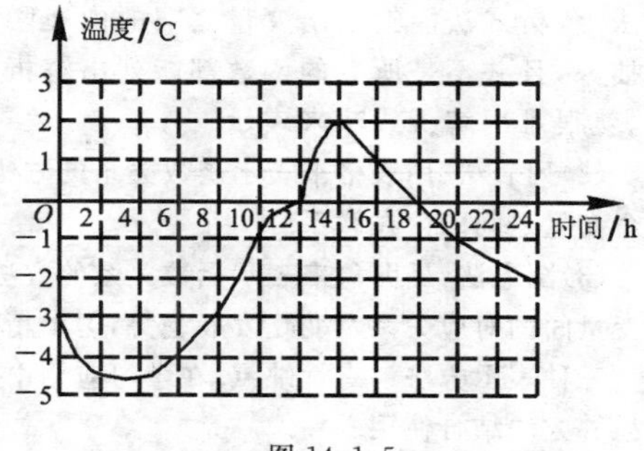

图 14-1-5

解：(1)-1；12，18；14；8

(2)从图象中还能获取：从 4 时到 14 时，温度逐渐升高；最低气温约为 -4.5 ℃；最高气温是 2 ℃；温度在 0 ℃以上的时刻是在 12 h 到 18 h 等信息.

点拨 DIANBO

弄清函数图象上点的意义，会读图，弄清图象的意义，最高点即为最大值，最低点即为最小值.

例 10　早晨，小强从家出发，以 v_1 的速度前往学校，途中在一饮食店吃早点，之后，以 v_2 的速度向学校行进.已知 $v_1>v_2$，下面的图象中表示小强从家到学校的时间 t(分钟)与路程 s(千米)之间的关系的是(　　)

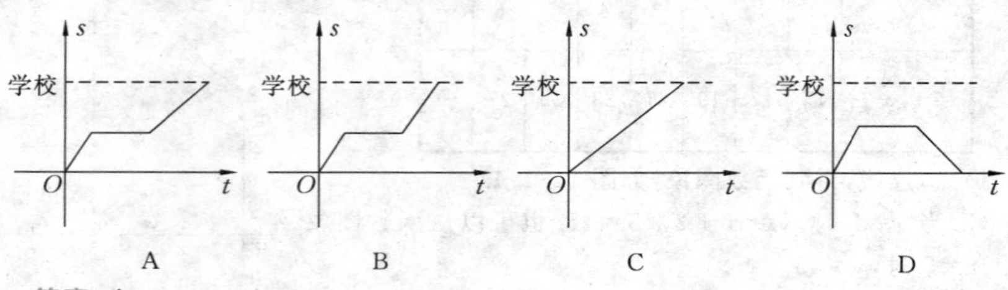

答案：A

点拨 DIANBO

解决函数图象问题，关键是审清图象表示的意义.$v_1>v_2$，图象第一段比第三段上升快；途中吃早点，图象与 t 轴平行.这类题目是近几年中考的热点问题之一，应引起重视.

知能点 7　函数的表示方法(重点)

函数的表示方法，一般有三种：解析式法、列表法、图象法，解析式法应用较多，有的函数可以用三种方法中的任何一种来表示，而有的只能用其中的一种或两种来表示.

1.三种表示方法的定义

(1)解析式法：用来表示函数关系的数学式子叫做函数解析式或函数关系式.例如以前学过的代数式都是解析式.用解析式来表示函数关系的方法叫解析式法.解析式法能揭示出变量之间的内在联系，便于我们研究、分析变化趋势，但较抽象，且并不是所有的函数都能列出解析式.如人的体重 y 和时间 t 的函数关系，就很难用解析式法来表示.

(2)列表法：用表格来表示函数关系的方法，这种方法比较具体，但有时很难找出两个变量之间的内在联系.

(3)图象法：用图象来表示函数关系的方法，这种方法直观，通过图象可以直观发现变量间的对应关系及变化发展趋势，但不精确.

三种表示方法各有优缺点，在学习应用中，应视具体情况，选择适当的表示法，或将三种方法结合使用.

2.函数解析式的特点

(1)函数关系式是等式(说明：函数关系式与函数解析式是同一意思).

(2)函数关系式中指明了哪个是自变量，哪个是函数，通常等式右边的代数式中的变量是自变量，等式左边的一个变量表示函数.

(3)书写函数解析式是有顺序的，函数写在等式的左边，自变量写在等式的右边.

3.确定函数解析式

确定函数解析式，需要分析题设中的等量关系，列出含有自变量与函数的函数解析式,其具体方法可以和列方程解应用题类比.不过列出之后有的需要经过适当变形,化成符合函数解析式特点的形式.

全解小博士在线答疑

课本 P95(思考):问题(1)中,行驶里程 s 千米、行驶时间 t 小时为变量;汽车的速度60 千米/时是常量.

问题(2)中,一场电影售出票 x 张、票房收入 y 元是变量;每张电影票的售价 10 元,早场售出 150 张,午场售出 205 张,晚场售出 310 张都是常量.

问题(3)中,弹簧的下端悬挂重物 m kg,受力后的弹簧长度 l cm 都是变量;弹簧原长 10 cm,每 1 kg 重物使弹簧伸长 0.5 cm 都是常量.

问题(4)中,圆面积 S 与半径 r 是变量;圆面积 10 cm^2、20 cm^2 是常量.

问题(5)中,长方形的长 x m,面积 S m^2 是变量;绳子长 10 m 是常量.

课本 P96(思考):(1)在心电图中,对于时间 x 的每一个确定的值,y 都有唯一确定的值与之对应.

(2)对于每一个确定的年份 x,都对应着一个确定的人口数 y.

课本 P97(探究):(1)显示的数 y 是输入的数 x 的函数,因为每输入任意一个数 x,都显示出一个唯一确定的 y 值与之对应.

(2)所按的第三、四两个键分别是"+""1",y 是 x 的函数,它的表达式是 $y=2x+1$.

课本 P98(问题):$0.1x$ 表示这辆汽车行驶里程为 x km 的耗油量为 $0.1x$ L.

课本 P99(问题):在正方形的边长 x 与面积 S 的函数关系式 $S=x^2$ 中,$x>0$,这是因为正方形的边长都是正数,所以 $x>0$.

课本 P103(思考):(1)第二个图象适合表示一小段时间内 y 与 x 的函数关系,因为在这种古代计时器中,壶内水的高度 y 是随时间 x 均匀减小的,所以图(1)与图(3)都不适合.

(2)左侧的图表示 y 是 x 的函数,因为在这个图象中,对于自变量 x 在取值范围内的任意一个值,y 都有唯一的值与之对应,所以该图中的曲线表示 y 是 x 的函数.

右侧的图中,对于自变量 x 所取的值,$x=a$ 时 y 不是有唯一值与之对应(图中有三个 y 值与 $x=a$ 对应),因此不符合函数的定义,故这个图中的曲线不表示 y 是 x 的函数.

课本 P105(思考):(1)用图象法表示函数的优点是:可以直观、形象地表示出函数中两个变量之间的关系,同时结合图象也可以直观地研究函数的性质.如图象的位置、最大值、最小值、增减性等.

(2)用列表法表示函数的优点是:根据表格中已列出的自变量的值,可以直接查到与其对应的函数的值,而不需计算,一目了然,因此,使用起来比较方便.

(3)用解析式法表示函数的优点是:简单明了,能准确反映整个变化过程中自变量与函数的关系,便于观察、研究函数的性质,如函数的增减性、最大值、最小值等.

题型一　求函数值

例1　某风景区集体门票的收费标准是:20 人以内(含 20 人),每人 25 元,超过 20 人,超过的部分,每人 10 元.

(1)写出应收门票费 y(元)与游览人数 x(人)之间的函数关系式.

(2)利用(1)中函数关系式计算,某班 54 名学生去该风景区游览时,购门票共花了多少元?

分析:分两种情况讨论:①当 $x\leqslant20$ 时;②当 $x>20$ 时. 求出关系式后,把 $x=54$ 代入第二个关系式求出 y 的值,即是购门票的钱数,注意根据 x 的范围,选择应代入的关系式.

解:(1)$y=\begin{cases}25x(x\leqslant20),\\500+10(x-20)\ (x>20).\end{cases}$

(2)当 $x=54$ 时,$y=500+10\times(54-20)=840$(元).

答:54 名学生游览,购门票共花了 840 元.

点拨 DIANBO

在一个问题中,自变量与函数的对应关系不同时,要用分段函数解决.

例2　学校为创建多媒体教学中心,备有资金 150 万元,已分批购进电脑 x 台,每台电脑单价 5 000 元.

(1)求所剩资金 y(万元)与电脑数 x(台)之间的函数关系式,并求出自变量的取值范围.

(2)购入 200 台这种型号的电脑后还有多少备用资金?

分析:根据相等关系:所剩资金=备用资金-每台电脑单价×购进电脑台数,列出函数关系式;求自变量的取值范围时,注意隐含条件 x 为非负数;当 $x=200$ 时,y 的值就是购入 200 台这种型号的电脑后还有的备用资金.

解:(1)由题意,得 $y=150-0.5x$. 要使此式符合题意,x 必须是不小于 0 的整数,且 $y\geqslant0$,即$\begin{cases}x\geqslant0,\\150-0.5x\geqslant0.\end{cases}$ 解得 $0\leqslant x\leqslant300$,且 x 为整数. 所以 y(万元)与 x(台)之间的函数关系式为 $y=150-0.5x$,自变量的取值范围是 $0\leqslant x\leqslant300$ 且 x 为整数.

(2)当 $x=200$ 时,$y=150-0.5x=150-0.5\times200=50$(万元),所以当购入 200 台电脑后还有备用资金 50 万元.

点拨 DIANBO

根据实际问题中的数量关系,列出有关自变量和因变量的方程,进而写成函数形式. 当已知自变量的值时,代入函数关系式,便可以求出相应的函数值,也就是关于函数值的问题,可以和求代数式的值的问题联系起来,其步骤是一致的:①代入;②求值.

题型二　求函数解析式

例 3　若市内拨打电话的收费标准为:3分钟以内(含3分钟)收费0.22元,超过3分钟,每增加1分钟(不足1分钟按1分钟计算)加收0.11元,那么当时间超过3分钟时,电话费y元与时间t(分钟)之间的函数解析式为(　　)

A. $y=0.11t$($t>3$,t为正整数)

B. $y=0.11t+0.22$($t>3$,t为正整数)

C. $y=0.11t-0.22$($t>3$,t为正整数)

D. $y=0.11(t-3)+0.22$($t>3$,t为正整数)

解析:根据电话费=3分钟以内的钱数+超过3分钟的钱数,可列出函数解析式.　**答案:**D

点拨 DIANBO

此题是与电话费有关的问题,背景比较新颖,是人们日常生活中常遇到的问题,也是人们关注的热点.此题可能误选C,原因是没有仔细理解"超过3分钟,每增加1分钟(不足1分钟按1分钟计算)加收0.11元"这句话,这就要求我们在读题、审题时认真.另外,若此处没给出时间超过3分钟,我们应该分类讨论,列出的函数解析式为$y=\begin{cases}0.22(0<t\leqslant 3),\\0.11(t-3)+0.22(t>3,t\text{为正整数}).\end{cases}$

例 4　某实验中学组织学生到距学校6千米的光明科技馆去参观,学生王琳因事没能乘上学校的校车,于是准备在学校门口改乘出租车去光明科技馆,出租车的收费标准如下:

路程/千米	费用/元
3千米以下(含3千米)	8.00
3千米以上,每增加1千米	1.80

(1)写出出租车行驶的路程$x\geqslant 3$(千米)与费用y(元)之间的解析式.

(2)王琳身上仅有14元,乘出租车到科技馆的车费够不够?并说明理由.

分析:(1)超过3千米时的费用为$[(x-3)\times 1.8+8]$元.(2)由$y=14$求出x的值再与6比较大小,或由$x=6$求出y的值再与14比较大小.

(1)**解:**$y=8+1.8(x-3)=1.8x+2.6$($x\geqslant 3$且x为整数).

(2)**解法1:**当$y=14$时,代入函数解析式得$14=1.8x+2.6$.

解得$x=6\frac{1}{3}$.$\because 6\frac{1}{3}>6$,$\therefore$车费够了.

解法2:当$x=6$时,$y=1.8x+2.6=1.8\times 6+2.6=13.4<14$,$\therefore$车费够了.

点拨 DIANBO

(1)出租车问题是我们生活中常遇到的问题,也是中考热点问题.解答此类问题的方法一般是解方程或列不等式或应用函数知识.(2)注意:8元是起步价.(3)此题启示我们,要多观察社会、生活,逐步积累解决数学问题的生活经验.

例5 某小汽车的油箱要装汽油30升,原装有汽油10升,现再加汽油x升,如果每升汽油价为2.6元,求油箱内汽油总价y(元)与x(升)之间的函数关系式,并写出自变量x的取值范围.

分析:列实际问题的函数关系式,应结合具体问题分析数量之间的关系.本题中的油箱内汽油总价等于油箱内汽油总量乘单价,或原有油的价钱加上再加入的汽油的价钱.

解:由题意可得$y=(10+x)\times2.6=26+2.6x$或$y=10\times2.6+x\cdot2.6=2.6x+26$.

因为油箱内已有汽油10升,油箱一共能装30升,故x的取值范围为$0\leqslant x\leqslant20$.

故函数关系式是$y=2.6x+26$,自变量x的取值范围为$0\leqslant x\leqslant20$.

点拨 DIANBO

求实际问题中函数自变量的取值范围,除使所列函数解析式有意义外,还要使实际问题有意义.

题型三 从用图象法表示的函数中获取信息

例6 图14-1-6是某一天气温随时间变化的情况,请观察此图回答下列问题:

(1)这天的最高气温是________℃.

(2)这天共有________个小时的气温在31 ℃以上.

(3)这天在________(时间)范围内温度在上升.

(4)请你预测一下,次日凌晨1点的气温大约是多少度.

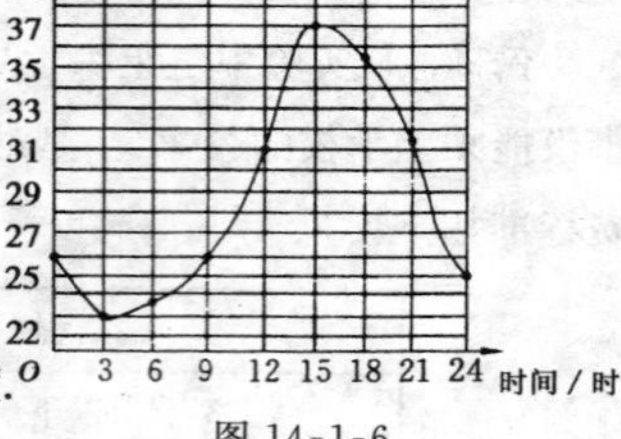

图14-1-6

分析:首先明确两坐标轴上的数表示的实际意义.

解:(1)37;(2)9;(3)3时~15时;(4)大约是26 ℃.

点拨 DIANBO

弄清图象的上升与下降所对应的自变量的范围、最高点与最低点所表示的意义是解题的关键.

例7 图14-1-7是某池塘水位随月份的变化曲线图,其中h表示池水的深度,T表示月份的变化.

(1)这个图象反映了哪两个变量之间的关系?

(2)根据图象填表:

时间 T/月	1	2	3	4	5	6	7	8	9	10	11	12
水位 h/米												

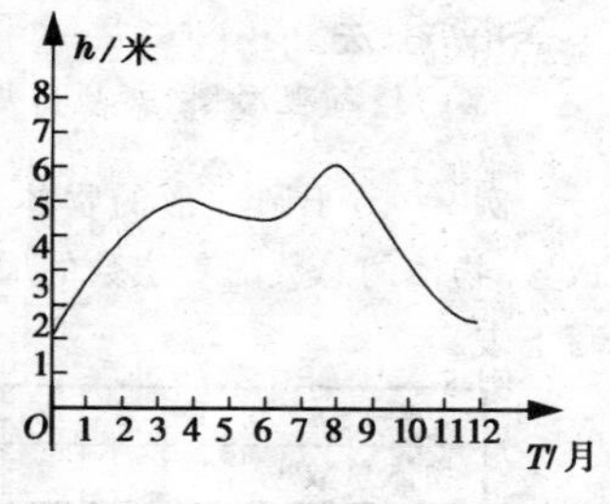

图 14-1-7

(3)当时间 T 取 1 月至 12 月之间的一个确定的值时，相应的水位是否确定？

(4)水位 h 可以看成时间 T 的函数吗？

(5)从图象中我们能发现水位与月份有什么关系？

分析：本例通过池塘中水位随月份的变化图象，了解两个变量之间的变化关系，从而合理判断它们是否会构成函数关系.

解：(1)这个图象反映了池塘的水位 h(米)与时间 T(月)之间的变化关系.

(2)略.提示：由图象可观察每月底的水位近似值.

(3)当时间 T 取 1 月至 12 月之间的一个确定的值时，相应的池水深度 h 也确定了.

(4)由(3)可知，h 是 T 的函数.

(5)由图象可知，从去年 12 月底到当年 4 月中旬，水位呈上涨趋势，从 4 月中旬至 6 月中旬，水位稍有所下降，从 6 月中旬到 8 月初，水位达到了当年最高水位，从 8 月初开始，水位逐渐下降，在 12 月底降到当年最低点.

点拨 DIANBO

根据图象我们可以得到两个量的一些对应值，可以看出一个量随另一个量的变化趋势，还能根据图象得到自变量的取值范围.

题型四　用列表法表示函数

例 8　如图 14-1-8 是用火柴棒搭成的三角形图案，若按此方式继续搭下去，请观察图形回答下列问题：

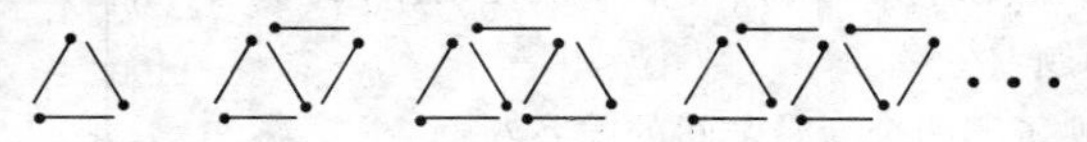
图 14-1-8

(1)根据图示填写下表：

三角形数 x/个	1	2	3	4	…	x
火柴棒数 y/根					…	

(2)当三角形的个数 $x=10$ 和 $x=30$ 时，火柴棒的根数 y 分别是多少？y 是 x 的函数吗？

分析：从图表可以看出 y 总是奇数，自然联想到奇数的公式“$2n+1$”，再依次根据 x 值，求出 y 值.

解：(1)从左到右依次是 3，5，7，9，$2x+1$.

(2)当 $x=10$ 时，火柴棒的根数 $y=2\times10+1=21$；当 $x=30$ 时，火柴棒的根数 $y=2\times30+1=61$. y 是 x 的函数.

方法

(1)仔细观察图案,找出规律.(2)根据函数概念作出判断.

例 9 对于圆柱形的物体,常按图 14-1-9 放置.物体的总数随着层数的增加而变化,请填写下表:

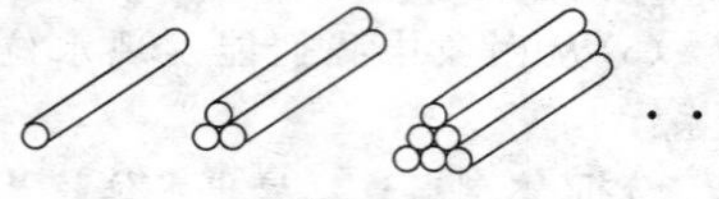

图 14-1-9

层数 n	1	2	3	4	…	n
物体总数 y	1				…	

解析:物体的总数等于各层物体数的和,每层物体的个数和它的层数有关.第一层放 1 个,第 2 层放 2 个,第 3 层放 3 个,…,第 n 层放 n 个,即 $y=1+2+3+\cdots+n$.如何求 $1+2+3+\cdots+n$ 又有一定的技巧.

$y=1+2+3+\cdots+(n-2)+(n-1)+n$,又 $y=n+(n-1)+(n-2)+\cdots+3+2+1$,

$\therefore 2y=(n+1)+(n+1)+\cdots+(n+1)=n(n+1)$. $\therefore y=\frac{n(n+1)}{2}$.

答案:自左向右依次填 3,6,10,$\frac{n(n+1)}{2}$

点拨 DIANBO

本题需考察所放物体的总数与所放层数之间的关系,计算时有一定的技巧,利用代数法,将所求和的加数顺序倒着写下来与原式相加,从而求出 y 与 n 的关系.

题型五 利用图象来反映函数关系

例 10 如图 14-1-10 是甲、乙两人在争夺冠军中的比赛图,其中 t 表示赛跑时所用时间,s 表示赛跑的距离,根据图象回答下列问题:

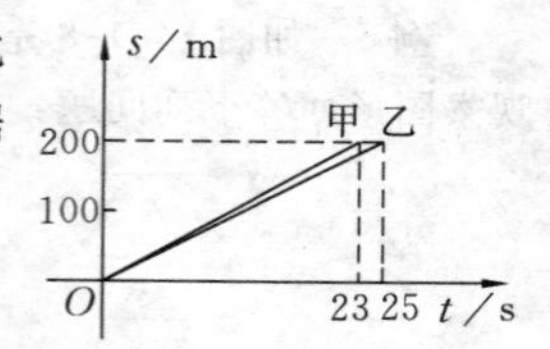

图 14-1-10

(1)图象反映了哪两个变量之间的关系?

(2)他们进行的是多远的比赛?

(3)谁是冠军?

(4)乙在这次比赛中的速度是多少?

解:(1)反映了赛跑距离 s 与时间 t 之间的关系.

(2)他们进行的是 200 m 的比赛.

(3)甲是冠军.

(4)$v_{乙}=\frac{200}{25}=8(\text{m/s})$.

点拨 DIANBO

此题为读图题,体现了数形结合的思想,考查同学们的图形识别能力、观察能力.

例 11　将下列各情境对应的图 14-1-11 中的图号填在题后括号内.

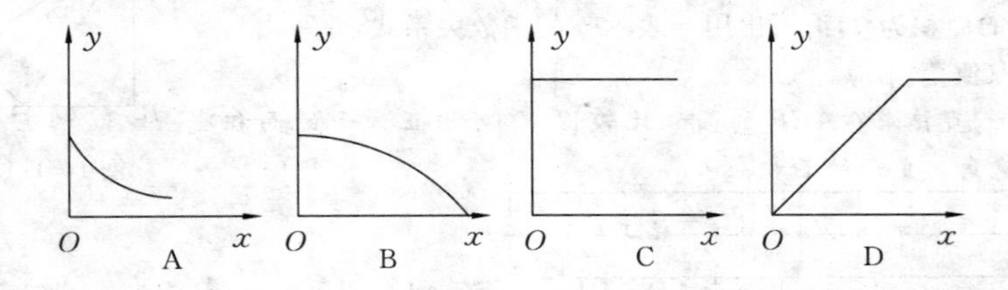

图 14-1-11

(1)一面冉冉升起的红旗;(高度与时间的关系)(　　)

(2)某同学抛出去的铅球;(高度与距离的关系)(　　)

(3)匀速行驶的汽车;(速度与时间的关系)(　　)

(4)一杯越来越凉的水.(水温与时间的关系)(　　)

答案:(1)D　(2)B　(3)C　(4)A

点拨 DIANBO

判断函数关系与图象是否相符,有两个方面:①变化趋势;②自变量的取值范围.

题型六　求图形面积中的函数关系式

例 12　如图 14-1-12 所示,在$\triangle ABC$中,$\angle C=90°$,$AC=6$,$BC=10$,设 P 为 BC 上任一点,点 P 不与点 B、C 重合,且 $CP=x$.若 y 表示$\triangle APB$的面积.(1)求 y 与 x 之间的函数关系式;(2)求自变量 x 的取值范围.

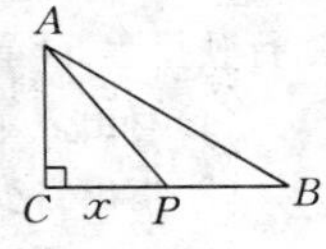

图 14-1-12

分析:根据 $S_{\triangle APB}=\frac{1}{2}PB\cdot AC$ 列出函数关系式,自变量 x 的取值范围可用最值法求出,即求出自变量的最小值和最大值,有时是接近的最小值或最大值,自变量就介于二者之间,注意符号的取舍.

解:(1)因为 $AC=6$,$\angle C=90°$,$BC=10$,所以 $S_{\triangle ABC}=\frac{1}{2}AC\cdot BC=\frac{1}{2}\times6\times10=30$.

又 $S_{\triangle APC}=\frac{1}{2}AC\cdot PC=\frac{1}{2}\times6\times x=3x$,所以 $y=S_{\triangle APB}=S_{\triangle ABC}-S_{\triangle APC}=30-3x$,即 $y=30-3x$.

(2)因为点 P 不与点 B、C 重合,$BC=10$,所以 $0<x<10$.

点拨 DIANBO

利用三角形面积公式找到函数关系式,要把握点 P 是一动点这个规律,结合图形观察到点 P 移动到特殊点,便可求出自变量的取值范围.

例 13　如图 14-1-13,正方形 $ABCD$ 的边长为 4 cm,E、F 分别是 BC、DC 边上一

动点，E、F 同时从点 C 均以 1 cm/s 的速度分别向点 B、点 D 运动，当点 E 与点 B 重合时，运动停止. 设运动时间为 x(s)，运动过程中 $\triangle AEF$ 的面积为 y，请写出用 x 表示 y 的函数关系式，并写出自变量 x 的取值范围.

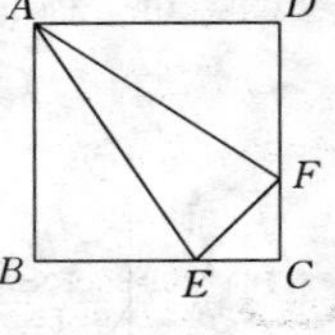

图 14-1-13

分析：直接求 $\triangle AEF$ 的面积比较困难，可用正方形的面积减去三个直角三角形的面积来求.

解：$y=S_{正方形ABCD}-S_{\triangle ABE}-S_{\triangle DAF}-S_{\triangle CEF}$

$=BC^2-\frac{1}{2}AB\cdot BE-\frac{1}{2}AD\cdot DF-\frac{1}{2}EC\cdot FC$

$=4^2-\frac{1}{2}\times 4\times(4-x)-\frac{1}{2}\times 4\times(4-x)-\frac{1}{2}x\cdot x$

$=-\frac{1}{2}x^2+4x(0\leqslant x\leqslant 4)$.

点拨 DIANBO

本题是一个动点运动问题，关键是要抓住变化中的"不变量"，还要注意用函数关系式来表示面积时，不规则图形的面积可通过规则图形的面积来表示.

题型七　本节例 1(P98)与中考真题解密

一辆汽车的油箱中现有汽油 50 L，如果不再加油，那么油箱中的油量 y(单位：L)随行驶里程 x(单位：km)的增加而减少，平均耗油量为 0.1 L/km.

(1)写出表示 y 与 x 的函数关系的式子，这样的式子叫做函数解析式.

(2)指出自变量 x 的取值范围.

(3)汽车行驶 200 km 时，油箱中还有多少汽油？

中考真题

(2009·河南中考)暑假期间，小明和父母一起开车到距家200 千米的景点旅游. 出发前，汽车油箱内储油 45 升；当行驶 150 千米时，发现油箱剩余油量为 30 升.

(1)已知油箱内剩余油量 y(升)是行驶路程 x(千米)的一次函数，求 y 与 x 的函数关系式.

(2)当油箱中剩余油量少于 3 升时，汽车将自动报警. 如果往返途中不加油，他们能否在汽车报警前回到家？请说明理由.

解：(1)设 $y=kx+b$，当 $x=0$ 时，$y=45$；当 $x=150$ 时，$y=30$.

$\therefore \begin{cases}b=45,\\150k+b=30,\end{cases}$ 解得 $\begin{cases}k=-\frac{1}{10},\\b=45.\end{cases}$ $\therefore\ y=-\frac{1}{10}x+45$.

(2)当 $x=400$ 时，$y=-\frac{1}{10}\times 400+45=5>3$，

$\therefore$ 他们能在汽车报警前回到家.

考题点睛

此题考查了利用函数解析式来解决实际问题以及油量与行驶路程间的关系，题干背景与思考方法与例题相似，是在例题基础上的综合提高.

挑战课标中考

TIAOZHANKEBIAOZHONGKAO

中考考点解读

函数与函数的图象是中考的重要考点，命题形式一般为选择题和解答题.随着科学技术的发展及计算机画图的应用，手工描点画图的作用日渐削弱，而看图、识图的要求相对提高，要能根据函数图象获得有关信息.近几年，对实际问题的图象选择成为中考的热点.

中考典题全解

例1　(2009·鄂州中考)使代数式$\frac{\sqrt{x-3}}{x-4}$有意义的x的取值范围是(　　)

A. $x>3$　　B. $x\geqslant3$　　C. $x>4$　　D. $x\geqslant3$且$x\neq4$

解析：由题意可得$\begin{cases}x-3\geqslant0,\\x-4\neq0,\end{cases}$所以$x\geqslant3$且$x\neq4$，故应选D.　　**答案**：D

点拨 DIANBO

此题主要考查了函数解析式的意义，要使函数解析式有意义，要保证分母不为零，被开方数非负.

例2　(2009·哈尔滨中考)明明骑自行车去上学时，经过一段先上坡后下坡的路，在这段路上所走的路程s(单位：千米)与时间t(单位：分)之间的函数关系如图14-1-14所示.放学后如果按原路返回，且往返过程中，上坡速度相同，下坡速度相同，那么他回来时，走这段路所用的时间为(　　)

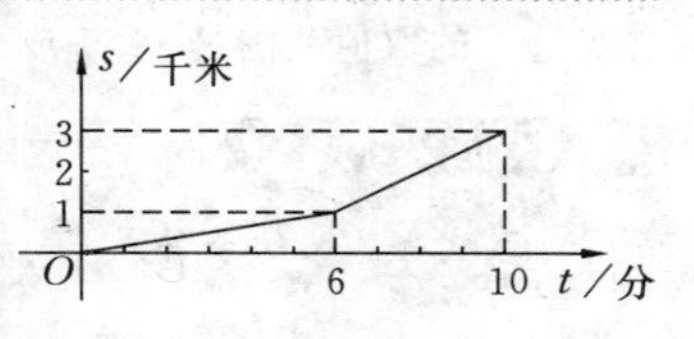

图 14-1-14

A. 12分　　B. 10分　　C. 16分　　D. 14分

解析：观察图象可知上坡路程为1千米，上坡速度$v_{上}=\frac{1}{6}$千米/分；下坡路程为2千米，下坡速度为$v_{下}=\frac{2}{4}=\frac{1}{2}$(千米/分).按原路返回时，上坡路变下坡路，下坡路变上坡路，$t=\frac{2}{\frac{1}{6}}+\frac{1}{\frac{1}{2}}=14$(分).　　**答案**：D

点拨 DIANBO

此题考查了读图、识图的能力.解决此类问题要仔细观察图象，认真审题，找出与解题有关的关键点.

易错易误点全解

YICUOYIWUDIANQUANJIE

易错点1:对函数概念理解不透

判断函数关系时要依据函数的定义,抓住以下几点:①有两个变量 x 和 y;②y 随 x 的变化而变化;③对于 x 的每一个值,y 都有唯一的值与之对应.

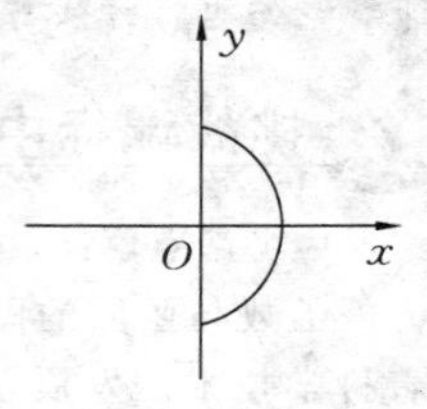

图 14-1-15

例1 如图 14-1-15 所示,图中有两个变量,你能将其中一个变量看做另一个变量的函数吗?

解:y 不是 x 的函数,但 x 可以看成 y 的函数.

误区防火墙

给 x 一个值,y 可能有两个值与之对应,不符合函数的唯一性.

易错点2:求自变量取值范围时,考虑不周出错

确定自变量取值范围时考虑不周,漏掉某些情况或某些条件中的分界点,对于具有实际意义的函数关系,遗漏隐含条件,导致错误,为避免以上错误就要考虑全面、细心、认真,特别注意实际问题中各量的取值范围.

例2 求函数 $y=\sqrt{\frac{2x-1}{x-1}}$ 的自变量的取值范围.

解:由题意得 $\frac{2x-1}{x-1}\geqslant 0$,即 $\begin{cases}2x-1\geqslant 0,\\x-1>0\end{cases}$ 或 $\begin{cases}2x-1\leqslant 0,\\x-1<0,\end{cases}$ 解得 $x>1$ 或 $x\leqslant\frac{1}{2}$.所以自变量 x 的取值范围是 $x>1$ 或 $x\leqslant\frac{1}{2}$.

误区防火墙

函数有意义的条件是 $\frac{2x-1}{x-1}\geqslant 0$,转化为 $\begin{cases}2x-1\geqslant 0,\\x-1>0\end{cases}$ 或 $\begin{cases}2x-1\leqslant 0,\\x-1<0.\end{cases}$ 此题易因考虑问题不周全而遗漏 $\begin{cases}2x-1\leqslant 0,\\x-1<0\end{cases}$ 的情况.

例3 今有笔记本500本捐助给贫困学生,每人5本,写出余下的笔记本数 y(本)和学生数 x(名)之间的函数关系式,并求自变量 x 的取值范围.

解:函数关系式为 $y=500-5x$,x 的取值范围是 $0\leqslant x\leqslant 100$,且 x 为整数.

误区防火墙

自变量的取值范围既要使式子本身有意义,还要使实际问题有意义.

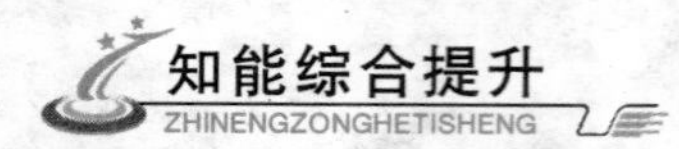

知能综合提升

ZHINENGZONGHETISHENG

知识梳理

1.函数的三种表示方法:列表法、解析式法、图象法.

2.函数自变量的取值范围,除应使函数解析式有意义外,还必须符合实际意义或几何意义.

3.函数的图象沟通了数与形之间的联系，观察图象更是一种基本素质，要逐步形成利用图象研究数学问题的能力.

4.知识网络

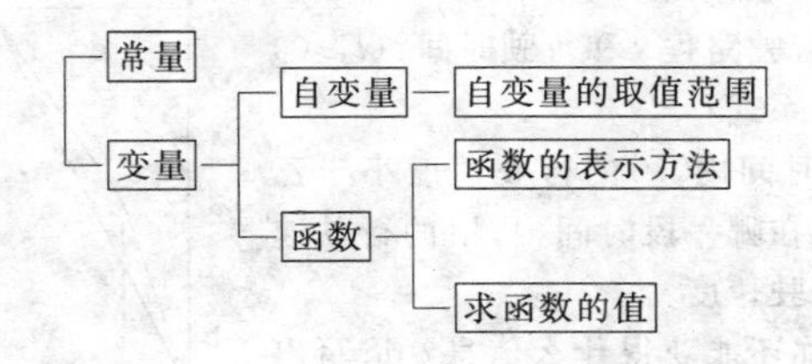

技巧平台

1.本节内容的重点是函数的意义、确定自变量的取值范围、求函数值以及表示一些比较简单的实际问题中的函数关系式；难点是理解函数意义，确定具有实际意义函数中自变量的取值范围.

2.关于确定函数解析式的问题，需要分析实际问题中的等量关系，找出含有自变量和函数的等式，其具体方法和列方程解应用题类似.

3.关于函数自变量的取值范围的讨论，主要包含两个方面：一是自变量取值使函数解析式有意义；二是自变量取值使实际问题有意义，这需要对实际问题作具体分析，具有一定难度.

4.关于函数值的问题，可以和求代数式的值联系起来.

跟踪训练

1.函数 $y=\frac{\sqrt{x+2}}{x+1}$ 中自变量 x 的取值范围是(　　)

A. $x\geqslant-2$　　　　B. $x\geqslant-2$ 且 $x\neq-1$

C. $x>-1$　　　　D. $x\geqslant-2$ 或 $x\neq-1$

2.当 $x=2$ 时，函数 $y=kx+2$ 与函数 $y=2x-k$ 的值相等，则 k 的值为________.

3.一农民带了若干千克土豆进城销售，为了方便，他带了一些零钱备用，按市场价售出一些后，又降价出售，售出土豆的质量与他手中持有的钱数(含备用零钱)的关系如图 14-1-16 所示.结合图象回答下列问题：

(1)农民自带的备用零钱有多少?

(2)降价前每千克土豆出售的价格(即市场价格)是多少?

(3)降价后他按每千克 0.4 元将剩余土豆售完，这时他手中的钱(含备用零钱)是 26 元，请你推算出他一共带了多少千克土豆?

图 14-1-16

4. 如图 14-1-17 所示的图象反映了甲、乙两名自行车运动员在公路上进行训练时的行驶路程 s(千米)和行驶时间 t(小时)之间的关系,根据所给图象,解答下列问题:

(1)写出甲的行驶路程 s 和行驶时间 $t(t\geqslant 0)$ 之间的函数关系式;

(2)在哪一段时间内,甲的行驶速度小于乙的行驶速度?在哪一段时间内,甲的行驶速度大于乙的行驶速度?

(3)从图象中你还能获得什么信息?请写出其中的一条.

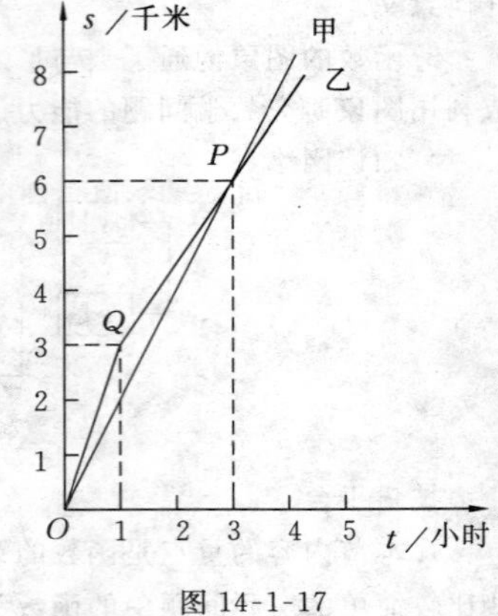

图 14-1-17

跟踪训练答案

1. B 点拨:由题意得 $\begin{cases}x+2\geqslant 0,\\x+1\neq 0,\end{cases}$ 即 $x\geqslant -2$ 且 $x\neq -1$,故选 B.

2. $\frac{2}{3}$ 点拨:由题意得 $y=2k+2$ 或 $y=4-k$,即 $2k+2=4-k$,解得 $k=\frac{2}{3}$.

3. 解:(1)由图象可得出,当出售土豆 0 千克时,钱数为 5 元,故农民自带备用零钱为 5 元.

(2)售出土豆 30 千克时,钱数为 20 元,故降价前价格为 $\frac{20-5}{30}=0.5$(元/千克);

(3)降价后售出土豆为 $\frac{26-20}{0.4}=15$(千克),$15+30=45$(千克),所以农民一共带了 45 千克土豆.

点拨:仔细观察、分析图象,从图象中获得信息是解答此类题目的关键.

4. 解:(1) $s=2t(t\geqslant 0)$.

(2)当 $0<t<1$ 时,甲的行驶速度小于乙的行驶速度;当 $t>1$ 时,甲的行驶速度大于乙的行驶速度.

(3)此题答案不唯一,如在出发后的第 3 小时两人相遇等.

点拨:此题考查对函数图象的观察、理解能力,认真观察图象、理解图象即能解决问题.

课本习题解答

KEBENXITIJIEDA

练习(P95)

(1)早上,我们从家中到学校的距离 s 一定,走路的速度 v 与所用时间 t 之间的关系,其中 s 为常量,v、t 为变量.

(2)等腰三角形中内角和一定,顶角的度数 y 与底角的度数 x 之间的关系,其中内角和 180°为常量，x、y 为变量.

练习(P99)

(1)$S=x^2(x>0)$，其中 x 是自变量，S 是 x 的函数.

(2)$y=\frac{10^6}{n}$(n 为正整数)，其中 n 为自变量，y 是 n 的函数.

练习(P104)

1. 解：(1)列表：

x	…	-3	-2	-1	0	1	2	3	…
$y=2x-1$	…	-7	-5	-3	-1	1	3	5	…

描点，连线. 所画图象如图 14-1-18.

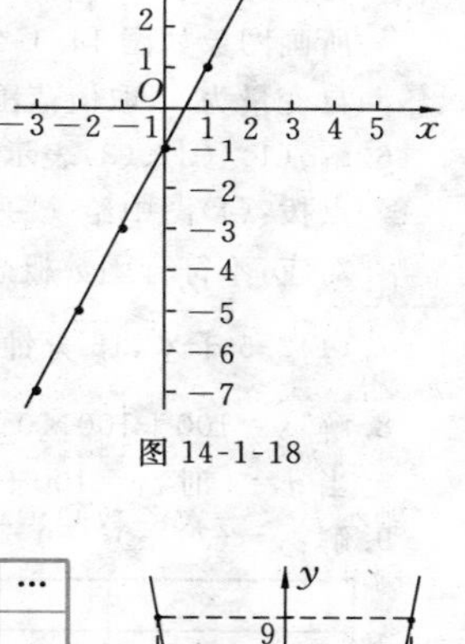

图 14-1-18

(2)由图象可知，A 不在图象上，B 不在图象上.

$\because 4=2\times2.5-1$，$\therefore C$ 在图象上.

2. 解：(1)7 时与 12 时温度相同.

(2)0 时到 7 时，12 时到 24 时上海比北京温度高，7 时到 12 时，比北京温度低.

3. 解：(1)列表：

x	…	-3	-2	-1	0	1	2	3	…
$y=x^2$	…	9	4	1	0	1	4	9	…

描点，连线. 所画图象如图 14-1-19.

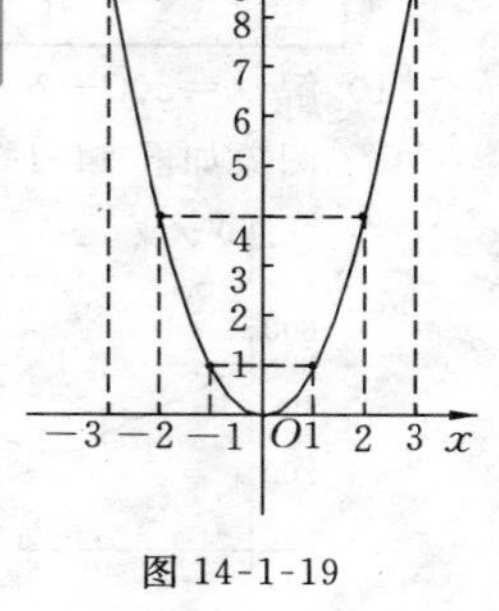

图 14-1-19

(2)从图中观察可知，

当 $x<0$ 时，y 随 x 的增大而减小；

当 $x>0$ 时，y 随 x 的增大而增大.

练习(P106)

1. 列表法略.

解析式法：$m=(n-2)\times180$.

2. 解析式法：$l=3a$. 图象法略.

习题 14.1(P106)

1. 解：$y=0.2x$(x 是大于等于 0 的整数)，其中 0.2 为常量，x、y 为变量，x 为自变量，y 是 x 的函数.

2. 解：$S=\frac{5}{2}h$，$h>0$，$\frac{5}{2}$ 为常量，S、h 为变量，h 为自变量，S 是 h 的函数.

3. 是，理由略. 如 $y=x^2$，$y=\frac{20}{x}$等.

4. 解：(1)$y=3x-5$，x 为任意实数；$y=\frac{x-2}{x-1}$，$x\neq1$；$y=\sqrt{x-1}$，$x\geqslant1$.

(2)当 $x=5$ 时，$y=3x-5=3\times5-5=10$；$y=\frac{x-2}{x-1}=\frac{5-2}{5-1}=\frac{3}{4}$；

$y=\sqrt{x-1}=\sqrt{5-1}=2$.

5. 解：列表：

x	…	-3	-2	-1	0	1	2	3	…
$y=0.5x$	…	-1.5	-1	-0.5	0	0.5	1	1.5	…

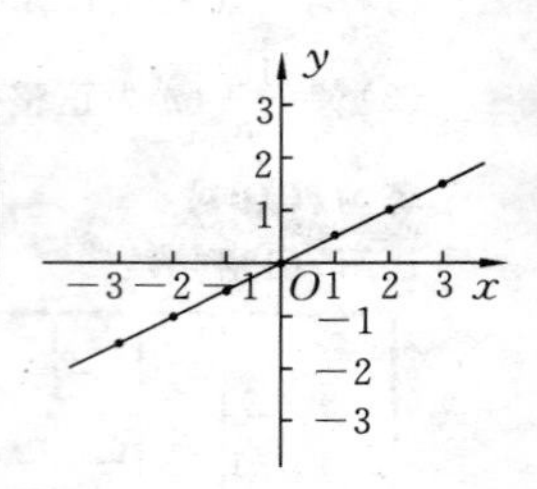

图 14-1-20

描点，连线.

所画图象如图 14-1-20.

自变量为 x，取值范围为任意实数.

6. 解：(1)、(2)、(3)表示 y 是 x 的函数.

点拨：(4)图中给 x 一个确定值，y 可能有两个值与之对应，不符合函数概念.

7. (1)2.5 千米，15 分钟；(2)1 千米；(3)20 分钟；(4)$\frac{3}{70}$千米/分.

8. 解：$y=100+100\times0.06\%\cdot x$($x$ 是大于等于 0 的整数).

当 $x=4$ 时，$y=100+100\times0.06\%\times4=100.24$(元).

9. 解：$y=(3+x)^2-9=x^2+6x(x\geqslant0)$. x 为自变量，y 是 x 的函数.

x	1	2	3	4
y	7	16	27	40

10. 解：$y=500+20x-25x=500-5x(0\leqslant x\leqslant100)$.

图象如图 14-1-21.

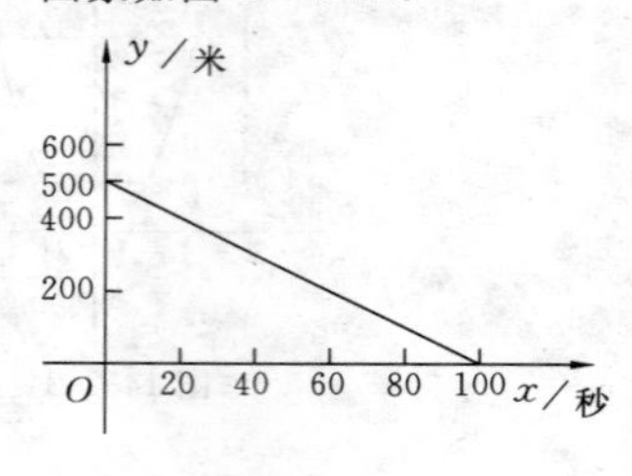

图 14-1-21

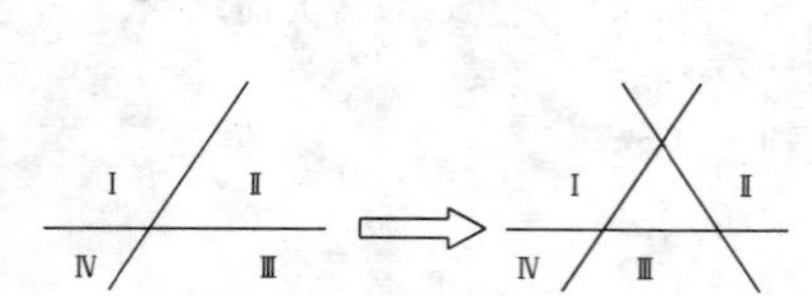

图 14-1-22

11. 解：3 条直线最多可把平面分成 7 部分，4 条直线最多可把平面分成 11 部分.

先从最简单的情况入手：

1 条直线可以把平面分成 2(即 1+1)部分；

2 条直线最多可以把平面分成 4(即 1+1+2)部分；

3 条直线分割平面，可看成在 2 条直线分割平面的基础上，增加 1 条，而这 1 条直线最多可以把 3 部分一分为二(如图 14-1-22 的Ⅰ、Ⅱ、Ⅲ三个部分分别被分成了两部分)，所以 3 条直线最多把平面分成 7(即 1+1+2+3)部分；

依次类推,4 条直线最多可以把平面分成 11(即 $1+1+2+3+4$)部分;

5 条直线最多可以把平面分成 16(即 $1+1+2+3+4+5$)部分;

…;

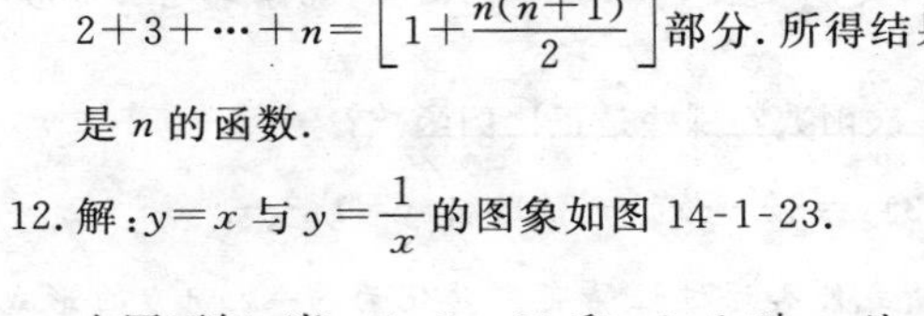

一般地,n 条直线最多可以把平面分成 $1+1+2+3+\cdots+n=\left[1+\frac{n(n+1)}{2}\right]$部分.所得结果是 n 的函数.

12.解:$y=x$ 与 $y=\frac{1}{x}$的图象如图 14-1-23.

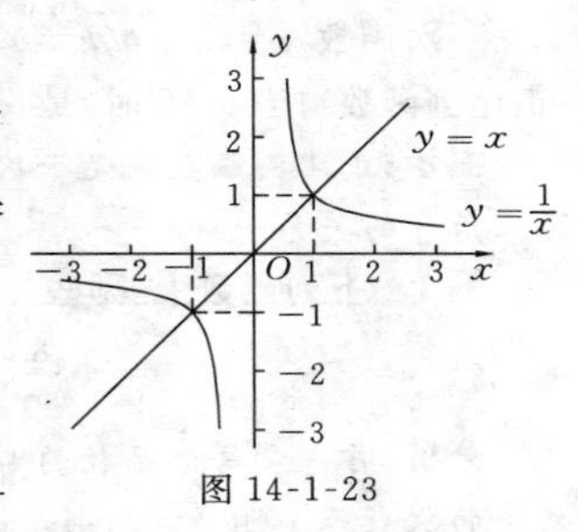

图 14-1-23

由图可知,当 $-1<x<0$ 和 $x>1$ 时,x 比$\frac{1}{x}$大;当 $x<-1$ 和 $0<x<1$ 时,x 比$\frac{1}{x}$小.

14.2 一次函数

课程标准要求

KECHENGBIAOZHUNYAOQIU

1.理解正比例函数、一次函数的概念和性质,知道图象形状、位置与解析式系数的关系,会用待定系数法确定函数解析式,能运用函数知识解决一些实际问题.

2.通过学习,进一步体会数形结合的思想和分类讨论、化归、待定系数等数学思想.

相关知识链接

XIANGGUANZHISHILIANJIE

生活中,我们见到过各式各样的钟表,时钟的分针每旋转 1 圈,表示时间过了 1 个小时,旋转 2 圈,表示时间过了 2 个小时,如此下去,分针走过的圈数与经过的时间有什么关系?应如何表示呢?

教材知能全解

JIAOCAIZHINENGQUANJIE

知能点 1 一次函数和正比例函数(重点)

一般地,形如 $y=kx+b$(k,b 是常数,$k\neq0$)的函数,叫做一次函数,例如 $y=2x-1$,$y=\frac{1}{2}x$ 等都是一次函数.

特别地,当一次函数 $y=kx+b$ 中的 b 为 0 时,函数 $y=kx$(k 为常数,$k\neq0$)叫做正比例函数.例如 $y=2x$,$y=-3x$ 等都是正比例函数.

正比例函数是一次函数的特例，一次函数包含正比例函数.正比例函数与一次函数的关系如图 14-2-1 所示.

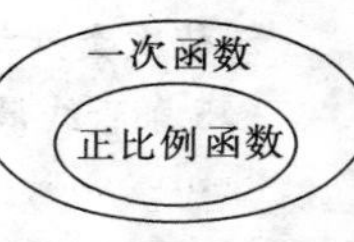

图 14-2-1

一次函数 $y=kx+b(k\neq0)$，当 $b=0$ 时，是特殊的一次函数(正比例函数)；当 $b\neq0$ 时，是一般的一次函数.

提示：正比例函数也是一次函数，不过是特殊的一次函数，就像等边三角形与等腰三角形的关系一样.

例 1 下列函数中，哪些是一次函数？哪些是正比例函数？

(1) $y=-\frac{x}{3}$；(2) $y=-\frac{8}{x}$；(3) $y=8x^2+x(1-8x)$；(4) $y=1+8x$.

分析：首先看每个函数的解析式能否通过恒等变形转化为 $y=kx+b$ 的形式，如果 x 的次数是 1，且 $k\neq0$，则是一次函数，否则就不是一次函数；如果常数项 $b=0(k\neq0)$，那么它就是正比例函数.

解：(1) $y=-\frac{x}{3}$，即 $y=-\frac{1}{3}x$，其中 $k=-\frac{1}{3}$，$b=0$.

$\therefore$ $y=-\frac{x}{3}$ 是一次函数，也是正比例函数.

(2) $\because$ 正比例函数都是常数与自变量积的形式，而 $-\frac{8}{x}$ 是商的形式，

$\therefore$ $y=-\frac{8}{x}$ 不是一次函数，也不是正比例函数.

(3) $y=8x^2+x(1-8x)$ 经过恒等变形转化为 $y=x$，其中 $k=1$，$b=0$.

$\therefore$ $y=8x^2+x(1-8x)$ 是一次函数，也是正比例函数.

(4) $y=1+8x$，即 $y=8x+1$，其中 $k=8$，$b=1$.

$\therefore$ $y=1+8x$ 是一次函数，但不是正比例函数.

综上所述，$y=-\frac{x}{3}$，$y=8x^2+x(1-8x)$，$y=1+8x$ 是一次函数；$y=-\frac{x}{3}$，$y=8x^2+x(1-8x)$ 是正比例函数.

点拨 DIANBO

形如 $y=kx(k\neq0)$ 的函数，既是正比例函数，也是一次函数，因为正比例函数是特殊的一次函数.

例 2 已知 $y=(m-3)x^{m^2-8}+1$，当 m 为何值时，y 是 x 的一次函数？

分析：根据一次函数的定义，x 的次数必须等于 1，系数不能等于零.

解：$\begin{cases}m^2-8=1,\\m-3\neq0\end{cases}\Rightarrow\begin{cases}m=3\text{ 或 }-3,\\m\neq3\end{cases}\Rightarrow m=-3$，$\therefore$ 当 $m=-3$ 时，$y=(m-3)x^{m^2-8}+1$ 可化为 $y=-6x+1$. $\therefore$ 当 $m=-3$ 时，y 是 x 的一次函数.

点拨 DIANBO

一次函数 $y=kx+b$ 中一次项系数 $k\neq0$，在解这类问题时千万不要忽略这个条件.如本题中 m 不但要满足 $m^2-8=1$，而且还需满足 $m-3\neq0$.

知能点 2　一次函数的图象与画法

(1)一次函数的图象

我们通过画一次函数的图象发现(以后可证明)任何一次函数的图象都是一条直线,且具有以下特点:①正比例函数 $y=kx(k\neq0)$ 的图象是经过 $(0,0)$ 和 $(1,k)$ 两点的一条直线,在坐标平面内过原点的直线(与 x 轴,y 轴不重合)是正比例函数的图象. ②画正比例函数的图象:过 $(0,0)$、$(1,k)$ 两点画一直线即可. ③一次函数 $y=kx+b$ $(k\neq0)$ 的图象是过点 $(0,b)$ 且和直线 $y=kx$ 平行的一条直线. 由图象特点可区分一次函数和正比例函数的图象.

(2)一次函数图象的画法

由于两点确定一条直线,所以在平面直角坐标系中,画一次函数或正比例函数的图象时,先描出适合关系式的两点,再连成直线即可.

(3)实际问题中一次函数的图象

课本中指出:"我们发现一次函数 $y=kx+b(k\neq0)$ 的图象是一条直线",但在课本的例题中我们又发现某些一次函数的图象是一条线段或射线,因此应说在不附带任何实际意义的情形下,一次函数 $y=kx+b(k\neq0)$ 的图象是一条直线,而在实际问题中,自变量 x 的取值受到一定限制时,一次函数 $y=kx+b$ 的图象就不一定是一条直线了,有时是一条线段、射线或直线上的部分点构成的.

例 3　在同一平面直角坐标系中画出下列函数的图象.

(1) $y=2x$ 与 $y=2x+3$;(2) $y=2x+1$ 与 $y=\frac{1}{2}x+1$.

分析:描出两个点连成直线即可.

解:(1)列表:

x	…	0	1	…
$y=2x$	…	0	2	…

x	…	-1	0	…
$y=2x+3$	…	1	3	…

描点、连线,图象如图 14-2-2 所示.

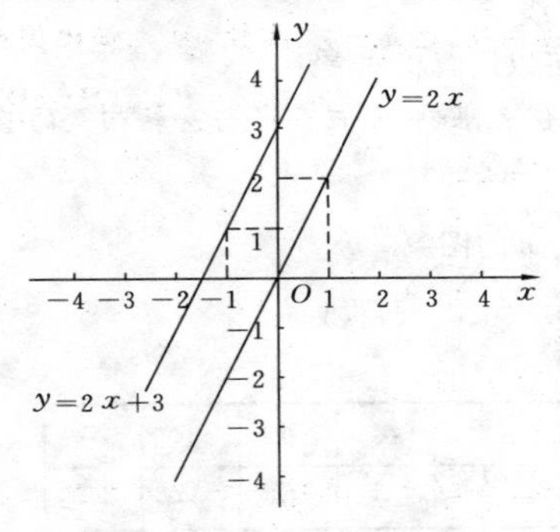

图 14-2-2

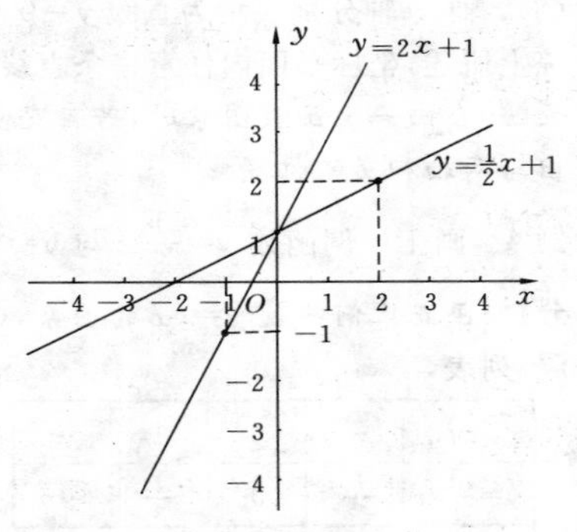

图 14-2-3

(2)列表：

x	…	-1	0	…
$y=2x+1$	…	-1	1	…

x	…	0	2	…
$y=\frac{1}{2}x+1$	…	1	2	…

描点、连线，图象如图 14-2-3 所示.

点拨 DIANBO

根据两点确定一条直线，所以在画一次函数的图象时，只要先描出两点，再连成直线即可.

画一次函数图象时，应如何选点呢？

选两点应以计算和描点简单为原则，一般来说，当 $b\neq0$ 时，画一般的一次函数 $y=kx+b$ 的图象，应选取它与两个坐标轴的交点：$(0,b)$、$\left(-\frac{b}{k},0\right)$；即直线与 x 轴有一个交点与 y 轴也有一个交点，与 x 轴的交点纵坐标 $y=0$，则 $x=-\frac{b}{k}$；与 y 轴的交点横坐标 $x=0$，则 $y=b$. 当 $b=0$ 时，画特殊的一次函数(正比例函数 $y=kx$)的图象，通常选取 $(0,0)$、$(1,k)$ 两点(个别情况下可作些变通). 例如，画正比例函数 $y=\frac{2}{3}x$的图象，可以选$(0,0)$、$\left(1,\frac{2}{3}\right)$两点，也可以选取$(0,0)$、$(3,2)$两点.

由图可以看出，直线 $y=k_1x$ 与直线 $y=k_2x+b(b\neq0)$ 中，当 $k_1=k_2$ 时，两直线平行，因此画一次函数 $y=kx+b$ 的图象除以上方法外，还可将直线 $y=kx$ 沿 y 轴平移$|b|$个单位长度而得到(当 $b>0$ 时，向上平移；当 $b<0$ 时，向下平移)，此时$y=kx+b$中的 k 与 $y=kx$ 中的 k 值相等，即在同一平面直角坐标系中，如果两条直线平行，则 k 相等.

知识拓展：(1)当直线平行于 x 轴且与 y 轴交点的纵坐标为 b 时，这条直线的解析式表示为 $y=b$.

(2)当直线平行于 y 轴且与 x 轴交点的横坐标为 a 时，这条直线的解析式为 $x=a$.

(3)x 轴、y 轴分别表示为直线 $y=0$ 与直线 $x=0$.

综上所述，坐标平面内任意一条直线都可以用解析式表示.

提醒：在画一次函数图象时，若自变量取值无限制，则应画成与两轴相交的直线，体现出与两轴相交的位置.

例 4 画正比例函数 $y=\frac{1}{3}x$ 与 $y=-\frac{1}{3}x$ 的图象.

分析：画正比例函数 $y=kx$ 的图象，通常取$(0,0)$、$(1,k)$两点.

解：列表，

x	…	0	1	…
$y=\frac{1}{3}x$	…	0	$\frac{1}{3}$	…

x	…	0	1	…
$y=-\frac{1}{3}x$	…	0	$-\frac{1}{3}$	…

描点，连线即得 $y=\frac{1}{3}x$ 和 $y=-\frac{1}{3}x$ 的图象，如图 14-2-4.

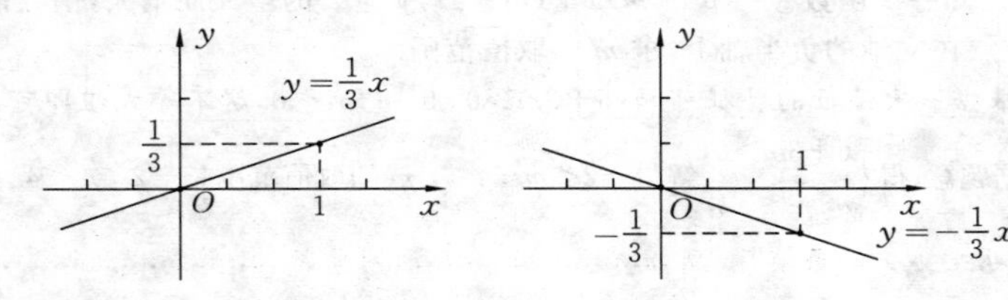

图 14-2-4

点拨 DIANBO

两函数的图象都过(0,0)点，当 $k=\frac{1}{3}>0$ 时，图象过第一、三象限；当 $k=-\frac{1}{3}<0$ 时，图象过第二、四象限.

例 5　在同一平面直角坐标系内画出一次函数 $y=2x+1$ 和 $y=-2x+1$ 的图象.

分析：$y=2x+1$ 和 $y=-2x+1$ 都是 $b\neq0$ 的一次函数，画 $y=kx+b(k\neq0)$ 这样的一次函数的图象，通常选取 $(0,b)$、$\left(-\frac{b}{k},0\right)$ 两点.

解：列表如下：

x	…	0	−0.5	…
$y=2x+1$	…	1	0	…

x	…	0	0.5	…
$y=-2x+1$	…	1	0	…

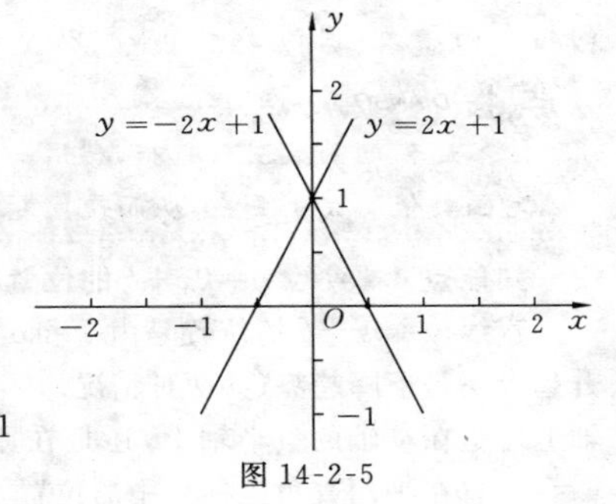

图 14-2-5

描点，连线即得 $y=2x+1$ 和 $y=-2x+1$ 的图象，如图 14-2-5.

点拨 DIANBO

两函数的图象相交于点(0,1)，且直线 $y=2x+1$ 从左向右是上升的，直线 $y=-2x+1$ 从左向右是下降的.

知能点 3　一次函数、正比例函数的图象及性质(重点)

(1)一次函数 $y=kx+b$ 的图象是经过点 $(0,b)$ 的直线，点 $(0,b)$ 是直线 $y=kx+b$ 与 y 轴的交点. 当 $b>0$ 时，此交点在 y 轴的正半轴上；当 $b<0$ 时，此交点在 y 轴的负半轴上；当 $b=0$ 时，此交点在原点，此时的一次函数就是正比例函数.

(2)正比例函数 $y=kx$ 的图象是经过原点(0,0)的直线.

(3)当 $k>0$ 时，直线 $y=kx+b$ 由左至右 y 值上升，即 y 随 x 的增大而增大；

当 $k<0$ 时，直线 $y=kx+b$ 由左至右 y 值下降，即 y 随 x 的增大而减小.

点拨:参照图象来理解一次函数与正比例函数的关系,是最直观有效的方法.

例6 已知一次函数$y=(6+3m)x+(m-4)$,y随x的增大而增大,函数的图象与y轴的交点在y轴的负半轴上,求m的取值范围.

分析:根据一次函数的特征可知:$6+3m>0$,且$m-4<0$,解不等式组即可.

解:根据题意,得$\begin{cases}6+3m>0,\\m-4<0,\end{cases}$解得$-2<m<4$. ∴ m的取值范围是$-2<m<4$.

点拨 DIANBO

在考虑b值时,同时要注意$k\neq0$,这是一次函数的隐含条件.

例7 已知直线l_1和直线l_2在同一平面直角坐标系中的位置如图14-2-6所示,点$P_1(x_1,y_1)$在直线l_1上,点$P_3(x_3,y_3)$在直线l_2上,点P_2为直线l_1、l_2的交点,其中$x_2<x_1$,$x_2<x_3$,则( )

A. $y_1<y_2<y_3$ B. $y_3<y_1<y_2$

C. $y_3<y_2<y_1$ D. $y_2<y_1<y_3$

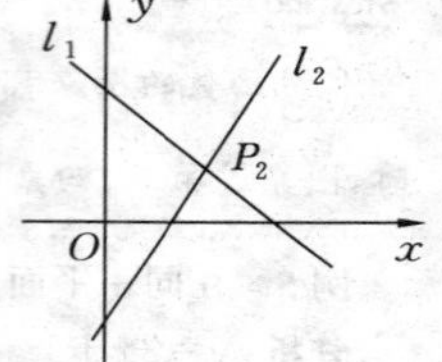

图 14-2-6

解析:由于题设没有具体给出两个一次函数的解析式,因此解答本题只能借助于图象.观察直线l_1知,y随x的增大而减小,因为$x_2<x_1$,所以$y_2>y_1$;观察直线l_2知,y随x的增大而增大,因为$x_2<x_3$,所以$y_2<y_3$.故$y_1<y_2<y_3$. **答案**:A

点拨 DIANBO

本题借助函数图象特征,利用一次函数的性质,由自变量取值的大小关系来确定函数值的大小关系,从而使问题得到简捷的解答.

知能点4 直线$y=kx+b$的位置与k、b的符号之间的关系(难点)

直线$y=kx+b$的位置是由k和b的符号决定的,其中k决定直线从左到右呈上升趋势还是下降趋势(共两种情况);b决定直线与y轴交点的位置,是在y轴的正半轴上还是在y轴的负半轴上,还是在原点(共三种情况). k与b综合起来决定直线$y=kx+b$在平面直角坐标系中的位置,共有以下六种情况:

(1)如图14-2-7①,$\begin{cases}k>0,\\b>0\end{cases}$ ⇔直线经过第一、二、三象限(直线不经过第四象限);

(2)如图14-2-7②,$\begin{cases}k>0,\\b<0\end{cases}$ ⇔直线经过第一、三、四象限(直线不经过第二象限);

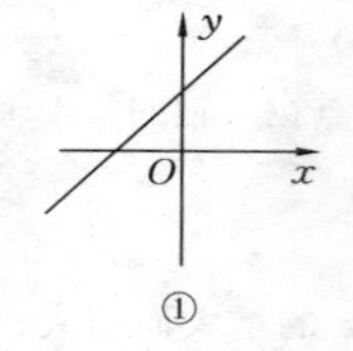

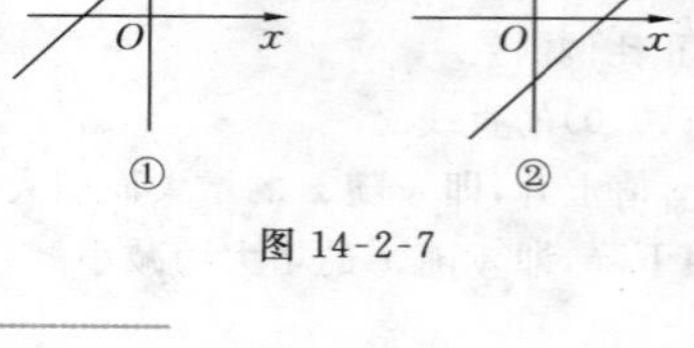

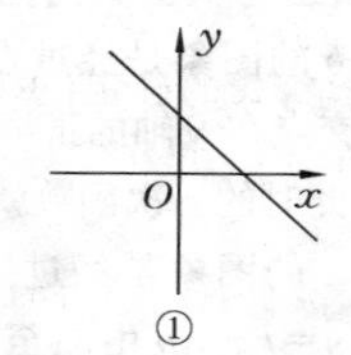

图 14-2-7

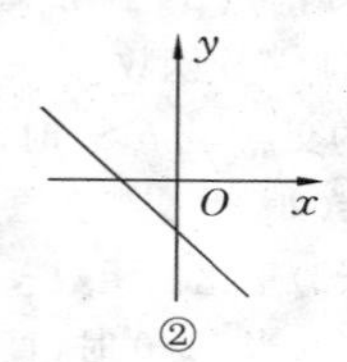

图 14-2-8

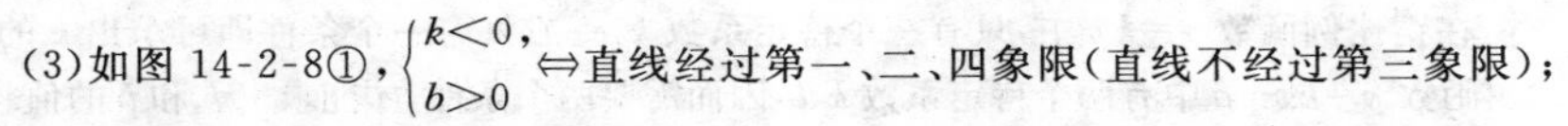

(3)如图 14-2-8①，$\begin{cases}k<0,\\b>0\end{cases}$ ⇔直线经过第一、二、四象限(直线不经过第三象限)；

(4)如图 14-2-8②，$\begin{cases}k<0,\\b<0\end{cases}$ ⇔直线经过第二、三、四象限(直线不经过第一象限)；

(5)如图 14-2-9①，$\begin{cases}k>0,\\b=0\end{cases}$ ⇔直线经过第一、三象限；

(6)如图 14-2-9②，$\begin{cases}k<0,\\b=0\end{cases}$ ⇔直线经过第二、四象限.

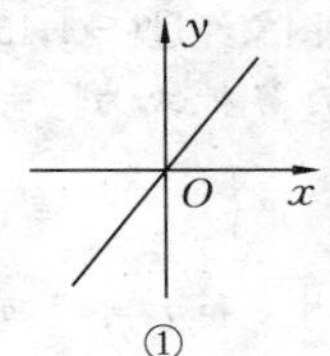

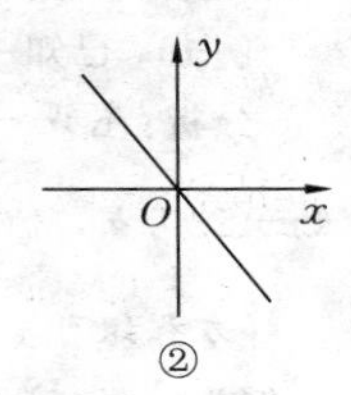

图 14-2-9

点拨 DIANBO

由 k、b 的符号可决定直线 $y=kx+b$ 的位置；反过来，由直线 $y=kx+b$ 的位置可决定 k、b 的符号，这种“数”与“形”的相互转化是数学中的一种重要思想，对我们解决问题很有帮助.

例 8　已知直线 $y_1=kx+b$ 经过第一、二、四象限，则直线 $y_2=bx+k$ 不经过第几象限？

解：因为直线 $y_1=kx+b$ 经过第一、二、四象限，所以 $k<0$，$b>0$. 所以直线 $y_2=bx+k$ 经过第一、三、四象限，即直线 $y_2=bx+k$ 不经过第二象限.

点拨 DIANBO

此题注意审题，它是先根据“形”确定“数”；然后根据“数”确定“形”，最后确定直线的位置.

例 9　如果一次函数 $y=kx+(k-1)$ 的图象经过第一、三、四象限，则 k 的取值范围是(　　)

A. $k>0$　　B. $k<0$　　C. $0<k<1$　　D. $k>1$

解析：由题意画出如图 14-2-10 所示的图象，可知直线呈上升趋势，∴ $k>0$. 又直线与 y 轴的负半轴相交，∴ $k-1<0$，即 $k<1$，∴ $0<k<1$.　　**答案**：C

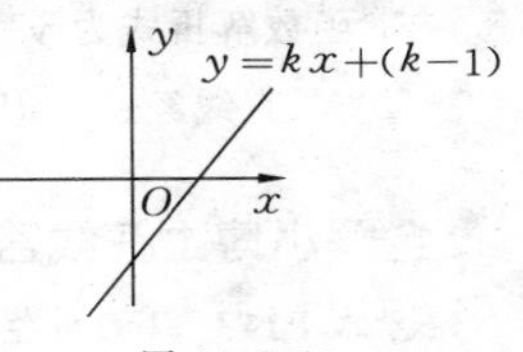

图 14-2-10

点拨 DIANBO

借助函数的图象，利用数形结合的方法，运用函数的有关性质解决问题，是我们求解此类问题的重要方法.

知能点 5　一次函数解析式的确定(重点)

求一次函数 $y=kx+b$ 的解析式，关键是求出 k、b 的值. 一般可根据条件列出关于 k、b 的二元一次方程组，求出 k、b 的值，从而求出函数的解析式. 这种求函数解析式的方法叫做待定系数法. 其一般步骤是：(1)设出函数的解析式 $y=kx+b$；(2)根据条件列出关于 k、b 的二元一次方程组；(3)解方程组，求出 k、b 的值，从而求出一次函数的解析式.

在正比例函数 $y=kx$ 中，只有一个待定系数 k，一般只需一个条件即可求出 k 的值；一次函数 $y=kx+b$ 中有两个待定系数 k、b，因而需要两个条件，才能求出 k 和 b 的值.

提示： 运用待定系数法求函数解析式需注意两点：一是所取点需在函数图象上；二是必须正确代入，准确计算.

例 10 已知一次函数的图象经过(−4,15)、(6,−5)两点，求此一次函数的解析式.

分析： 先设一次函数的解析式为 $y=kx+b$，因为它的图象经过(−4,15)、(6,−5)两点，所以 $\begin{cases}x=-4,\\y=15\end{cases}$ 和 $\begin{cases}x=6,\\y=-5\end{cases}$ 适合 $y=kx+b$，从而得到关于 k、b 的方程组，解方程组可求出待定系数 k 和 b，再代回原设即可.

解： 设此一次函数解析式为 $y=kx+b$.

$\because$ $y=kx+b$ 的图象经过点(−4,15)和点(6,−5)，

$\therefore$ $\begin{cases}15=-4k+b,\\-5=6k+b,\end{cases}$ 解得 $\begin{cases}k=-2,\\b=7.\end{cases}$ $\therefore$ 此函数的解析式为 $y=-2x+7$.

点拨 DIANBO

图象上每一个点的横坐标与纵坐标是这个函数中自变量与函数的一对对应值.

例 11 已知直线 $y=kx+b$ 经过点 $A(0,6)$，且平行于直线 $y=-2x$.

(1)求该直线的函数解析式；

(2)如果这条直线经过点 $P(m,2)$，求 m 的值.

解： (1) $\because$ 直线 $y=kx+b$ 经过点 $A(0,6)$，$\therefore$ $b=6$.

$\because$ 直线 $y=kx+b$ 平行于直线 $y=-2x$，$\therefore$ $k=-2$.

$\therefore$ 函数解析式为 $y=-2x+6$.

(2) $\because$ 直线经过点 $P(m,2)$，$\therefore$ $2=-2m+6$，$\therefore$ $m=2$.

名师点拨

平行的两条直线，它们的 k 相同，也就是倾斜程度一样.

全解小博士在线答疑

课本 P113(思考)： 经过原点与点(1,k)的直线是正比例函数 $y=kx(k\neq0)$ 的图象；因为两点确定一条直线，所以过原点与点(1,k)的直线就是正比例函数 $y=kx$ 的图象，这样画最简单.

课本 P115(思考)： 这两个函数的图象形状都是直线，并且倾斜程度相同，函数 $y=-6x$ 的图象经过原点，函数 $y=-6x+5$ 的图象与 y 轴交于点(0,5)，即它可以看作由直线 $y=-6x$ 向上平移 5 个单位长度得到的. 比较两个函数解析式，它们的 k 值相同，都是 −6，结论为：k 值相同，则两条直线平行.

课本 P117(填空)： 当 $k>0$ 时，y 随 x 的增大而增大；

当 $k<0$ 时，y 随 x 的增大而减小.

题型一　用待定系数法求一次函数解析式

例1　已知一次函数图象经过点(0，−2)，且与两坐标轴围成的三角形面积为3，求一次函数的解析式.

分析：题中有两个独立条件，一个是图象过点(0，−2)，另一个是“与两坐标轴截得的直角三角形的面积为3”. 利用后一个条件，画出函数图象的草图，再根据面积公式列方程.

解：根据已知条件画出此一次函数图象的草图，如图14-2-11所示的直线AB或直线$A'B$.

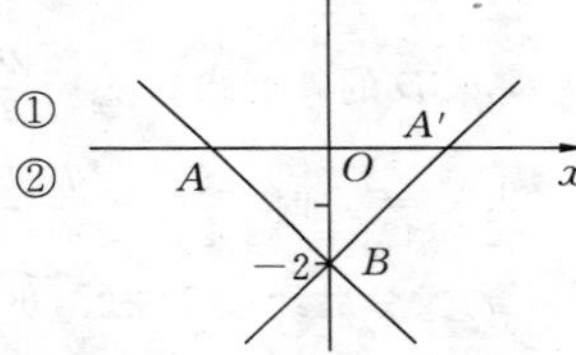

图 14-2-11

设一次函数解析式为$y=kx+b$，　①

把(0，−2)代入①，得$b=-2$.　②

由图可知，直线与x轴的交点的横坐标为$\frac{2}{k}$，

∴ OA或OA'的长为$\left|\frac{2}{k}\right|$.

∵ 直线与两坐标轴截得的$\triangle AOB$(或$\triangle A'OB$)的面积为3，且$OB=|-2|=2$，

∴ $S_{\triangle AOB}=\frac{1}{2}OA\cdot OB$或$S_{\triangle A'OB}=\frac{1}{2}OA'\cdot OB$，

即$\frac{1}{2}\times2\times\left|\frac{2}{k}\right|=3$，∴ $|k|=\frac{2}{3}$，即$k=\pm\frac{2}{3}$.

∴ 一次函数的解析式为$y=\frac{2}{3}x-2$或$y=-\frac{2}{3}x-2$.

特别提醒

因为线段的长是非负数，所以$OA=\left|-\frac{b}{k}\right|$，而不是$OA=-\frac{b}{k}$.

例2　4×100米接力赛是学校运动会精彩的项目之一. 图14-2-12中的实线和虚线分别是九年级一班和九年级二班代表队在比赛时运动员所跑的路程y(米)与所用时间x(秒)的函数图象(假设每名运动员跑步的速度不变，交接棒的时间忽略不计).

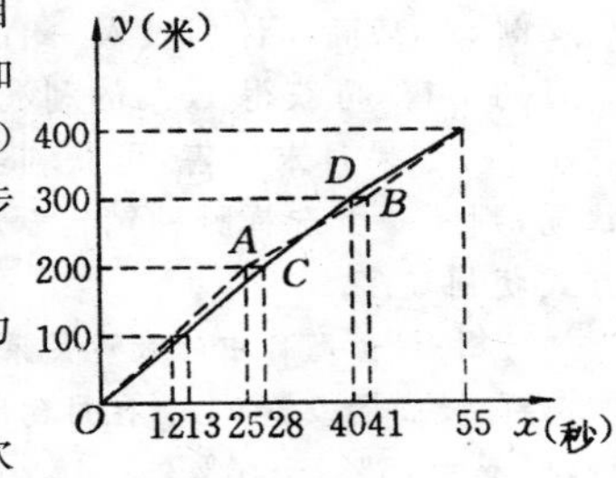

图 14-2-12

(1)九年级二班跑得最快的是第________接力棒的运动员；

(2)发令后经过多长时间两班运动员第一次并列？

解：(1)一；

(2)由图象知，两班运动员第一次并列是在第三棒时，点A的坐标为(25，200)，

点 B 的坐标为(41,300),点 C 的坐标为(28,200),点 D 的坐标为(40,300).

设 AB 的解析式为 $y_1=k_1x+b_1$,则 $\begin{cases}200=25k_1+b_1,\\300=41k_1+b_1,\end{cases}$ 解得 $\begin{cases}k_1=\frac{25}{4},\\b_1=\frac{175}{4}.\end{cases}$

∴ AB 的解析式为 $y_1=\frac{25}{4}x+\frac{175}{4}(25\leqslant x\leqslant 41)$.

设 CD 的解析式为 $y_2=k_2x+b_2$,则 $\begin{cases}200=28k_2+b_2,\\300=40k_2+b_2,\end{cases}$ 解得 $\begin{cases}k_2=\frac{25}{3},\\b_2=-\frac{100}{3}.\end{cases}$

∴ CD 的解析式为 $y_2=\frac{25}{3}x-\frac{100}{3}(28\leqslant x\leqslant 40)$.

当 $y_1=y_2$ 时,$\frac{25}{4}x+\frac{175}{4}=\frac{25}{3}x-\frac{100}{3}$,解得 $x=37$(秒).

答:发令后经过 37 秒两班运动员第一次并列.

点拨 DIANBO

本题是读图解答题,从 x 轴所标的时间读数可以看出每个班第几接力棒所用的时间,因此第(1)问可直接回答;第(2)问求经过多长时间第一次并列,也就是图上第一次相交点的 x 值,只通过图象,观察误差较大,需根据图上数据,求出直线关系式,再通过解方程组解出并列时间 x 的值.此题是数形结合求解的范例.

总结归纳:用待定系数法求一次函数的一般步骤是:

(1)写出函数解析式的一般式;

(2)由已知条件列出关于待定系数的方程或方程组;

(3)解方程或方程组求出待定系数的值,从而写出解析式.

题型二 利用一次函数的性质解决有关经济决策问题

例 3 某商场计划投入一笔资金采购一批紧俏商品,经过市场调查发现,如果月初出售,可获得 15% 的利润,并可用本和利再投资其他商品,到月末又可获利 10%;如果月末出售,可获利 30%,但要付存储费 700 元.请根据商场的资金状况,判断一下选择哪种销售获利较多,并说明商场投资 25 000 元时,哪种销售方式获利较多.

分析:找出题目中的数量关系列出函数解析式,再分类讨论.

解:设商场投资 x 元,在月初出售可获利 y_1 元,在月末出售可获利 y_2 元,根据题意,得 $y_1=15\%x+10\%(x+15\%x)=0.265x$,$y_2=30\%x-700=0.3x-700$.

(1)当 $y_1=y_2$ 时,有 $0.265x=0.3x-700$,解得 $x=20\ 000$,此时两种销售方式获利相同;

(2)当 $y_1>y_2$ 时,有 $0.265x>0.3x-700$,解得 $x<20\ 000$,此时第一种销售方式

获利较多；

(3)当 $y_1<y_2$ 时，有 $0.265x<0.3x-700$，解得 $x>20\ 000$，此时第二种销售方式获利较多.

因为 $25\ 000>20\ 000$，所以商场投资 25 000 元时，采用第二种销售方案获利较多.

答：当商场投资 20 000 元时，两种销售方式获利相同；当商场投资不足 20 000 元时，第一种销售方式获利较多；当商场投资超过 20 000 元时，第二种销售方式获利较多. 当商场投资 25 000 元时，采用第二种销售方式获利较多.

提示

本题是商品经营性决策问题，由于不知道商场的投资情况，不能通过计算得出具体数据进行比较，故应依据投资的情况列出函数解析式，分类进行比较判断.

题型三　利用图表信息解决学生课桌椅配套问题

例 4　为了保护学生的视力，课桌椅的高度都是按一定比例关系配套设计的，研究表明：假设课桌的高度为 y cm，椅子的高度（不含靠背）为 x cm，且 y 是 x 的一次函数. 下表列出两套符合条件的课桌椅的高度：

	第一套	第二套
椅子高度 x cm	40.0	37.0
桌子高度 y cm	75.0	70.2

(1)请确定 y 与 x 的函数解析式.

(2)现有一把高 42.0 cm 的椅子和一张高 78.2 cm 的课桌，它们是否配套？请通过计算说明理由.

分析：用待定系数法求出一次函数解析式，再检验 $x=42.0$，$y=78.2$ 是否满足解析式.

解：(1)由题意，可设函数解析式为 $y=kx+b(k\neq0)$. 将 $x=40.0$，$y=75.0$；$x=37.0$，$y=70.2$ 代入上式，得方程组 $\begin{cases}75.0=40.0k+b,\\70.2=37.0k+b,\end{cases}$ 解得 $\begin{cases}k=1.6,\\b=11.0.\end{cases}$ 所以 y 与 x 的函数解析式为 $y=1.6x+11.0$.

(2)把 $x=42.0$ 代入函数解析式，得 $y=1.6x+11.0=1.6\times42.0+11.0=78.2$，与课桌实际高度相等.

所以一把高 42.0 cm 的椅子和一张高 78.2 cm 的课桌刚好配套.

点拨 DIANBO

利用表格给出的信息，采用待定系数法求出函数解析式，进而解答实际问题. 数学来源于生活，又服务于生活. 因此，我们应留意身边的数学，注意用数学知识分析、解决实际问题.

题型四　一次函数知识在市场销售中的体现

例5　某下岗职工购进一批苹果到集贸市场进行零售，已知卖出的苹果数量 x 与售价 y 的关系如下表：

数量 x(千克)	1	2	3	4	5
售价 y(元)	2+0.1	4+0.2	6+0.3	8+0.4	10+0.5

在平面直角坐标系中描点，观察点的分布情况，探求 y 与 x 之间的函数关系，并写出 y 与 x 之间的函数解析式.

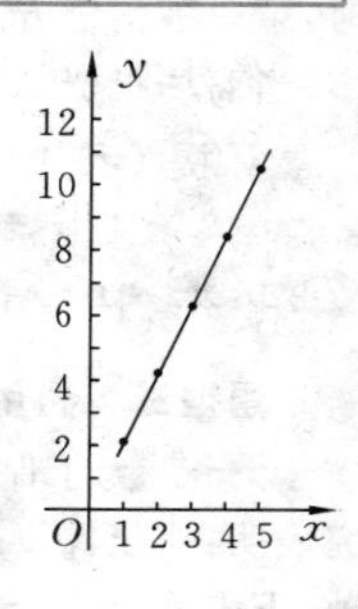

图 14-2-13

分析：在平面直角坐标系中把5个点描出，发现它们在一条直线上，因此猜想 y 是 x 的一次函数，选其中两组值用待定系数法求出解析式.

解：通过描点、连线，得如图 14-2-13 所示的图象，可以发现，这些点基本在一条直线上，故可猜测 y 是 x 的一次函数，所以设该一次函数解析式为 $y=kx+b$. 把 $x=1, y=2.1$；$x=2, y=4.2$ 代入上式，得 $\begin{cases}2.1=k+b,\\4.2=2k+b,\end{cases}$ 解得 $\begin{cases}k=2.1,\\b=0.\end{cases}$ 所以 $y=2.1x$，所以 y 是 x 的正比例函数.

技巧

从表中可以看出，售价 y 的增长与数量 x 的增长成正比，即数量每增长1千克，售价增长2.1元，故 y 是 x 的正比例函数.

题型五　运用一次函数知识解决行李携带问题

例6　长途汽车客运公司规定旅客可随身携带一定质量的行李，如果超过规定，则需要购买行李票. 行李票费用 y(元)是行李质量 x(千克)的一次函数，其图象如图 14-2-14 所示，则 y 与 x 之间的函数解析式是__________，旅客最多可免费携带行李________千克.

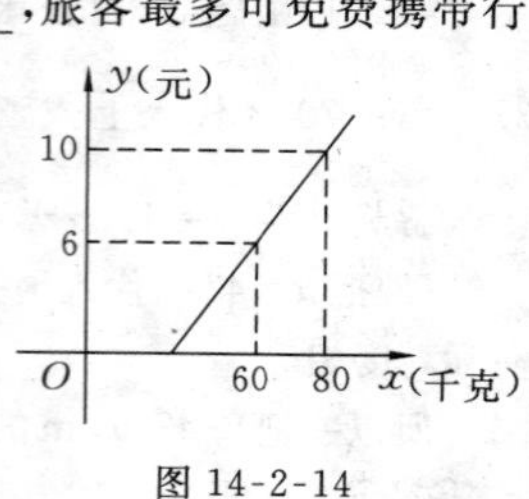

图 14-2-14

解析：观察图象可知，图象过(60,6)、(80,10)两点，设一次函数解析式为 $y=ax+b$，则有

$$\begin{cases}60a+b=6,\\80a+b=10,\end{cases}\text{解得}\begin{cases}a=\frac{1}{5},\\b=-6.\end{cases}$$

$\therefore y=\frac{1}{5}x-6$. 令 $y=0$，得 $x=30$.

$\therefore$ 自变量的取值范围是 $x\geqslant30$.

$\therefore$ 旅客最多可免费携带行李30千克.　　**答案**：$y=\frac{1}{5}x-6(x\geqslant30)$　30

本题中直线与 x 轴交点的横坐标即是可免费携带行李的最大质量.本题关键是读懂题意,并了解自变量取值范围的确定方法,它包括:(1)使解析式有意义;(2)符合实际问题的需要.

题型六　一次函数知识在调运方案中的体现

例 7　A 市和 B 市分别有某种库存机器 12 台和 6 台,现决定支援 C 村 10 台,D 村 8 台.已知从 A 市调运一台机器到 C 村和 D 村的运费分别是 400 元和 800 元,从 B 市调运一台机器到 C 村和 D 村的运费分别是 300 元和 500 元.

(1)设 B 市运往 C 村机器 x 台,求总运费 W(元)关于 x 的函数解析式;

(2)若要求总运费不超过 9 000 元,共有几种调运方案;

(3)求出总运费最低的调运方案,最低运费是多少?

分析:由已知条件分析得下表:

	库存机器	支援 C 村	支援 D 村
B 市	6 台	x 台	$(6-x)$台
A 市	12 台	$(10-x)$台	$[8-(6-x)]$台

解:(1)依题意得

$W=300x+500(6-x)+400(10-x)+800[8-(6-x)]$

$=200x+8\ 600(0\leqslant x\leqslant 6$ 且 x 为整数).

$\therefore$ W 与 x 的函数解析式为 $W=200x+8\ 600(0\leqslant x\leqslant 6$ 且 x 为整数).

(2)由 $W=200x+8\ 600\leqslant 9\ 000$,得 $x\leqslant 2$.

又 $\because$ x 为整数,$\therefore$ x 可以取 0,1,2 三个数,共有三种调运方案.

(3)$\because$ $W=200x+8\ 600$ 是一次函数,且 $k=200>0$,W 随 x 的增大而增大,

$\therefore$ 当 x 取最小值时,W 最小,即当 $x=0$ 时,$W_{最小值}=200\times 0+8\ 600=8\ 600$(元).

$\therefore$ 当从 A 市调运 10 台给 C 村,调运 2 台给 D 村,从 B 市调运 6 台给 D 村时,总运费最低,最低运费是 8 600 元.

点拨 DIANBO

此题为方案设计类问题,关键是如何由题意建立合适的数学模型.本题中建立了一次函数的模型,然后利用一次函数的性质及自变量的取值范围确定最大值(最小值).

题型七　一次函数知识在节约用水中的运用

例 8　某市自来水公司为鼓励居民节约用水,采用按月用水量分段收费办法,若某户居民应交水费 y(元)与用水量 x(吨)的函数关系如图 14-2-15 所示.

(1)分别写出当 $0\leqslant x\leqslant 15$ 和 $x\geqslant 15$ 时,y 与 x 的函数解析式;

(2)若某用户该月用水 21 吨,则应交水费多少元?

分析:用待定系数法求 y 与 x 的函数解析式,注意应把 $x=21$ 代入哪个解析式求 y 的值.

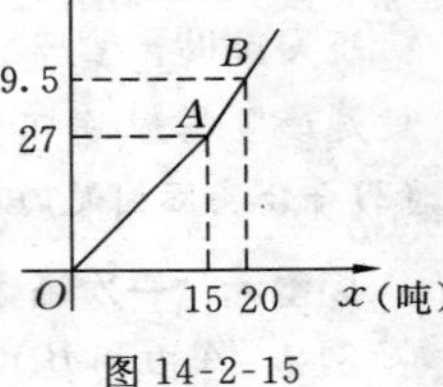

图 14-2-15

解:如图 14-2-15 所示,(1)当 $0\leqslant x\leqslant 15$ 时,$y=kx(k\neq 0)$的图象过点 $A(15,27)$,所以 $27=15k$,$k=\frac{9}{5}$.所以,当 $0\leqslant x\leqslant 15$ 时,$y=\frac{9}{5}x$;当 $x\geqslant 15$ 时,$y=kx+b(k\neq 0)$的图象过点 $A(15,27)$和点 $B(20,39.5)$,所以 $\begin{cases}27=15k+b,\\39.5=20k+b,\end{cases}$ 解得 $\begin{cases}k=2.5,\\b=-10.5.\end{cases}$ 所以,当 $x\geqslant 15$ 时,$y=2.5x-10.5$.

(2)某用户该月用水 21 吨(超过 15 吨),当 $x=21$ 时,$y=2.5\times 21-10.5=42$(元).

答:某用户该月用水 21 吨,应交水费 42 元.

点拨 DIANBO

(1)OA 段是正比例函数,设为 $y=kx$,代入点 A 坐标即得解析式,AB 段为一次函数,设 $y=kx+b$,代入 A、B 两点坐标,即得其解析式.(2)中因用户用水超过 15 吨,故符合第二段函数解析式.

题型八 一次函数知识体现于运动健康问题中

例 9 在正常情况下,一个人在运动时所能承受的每分钟心跳的最高次数 s(次/分)是这个人年龄 n(岁)的一次函数.

(1)根据图 14-2-16(1)中所提供的信息,求在正常情况下,s 关于 n 的函数解析式;

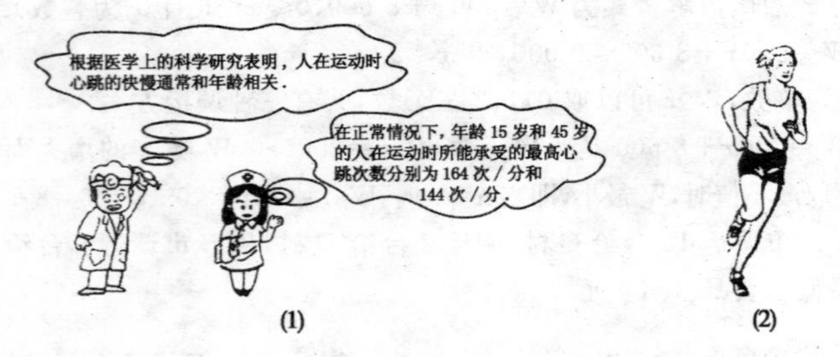

图 14-2-16

(2)如图 14-2-16(2),若一位 63 岁的人在跑步,医生在途中给她测得 10 秒钟的心跳为 26 次,问:她是否有危险?为什么?

分析:由题意知

n	15	45
s	164	144

,利用待定系数法可求出 s 与 n 的解析式.判断有无危险可把 $n=63$ 代入 s 与 n 的解析式,求出 s 再与 $26\times 6=156$ 比较大小.

解:(1)设 s 与 n 之间的函数解析式为 $s=kn+b(k\neq 0)$,

由题意,得$\begin{cases}15k+b=164,\\45k+b=144,\end{cases}$解得$\begin{cases}k=-\dfrac{2}{3},\\b=174.\end{cases}$

所以 s 与 n 之间的函数解析式为 $s=-\dfrac{2}{3}n+174$.

(2)当 $n=63$ 时,$s=-\dfrac{2}{3}\times63+174=132$. 现在这位老人的心跳是 $26\times6=156>132$,因此,她这时有危险.

总结

根据图表信息,利用待定系数法确定函数解析式,而后利用函数解析式,当已知自变量的取值时,便可求出相对应的函数值.

将实际问题抽象成数学问题,用数学知识解决身边的实际问题,体现了学以致用的新课标理念.

题型九　本节例4(P117)与中考真题解密

已知一次函数的图象过点(3,5)与(−4,−9),求这个一次函数的解析式.

中考真题

(2009・天津中考)已知一次函数的图象过点(3,5)与(−4,−9),则该函数的图象与y轴交点的坐标为________.

解析:用待定系数法求出该一次函数的解析式为 $y=2x-1$,则该函数的图象与 y 轴交点的坐标为(0,−1).　**答案:**(0,−1)

考题点睛

此题主要考查用待定系数法求一次函数的解析式,是在例题的基础上作了延伸考查,只要把例题弄懂了,中考题也就会做了.

挑战课标中考

TIAOZHANKEBIAOZHONGKAO

中考考点解读

一次函数是中考重点考查的内容之一,从近几年各地的中考试卷看,试题类型比较全面,有填空题、选择题及解答题. 考查内容以图象为主,主要体现在以生活实际为背景,与生活实际相联系,具有浓厚的生活气息. 我们要把一次函数的图象、性质与列方程解应用题结合起来,才能把握好本节内容,以至于中考中不丢分.

中考典题全解

例1　(2009・陕西中考)若正比例函数的图象经过点(−1,2),则这个图象必经过点(　　)

A. (1,2)　　B. (−1,−2)　　C. (2,−1)　　D. (1,−2)

解析:设正比例函数的解析式为 $y=kx(k\neq0)$,则把点(−1,2)代入得 $k=-2$. 把A、B、C、D各项代入验证即可.　**答案:**D

点拨 DIANBO

此题主要考查用待定系数法求正比例函数的解析式，在函数图象上的点的坐标满足方程，即直线上的点与有序数对一一对应.

例2 (2009·襄樊中考)若一次函数 $y=kx+b$ 的函数值 y 随 x 的增大而减小，且图象与 y 轴的正半轴相交，那么对 k 和 b 的符号判断正确的是(　　)

A. $k>0, b>0$　　B. $k>0, b<0$

C. $k<0, b>0$　　D. $k<0, b<0$

解析：由函数图象的性质，当函数值 y 随 x 的增大而减小知，$k<0$，又与 y 轴的正半轴相交，则 $b>0$，故应选 C.　　**答案**：C

点拨 DIANBO

此题主要考查了函数图象的性质，即直线 $y=kx+b$ 的位置由 k、b 的符号决定.

例3 (2009·潍坊中考)某蔬菜加工厂承担出口蔬菜加工任务，有一批蔬菜产品需要装入某一规格的纸箱. 供应这种纸箱有两种方案可供选择：

方案一：从纸箱厂定制购买，每个纸箱价格为 4 元；

方案二：由蔬菜加工厂租赁机器自己加工制作这种纸箱，机器租赁费按生产纸箱数收取，工厂需要一次性投入机器安装等费用 16 000 元，每加工一个纸箱还需成本费 2.4 元.

(1)若需要这种规格的纸箱 x 个，请分别写出从纸箱厂购买纸箱的费用 y_1(元)和蔬菜加工厂自己加工制作纸箱的费用 y_2(元)关于 x(个)的函数关系式.

(2)假设你是决策者，你认为应该选择哪种方案？并说明理由.

分析：先分别求出 y_1 和 y_2 关于 x 的函数关系式，再根据 $y_1=y_2$，$y_1>y_2$ 和 $y_1<y_2$ 三种方案求 x，进行比较、决策.

解：(1)从纸箱厂定制购买纸箱费用为 $y_1=4x$.

由蔬菜加工厂自己加工纸箱费用为 $y_2=2.4x+16\ 000$.

(2) $y_2-y_1=(2.4x+16\ 000)-4x=16\ 000-1.6x$，

由 $y_1=y_2$，得 $16\ 000-1.6x=0$，解得 $x=10\ 000$.

∴ 当 $x<10\ 000$ 时，$y_1<y_2$，

选择方案一，从纸箱厂定制购买纸箱所需的费用低；

当 $x>10\ 000$ 时，$y_1>y_2$，

选择方案二，由蔬菜加工厂自己加工纸箱所需的费用低；

当 $x=10\ 000$ 时，$y_1=y_2$，

两种方案都可以，两种方案所需的费用相同.

点拨 DIANBO

本题是商品经营性决策问题，依据不同方案列出函数解析式，分类进行比较判断.

易错点:不能正确理解一次函数(正比例函数)的概念

一次函数的解析式形式为 $y=kx+b$,是关于 x 的一次二项式,其中一次项系数 $k\neq0$,b 为任意实数,特别地,当 $b=0$ 时,该一次函数为正比例函数,其中 $k\neq0$,容易被忽略而出现错误.

例　已知 $y=(k-1)x^{k^2}$ 是 y 关于 x 的正比例函数,求 k 的值.

解:由题意得 $k^2=1$,且 $k-1\neq0$,解得 $k=-1$.

误区防火墙

此题易忽略 $k-1\neq0$ 这一条件而出现两个解 $k=\pm1$,这是错误的,求 k 值的前提是要保证函数解析式有意义.

知能综合提升

ZHINENGZONGHETISHENG

知识梳理

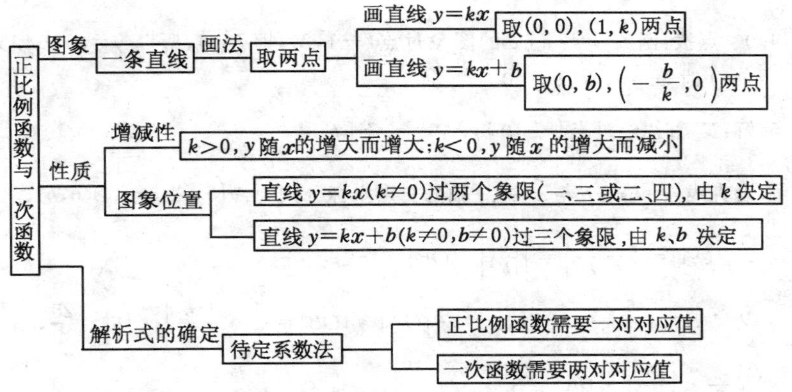

技巧平台

(1)理解一次函数与正比例函数的关系,弄清解析式中字母的意义.

(2)学习一次函数图象的画法和性质,用待定系数法求函数解析式时,不要死记硬背其结论,而是运用数形结合的思想,学会观察图象的方法,通过观察、比较、总结和概括得到关于一次函数的一些重要结论.

跟踪训练

1. 一次函数 $y=-3x+2$ 不经过(　　)

A. 第一象限　　B. 第二象限　　C. 第三象限　　D. 第四象限

2. 无论 m 为何实数,直线 $y=x+2m$ 与直线 $y=-x+4$ 的交点都不可能在(　　)

A. 第一象限　　B. 第二象限　　C. 第三象限　　D. 第四象限

3. 直线 $y=x+4$ 和直线 $y=-x+4$ 与 x 轴所围成的三角形的面积为________.

4. 已知一次函数 $y=2x+b$ 的图象过 $(-1,2)$ 和 $(a,4)$ 两点，则 $a=$________.

5. 已知直线 $y=kx+b$ 经过点 $\left(\frac{5}{2},0\right)$，且与坐标轴围成的三角形的面积为 $\frac{25}{4}$，求此直线的解析式.

跟踪训练答案

1. C　点拨：一次函数 $y=-3x+2$ 的图象可以由任意两点画出，如 $(0,2)$，$\left(\frac{2}{3},0\right)$. 也可以由 $k=-3$，$b=2$ 画出大致位置，由图象可知，它经过第一、二、四象限，不经过第三象限. 故选 C.

2. C　点拨：因为直线 $y=-x+4$ 过第一、二、四象限，不过第三象限，所以无论 m 取何值，直线 $y=x+2m$ 与直线 $y=-x+4$ 的交点不可能在第三象限. 故选 C.

3. 16　点拨：直线 $y=x+4$ 与 x 轴交于点 $(-4,0)$，直线 $y=-x+4$ 与 x 轴交于点 $(4,0)$，两直线都与 y 轴交于点 $(0,4)$，所以它们与 x 轴围成的三角形的面积为 $S=\frac{1}{2}\times|4-(-4)|\times4=16$.

4. 0　点拨：函数 $y=2x+b$ 的图象过点 $(-1,2)$，即 $b=4$，所以 $y=2x+4$. 又当 $y=4$ 时，$x=0$，所以 $a=0$.

5. 解：∵ 直线经过点 $\left(\frac{5}{2},0\right)$，∴ $0=\frac{5}{2}k+b$.　①

设直线 $y=kx+b$ 与 x 轴、y 轴的交点坐标分别为 $A\left(-\frac{b}{k},0\right)$，$B(0,b)$，

∴ $|OA|=\left|-\frac{b}{k}\right|=\left|\frac{b}{k}\right|$，$|OB|=|b|$.

又∵ $S_{\triangle AOB}=\frac{25}{4}$，∴ $S_{\triangle AOB}=\frac{1}{2}|OA|\cdot|OB|=\frac{1}{2}\cdot\left|\frac{b}{k}\right|\cdot|b|=\frac{25}{4}$，

即 $\frac{1}{2}\cdot\left|\frac{b}{k}\right|\cdot|b|=\frac{25}{4}$.　②

由①得 $b=-\frac{5}{2}k$，代入②中得 $|k|=2$.

∴ $k_1=2$，$k_2=-2$，∴ $b_1=-5$，$b_2=5$.

∴ 所求直线的解析式为 $y=2x-5$ 或 $y=-2x+5$.

课本习题解答

KEBENXITIJIEDA

练习(P112)

解：函数 $y=\frac{1}{2}x$，$y=-\frac{1}{2}x$ 中的自变量 x 可以是任意实数.

列表：

x	…	-3	-2	-1	0	1	2	3	…
$y=\frac{1}{2}x$	…	$-\frac{3}{2}$	-1	$-\frac{1}{2}$	0	$\frac{1}{2}$	1	$\frac{3}{2}$	…
$y=-\frac{1}{2}x$	…	$\frac{3}{2}$	1	$\frac{1}{2}$	0	$-\frac{1}{2}$	-1	$-\frac{3}{2}$	…

描点，连线，图象如图 14-2-17.

两函数的图象都是过原点的直线，且两直线与 x 轴、y 轴的夹角分别相等.

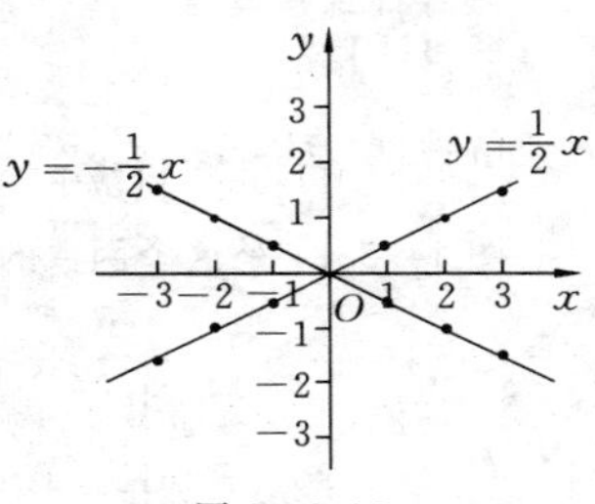

图 14-2-17

练习(P113)

解：函数 $y=\frac{3}{2}x$ 与 $y=-3x$ 可用两点法画图象.

列表：

x	0	1
$y=\frac{3}{2}x$	0	$\frac{3}{2}$

x	0	1
$y=-3x$	0	-3

描点，连线，图象如图 14-2-18.

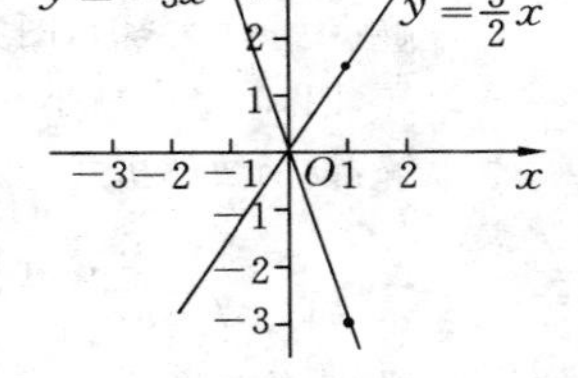

图 14-2-18

练习(P114)

1. (1)(4)是一次函数，(1)是正比例函数.
2. 解：(1) $v=2t$，是一次函数.
   (2)当 $t=2.5$ 时，将 $t=2.5$ 代入 $v=2t$，得 $v=5$ 米/秒.
3. 解：$y=50-5x$，$0\leqslant x\leqslant 10$，y 是 x 的一次函数.

练习(P117)

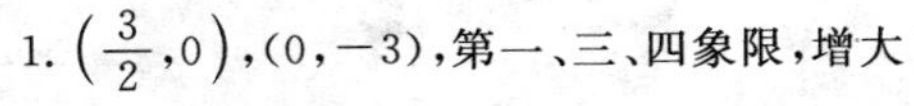

1. $\left(\frac{3}{2},0\right)$，$(0,-3)$，第一、三、四象限，增大
2. 解：(1)对于函数 $y=x-1$，$y=x$，$y=x+1$，图象如图 14-2-19，它们的图象互相平行.　(2)略.

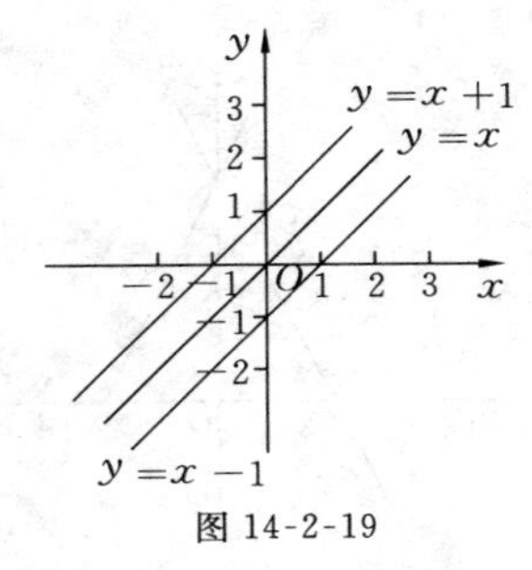

图 14-2-19

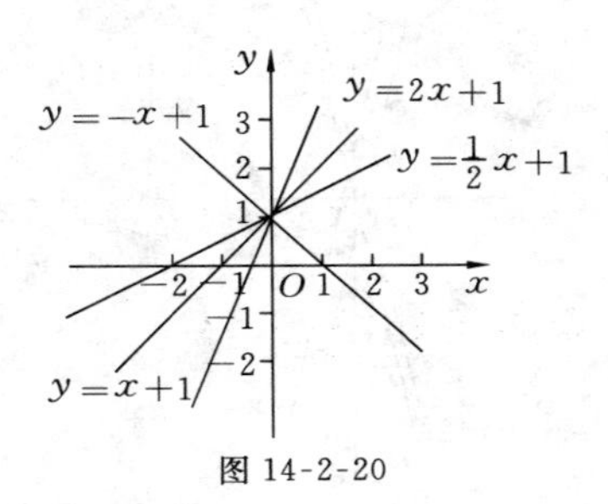

图 14-2-20

3. 解：图象如图 14-2-20，它们的共同点是都经过点 $(0,1)$.

练习(P118)

1. 解:$5k+2=4$,解得 $k=\frac{2}{5}$.

2. 解:由题意可知 $\begin{cases}9k+b=0,\\24k+b=20,\end{cases}$ 解得 $\begin{cases}k=\frac{4}{3},\\b=-12.\end{cases}$

练习(P119)

解:由题意得 $T=\begin{cases}20 & (0\leqslant t\leqslant 2),\\5t+10 & (2<t\leqslant 4).\end{cases}$

图 14-2-21 是这个函数的图象.

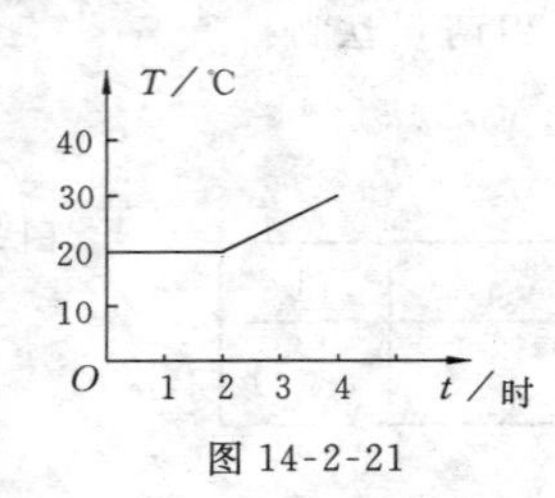

图 14-2-21

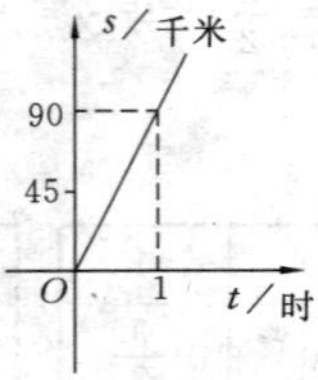

图 14-2-22

习题 14.2(P120)

1. 解:$s=90t(t\geqslant 0)$,图象如图 14-2-22.

2. 二、四,0,-5,减小

3. 解:设函数解析式为 $y=kx+b$,由题意知点(0,12)、(1,14)满足函数关系式,

$\therefore \begin{cases}12=0+b,\\14=k+b,\end{cases}$ 解得 $\begin{cases}k=2,\\b=12.\end{cases}$ $\therefore$ 函数关系式为 $y=2x+12(x\geqslant 0)$.

4. 解:图象如图 14-2-23.

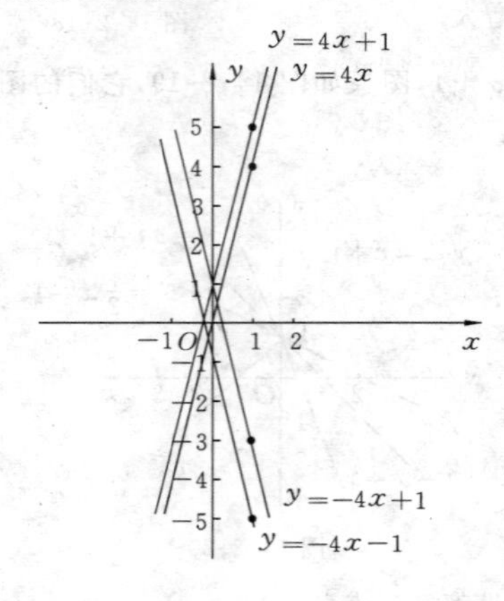

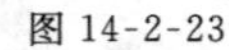
图 14-2-23

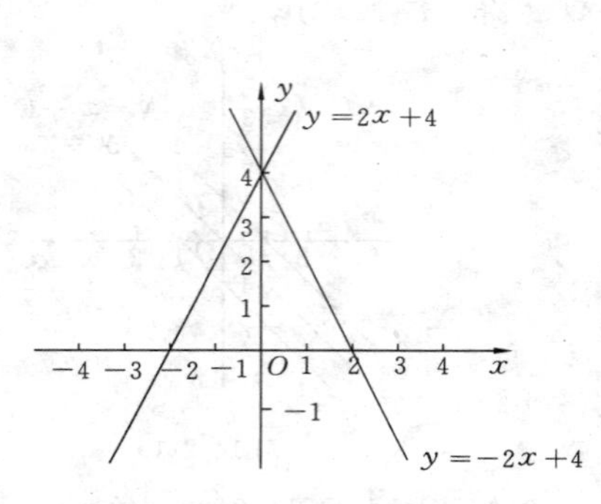

图 14-2-24

5. 解：图象如图 14-2-24，函数 $y=2x+4$，当 x 增大时 y 增大；函数 $y=-2x+4$，当 x 增大时 y 减小.

6. 解：由题意得 $\begin{cases}2k+b=4,\\-2k+b=-2,\end{cases}$ 解方程组得 $\begin{cases}k=\dfrac{3}{2},\\b=1.\end{cases}$

7. 解：设函数解析式为 $y=kx+b$，由题意得 $\begin{cases}9=-4k+b,\\3=6k+b,\end{cases}$ 解得 $\begin{cases}k=-\dfrac{3}{5},\\b=\dfrac{33}{5}.\end{cases}$

∴ 函数解析式为 $y=-\dfrac{3}{5}x+\dfrac{33}{5}$.

8. 解：设函数解析式为 $y=kx$，由题意得 $\begin{cases}2k=-3a,\\ak=-6,\end{cases}$ ∴ $a^2=4$. ∴ $a=\pm2$.

又∵ 直线经过第四象限，∴ 点$(2,-3a)$在第四象限，

∴ $-3a<0$，∴ $a>0$，∴ $a=2$. ∴ 函数解析式为 $y=-3x$.

9. 解：(1)∵ $OA=6$，点 P 在第一象限，

∴ 点 P 到 OA 的距离为 $y=8-x$.

∴ $S_{\triangle OPA}=\dfrac{1}{2}OA\cdot y_P=\dfrac{1}{2}\times6\times(8-x)=-3x+24$，

$0<x<8$，图象如图 14-2-25.

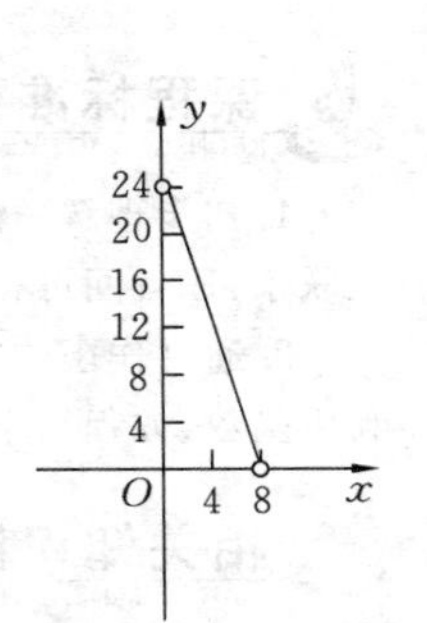

图 14-2-25

(2)当 $x=5$ 时，$S=-3\times5+24=9$.

(3)△OPA 的面积不能大于 24.

当△OPA 的面积大于 24 时，点 P 坐标不在第一象限内.

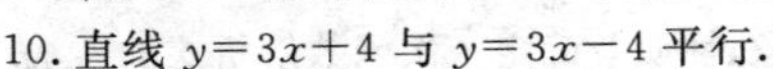

10. 直线 $y=3x+4$ 与 $y=3x-4$ 平行.

11. (1)一、二、三；(2)二、三、四；

(3)一、二、三；(4)一、二、四.

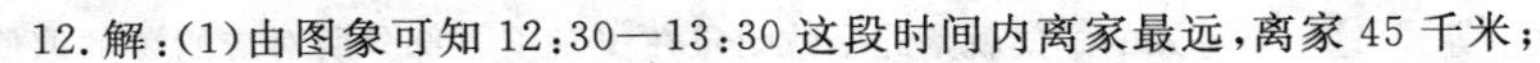

12. 解：(1)由图象可知 12:30—13:30 这段时间内离家最远，离家 45 千米；

(2)10:30，30 分钟，离家 30 千米；

(3)15 千米；

(4)9:00—10:30 的平均速度为 20 千米/时，10:30—12:30 的平均速度为 $v=\dfrac{15}{2}=7.5$(千米/时)(注意 10:30—11:00 这段时间内此人休息，时间应计算在内)；

(5)$v=\dfrac{45}{1.5}=30$(千米/时)；

(6)18 千米；

设 9:00—10:30 这段时间内路程——时间函数在图象上的关系式为 $y=kx+b$.

已知点$(9,0)$、$(10.5,30)$在图象上，

∴ $\begin{cases}9k+b=0,\\10.5k+b=30,\end{cases}$ 解得 $\begin{cases}k=20,\\b=-180.\end{cases}$

$\therefore y=20x-180$. 又 $\because$ 当 $y=10$ 时,得 $x=9.5$,$\therefore$ 9:30 时离家 10 千米.

设 14:00—15:00 这段时间内路程——时间函数在图象上的关系式为 $y_1=k_1x_1+b_1$.

已知点(14,18)、(15,0)在图象上,

$\therefore \begin{cases}14k_1+b_1=18,\\15k_1+b_1=0,\end{cases}$ 解得 $\begin{cases}k_1=-18,\\b_1=270.\end{cases}$ $\therefore y_1=-18x_1+270$.

又 $\because$ 当 $y_1=10$ 时,得 $x_1=14\frac{4}{9}$,$\therefore$ 约为 14:27 时离家 10 千米.

14.3 用函数观点看方程(组)与不等式

课程标准要求

KECHENGBIAOZHUNYAOQIU

1. 初步理解一次函数与一元一次方程、一元一次不等式、二元一次方程(组)的内在联系,三者间可相互转化、相互渗透.

2. 通过作函数图象、观察函数图象进行知识间的综合,体会数形结合思想,综合利用函数、方程与不等式的相关知识解决实际问题.

相关知识链接

XIANGGUANZHISHILIANJIE

上一节我们学习了一次函数的定义、图象、性质及确定一次函数解析式的方法.对于任意一次函数 $y=kx+b(k\neq0)$,当 $y=0$ 时,$kx+b=0$,得到一个关于 x 的一元一次方程,这个方程的解就是这个一次函数图象与 x 轴交点的横坐标;当 $y>0$ 时,$kx+b>0$,即为一元一次不等式,这个不等式的解集就是此函数图象在 x 轴上方部分所对应的 x 的取值范围.可见,一次函数可转化为一元一次方程和一元一次不等式.本节我们将学习它们之间的关系,用函数图象直观的体现方程(组)的解与不等式的解集.

教材知能全解

JIAOCAIZHINENGQUANJIE

知能点 1 一次函数与一元一次方程的关系(重点)

直线 $y=kx+b(k\neq0)$ 与 x 轴交点的横坐标就是一元一次方程 $kx+b=0(k\neq0)$ 的解.在求直线 $y=kx+b$ 与 x 轴交点的横坐标时,可令 $y=0$,得到一元一次方程 $kx+b=0$,解方程得 $x=-\frac{b}{k}$,则 $-\frac{b}{k}$ 就是直线 $y=kx+b$ 与 x 轴交点的横坐标.

对于一次函数 $y=kx+b(k\neq0)$,在已知 x 求 y 值或已知 y 值求 x 值时,也都是把问题转化成关于 y 或关于 x 的一元一次方程来求解的.

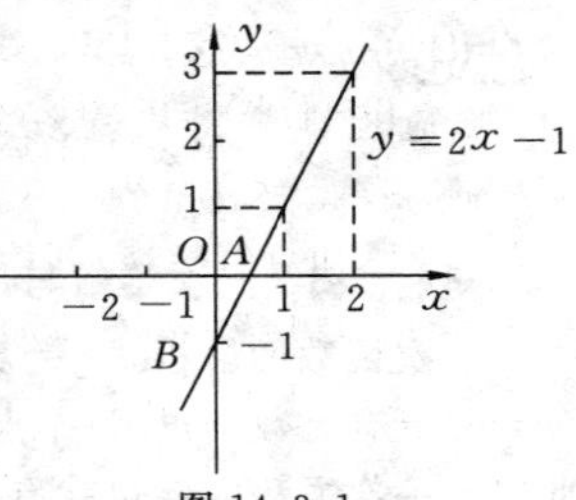

图 14-3-1

例 1 如图 14-3-1,已知一次函数 $y=2x-1$,根据图象回答:

(1)求一次函数与 x 轴、y 轴的交点坐标;

(2)当 $y=3$ 时,求 x 的值.

解:(1)设直线 $y=2x-1$ 与 x 轴、y 轴的交点分别为 A、B,由图象可知,$A\left(\frac{1}{2},0\right)$,$B(0,-1)$.

(2)由图象可知 $y=3$ 时,$x=2$,也就是解方程 $3=2x-1$,得 $x=2$.

点拨 DIANBO

一元一次方程与一次函数的关系要结合图形来理解运用.

知能点 2 一次函数与一元一次不等式的关系(重点)

由于任何一元一次不等式都可以转化为 $ax+b>0$ 或 $ax+b<0$(a、b 为常数,$a\neq0$)的形式,所以解一元一次不等式可以看作:当一次函数值大(小)于 0 时,求自变量相应的取值范围. 例如:一次函数 $y=2x+1$,x 取何值时,函数值大于零?就是求不等式 $2x+1>0$ 的解集,解不等式得 $x>-\frac{1}{2}$,也就是 $x>-\frac{1}{2}$时,函数 $y=2x+1$ 的值大于 0.

方法:参照图象来理解一次函数与一元一次不等式的关系会更直观.

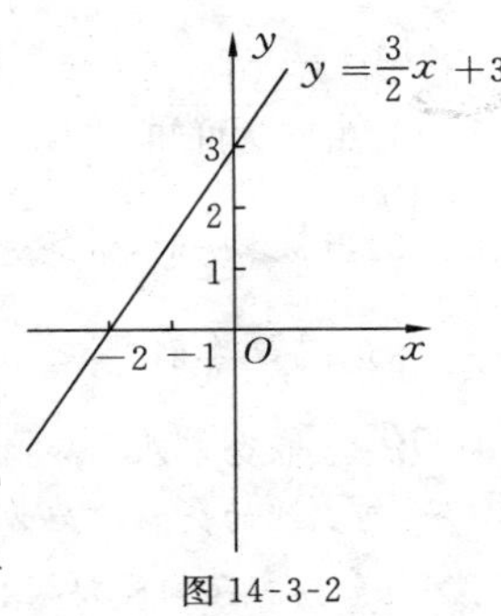

图 14-3-2

例 2 函数 $y=\frac{3}{2}x+3$ 的图象如图 14-3-2,根据图象回答:

(1)x 取什么值时,函数值 y 等于 0?

(2)x 取什么值时,函数值 y 大于 0?

(3)x 取什么值时,函数的图象在 x 轴下方?

分析:(1)y 等于 0 的点一定在 x 轴上,即图象与 x 轴的交点的横坐标就是所求的 x 的值;(2)可把问题转化成解不等式 $\frac{3}{2}x+3>0$;(3)图象在 x 轴下方,即函数值 $y<0$,可通过解不等式 $\frac{3}{2}x+3<0$ 求出.

解:(1)$\because$ $y=0$,$\therefore$ $\frac{3}{2}x+3=0$,解得 $x=-2$,即 $x=-2$ 时,$y=0$.

(2)$\because$ $y>0$,$\therefore$ $\frac{3}{2}x+3>0$,解得 $x>-2$,即当 $x>-2$ 时,$y>0$.

(3)$\because$ 图象在 x 轴下方,$\therefore$ $y<0$,即 $\frac{3}{2}x+3<0$,解得 $x<-2$.

点拨 DIANBO

通过函数图象直观体现了一次函数与一元一次方程、一元一次不等式的联系.

知能点 3 一次函数与二元一次方程、二元一次方程组的关系(重点)

一次函数的解析式 $y=kx+b(k\neq0)$ 本身就是一个二元一次方程,直线 $y=kx+b$ $(k\neq0)$ 上有无数个点,每个点的横、纵坐标都满足二元一次方程 $y=kx+b(k\neq0)$,因此二元一次方程的解也就有无数个.

每个二元一次方程组都对应两个一次函数,也就是两条直线,从"数"的角度看,解方程组就是求使两个函数值相等的自变量的值以及此时的函数值. 从"形"的角度看,解方程组就是确定两条直线的交点坐标.

例 3 在同一平面直角坐标系中,画出函数 $y_1=x$ 与函数 $y_2=-\frac{1}{2}x+1$ 的图象,利用图 14-3-3 回答下列问题:

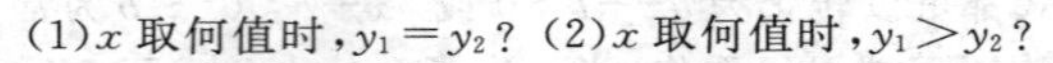
(1) x 取何值时,$y_1=y_2$? (2) x 取何值时,$y_1>y_2$?

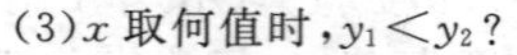
(3) x 取何值时,$y_1<y_2$?

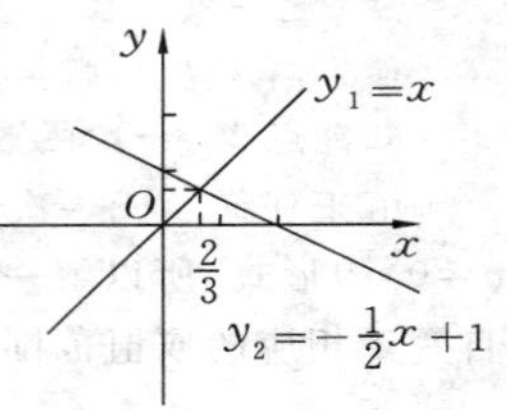

图 14-3-3

分析:可借助于方程组求出两图象的交点,然后根据图象的位置比较 y_1 与 y_2 的大小.

解:设交点 $A(x,y)$,则 x、y 满足 $\begin{cases}y=x,\\ y=-\frac{1}{2}x+1,\end{cases}$ 解得 $\begin{cases}x=\frac{2}{3},\\ y=\frac{2}{3}.\end{cases}$

(1)由图象可知,当 $x=\frac{2}{3}$ 时,$y_1=y_2$;

(2)当 $x>\frac{2}{3}$ 时,$y_1>y_2$;

(3)当 $x<\frac{2}{3}$ 时,$y_1<y_2$.

点拨 DIANBO

两直线的交点即为方程组的解,通过函数图象可清楚地比较 y_1 与 y_2 的大小,体会数形结合思想的应用.

全解小博士在线答疑

课本 P125(思考):"解不等式 $ax+b>0$"与"求自变量 x 在什么范围内,一次函数 $y=ax+b$ 的值大于 0"中 x 的取值相同,都是 $x>-\frac{b}{a}$. 因此,在求解中可以相互转化.

课本 P127(问题):用图象法解二元一次方程组的具体方法如下:

(1)把方程组中两个二元一次方程转化为对应的两个一次函数;

(2)在同一坐标系中画出这两个一次函数的图象；

(3)指出两图象的交点坐标，交点坐标就是这个方程组的解.

典型例题全解
DIANXINGLITIQUANJIE

题型一　方程组求解的方法

例1　(一题多解)解方程组 $\begin{cases}x+y=5, & ①\\2x+y=8. & ②\end{cases}$

解法1：(代入法)

由①得 $y=5-x$.　③

把③代入②，得 $2x+5-x=8$，$\therefore x=3$. 把 $x=3$ 代入③，得 $y=2$.

$\therefore$ 原方程组的解为 $\begin{cases}x=3,\\y=2.\end{cases}$

解法2：(加减法)②－①，得 $x=3$.

把 $x=3$ 代入①，得 $y=2$.

$\therefore$ 原方程组的解为 $\begin{cases}x=3,\\y=2.\end{cases}$

解法3：(图象法)

由①得 $y=5-x$；由②得 $y=8-2x$.

在同一平面直角坐标系中分别作出一次函数 $y=5-x$ 和 $y=8-2x$ 的图象，如图14-3-4所示，交点坐标为(3,2)，

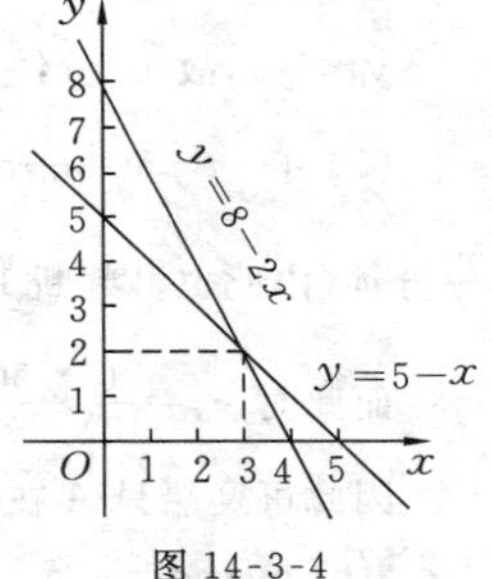

图14-3-4

$\therefore$ 原方程组的解为 $\begin{cases}x=3,\\y=2.\end{cases}$

点拨 DIANBO

此方程组的三种解法中，解法2最为简捷. 在解方程组问题时，可以根据题目特点灵活选取解题方法.

题型二　建立函数模型，利用数形结合思想解题

例2　某边防部接到情报，近海有一可疑船只A正向公海方向行驶，边防迅速派出快艇B追赶，在追赶过程中，设快艇B相对于海岸的距离为 y_A(海里)，可疑船只A相对于海岸的距离为 y_B(海里)，追赶时间为 t(分钟)，图14-3-5中 l_A、l_B 分别表示 y_A、y_B 与 t 之间的关系，结合图象回答下列问题：

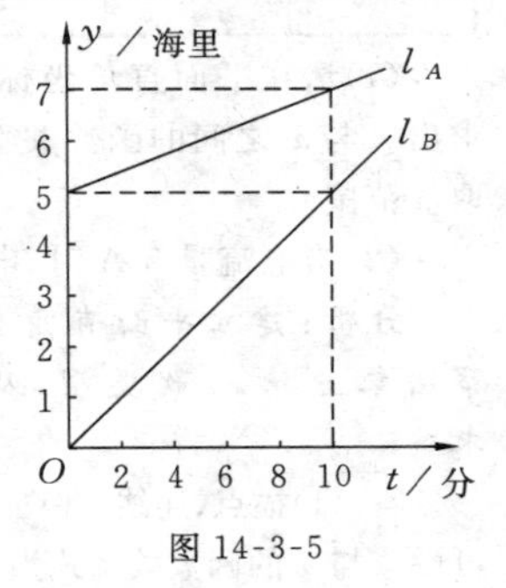

图14-3-5

(1)请你根据图中标注的数据，分别求出 y_A、y_B 与 t 之间的函数关系式，并写出自变量的取值范围.

(2)15分钟内B能追上A吗？说明理由.

(3)已知当A逃到离海岸12海里的公海内时，B将无法对其进行检查，照此速度

计算，B 能否在 A 逃入公海前将其拦截？

分析：根据图中点的坐标用待定系数法求出 y_A、y_B 的函数关系式，15 分钟内 B 追上 A，可理解为 l_A、l_B 的交点的横坐标的值应小于 15.

解：(1)设 l_A 的解析式为 $y_A=k_1t+b$，由图象知 l_A 经过点(0,5)和点(10,7)，

$\therefore \begin{cases}5=b,\\7=10k_1+b,\end{cases}\therefore \begin{cases}k_1=\frac{1}{5},\\b=5.\end{cases}\therefore\ y_A=\frac{1}{5}t+5(t\geqslant 0).$

设 l_B 的解析式为 $y_B=k_2t$，由图象知 l_B 经过点(10,5)，

$\therefore\ 5=10k_2,\therefore\ k_2=\frac{1}{2}.\therefore\ y_B=\frac{1}{2}t(t\geqslant 0).$

(2)当 $t=15$ 分钟时，$y_A=\frac{1}{5}\times 15+5=8$(海里)，$y_B=\frac{1}{2}\times 15=7.5$(海里)，

$y_B<y_A$，故 15 分钟内快艇 B 尚未追上可疑船只 A.

(3)由 $\frac{1}{5}t+5=\frac{1}{2}t$，得 $t=\frac{50}{3}$(分)，所以快艇 B 追上可疑船只 A 所需时间为 $\frac{50}{3}$分钟(由此也可判断 15 分钟内快艇 B 不会追上可疑船只 A).

而此时 $y_B=\frac{1}{2}\times\frac{50}{3}=\frac{25}{3}$(海里)$<12$(海里)，

因此可疑船只 A 在逃入公海前，快艇 B 能够追上 A 将其拦截.

点拨 DIANBO

本题通过函数的图象直观反映了实际问题中“数”与“形”的关系，把方程的解、不等式的解集用“形”显示出来.

例 3 某同学在做电学实验时，记录下的电压 y(V)与电流 x(A)有如下对应关系：

x/A	…	2	4	6	8	10	…
y/V	…	15	12	9	6	3	…

(1)请在平面直角坐标系中，通过描点、连线、观察，求出 y 与 x 之间的函数关系式(不要求确定自变量 x 的取值范围).

(2)当电流是 5 A 时，电压是多少？

分析：建立平面直角坐标系，通过描点、连线、观察图象分清函数类型，从而设出函数关系式进行求解.

解：(1)描点、连线，如图 14-3-6，由于图象是一条直线，可设 y 与 x 的函数关系式为$y=kx+b(k\neq 0)$.

把任意两个已知点(6,9)，(8,6)代入 $y=kx+b$ 得

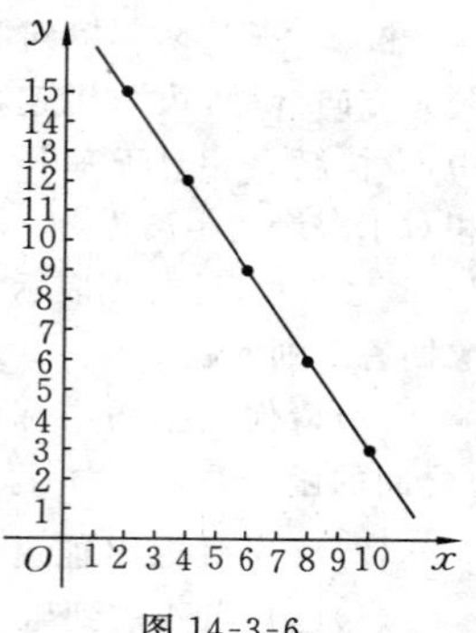

图 14-3-6

$\begin{cases}6k+b=9,\\8k+b=6,\end{cases}$ 解得 $\begin{cases}k=-\dfrac{3}{2},\\b=18.\end{cases}$

故所求的 y 与 x 之间的函数关系式为 $y=-\dfrac{3}{2}x+18$.

(2)当 $x=5$ 时，$y=-\dfrac{3}{2}\times5+18=10.5$.

答：当电流是 5 A 时，电压是 10.5 V.

> **名师点拨**
> 本题是物理学与一次函数的综合题，由此看出数学与生产、生活各方面都有很多联系.

例 4　兄弟俩赛跑，哥哥先让弟弟跑 9 米，然后自己才开始跑. 已知弟弟每秒跑 3 米，哥哥每秒跑 4 米. 列出函数关系式，画出函数图象，观察图 14-3-7，并回答下列问题：

(1)何时弟弟跑在哥哥前面？(2)何时哥哥跑在弟弟前面？

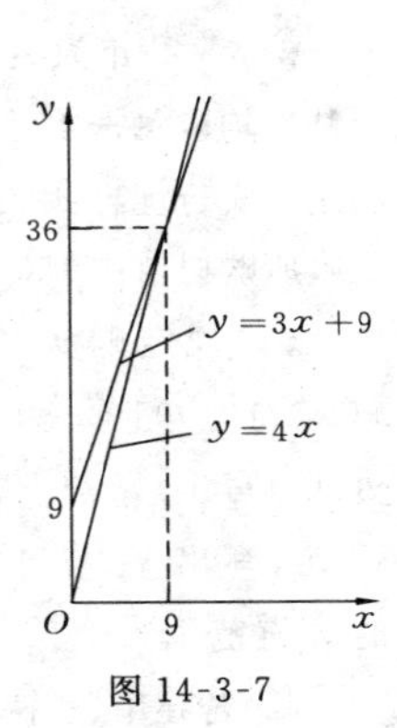

图 14-3-7

分析：此题两问均涉及不等式问题，但需先列函数关系式. 由题意分清哥哥与弟弟所跑路程与时间的函数图象，根据图象回答.

解：设当时间为 x 秒时，跑过的路程为 y 米，则

$y_{哥哥}=4x(x\geqslant0)$，$y_{弟弟}=3x+9(x\geqslant0)$.

(1)由图象知 9 秒前弟弟跑在哥哥前面.

(2)9 秒后哥哥跑在弟弟前面.

点拨 DIANBO

解决实际问题时，要根据题意构建数学模型. 常用数学模型有函数模型、不等式模型、方程模型.

例 5　试用函数 $y_1=2x+3$ 及函数 $y_2=\dfrac{1}{2}x-8$ 解不等式组 $\begin{cases}2x+3<5,\\\dfrac{1}{2}x-8>-6.\end{cases}$

分析：对不等式组进行整理，使之转化为所含不等式大于零或小于零的形式，再画出所对应的函数图象，通过图象找解集.

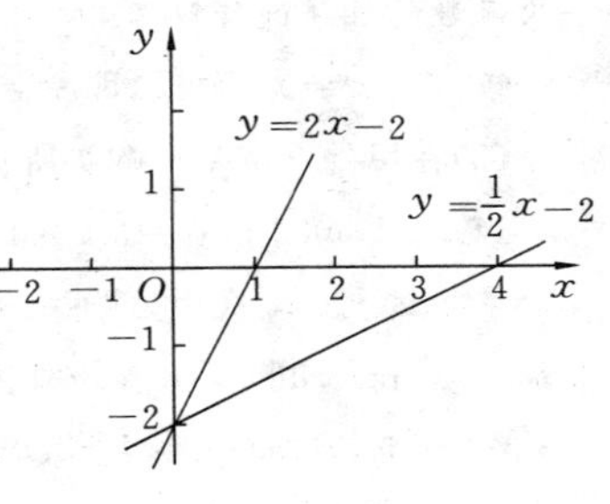

图 14-3-8

解：令 $y_1=2x+3$ 的函数值 $y_1<5$，得 $2x+3<5$；令 $y_2=\dfrac{1}{2}x-8$ 的函数值 $y_2>-6$，得 $\dfrac{1}{2}x-8>-6$.

整理两个不等式得 $\begin{cases}2x-2<0,\\\dfrac{1}{2}x-2>0.\end{cases}$

在平面直角坐标系中，画出函数 $y=2x-2$ 和 $y=\frac{1}{2}x-2$ 的图象再找解.

如图 14-3-8，当 $x<1$ 时，$2x-2<0$；

当 $x>4$ 时，$\frac{1}{2}x-2>0$.

∴ 此不等式组无解.

题型三　函数思想适用于方案(或决策)的选择

例 6　我市为美化市容，开展城市绿化活动，要种植一种新品种树苗. 甲、乙两处育苗基地均以每株 4 元的价格出售这种树苗，并对一次性购买该种树苗不低于 1 000 株的用户实行优惠：甲处的优惠政策是每株树苗按原价的八折出售；乙处的优惠政策是免收所购树苗中 150 株的费用，其余树苗按原价的九折出售.

(1)规定购买该种树苗只能在甲、乙两处中的一处购买，设一次性购买 x($x\geqslant 1\,000$且 x 为整数)株该种树苗，若在甲处育苗基地购买，所花的费用为 y_1 元，写出 y_1 与 x 之间的函数关系式；若在乙处育苗基地购买，所花的费用为 y_2 元，写出 y_2 与 x 之间的函数关系式(两个函数关系式均不要求写出自变量 x 的取值范围).

(2)若在甲、乙两处分别一次性购买 1 500 株该种树苗，在哪一处购买所花的费用少？为什么？

(3)若在甲育苗基地以相应的优惠方式购买一批该种树苗，又在乙育苗基地以相应的优惠方式购买另一批该种树苗，两批树苗共 2 500 株，购买这 2 500 株树苗所花的费用至少需要多少元？这时应在甲、乙两处分别购买该种树苗多少株？

分析：解答(3)时，可设在乙处购买 a 株该种树苗，所花钱数为 W 元，可列出 W 与 a 的函数关系式，再根据题意列出关于 a 的不等式组，求 a 的取值范围，然后利用一次函数的性质进行解答.

解：(1)$y_1=0.8\times 4x$，即 $y_1=3.2x$；$y_2=0.9\times 4(x-150)$，即 $y_2=3.6x-540$.

(2)在甲处育苗基地购买所花的费用少. 理由如下：

当 $x=1\,500$ 时，$y_1=3.2\times 1\,500=4\,800$，$y_2=3.6\times 1\,500-540=4\,860$.

∵ $y_1<y_2$，∴ 在甲处购买所花的费用少.

(3)设在乙处购买 a 株该种树苗，所花钱数为 W 元，则

$W=3.2\times(2\,500-a)+3.6a-540=0.4a+7\,460$.

∵ $\begin{cases}1\,000\leqslant a\leqslant 2\,500,\\ 1\,000\leqslant 2\,500-a\leqslant 2\,500,\end{cases}$ ∴ $1\,000\leqslant a\leqslant 1\,500$，且 a 为整数.

$\because 0.4>0$，$\therefore W$ 随 a 的增大而增大，

$\therefore a=1\ 000$ 时，$W_{最小}=7\ 860$(元). $2\ 500-1\ 000=1\ 500$(株).

答：至少需要花费 7 860 元，应在甲处购买 1 500 株，在乙处购买 1 000 株.

点拨 DIANBO

此题是一次函数的应用题，主要考查一次函数的性质及应用. 一次函数在日常生活中有广泛的应用，可以用来解决方案的选择、评估、决策以及安排生产等实际问题，所以一次函数的应用是中考的热点内容，应引起我们的重视.

题型四　本节例 3(P127)与中考真题解密

一家电信公司给顾客提供上网费的两种计费方式：方式 A 以每分 0.1 元的价格按上网时间计费；方式 B 除收月基费 20 元外再以每分 0.05 元的价格按上网时间计费. 上网时间为多少分，两种方式的计费相等？

中考真题

(2009·台州中考)如图 14-3-9，直线 $l_1: y=x+1$ 与直线 $l_2: y=mx+n$ 相交于点 $P(1,b)$.

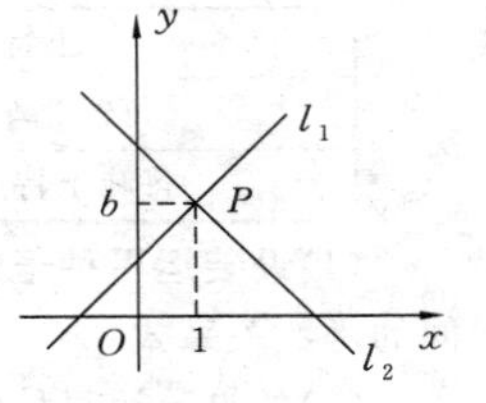

图 14-3-9

(1)求 b 的值.

(2)不解关于 x,y 的方程组 $\begin{cases} y=x+1, \\ y=mx+n, \end{cases}$ 请你直接写出它的解.

(3)直线 $l_3: y=nx+m$ 是否也经过点 P？请说明理由.

解：(1) $\because P(1,b)$ 在直线 $y=x+1$ 上，

$\therefore$ 当 $x=1$ 时，$b=1+1=2$.

(2)解是 $\begin{cases} x=1, \\ y=2. \end{cases}$

(3)直线 $y=nx+m$ 也经过点 P. $\because$ 点 $P(1,2)$ 在直线 $y=mx+n$ 上，

$\therefore m+n=2$，$\therefore 2=n\times 1+m$，这说明直线 $y=nx+m$ 也经过点 P.

考题点睛

方程(组)、不等式与函数有一定的联系，解决问题时，应根据情况灵活地把它们结合起来考虑. 此题是课本例题的变式及提高，两函数图象的交点坐标就是其对应的方程组的解.

挑战课标中考

TIAOZHANKEBIAOZHONGKAO

中考考点解读

利用图象解方程(组)或不等式在近几年中考中的比重有所上升，它体现了用函数的观点看待方程(组)或不等式的思想. 利用一次函数解决实际问题，题型多样，涉及面广，主要考查应用函数知识解决问题的能力，题型有选择题、填空题及解答题.

中考典题全解

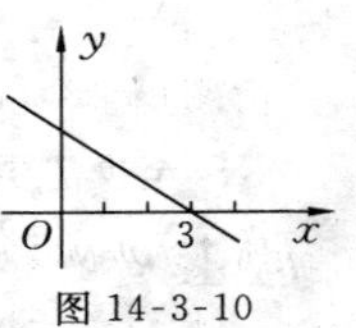

图 14-3-10

例 1 (2009·新疆中考)如图 14-3-10,直线 $y=kx+b(k<0)$ 与 x 轴交于点(3,0),关于 x 的不等式 $kx+b>0$ 的解集是( )

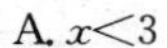

A. $x<3$　　B. $x>3$

C. $x>0$　　D. $x<0$

解析:观察图象可知,当 $x<3$ 时,$kx+b>0$,故应选 A.　**答案:**A

点拨 DIANBO

此题考查一次函数与一元一次不等式的关系,运用数形结合思想,仔细观察图形便可得出答案.

例 2 (2009·鄂州中考)某土产公司组织 20 辆汽车装运甲、乙、丙三种土特产共 120 吨去外地销售.按计划 20 辆车都要装运,每辆汽车只能装运同一种土特产,且必须装满,根据下表提供的信息,解答以下问题.

土特产种类	甲	乙	丙
每辆汽车运载量/吨	8	6	5
每吨土特产获利/百元	12	16	10

(1)设装运甲种土特产的车辆数为 x,装运乙种土特产的车辆数为 y,求 y 与 x 之间的函数关系式.

(2)如果装运每种土特产的车辆都不少于 3 辆,那么车辆的安排方案有几种?并写出每种安排方案.

(3)若要使此次销售获利最大,应采用(2)中哪种安排方案?并求出最大利润的值.

解:(1)$8x+6y+5(20-x-y)=120$,

∴ $y=20-3x$. ∴ y 与 x 之间的函数关系式为$y=20-3x$.

(2)由 $x\geqslant 3$,$y=20-3x\geqslant 3$,$20-x-(20-3x)\geqslant 3$ 可得 $3\leqslant x\leqslant 5\frac{2}{3}$.

又∵ x 为正整数,∴ $x=3,4,5$. 故车辆的安排有三种方案,即:

方案一:甲种 3 辆,乙种 11 辆,丙种 6 辆;

方案二:甲种 4 辆,乙种 8 辆,丙种 8 辆;

方案三:甲种 5 辆,乙种 5 辆,丙种 10 辆.

(3)设此次销售获利为 W 元,

$W=8x\cdot 12+6(20-3x)\cdot 16+5[20-x-(20-3x)]\cdot 10=-92x+1\,920$.

∵ W 随 x 的增大而减小,又 $x=3,4,5$,

∴ 当 $x=3$ 时,$W_{最大}=1\,644$ 百元$=16.44$ 万元.

答:要使此次销售获利最大,应采用(2)中方案一,即甲种 3 辆,乙种 11 辆,丙种 6 辆,获得的最大利润为 16.44 万元.

总结

此题综合考查了不等式及一次函数的应用，是中考中的常见题型.

易错易误点全解

YICUOYIWUDIANQUANJIE

易错点：因不能灵活用图象法解一元一次不等式而造成错误

我们利用一次函数的图象会解形如 $ax+b>0$ 或 $ax+b<0(a,b$ 为常数，$a\neq0)$ 的不等式，但是在实际情况中若将条件进行改变，有些同学会束手无策，导致出现错误.究其原因是不能真正地将一元一次不等式与一次函数的图象联系起来.

例　若直线 $y=-2x-1$ 与直线 $y=3x+m$ 相交于第三象限内一点，求 m 的取值范围.

解：因为直线 $y=-2x-1$ 与 $y=3x+m$ 相交于第三象限，且关于 x,y 的二元一次方程组 $\begin{cases}y=-2x-1,\\y=3x+m\end{cases}$ 的解是 $\begin{cases}x=-\dfrac{1}{5}(m+1),\\y=\dfrac{1}{5}(2m-3).\end{cases}$

根据题意，得 $\begin{cases}-\dfrac{1}{5}(m+1)<0,\\\dfrac{1}{5}(2m-3)<0,\end{cases}$ 解得 $-1<m<\dfrac{3}{2}$.

误区防火墙

此题易犯根据直线 $y=3x+m$ 过第三象限得出 $m<0$ 的错误，错因是没有弄懂题意，交点在第三象限，应先求出交点坐标，才能确定 m 的取值范围.

知能综合提升

ZHINENGZONGHETISHENG

知识梳理

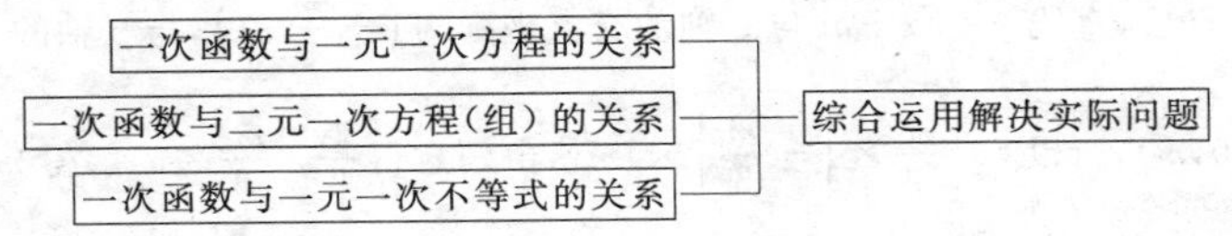

技巧平台

本节的重点是利用函数图象，把方程组、函数与不等式知识结合在一起作为一个数学模型解决实际问题；首先要注意新旧知识的结合，要温故而知新才能把这一部分掌握好；其次要重点学会数形结合的思想方法在解决问题时的妙用.

跟踪训练

1. 如图 14-3-11 所示，直线 $y=kx+b$ 与 x 轴交于点$(-4,0)$，则 $y>0$ 时 x 的取值范围是(　　)

　A. $x>-4$　　B. $x>0$　　C. $x<-4$　　D. $x<0$

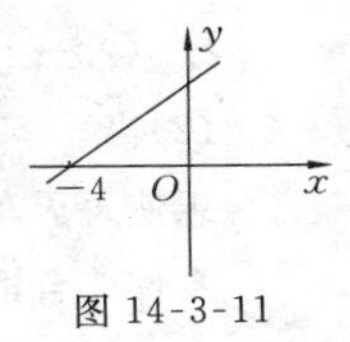

图 14-3-11

2. 已知函数 $y=3x+2$ 与 $y=2x-1$ 的图象交于点 P,则点 P 的坐标是(　　)

A. $(-7,-3)$　　B. $(3,-7)$　　C. $(-3,-7)$　　D. $(-3,7)$

3. 若直线 $y=3x+m$ 与两坐标轴围成的三角形的面积是 6 个面积单位,则 m 的值为(　　)

A. 6　　B. -6　　C. ± 6　　D. ± 3

4. 如图 14-3-12 所示,OA、CB 分别表示甲、乙两名学生运动的一次函数图象,图中 s 和 t 分别表示运动路程和时间,根据图象判断快者的速度比慢者的速度每秒快(　　)

A. 2.5 米　　B. 2 米

C. 1.5 米　　D. 1 米

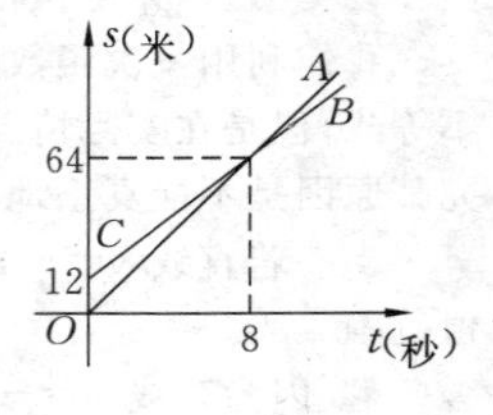

图 14-3-12

5. 某零件制造车间有工人 20 名,已知每名工人每天可制造甲种零件 6 个或乙种零件 5 个,且每制造一个甲种零件可获利润 150 元,每制造一个乙种零件可获利润 260 元. 在这 20 名工人中,车间每天安排 x 名工人制造甲种零件,其余工人制造乙种零件.

(1)请写出此车间每天所获利润 y(元)与 x(名)之间的函数解析式.

(2)若要使车间每天所获利润不低于 24 000 元,你认为至少安排多少名工人去制造乙种零件才合适?

跟踪训练答案

1. A　点拨:可观察图象直接得到,故选 A.

2. C　点拨:解方程组 $\begin{cases} y=3x+2, \\ y=2x-1 \end{cases}$ 得 $\begin{cases} x=-3, \\ y=-7. \end{cases}$ 故选 C.

3. C　点拨:直线 $y=3x+m$ 与 x 轴的交点坐标为 $\left(-\frac{m}{3},0\right)$,与 y 轴的交点坐标为 $(0,m)$,所以 $S=\frac{1}{2}\times\left|-\frac{m}{3}\right|\times|m|$,由题意得 $\frac{1}{2}\times\frac{m^2}{3}=6$,解得 $m=\pm 6$.

4. C　点拨:由图象知甲的速度为 $\frac{64}{8}=8$(米/秒),乙的速度为 $\frac{64-12}{8}=6.5$(米/秒),故甲比乙快 $8-6.5=1.5$(米/秒).

5. 解:(1)此车间每天所获利润 y(元)与 x(名)之间的函数解析式是 $y=6x\cdot 150+5(20-x)\cdot 260=26\ 000-400x(0\leqslant x\leqslant 20)$.

(2)当 $y\geqslant 24\ 000$ 时,有 $26\ 000-400x\geqslant 24\ 000$,$\therefore x\leqslant 5$. $\therefore 20-x\geqslant 15$. $\therefore$ 要想使每天车间所获利润不低于 24 000 元,至少要安排 15 名工人去制造乙种零件才合适.

课本习题解答

KEBENXITIJIEDA

练习(P126)

1. (1)$x=-\frac{8}{3}$；(2)$x=-5$；(3)$x>-\frac{8}{3}$；(4)$x<-2$.

2. (1)图象略，$x=2$；(2)图象略，$x<2$.

练习(P128)

解：由题意易知：方式一的话费 y_1(元)与通话时间 x(分)的函数关系为$y_1=30+0.3x$，方式二的话费 y_2(元)与通话时间 x(分)的函数关系为 $y_2=0.4x$.

当两种费用相同时，$y_1=y_2$，即 $30+0.3x=0.4x$，解得 $x=300$.

所以当通话时间为 300 分钟时费用相同.

习题 14.3(P129)

1. (1)$x=-\frac{17}{5}$；(2)$x=-\frac{24}{5}$；(3)$x=\frac{3}{5}$.

2. (1)$x=\frac{5}{4}$；(2)$x=-2.4$.(图象略，笔算检验过程略)

3. (1)$x=-4$；(2)$x<-4$；(3)$x>-4$；(4)$x<-\frac{8}{3}$.

4. (1)图象略，$x>2$；(2)图象略，$x>-2.5$.

5. 解：联立$\begin{cases}y=\frac{5}{2}x+1,\\y=5x+17,\end{cases}$解得 $x=-6.4$. 当 $x=-6.4$ 时，函数值是-15.

6. (1)$\begin{cases}x=1,\\y=1,\end{cases}$图象略. (2)$\begin{cases}x=\frac{16}{5},\\y=\frac{2}{5},\end{cases}$图象略.

7. 解：物体的速度与时间的关系为 $v=0.5t$.

   令 $0.5t>6$，解得 $t>12$，即 12 秒后速度超过 6 米/秒.

   令 $0.5t\leqslant 8.5$，解得 $t\leqslant 17$，即 17 秒之内速度不超过 8.5 米/秒.

8. 解：$y=\begin{cases}2.4 & (x\leqslant 3, x\text{ 取正整数}),\\x-0.6 & (x>3, x\text{ 取正整数}).\end{cases}$

   有 10 元钱时，打一次电话最多可打 10 分钟.

9. 解：设购买标价为 x 元的物品，到 A 商场购物实际付钱数为 y_1，到 B 商场购物实际付钱数为 y_2，则 $y_1=0.8x$，$y_2=\begin{cases}x(x\leqslant 200),\\200+0.7(x-200)(x>200).\end{cases}$

   当 $y_1=y_2$ 时，解得 $x=600$(元)；当 $y_1>y_2$ 时，解得 $x>600$(元)；

   当 $y_1<y_2$ 时，解得 $x<600$(元).

   由上可知，当消费额为 600 元时，A、B 两商场一样；当消费额大于 600 元时，到 B 商场更经济；当消费额小于 600 元时，到 A 商场更经济.

10. 解：(1)当 $0\leqslant x\leqslant 4$ 时，设函数关系式为 $y=k_1x$.

由图象知当 $x=4$ 时，$y=20$，∴ $20=4k_1$，∴ $k_1=5$. ∴ $y=5x$.

(2)当 $4<x\leqslant 12$ 时，设函数关系式为 $y=k_2x+b$.

由图象知当 $x=4$ 时，$y=20$；当 $x=12$ 时，$y=30$.

∴ $\begin{cases}4k_2+b=20,\\12k_2+b=30,\end{cases}$ 解得 $\begin{cases}k_2=\dfrac{5}{4},\\b=15.\end{cases}$ ∴ $y=\dfrac{5}{4}x+15$.

(3)由 $y=5x$ 知，每分进水 5 升；

由 $5-\left(\dfrac{5}{4}\times 5+15-20\right)=\dfrac{15}{4}$ 知，每分出水 $\dfrac{15}{4}$ 升.

11. 解：由题意知，又过 100 秒小刚追上小明此时二人路程相等，

∴ $1\,450+100b=1\,600+100a$，∴ $b-a=1.5$. ①

又根据题意可知全程相等，小刚跑了 $(1\,450+200b)$ 米，小明跑了 $(1\,600+300a)$ 米，∴ $1\,450+200b=1\,600+300a$. ②

联立①②解得 $a=1.5$，$b=3$，∴ 全程为 2 050 米.

14.4 课题学习 选择方案

课程标准要求

KECHENGBIAOZHUNYAOQIU

1. 利用一次函数与一元一次方程和一元一次不等式的关系，解决实际生活中的方案问题.

2. 培养分析问题、解决问题的能力.

相关知识链接

XIANGGUANZHISHILIANJIE

在几何中，两点之间线段最短；点到直线上各点的距离以垂线段最短. 在实际生活中，做一件事情，常常有多种实施方案，我们要选取效率最高、费用最低、安全度最大的方案解决问题. 本节中，我们讨论如何运用一次函数选择最佳方案，进一步体会一次函数在实际生活中的应用.

教材知能全解

JIAOCAIZHINENGQUANJIE

知能点 一次函数的应用(难点)

问题 1 用哪种灯省钱

一种节能灯的功率为 10 瓦(即 0.01 千瓦)，售价为 60 元；一种白炽灯的功率为 60 瓦(即 0.06 千瓦)，售价为 3 元. 两种灯的照明效果一样，使用寿命也相同(3 000 小时以上). 如果电费价格为 0.5 元/(千瓦·时). 消费者选用哪种灯可以节省费用?

分析：要考虑如何节省费用，必须既考虑灯的售价又考虑电费，不同灯的售价分别是不同的常数，而电费与照明时间成正比例．因此，总费用与灯的售价、功率这些常数有关，而且与照明时间有关，写出函数解析式是分析问题的基础．

设照明时间为 x 小时，则用节能灯的总费用为

$y_1=0.5\times0.01x+60$. ①

类似地可以写出用白炽灯的总费用为

$y_2=0.5\times0.06x+3$. ②

讨论：根据①②两个函数，考虑下列问题：

(1) x 为何值时 $y_1=y_2$？(2) x 为何值时 $y_1>y_2$？(3) x 为何值时 $y_1<y_2$？

试利用函数解析式及图象给出解答，并结合方程、不等式进行说明．

在考虑上述问题的基础上，你能为消费者选择节省费用的用灯方案吗？

解：(1)当 $y_1=y_2$ 时，$0.5\times0.01x+60=0.5\times0.06x+3$，解得 $x=2\,280$.

(2)当 $y_1>y_2$ 时，$0.5\times0.01x+60>0.5\times0.06x+3$，解得 $x<2\,280$.

(3)当 $y_1<y_2$ 时，$0.5\times0.01x+60<0.5\times0.06x+3$，解得 $x>2\,280$.

在同一坐标系中画出两函数 y_1 与 y_2 的图象如图 14-4-1 所示.

通过图象可以看出，当 $x=2\,280$ 时，$y_1=y_2$；

当 $x<2\,280$ 时，$y_1>y_2$；当 $x>2\,280$ 时，$y_1<y_2$.

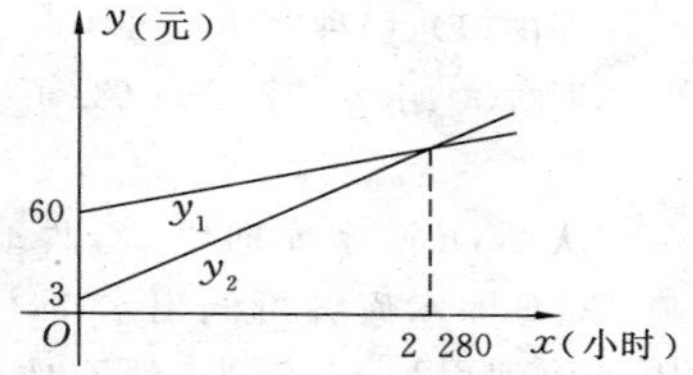

图 14-4-1

由以上分析可知：

(1)当照明时间小于 2 280 小时时，选择白炽灯节省费用；

(2)当照明时间为 2 280 小时时，两种灯费用相同；

(3)当照明时间大于 2 280 小时时，选择节能灯节省费用.

问题 2　怎样租车

某学校计划在总费用 2 300 元的限额内，租用汽车送 234 名学生和 6 名教师集体外出活动，每辆汽车上至少有 1 名教师.

现有甲、乙两种大客车，它们的载客量和租金如下表：

	甲种客车	乙种客车
载客量(单位：人/辆)	45	30
租金(单位：元/辆)	400	280

(1)共需租多少辆汽车？

(2)给出最节省费用的租车方案.

分析：(1)可以从乘车人数的角度考虑租多少辆汽车，即要注意到以下要求：

①要保证 240 名师生有车坐；

②要使每辆汽车上至少有 1 名教师.

根据①可知，汽车总数不能小于 6；根据②可知，汽车总数不能大于 6. 综合起来

可知汽车总数为6.

(2)租车费用与所租车的种类有关,可以看出,当汽车总数a确定后,在满足各项要求的前提下,尽可能少地租用甲种客车可以节省费用.

设租用x辆甲种客车,则租用$(a-x)$辆乙种客车,租车费用y(单位:元)是x的函数,即$y=400x+280(a-x)$.

将(1)中确定的a值代入上式,化简这个函数,得$y=120x+1\ 680$.

讨论:根据问题中各条件,自变量x的取值应有几种可能?

为使240名师生有车坐,x不能小于4;为使租车费用不超过2 300元,x不能超过5,综合起来可知x的取值为4或5.

在考虑上述问题的基础上,你能得出几种不同的租车方案?为节省费用应选择其中哪个方案?试说明理由.

在考虑上述问题的基础上,可得出两种不同的租车方案.

方案1:甲种客车4辆,乙种客车2辆;

方案2:甲种客车5辆,乙种客车1辆.

为节省费用应选择方案1.

理由(1):甲种客车租金400(元/辆),乙种客车租金280(元/辆).

理由(2):由$y=120x+1\ 680$可以看出,$k=120>0$,y随x的增大而增大,应选方案1.

问题3 怎样调水

从A,B两水库向甲、乙两地调水,其中甲地需水15万吨,乙地需水13万吨,A,B两水库各可调出水14万吨.从A地到甲地50千米,到乙地30千米;从B地到甲地60千米,到乙地45千米.设计一个调运方案使水的调运量(单位:万吨·千米)尽可能小.

分析:首先应考虑到影响水的调运量的因素有两个,即水量(单位:万吨)和运程(单位:千米),水的调运量是两者的乘积(单位:万吨·千米);其次应考虑到由A,B水库运往甲、乙两地的水量共4个量,即A——甲,A——乙,B——甲,B——乙的水量,它们互相联系.设从A水库调往甲地的水量为x吨,则有

水量(万吨) 调入地 / 调出地	甲	乙	总计
A	x	$14-x$	14
B	$15-x$	$x-1$	14
总计	15	13	28

设水的调运量为y万吨·千米,则有$y=50x+30(14-x)+60(15-x)+45(x-1)$.

讨论:(1)化简这个函数,并指出其中自变量x的取值应有什么限制条件.

(2)画出这个函数的图象.

(3)结合函数解析式及其图象说明水的最佳调运方案,水的最小调运量为多少?

(4)如果设其他水量(例如从B水库调往乙地的水量)为x万吨,能得到同样的

最佳方案吗？

解：(1)$y=5x+1\ 275(1\leqslant x\leqslant 14)$.

(2)函数的图象如图 14-4-2 所示.

(3)当 $x=1$ 时，y 有最小值 1 280.

因此，最佳方案为：从 A 水库调 1 万吨水到甲地，调 13 万吨水到乙地，从 B 水库调 14 万吨水到甲地，调 0 万吨水到乙地.水的最小调运量为 1 280 万吨·千米.

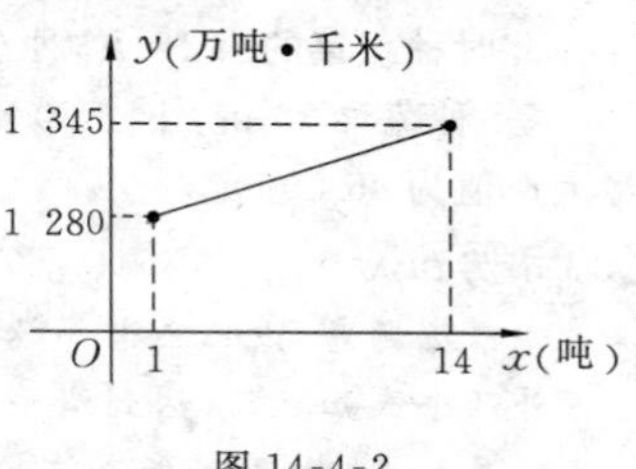

图 14-4-2

(4)设从 B 水库调往乙地的水量为 x 万吨，水的调运量为 y 万吨·千米，则有

$y=50(x+1)+30(13-x)+60(14-x)+45x=5x+1\ 280(0\leqslant x\leqslant 13)$.

当 $x=0$ 时，y 有最小值 1 280，得到的最佳方案与(3)相同.

典型例题全解

DIANXINGLITIQUANJIE

题型　表格信息题

例 1　某市 20 位下岗职工在近郊承包 50 亩(1 公顷＝15亩)土地办农场，这些地可种蔬菜、烟叶或小麦，种这几种农作物每亩地所需职工数和产值预测如下表：

作物品种	每亩地所需职工数	每亩地预计产值
蔬菜	$\frac{1}{2}$	1 100 元
烟叶	$\frac{1}{3}$	750 元
小麦	$\frac{1}{4}$	600 元

请你设计一个种植方案，使每亩地都种上农作物，20 位职工都有工作，且使农作物预计总产值最多.

分析：仅从表格信息观察，较难判断该如何分配，因而建立函数关系式是较好的方法.设总产值为 P(元)，种植蔬菜面积为 x 亩，根据表格提供的信息，把种植烟叶、小麦面积均用含 x 的式子表示，建立 P 与 x 的函数关系式，再根据函数性质求 P 的最大值.

解：设种植蔬菜 x 亩，烟叶 y 亩，小麦 z 亩，根据题意，

有$\begin{cases}x+y+z=50,\\ \frac{1}{2}x+\frac{1}{3}y+\frac{1}{4}z=20,\end{cases}$解得 $y=-3x+90$，$z=2x-40$.

设预计产值为 P 元，则有 $P=1\ 100x+750y+600z$，

即 $P=1\ 100x+750(-3x+90)+600(2x-40)=50x+43\ 500$.

又∵ $y\geqslant 0$，$z\geqslant 0$，∴ $20\leqslant x\leqslant 30$.

由一次函数的性质可知，当 $x=30$ 时，$P_{最大}=45\ 000$.

此时种蔬菜的为15人，种小麦的为5人.

答：种蔬菜30亩，小麦20亩，不种烟叶，此时所有职工都有工作，且预计农作物最大产值为45 000元.

点拨 DIANBO

根据题意，设三个未知数，先列方程组，再用含某一个未知数的代数式表示出另外两个未知数，以达到消元的目的，从而找出总产值与其中一个未知量的一次函数关系式. 要注意：通过三个未知量的实际意义 $x\geqslant0, y\geqslant0, z\geqslant0$ 来确定自变量 x 的取值范围.

例2　某产品每件的成本是120元，为了解市场规律，试销阶段按两种方案进行销售，结果如下：

方案甲：保持每件150元的售价不变，此时日销售量为50件；

方案乙：不断地调整售价，此时发现日销售量 y(件)是售价 x(元)的一次函数，且前三天的销售情况如下表：

x/元	130	150	160
y/件	70	50	40

如果方案乙中的第四天、第五天售价均为180元，那么前五天中，哪种方案的销售总利润大?（注：销售利润＝销售额－成本额，销售额＝售价×销售量）

分析：先根据题意构建一次函数模型，再利用函数模型解答相关的问题.

解：设方案乙中的一次函数解析式为 $y=kx+b$.

$\therefore \begin{cases}70=130k+b,\\50=150k+b,\end{cases}$ 解得 $\begin{cases}k=-1,\\b=200.\end{cases}$

方案乙中的一次函数解析式为 $y=-x+200$.

$\therefore$ 第四天、第五天的销售量均为 $-180+200=20$(件).

$\therefore$ 方案乙前五天的总利润为 $130\times70+150\times50+160\times40+180\times20+180\times20-120\times(70+50+40+20+20)=6\ 200$(元).

$\because$ 方案甲前五天的总利润为 $(150-120)\times50\times5=7\ 500$(元),

显然 $6\ 200<7\ 500$, $\therefore$ 前五天中方案甲的总利润大.

点拨 DIANBO

方案甲的售价和每日的销量不变，因此每天的销售利润是定值，而方案乙每天的售价 x 与每天的销售数量都是变量，且存在着一次函数关系，因此应该用待定系数法求出 y 与 x 的函数解析式，然后才能解答相关的问题.

例3　某食品厂的一种巧克力糖果，每千克成本为24元，其销售方案有如下两种：

方案1：若直接给本厂设在武汉的门市部销售，则每千克售价为32元，但门市部每月需上缴有关费用2 400元.

方案2：若直接批发给本地超市销售，则出厂价为每千克28元.

若每月只能按一种方案销售，且每种方案都能按月销售完当月产品，设该厂每月

的销售量为 x 千克.

应如何选择销售方案,可使工厂当月所获利润更大?

分析: 先建立一次函数模型,方案 1 中 $y_1=(32-24)x-2\,400$,方案 2 中 $y_2=(28-24)x$,然后通过比较 y_1 与 y_2 的大小确定 x 的取值及获利大小的关系.

解: 按方案 1 销售可获利为 $y_1=(32-24)x-2\,400=8x-2\,400$;

按方案 2 销售可获利为 $y_2=(28-24)x=4x$.

当 $y_1=y_2$ 时,$8x-2\,400=4x$,解得 $x=600$;

当 $y_1>y_2$ 时,$8x-2\,400>4x$,解得 $x>600$;

当 $y_1<y_2$ 时,$8x-2\,400<4x$,解得 $x<600$.

所以当 x 大于 600 时,按方案 1 销售获利大;当 x 等于 600 时,两种方案销售获利一样大;当 x 小于 600 时,按方案 2 销售获利大.

点拨 DIANBO

解此类问题,一般先构建函数模型,得出两种方案下的解析式,然后通过比较函数值来说明各种方案的优势,从而解答相关问题.

挑战课标中考

TIAOZHANKEBIAOZHONGKAO

选择方案问题是中考热点,题型主要是具有实际意义和时代气息的解答题,考查学生把实际问题转化为数学问题的能力.

例　(2009·恩施中考)某超市经销 A、B 两种商品,A 种商品每件进价 20 元,售价 30 元;B 种商品每件进价 35 元,售价 48 元.

(1)该超市准备用 800 元去购进 A、B 两种商品若干件,怎样购进才能使超市经销这两种商品所获利润最大(其中 B 种商品不少于 7 件)?

(2)在五一期间,该商场对 A、B 两种商品进行如下优惠促销活动:

打折前一次性购物总金额	优惠措施
不超过 300 元	不优惠
超过 300 元且不超过 400 元	售价打八折
超过 400 元	售价打七折

促销活动期间小颖去该超市购买 A 种商品,小华去该超市购买 B 种商品,分别付款 210 元与 268.8 元.促销活动期间小明决定一次去购买小颖和小华购买的同样多的商品,他需付款多少元?

解:(1)设购进 A、B 两种商品分别为 x 件、y 件,所获利润为 w 元,

则 $\begin{cases} w=10x+13y, \\ 20x+35y=800, \end{cases}$ 解得 $w=-\dfrac{9}{2}y+400$.

$\because$ w 是 y 的一次函数,随 y 的增大而减小,

又 $\because$ y 是不小于 7 的整数,且 x 也为整数,

∴ 当 $y=8$ 时，w 最大，此时 $x=26$.

∴ 购进 A 商品 26 件，B 商品 8 件才能使超市经销这两种商品所获利润最大.

(2)∵ $300\times0.8=240, 210<240$,

∴ 小颖去该超市购买 A 种商品 $210\div30=7$(件).

又 268.8 不是 48 的整数倍，且 $268.8\div0.7=384<400$,

∴ 小华去该超市购买 B 种商品 $268.8\div0.8\div48=7$(件).

小明一次去购买小颖和小华购买的同样多的商品：

$7\times30+7\times48=546>400$,

∴ 小明付款为 $546\times0.7=382.2$(元).

答：小明需付款 382.2 元.

总结

认真分析图表，读懂题意，利用一次函数的增减性求出最大利润.

易错易误点全解

YICUOYIWUDIANQUANJIE

易错点 1：方案设计考虑不全，不能通过函数关系选取最佳方案.（如例 3）

易错点 2：忽略自变量的取值范围.（如例 1）

知能综合提升

ZHINENGZONGHETISHENG

知识梳理

1. 本节通过三个问题体会如何运用一次函数选择最佳方案.

2. 一次函数的增减性、解一元一次方程和一元一次不等式、确定实际问题中自变量的取值范围是确定方案、选择方案的常用方法.

3. 若问题中有多个变量，可选一个变量为自变量，其他变量用这个变量表示，建立函数模型.

技巧平台

近几年各地中考应用题的材料背景大多来自社会、生活、经济、消费、环保等一些热门话题. 方案选择问题也就是决策问题，具有浓厚的时代气息，建立函数关系式是解决这类问题的关键. 要认真读题，从图表和相关问题中找出隐含的数量关系，不要忽略自变量的取值范围.

跟踪训练

某商品的进价为每件 30 元，现在的售价为每件 40 元，每星期可卖出 150 件. 市场调查反映：如果每件的售价每涨 1 元（售价每件不能高于 45元），那么每星期少卖 10 件. 设每件涨价 x 元（x 为非负整数），每星期的销量为 y 件.

(1)求 y 与 x 的函数解析式及自变量 x 的取值范围.

(2)如何定价才能使每星期的利润最大且每星期的销量较大？每星期的最大利润是多少？

跟踪训练答案

解：(1) $y=150-10x$.

$\because \begin{cases} x\geqslant 0, \\ 40+x\leqslant 45, \end{cases}$ $\therefore$ $0\leqslant x\leqslant 5$ 且 x 为整数.

$\therefore$ 所求的函数解析式为 $y=150-10x$（$0\leqslant x\leqslant 5$ 且 x 为整数）.

(2)设每星期的利润为 w 元，则 $w=y(40+x-30)=(150-10x)(x+10)$

$=-10x^2+50x+1\ 500=-10(x-2.5)^2+1\ 562.5$.

$\because$ $a=-10<0$，$\therefore$ 当 $x=2.5$ 时，w 有最大值 1 562.5.

$\because$ x 为非负整数，

$\therefore$ 当 $x=2$ 时，$40+x=42$，$y=150-10x=150-20=130$，$w=1\ 560$（元）；

当 $x=3$ 时，$40+x=43$，$y=150-10x=150-30=120$，$w=1\ 560$（元）.

$\therefore$ 当售价定为 42 元时，每星期的利润最大且销量较大，最大利润是 1 560 元.

章末总结与复习

知识网络归纳

ZHISHIWANGLUOGUINA

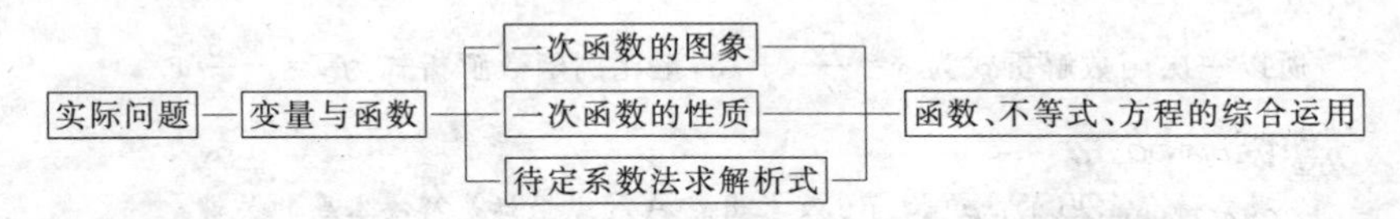

专题综合讲解

ZHUANTIZONGHEJIANGJIE

专题一　一次函数图象与坐标轴围成的三角形面积

在一次函数这章中，充分利用数形结合思想是有力的“开门锁”，而一次函数与坐标轴围成的三角形面积问题是对数形结合思想最好的体现，历年中考题型中都出现了这类数形结合的综合题.

例 1　已知一次函数 $y=kx+b$ 的图象过点 $A(-3,-2)$ 及点 $B(1,6)$，求函数的解析式，并求出该函数图象与坐标轴围成的三角形面积.

分析：一次函数 $y=kx+b$ 中有两个待定系数，需要利用两个条件建立两个方程，联立成方程组，求出 k、b 的值.

解：由题意得 $\begin{cases} -2=-3k+b, \\ 6=k+b, \end{cases}$ 解得 $\begin{cases} k=2, \\ b=4. \end{cases}$ $\therefore$ $y=2x+4$.

设此一次函数与 x 轴、y 轴交点分别为 C、D 两点，$\therefore$ $C(-2,0)$、$D(0,4)$.

$\therefore CO=2, DO=4. \therefore S_{\triangle COD}=\frac{1}{2}|CO|\cdot|DO|=4.$

点拨 DIANBO

一条直线与两坐标轴围成的图形面积一般以两坐标轴所在的边为底和高来计算面积.

例2 如图14-5-1所示，一次函数的图象交 x 轴于点 $B(-6,0)$，交正比例函数的图象于点 A，且点 A 的横坐标为 -4，$S_{\triangle AOB}=15$. 求一次函数和正比例函数的解析式.

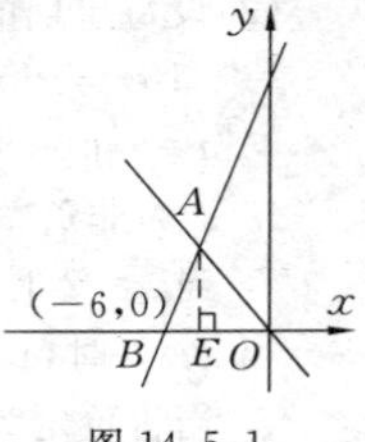

图 14-5-1

分析：根据 $\triangle AOB$ 的面积和点 A 所在的象限，求出点 A 的坐标，再求函数的解析式.

解：观察图象可知，$\triangle AOB$ 的底边 BO 的长为 6，而 $S_{\triangle AOB}$ 的面积为 15，故有 $\frac{1}{2}|BO|\cdot|AE|=\frac{1}{2}\times 6\times AE=15$，可得 $AE=5$，故点 A 的坐标为 $(-4,5)$.

设一次函数的解析式为 $y_1=k_1x+b$，正比例函数的解析式为 $y_2=k_2x$.

把点 $B(-6,0)$、$A(-4,5)$ 代入 $y_1=k_1x+b$，得

$\begin{cases}-6k_1+b=0,\\-4k_1+b=5,\end{cases}$ 解得 $\begin{cases}k_1=\frac{5}{2},\\b=15,\end{cases}$ 所以 $y_1=\frac{5}{2}x+15$.

把点 $A(-4,5)$ 代入 $y_2=k_2x$，得 $5=-4k_2$，解得 $k_2=-\frac{5}{4}$，所以 $y_2=-\frac{5}{4}x$.

所以一次函数解析式为 $y=\frac{5}{2}x+15$，正比例函数解析式为 $y=-\frac{5}{4}x$.

点拨 DIANBO

观察得 $\triangle AOB$ 的底边长为 6 及求出点 A 的纵坐标是解决本题的关键.

专题二 一次函数应用问题

一次函数是中考考查的热点内容之一，主要以生活实际为背景，与生活实际相联系，具有鲜明的时代特色，极大丰富了一次函数的内容和形式.

例3 一报亭从报社订购某晚报的价格是每份 0.7 元，销售价是每份 1 元，卖不掉的报纸还可以以每份 0.2 元的价格退回报社，在一个月内(以 30 天计算)有 20 天每天可以卖出 100 份，其余 10 天每天只能卖出 60 份，但每天报亭从报社订购的报纸份数必须相同，若以报亭每天从报社订购的报纸份数为自变量 x，每月所获利润为 y.

(1)写出 y 与 x 之间的函数关系式，并指出自变量 x 的取值范围.

(2)报亭应该每天从报社订购多少份报纸，才能使每月获得的利润最大？最大利润是多少？

分析：由题意找等量关系，即利润＝卖出数量×(售价－成本)－退回数量×(成本－回收价)，从而列出函数关系式，再根据函数性质，求出最大利润.

解：(1)若报亭每天从报社订晚报 x 份，则 x 应满足 $60 \leqslant x \leqslant 100$，且 x 是正整数，则每月共销售 $(20x+10\times60)$ 份，退回报社 $10(x-60)$ 份.

又因为卖出的报纸每份获利 0.3 元，退回的报纸每份亏损 0.5 元，

所以每月获得利润为 $y=0.3\times(20x+10\times60)-0.5\times10(x-60)=x+480$，

自变量 x 的取值范围是 $60 \leqslant x \leqslant 100$，且 x 是正整数.

(2)因为当 $60 \leqslant x \leqslant 100$ 时，y 随 x 的增大而增大，

所以当 $x=100$ 时，y 有最大值，$y_{最大值}=100+480=580$(元).

所以报亭应该每天从报社订购 100 份报纸，才能使每月获得的利润最大，最大利润是 580 元.

规律

解有关一次函数的应用题时要注意从实际问题中抽象出函数模型综合分析问题，将所学知识灵活运用，融会贯通，同时还要特别注意自变量的取值范围，它是解决问题的关键之一.

例 4 某工厂现有甲种原料 360 kg，乙种原料 290 kg，计划利用这两种原料生产 A、B 两种产品共 50 件. 已知生产一件 A 种产品，需要甲种原料 9 kg，乙种原料 3 kg，可获利润 700 元；生产一件 B 种产品，需要甲种原料 4 kg，乙种原料 10 kg，可获利润 1 200 元.

(1)按要求安排 A、B 两种产品的生产件数，有哪几种方案？请你设计出来.

(2)设生产 A、B 两种产品获总利润为 y(元)，其中一种的生产件数为 x，试写出 y 与 x 之间的函数关系式，并利用函数的性质说明(1)中哪种生产方案获总利润最大？最大利润是多少？

分析：设生产 A 种(或 B 种)产品 x 件，则生产 B 种(或 A 种)产品 $(50-x)$ 件. 根据题意，生产两种产品所用甲种原料不超过 360 kg，所用乙种原料不超过 290 kg，可列出两个不等式，解不等式组，即可求出 x 的范围，进而确定 x 的正整数值.

解：(1)设安排生产 A 种产品 x 件，则生产 B 种产品为 $(50-x)$ 件，

依题意，得 $\begin{cases} 9x+4(50-x)\leqslant 360, \\ 3x+10(50-x)\leqslant 290, \end{cases}$ 解得 $30 \leqslant x \leqslant 32$.

$\because$ x 是整数，$\therefore$ 只能取 30，31，32.

$\therefore$ 生产方案有三种，分别为 A 种 30 件，B 种 20 件；A 种 31 件，B 种 19 件；A 种 32 件，B 种 18 件.

(2)设生产 A 种产品 x 件，则 $y=700x+1\,200(50-x)=-500x+60\,000$.

$\because$ $k=-500<0$，根据一次函数的增减性，$\therefore$ y 随 x 的增大而减小.

$\therefore$ 当 $x=30$ 时，y 值最大. $y_{最大值}=-500\times30+60\,000=45\,000$(元).

$\therefore$ 安排生产 A 种产品 30 件，B 种产品 20 件时，获得利润最大，最大利润是 45 000 元.

提示

此题的第(1)问是利用一元一次不等式组解决的，第(2)问是利用一次函数的增减性解决的，要注意第(2)问与第(1)问的相互联系.

专题三　思想方法专题

本章所体现的数学思想方法有：方程思想、转化思想、分类讨论思想、数形结合思想与待定系数法等.

1. 方程思想

方程思想是指对所求数学问题通过列方程(组)使问题得解的方法. 在函数及其图象中，方程思想的应用主要体现在运用待定系数法确定函数关系式.

例 5　(1)当 $m=$ ________ 时，函数 $y=(m-5)x^{m^2-7m+11}$ 是正比例函数；

(2)已知函数 $y=3+(m-2)x^{m^2-3}$ 是一次函数，则 $m=$ ________，图象经过第________象限；

(3)若函数 $y=\frac{m}{x^{m^2+m-3}}$ 是正比例函数，且图象经过第二、四象限，则 $m=$ ________.

解析：(1)由题意得 $\begin{cases}m^2-7m+11=1,\\ m-5\neq 0,\end{cases}$ 解得 $m=2$.

∴ 当 $m=2$ 时，y 是 x 的正比例函数，这时解析式为 $y=-3x$.

(2)由题意得 $\begin{cases}m^2-3=1,\\ m-2\neq 0,\end{cases}$ 解得 $\begin{cases}m=\pm 2,\\ m\neq 2,\end{cases}$ ∴ $m=-2$.

当 $m=-2$ 时，解析式为 $y=-4x+3$，这时图象过第一、二、四象限.

(3)由题意得 $\begin{cases}m^2+m-3=-1,\\ m<0,\end{cases}$ 解得 $\begin{cases}m=-2 \text{ 或 } m=1,\\ m<0,\end{cases}$ ∴ $m=-2$.

答案：(1)2　(2)-2，一、二、四　(3)-2

点拨 DIANBO

该题是利用方程思想考查一次函数和正比例函数的定义.

2. 转化思想

转化思想是解决数学问题中常用的一种思想方法，在解决函数问题时，常常转化为方程(组)和不等式的问题，使问题能够迎刃而解.

例 6　已知一次函数 $y=(2m-3)x+2-n$ 满足下列条件，分别求出字母 m、n 的取值范围.

(1)使得 y 随 x 的增大而减小；

(2)使得函数图象与 y 轴的交点在 x 轴上方；

(3)使得函数的图象经过第一、三、四象限.

分析：由一次函数的性质，建立不等式或不等式组求解.

解：(1)由题意得 $2m-3<0$，解得 $m<\frac{3}{2}$，

∴ 当 $m<\frac{3}{2}$ 时，y 随 x 的增大而减小.

(2)由题意知$\begin{cases}2-n>0,\\2m-3\neq 0,\end{cases}$解得$n<2,m\neq\frac{3}{2}$.

∴ 当$n<2,m\neq\frac{3}{2}$时，函数图象与y轴的交点在x轴上方.

(3)由题意知$\begin{cases}2m-3>0,\\2-n<0,\end{cases}$解得$\begin{cases}m>\frac{3}{2},\\n>2.\end{cases}$

∴ 当$m>\frac{3}{2},n>2$时，函数的图象经过第一、三、四象限.

点拨 DIANBO

根据一次函数的图象与性质或图象在直角坐标系中的位置来确定k、b的正负号，转化成关于m、n的不等式(组)，注意(2)中$k=2m-3\neq 0$的隐含条件.

例7　一游泳池长90 m，甲、乙两人分别在游泳池相对两边同时向另一边游泳，甲的速度是3 m/s，乙的速度是2 m/s，图14-5-2中的实线和虚线分别为甲和乙与游泳池一边的距离随游泳时间的变化而变化的图象，若不计转向时间，则从开始到3 min止，他们相遇的次数为(　　)

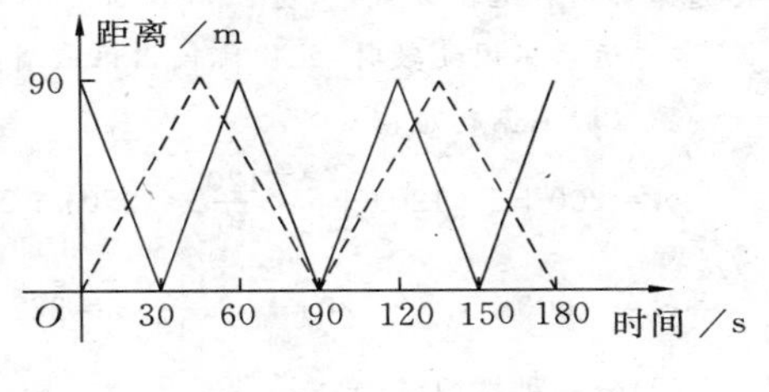

图14-5-2

A. 2　　B. 3　　C. 4　　D. 5

解析：根据图象可知，相遇即为两函数图象的公共点，即交点，所以可观察出相遇的次数，易得相遇的次数为5.　**答案**：D

技巧

将相遇的次数转化为图象的交点是解题的关键.

3. 分类讨论思想

分类讨论思想是在对数学对象进行分类的过程中寻求答案的一种思想方法，分类讨论既是一种重要的数学思想，又是一种重要的数学方法. 分类的关键是根据分类的目的，找出分类的对象. 分类既不能重复，也不能遗漏，最后要全面总结.

例8　某批发商欲将一批海产品由A地运往B地，汽车货运公司和铁路货运公司均开办海产品运输业务，已知运输路程为120千米，汽车和火车的速度分别为60千米/时、100千米/时，两货运公司的收费项目及收费标准如下表所示：

运输工具	运输费单价(元/吨·千米)	冷藏费单价(元/吨·小时)	过路费(元)	一次性收取管理费(元)
汽车	2	5	200	0
火车	1.8	5	0	1 600

注:"元/吨·千米"表示每吨货物每千米的运费,"元/吨·小时"表示每吨货物每小时的冷藏费.

(1)设该批发商待运的海产品有 x 吨,汽车货运公司和铁路货运公司所要收取的费用分别为 y_1 元和 y_2 元,求 y_1 和 y_2 与 x 的函数关系式.

(2)若该批发商待运的海产品不少于 30 吨,为节省运费,他应该选择哪个货运公司承担运输业务?

分析:利用表格所提供的信息首先得出 y_1、y_2 与 x 的函数关系式,为节省运费,要选择哪一种运输方式,需分三种情况进行分类讨论:① $y_1>y_2$;② $y_1=y_2$;③ $y_1<y_2$. 这样运输不同吨数时,就能比较出谁最省钱.

解:(1)根据题意得

$$y_1=200+2\times120x+5\times\frac{120}{60}x=250x+200,$$

$$y_2=1\ 600+1.8\times120x+5\times\frac{120}{100}x=222x+1\ 600.$$

(2)分三种情况:

①若 $y_1>y_2$,即 $250x+200>222x+1\ 600$,解得 $x>50$;

②若 $y_1=y_2$,即 $250x+200=222x+1\ 600$,解得 $x=50$;

③若 $y_1<y_2$,即 $250x+200<222x+1\ 600$,解得 $x<50$.

答:当待运海产品不少于 30 吨,且不足 50 吨时,应选择汽车货运公司;

当待运海产品刚好 50 吨时,选择两家公司一样;

当待运海产品多于 50 吨时,应选择铁路货运公司.

点拨 DIANBO

运用不等式和方程,比较两种运输方式的收费情况,然后选择货运公司,体现了分类讨论的数学思想方法.

4. 数形结合思想

数形结合思想是指将数与形结合起来进行分析、研究、解决问题的一种思想方法,数形结合思想在解决与函数有关的问题时,能起到事半功倍的作用.

例 9 求直线 $y=3x-2$ 和直线 $y=2x+3$ 与 y 轴所围成的图形的面积.

分析:应先在同一坐标系内作出两直线的图象,得到所围成的 $\triangle ABC$,为计算方便,一般要把底边取在坐标轴上.

解:如图 14-5-3,联立$\begin{cases}y=3x-2,\\y=2x+3,\end{cases}$解得$\begin{cases}x=5,\\y=13,\end{cases}$

$\therefore$ 交点 C 的坐标为$(5,13)$.

$\because$ 直线 $y=3x-2$ 与 $y=2x+3$ 分别与 y 轴交于点 $A(0,-2)$ 和点 $B(0,3)$,

$\therefore$ $AB=|3-(-2)|=5$.

又 $CD=5$,$\therefore$ $S_{\triangle ABC}=\frac{1}{2}AB\cdot CD=\frac{1}{2}\times5\times5=\frac{25}{2}$.

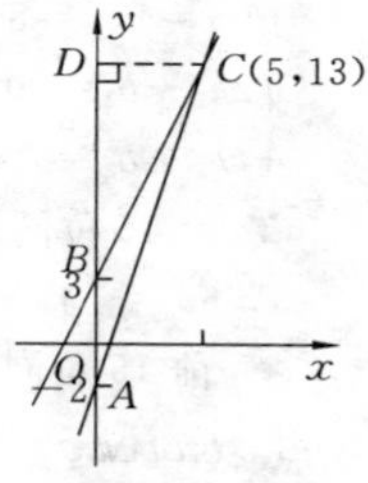

图 14-5-3

点拨 DIANBO

先在同一坐标系内画出两个函数的图象,找出所要求的三角形,再解出这个三角形的底与高,从而求出面积,体现了数形结合的思想方法.

5. 待定系数法

先设出式子中的未知系数,再根据条件求出未知系数,从而写出这个式子的方法,叫做待定系数法,其中的未知系数叫待定系数.

用待定系数法求函数解析式的一般步骤:

(1)写出函数解析式的一般形式;

(2)把已知条件代入函数解析式中,得到关于待定系数的方程或方程组;

(3)解方程(组)求出待定系数的值,从而写出函数的解析式.

例 10　某校部分住校生放学后到学校锅炉房打水,每人接水2 升,他们先同时打开两个水龙头,后来因故障关闭一个水龙头.假设前后两人接水间隔时间忽略不计,且不发生泼洒,锅炉内的余水量 y(升)与接水时间 x(分)的函数图象如图 14-5-4 所示.

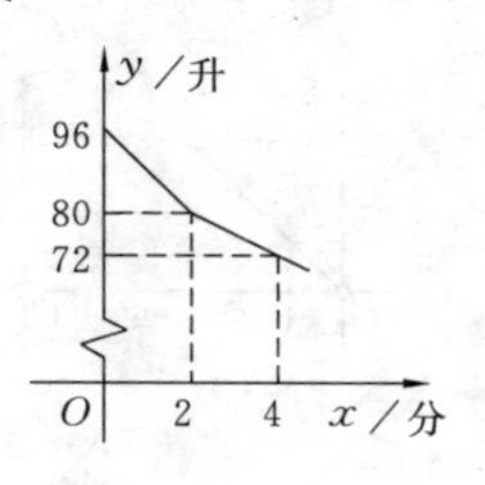

图 14-5-4

请结合图象,回答下列问题:

(1)根据图中信息,请你写出一个结论.

(2)问前 15 位同学接水结束共需要几分钟?

分析:观察图象,分清锅炉中的水量与时间的关系,建立函数关系式求解.

解:(1)锅炉内原有水 96 升,接水 2 分钟后,锅炉内的余水量为 80 升;接水 4 分钟后,锅炉内的余水量为 72 升;2 分钟前的水流量为每分钟 8 升等.

(2)当 $0\leqslant x\leqslant2$ 时,设函数解析式为 $y=k_1x+b_1$,

把 $x=0,y=96$ 和 $x=2,y=80$ 代入得

$\begin{cases}b_1=96,\\2k_1+b_1=80,\end{cases}$解得$\begin{cases}k_1=-8,\\b_1=96,\end{cases}$ $\therefore$ $y=-8x+96(0\leqslant x\leqslant2)$.

当 $x>2$ 时,设函数解析式为 $y=k_2x+b_2$,

把 $x=2,y=80$ 和 $x=4,y=72$ 代入得

$\begin{cases}2k_2+b_2=80,\\4k_2+b_2=72,\end{cases}$ 解得 $\begin{cases}k_2=-4,\\b_2=88,\end{cases}$ ∴ $y=-4x+88(x>2)$.

∵ 前 15 位同学接完水时余水量为 $96-15\times2=66$(升),

∴ $66=-4x+88,x=5.5$.

答:前 15 位同学接完水需 5.5 分钟.

点拨 DIANBO

本题是用待定系数法建立函数关系式在实际生活中的应用,体现了把生活中的问题转化为数学中的问题求解的方法.

专题四　中考热点聚焦

一次函数的图象与性质是中考必考内容之一,题型多样,形式灵活,综合应用性强,近几年许多省市常出现一次函数与图表相结合的存在性探究题目,主要考查一次函数的图象和性质、利用待定系数法求一次函数解析式,会利用一次函数(或正比例函数)解决实际问题.一次函数和方程(组)、一元一次不等式(组)的关系的考查也是中考重点内容.

例 11　(2009·重庆中考)如图 14-5-5,在矩形 $ABCD$ 中,$AB=2,BC=1$.动点 P 从点 B 出发,沿路线 $B\to C\to D$ 做匀速运动,那么△ABP 的面积 S 与点 P 运动的路程 x 之间的函数图象大致是(　　)

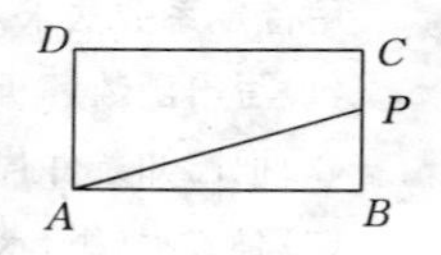

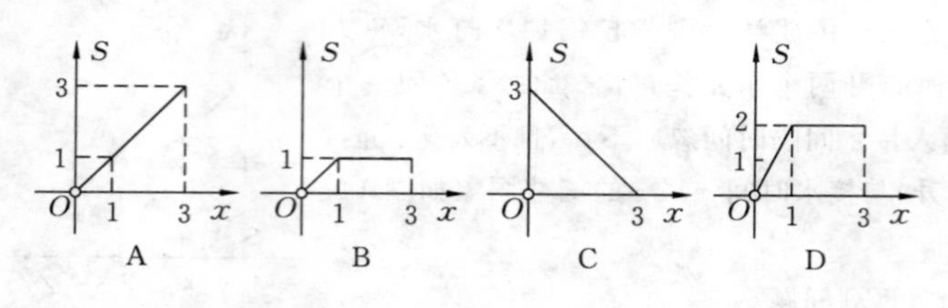

名师点拨

结合图象解决问题是数形结合思想的一种具体体现,注意 B、D 两选项的区别.

解析:运动过程可分两个阶段:第一个阶段是点 P 在 BC 上时,$S_{\triangle ABP}=\frac{1}{2}\cdot AB\cdot x=x(0<x\leqslant1)$;第二个阶段是点 P 在 CD 上时,$S_{\triangle ABP}$ 的高为 1,是常数,所以 $S=\frac{1}{2}\times2\times1=1(1<x\leqslant3)$.所以结合以上分析可知 B 项正确.　　**答案**:B

例 12　(2009·陕西中考)在一次运输任务中,一辆汽车将一批货物从甲地运往乙地,到达乙地卸货后返回,设汽车从甲地出发 x(h)时,汽车与甲地的距离为 y(km),y 与 x 的函数关系如图14-5-6所示.

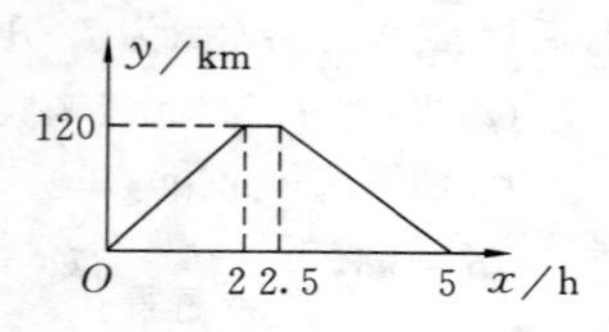

图 14-5-6

根据图象信息,解答下列问题:

(1)这辆汽车的往、返速度是否相同?请说明理由.

(2)求返程中 y 与 x 之间的函数表达式.

(3)求这辆汽车从甲地出发 4 h 时与甲地的距离.

解:(1)不同,理由如下:

∵ 往、返距离相等,去时用了 2 h,而返回时用了 2.5 h,∴ 往、返速度不同.

(2)设返程中 y 与 x 之间的函数表达式为 $y=kx+b$,

则 $\begin{cases}120=2.5k+b,\\0=5k+b,\end{cases}$ 解得 $\begin{cases}k=-48,\\b=240.\end{cases}$

∴ $y=-48x+240(2.5\leqslant x\leqslant 5)$.

(3)当 $x=4$ 时,汽车在返程中,∴ $y=-48\times 4+240=48$.

∴ 这辆汽车从甲地出发 4 h 时与甲地的距离为 48 km.

提示

先从图象中读取有用信息,再用一次函数知识进行解题.

例 13　(2009·新疆中考)某公交公司的公共汽车和出租车每天从乌鲁木齐出发往返于乌鲁木齐市和石河子市两地,出租车比公共汽车多往返一趟,如图 14-5-7 表示出租车距乌鲁木齐市的路程 y(单位:千米)与所用时间 x(单位:小时)的函数图象.已知公共汽车比出租车晚 1 小时出发,到达石河子市后休息 2 小时,然后按原路原速返回,结果比出租车最后一次返回乌鲁木齐市早1 小时.

(1)请在图中画出公共汽车距乌鲁木齐市的路程y(千米)与所用时间 x(小时)的函数图象;

(2)求两车在途中相遇的次数(直接写出答案);

(3)求两车最后一次相遇时,距乌鲁木齐市的路程.

y/千米
150
100
50
−1
O
1
2
3
4
5
6
7
8
x/小时

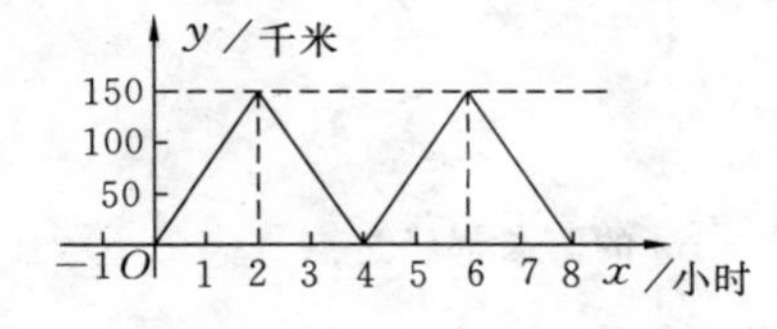

图 14-5-7

y/千米
150
100
50
−1
O
1
2
3
4
5
6
7
8
x/小时
D
B
E
A
C

图 14-5-8

解:(1)如图 14-5-8 所示.

(2)2 次.

(3)如图 14-5-8,设直线 AB 的解析式为 $y=k_1x+b_1$.

∵ 图象过 $A(4,0)$,$B(6,150)$,

∴ $\begin{cases}4k_1+b_1=0,\\6k_1+b_1=150,\end{cases}$ ∴ $\begin{cases}k_1=75,\\b_1=-300.\end{cases}$

∴ 直线 AB 的解析式为 $y=75x-300$. ①

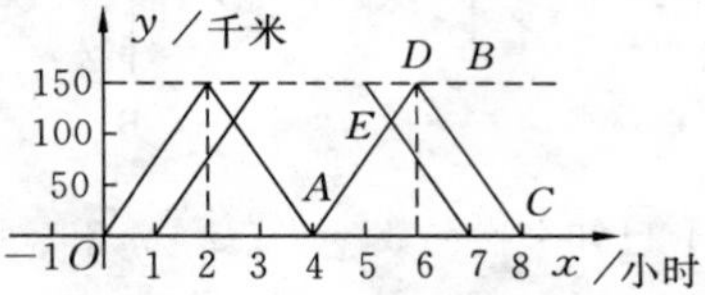

设直线 CD 的解析式为 $y=k_2x+b_2$.

∵ 图象过 $C(7,0)$,$D(5,150)$,

∴ $\begin{cases}7k_2+b_2=0,\\5k_2+b_2=150,\end{cases}$ 解得 $\begin{cases}k_2=-75,\\b_2=525.\end{cases}$

∴ 直线 CD 的解析式为 $y=-75x+525$. ②

解由①②组成的方程组得 $\begin{cases}x=5.5,\\y=112.5.\end{cases}$

∴ 最后一次相遇时距乌鲁木齐市的路程为 112.5 千米.

一、选择题

1. 下列函数中,自变量 x 的取值范围是 $x\geqslant 2$ 的是( )

A. $y=\sqrt{2-x}$　　B. $y=\dfrac{1}{\sqrt{2-x}}$

C. $y=\sqrt{4-x^2}$　　D. $y=\sqrt{x+2}\cdot\sqrt{x-2}$

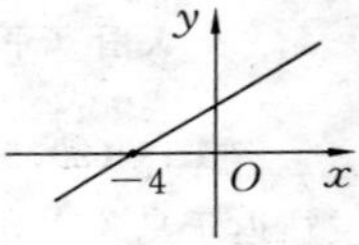

图 14-5-9

2. 如图 14-5-9 所示,直线 $y=kx+b$ 与 x 轴的交点为 $(-4,0)$,则 $y>0$ 时,x 的取值范围是( )

A. $x>-4$　　B. $x>0$　　C. $x<-4$　　D. $x<0$

3. 一次函数 $y=kx+b$ 和 $y=bx+k$ 在同一坐标系下的图象大致是下图中的( )

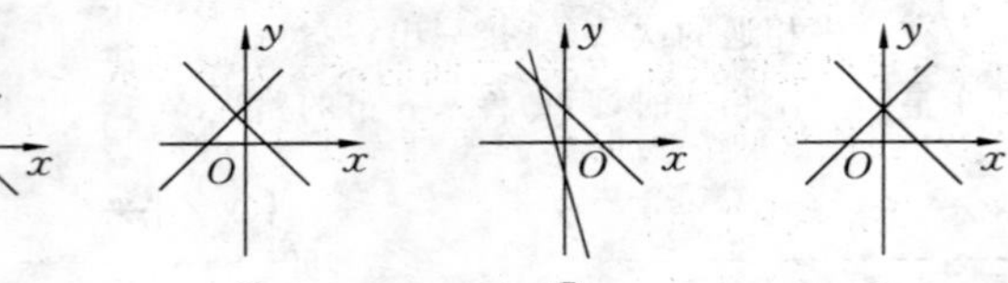
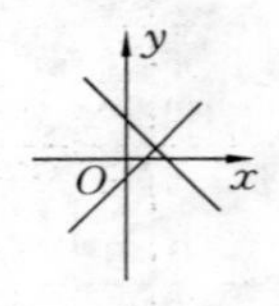
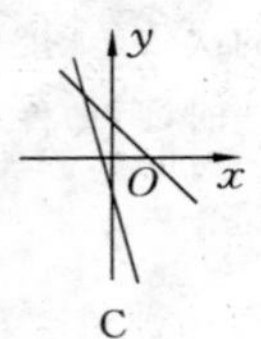
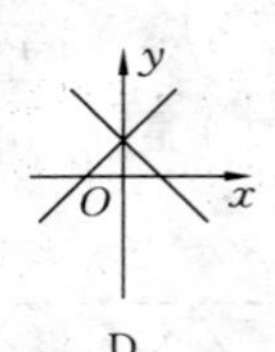

A　　B　　C　　D

4. 已知一次函数 $y=\dfrac{3}{2}x+m$ 和 $y=-\dfrac{1}{2}x+n$ 的图象都经过点 $A(-2,0)$,且与 y 轴分别交于 B、C 两点,那么△ABC 的面积是( )

A. 2　　B. 3　　C. 4　　D. 6

5. 一段导线在 0 ℃时的电阻为 3 Ω,温度增加 1 ℃,电阻增加 0.009 Ω,那么电阻 R(Ω)表示为温度 t(℃)的函数关系式为( )

A. $R=0.009t$　　B. $R=3+0.009t$

C. $R=3.009t$　　D. $R=3t+0.009$

二、填空题

6. 已知矩形的周长为 10,设它的一边长为 x,那么面积 S 关于 x 的函数解析式为________,自变量 x 的取值范围是________.

7. 函数 $y=\dfrac{x}{2x-1}$ 的自变量 x 的取值范围是________.

8. 写出同时具备下列两个条件的一次函数解析式(写出一个即可)________.

(1) y 随 x 的增大而减小;(2)图象过点 $(1,-3)$.

9. 若一次函数 $y=-x+a$ 与一次函数 $y=x+b$ 的图象的交点坐标为 $(m,8)$,则 $a+b=$________.

10. 如果一只原长 15 cm 的蜡烛燃烧 4 min 后,其长度变为 13 cm,请写出剩余长度 y(cm)与燃烧时间 x(min)之间的一次函数解析式:________________.

11. 已知直线 $y=kx+b$ 与 $y=2x+1$ 平行,且经过点 $(-3,4)$,则直线 $y=kx+b$ 的解析式为________,此函数图象可看作是由函数 $y=2x+1$ 的图象向________平移________个单位长度得到的.

12. 若一次函数 $y=kx+3(k\neq0)$ 与 x 轴交于点 A,与 y 轴交于点 B,且 $S_{\triangle AOB}=6$,则 $k=$________.

三、解答题

13. 已知函数 $y=kx+3$ 与 $y=mx$ 的图象相交于点 $P(2,1)$,如图 14-5-10 所示.

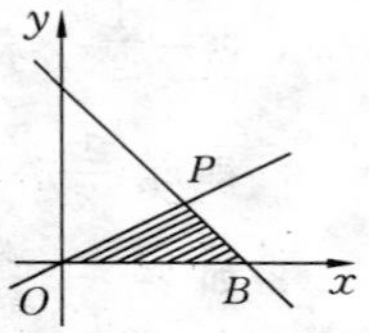

图 14-5-10

(1)求这两个函数的解析式;

(2)求图中阴影部分的面积.

14. 如图 14-5-11 是按某影视厅放一场电影的盈利 y(元)与售出票的张数 x(张)之间的函数关系画成的图象.要使放映一场电影的盈利不少于 300 元,最少应卖出多少张票?

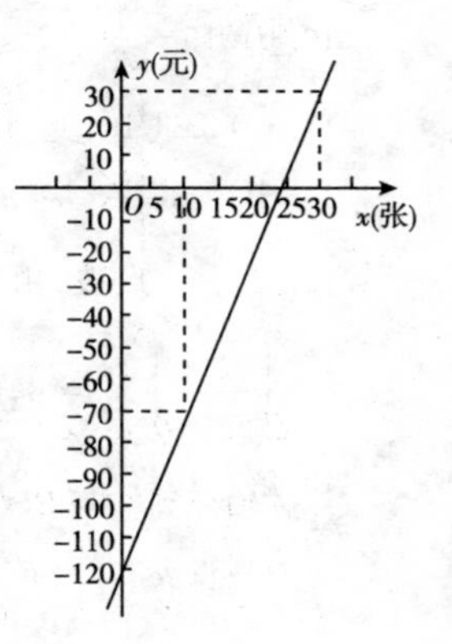

图 14-5-11

15. 阳光影碟出租店设有两种租碟方式:一种是零星租碟,每张收费 1 元;另一种是会员卡租碟,办卡费每月 12 元,租碟费每张 0.4 元,小林经常来该店租碟,若每月租碟数量为 x 张.

(1)写出零星租碟方式应付金额 y_1(元)与租碟数量 x(张)之间的函数关系式.

(2)写出会员卡租碟方式应付金额 y_2(元)与租碟数量 x(张)之间的函数关系式.

(3)小林选取哪种租碟方式更合算?

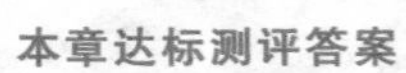
本章达标测评答案

1. D　点拨:观察 4 个函数关系式,只有 D 中 x 的取值范围是 $x\geqslant2$. 故选 D.

2. A　点拨：注意数形结合思想的运用，$y>0$ 即图象在 x 轴上方.

3. A　点拨：运用排除法，假设其中一个是对的，然后判断另一直线的 k、b 与已知直线是否矛盾.

4. C　点拨：将 $A(-2,0)$ 分别代入 $y=\frac{3}{2}x+m$ 和 $y=-\frac{1}{2}x+n$ 中，求出 m、n 后，可得 B、C 两点坐标，即可求出 $\triangle ABC$ 的面积.

5. B

6. $S=-x^2+5x$；$0<x<5$　点拨：矩形的一边长为 x，则另一边长为 $\frac{10-2x}{2}$，即 $5-x$，所以 $S=x(5-x)=-x^2+5x$，由 $\begin{cases}x>0,\\5-x>0\end{cases}$ 求得 $0<x<5$.

7. $x\neq\frac{1}{2}$　点拨：自变量在分母中，只需确保分母不为零，即 $2x-1\neq0$，即 $x\neq\frac{1}{2}$.

8. 如 $y=-3x$　点拨：因为 y 随 x 的增大而减小，所以 $k<0$. 即只需图象经过点 $(1,-3)$ 且 $k<0$，答案不唯一.

9. 16　点拨：根据题意有：$a=m+8$，$b=-m+8$，所以 $a+b=16$.

10. $y=15-\frac{1}{2}x(0\leqslant x\leqslant30)$　点拨：注意实际问题中自变量的取值范围.

11. $y=2x+10$；上；9　点拨：由直线平行得 $k=2$，再将点 $(-3,4)$ 代入 $y=2x+b$ 中，解得 $b=10$.

12. $\pm\frac{3}{4}$　点拨：由题意可得点 $A\left(-\frac{3}{k},0\right)$，$B(0,3)$，从而有 $S_{\triangle AOB}=\frac{1}{2}\times\left|-\frac{3}{k}\right|\times3=6$，所以 $k=\pm\frac{3}{4}$.

13. 解：(1)将点 $P(2,1)$ 代入 $y=kx+3$ 中，得 $k=-1$；将点 $P(2,1)$ 代入 $y=mx$ 中，得 $m=\frac{1}{2}$. 故两直线的解析式分别为 $y=-x+3$ 和 $y=\frac{1}{2}x$.

(2)设 $y=-x+3$ 与 x 轴的交点为 $B(x_1,0)$，可求得 $x_1=3$，所以点 $B(3,0)$.

所以 $S_{\triangle OBP}=\frac{1}{2}\times3\times1=\frac{3}{2}$.

点拨：若 x 轴上有一点 $A(a,0)$，则线段 $OA=|a|$；若 y 轴上有一点 $C(0,c)$，则线段 $OC=|c|$.

14. 解：设 y 与 x 之间的函数关系式为 $y=kx+b(k\neq0)$，由图象可知，图象过点

(30,30)、(10,-70),可得$\begin{cases}30k+b=30,\\10k+b=-70,\end{cases}$解得$\begin{cases}k=5,\\b=-120.\end{cases}$所以 $y=5x-120$.要使放映一场电影的盈利不少于 300 元,则 $y\geqslant300$,即 $5x-120\geqslant300$,解得 $x\geqslant84$.

答:最少应卖出 84 张票.

点拨:观察图象可知,这是一条射线,满足一次函数关系式.利用图象上两点(30,30)、(10,-70)的坐标,用待定系数法求出函数关系式,由 $y\geqslant300$ 列出不等式求解.

15.解:(1)$y_1=x(x\geqslant0)$;(2)$y_2=0.4x+12(x\geqslant0)$;(3)若 $y_1>y_2$,则 $x>0.4x+12$,即 $x>20$;若 $y_1=y_2$,则 $x=0.4x+12$,即 $x=20$;若 $y_1<y_2$,则 $x<0.4x+12$,即 $x<20$.所以,当租碟数量超过 20 张时,选择会员卡租碟方式合算;当租碟数量等于 20 张时,选择两种方式一样;当租碟数量少于 20 张时,选择零星租碟方式合算.

点拨:采用分类讨论的方法,分别表示出 y_1、y_2 与 x 之间的函数关系式,然后分三种情况:$y_1>y_2$,$y_1=y_2$,$y_1<y_2$ 讨论,列出一个方程和两个不等式求出自变量 x 的取值范围,进而选择合适的租碟方式.

本章复习题全解

BENZHANGFUXITIQUANJIE

复习题 14(P137)

1.解:$y=10x+100(0\leqslant x\leqslant36$,$x$ 为整数$)$,其中 100、10 是常量;x、y 是变量,x 是自变量,y 是 x 的函数.

2.解:当 $x=-5$ 时,代入 $y=2x+6=2\times(-5)+6=-4$,∴ $(-5,-4)$在直线上;

当 $x=-7$ 时,代入 $y=2x+6=2\times(-7)+6=-8\neq20$,∴ $(-7,20)$不在直线上;

当 $x=-\frac{7}{2}$时,代入 $y=2x+6=2\times\left(-\frac{7}{2}\right)+6=-1\neq1$,∴ $\left(-\frac{7}{2},1\right)$不在直线上;

当 $x=\frac{2}{3}$时,代入 $y=2x+6=2\times\frac{2}{3}+6=\frac{22}{3}=7\frac{1}{3}$,∴ $\left(\frac{2}{3},7\frac{1}{3}\right)$在直线上.

直线 $y=2x+6$ 与 x 轴交于$(-3,0)$,与 y 轴交于$(0,6)$.

3.(1)一、二、四,减小;(2)一、三、四,增大

4.解:(1)设 $y=kx$,∵ 当 $x=5$ 时,$y=6$,∴ $k=\frac{6}{5}$,∴ $y=\frac{6}{5}x$.

(2)将点(3,6)与点$\left(\frac{1}{2},-\frac{1}{2}\right)$代入 $y=kx+b$,得

$\begin{cases}3k+b=6,\\ \frac{1}{2}k+b=-\frac{1}{2},\end{cases}$ 解得 $\begin{cases}k=\frac{13}{5},\\ b=-\frac{9}{5}.\end{cases}$ $\therefore\ y=\frac{13}{5}x-\frac{9}{5}$.

5. (1) $x>5$;(2) $x<5$. 6. $c=\begin{cases}2(0<p\leqslant 1),\\ 2+(p-1)\times 0.5(p>1 且 p 为整数).\end{cases}$

7. $y=3\ 000-2.5x(100\leqslant x\leqslant 1\ 200)$.

8. 容器的形状是原图(3),图 14-5-12 是原图(1)和原图(2)分别对应的草图.

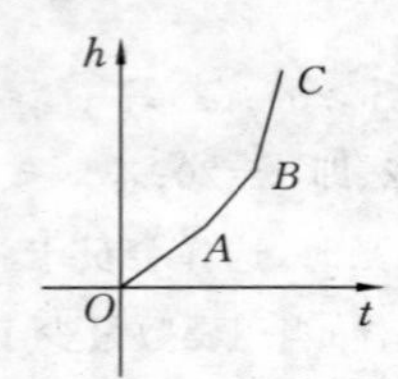

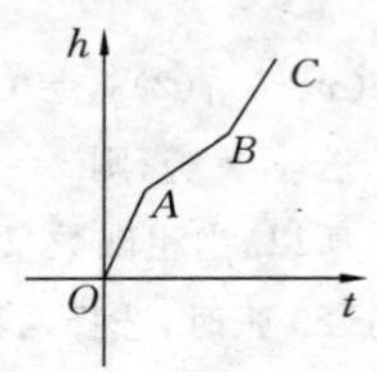

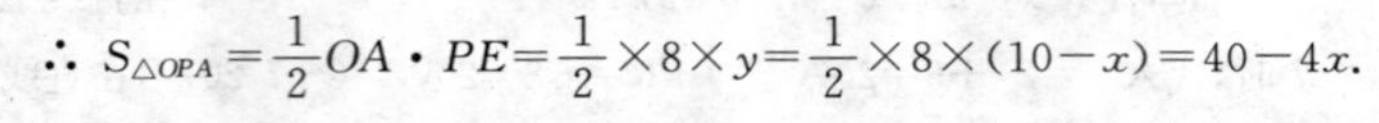

图 14-5-12

9. 解:(1) $y=20-2x$.

(2) $\because$ y 为底边,$\therefore$ $y=20-2x>0$,$\therefore$ $x<10$.

又 $\because$ 三角形中两边之和大于第三边,

$\therefore$ $2x>y=20-2x$,$\therefore$ $4x>20$,$\therefore$ $x>5$. $\therefore$ $5<x<10$.

(3)图象如图 14-5-13 所示.

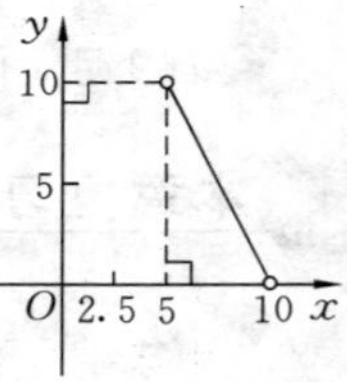

图 14-5-13

10. 解:(1) $x+y=10$ 也就是 $y=10-x$ 的图象(如图 14-5-14 所示)在第一象限内的线段,作 $PE\perp x$ 轴于 E,则 $PE=y$,

$\therefore$ $S_{\triangle OPA}=\frac{1}{2}OA\cdot PE=\frac{1}{2}\times 8\times y=\frac{1}{2}\times 8\times(10-x)=40-4x$.

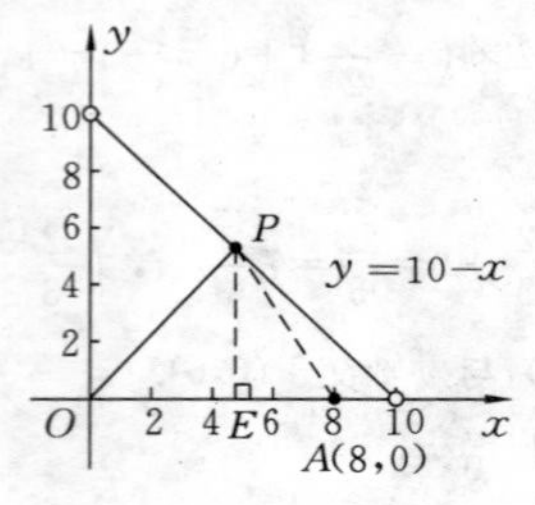

图 14-5-14

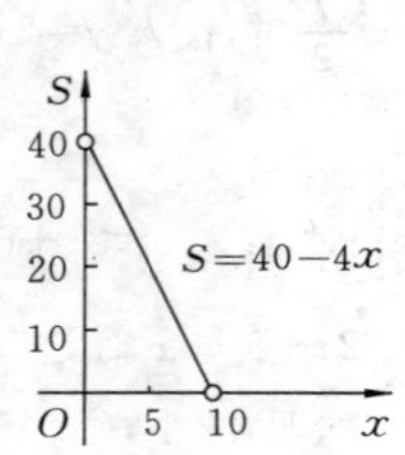

图 14-5-15

(2) $\because$ P 在第一象限内的线段上,$\therefore$ $0<x<10$.

(3)当 $S=12$ 时,$12=40-4x$,得 $x=7$,$\therefore$ $P(7,3)$.

(4)图象如图 14-5-15 所示.

11. 解:(1)图象如图 14-5-16 所示.

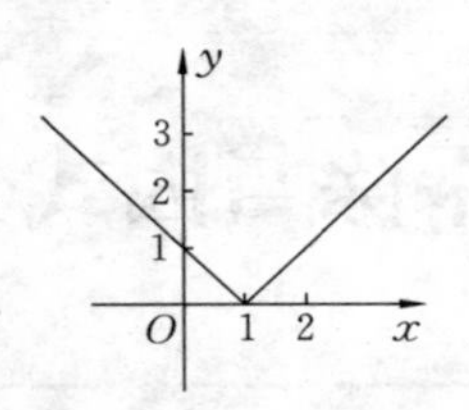

图 14-5-16

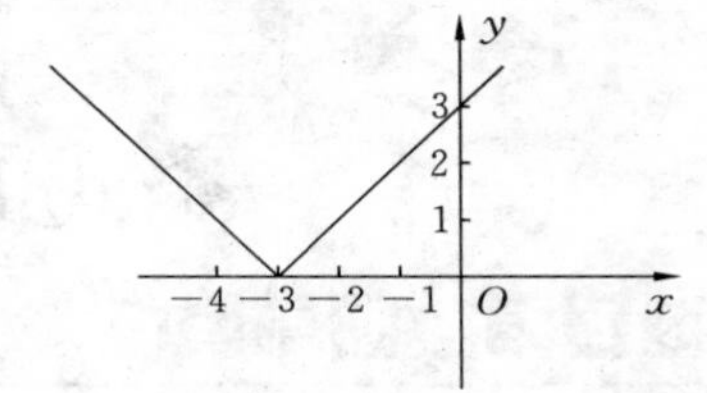

图 14-5-17

(2)由题意得 $y=|x+3|$,图象如图 14-5-17 所示.

12. 分析:可以发现,A——C,A——D,B——C,B——D 运肥料共涉及 4 个数量.一方面,它们是影响总运费的变量;另一方面,它们互相联系,其中一个量确定后另外三个量随之确定.这样我们就可以设其中一个为变量 x,把其他量表示为含 x 的式子.

收地 运地	C	D	总计
A	x 吨	$200-x$ 吨	200 吨
B	$240-x$ 吨	$60+x$ 吨	300 吨
总计	240 吨	260 吨	500 吨

解:设总运费为 y 元,A 城运往 C 乡的肥料量为 x 吨,则运往 D 乡的肥料量为$(200-x)$吨;B 城运往 C、D 乡的肥料量分别为$(240-x)$吨与$(60+x)$吨.

由总运费与各运输量的关系可知,

反映 y 与 x 之间关系的函数为

$y=20x+25(200-x)+15(240-x)+24(60+x)$,

化简得 $y=4x+10\ 040(0\leqslant x\leqslant 200)$.

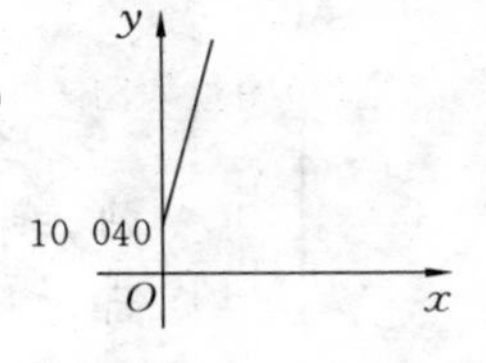

图 14-5-18

由解析式与图象(图 14-5-18)可看出:当 $x=0$ 时,y 有最小值 10 040.

因此,从 A 城运往 C 乡 0 吨,运往 D 乡 200 吨;从 B 城运往 C 乡 240 吨,运往 D 乡 60 吨,此时总运费最少,总运费最小值为 10 040 元.

第十五章 整式的乘除与因式分解

本章综合解说

趣味情景激思

图 15-0-1

整式的乘除与因式分解是代数运算的基础，我们从中可归纳出很多公式和方法，它是简化运算、解决实际问题的重要模型，让我们从中感受数学的奥妙吧！

本章知识概览

本章由数到式，既是有理数的概括与抽象，又是学习方程、不等式和函数的基础，在整个初中数学中占有重要地位，能否熟练进行数的运算，正确去括号是整式运算的前提.

BENZHANGZONGHEJIESHUO

教材全解

本章主要内容：整式的乘除、乘法公式及因式分解.

本章重点：理解单项式、多项式、整式等有关概念，掌握整式乘除法法则，灵活运用公式，并能逆用公式进行因式分解.

本章难点：灵活运用平方差公式、完全平方公式进行整式的运算及因式分解.

课标学法点津

1. 在本章学习中，要主动参与幂的运算性质及整式运算法则的探索，整式运算都是建立在数的运算基础上，用字母表示数是数学发展过程中的一个飞跃.

2. 深刻理解新知识，掌握并运用归纳与演绎的方法以及化归思想、换元思想、分类讨论思想，对有关知识和解题方法进行总结.

BENZHANGZONGHEJIESHUO

15.1 整式的乘法

课程标准要求

KECHENGBIAOZHUNYAOQIU

1. 掌握同底数幂的乘法、幂的乘方、积的乘方的运算法则，并能熟练应用这些法则进行有关计算.

2. 掌握单项式与单项式、单项式与多项式、多项式与多项式的乘法法则，并能熟练地运用这些法则进行有关计算.

3. 通过自主探索、自主发现、自主体验来真正理解法则的来源、本质和应用.

相关知识链接

XIANGGUANZHISHILIANJIE

我们已经学习了乘方运算和乘法的分配律，如：a^n 就是 n 个 a 相乘，$m(a+b+c)=am+bm+cm$. 对于 a^n、a^m、$(m+n)(a+b+c)$又怎样运算呢？光的速度约为 3×10^5 千米/秒，太阳光照射到地球上需要的时间大约是 5×10^2 秒，你知道地球与太阳的距离是多少千米吗？让我们从“整式的乘法”这节中寻找答案吧！

教材知能全解

JIAOCAIZHINENGQUANJIE

知能点1　同底数幂的乘法(重点)

(1)同底数幂的乘法法则：同底数幂相乘，底数不变，指数相加.

即 $\boxed{a^m\cdot a^n=a^{m+n}(m,n\text{都是正整数})}$.

(2)同底数幂的乘法运算性质可以推广，即

$a^m\cdot a^n\cdot a^p=a^{m+n+p}$($m$、$n$、$p$ 都是正整数)，

$a^m\cdot a^n\cdot\cdots\cdot a^p=a^{m+n+\cdots+p}$($m$、$n$、…、$p$ 都是正整数).

(3)同底数幂的乘法运算性质可以逆用，即 $a^{m+n}=a^m\cdot a^n$.

例1　计算：

(1)$10^8\times10^2$；(2)$(-x)^2\cdot(-x)^3$；(3)$a^{n+2}\cdot a^{n+1}\cdot a^n\cdot a$.

分析：(1)中的两个幂的底数都是10；(2)中的两个幂的底数都是$-x$；(3)中的四个幂的底数都是a. 这三个题都可应用同底数幂的运算性质计算.

解：(1)$10^8\times10^2=10^{8+2}=10^{10}$.

(2)$(-x)^2\cdot(-x)^3=(-x)^{2+3}=(-x)^5=-x^5$.

(3)$a^{n+2}\cdot a^{n+1}\cdot a^n\cdot a=a^{n+2+n+1+n+1}=a^{3n+4}$.

提示

第(2)题中的结果$(-x)^5$应进一步写为$-x^5$;第(3)题中的第四个因式a的指数是1,不要误认为没有指数.

例2　计算:

(1)$(b+2)^3\cdot(b+2)^5\cdot(b+2)$;(2)$(x-2y)^2\cdot(2y-x)^3$.

分析:把$b+2$,$x-2y$看做一个整体,运用同底数幂的乘法法则运算,第(2)题必须先化成同底数,即将$(x-2y)^2$转化为$(2y-x)^2$或者将$(2y-x)^3$转化为$-(x-2y)^3$.

(1)**解**:$(b+2)^3\cdot(b+2)^5\cdot(b+2)=(b+2)^{3+5+1}=(b+2)^9$.

(2)**解法1**:$(x-2y)^2\cdot(2y-x)^3=(2y-x)^2\cdot(2y-x)^3=(2y-x)^5$.

解法2:$(x-2y)^2\cdot(2y-x)^3=(x-2y)^2\cdot[-(x-2y)^3]=-(x-2y)^5$.

注意

(1)同底数幂相乘时,底数可以是多项式,也可以是单项式.

(2)在幂的运算中,经常用到以下变形:

$$(-a)^n=\begin{cases}a^n & (n\text{为偶数}),\\ -a^n & (n\text{为奇数}).\end{cases}\qquad (a-b)^n=\begin{cases}(b-a)^n & (n\text{为偶数}),\\ -(b-a)^n & (n\text{为奇数}).\end{cases}$$

例3　已知$2^{x+2}=m$,用含m的代数式表示2^x.

分析:同底数幂乘法的逆用:$2^{x+2}=2^x\cdot2^2$.

解:由$2^{x+2}=m$,得$2^x\cdot2^2=m$,$4\cdot2^x=m$,所以$2^x=\frac{1}{4}m$.

点拨 DIANBO

本题的创新之处在于逆用了同底数幂的乘法法则,培养了逆向思维能力.

知能点2　幂的乘方(重点)

(1)幂的乘方的意义

幂的乘方是指几个相同的幂相乘.如$(a^5)^3$是三个a^5相乘,读作a的五次幂的三次方,$(a^m)^n$是n个a^m相乘,读作a的m次幂的n次方,即

$$(a^5)^3=a^5\cdot a^5\cdot a^5=a^{5+5+5}=a^{5\times3},$$

$$(a^m)^n=\underbrace{a^m\cdot a^m\cdot\cdots\cdot a^m}_{n\text{个}a^m}=a^{\overbrace{m+m+\cdots+m}^{n\text{个}m}}=a^{mn}.$$

(2)幂的乘方法则

幂的乘方,底数不变,指数相乘.

即 $\boxed{(a^m)^n=a^{mn}(m,n\text{都是正整数})}$.

提示:①不要把幂的乘方性质与同底数幂的乘法性质混淆.幂的乘方运算,是转化为指数的乘法运算(底数不变);同底数幂的乘法,是转化为指数的加法运

算(底数不变).

②此性质可以逆用:$a^{mn}=(a^m)^n=(a^n)^m$.

例4 计算:

(1)$(a^m)^2$;(2)$[(-m)^3]^4$;(3)$(a^{3-m})^2$.

分析:此题是幂的乘方运算,其中(1)题中的底数是a,(2)题中的底数是$-m$,(3)题中的底数a的指数是$3-m$,乘方以后的指数应是$2(3-m)=6-2m$.

解:(1)$(a^m)^2=a^{2m}$;

(2)$[(-m)^3]^4=(-m)^{12}=m^{12}$;

(3)$(a^{3-m})^2=a^{2(3-m)}=a^{6-2m}$.

点拨 DIANBO

运用幂的乘方性质时,一定要留心底数符号和指数的运算.

知能点3 积的乘方(重点)

(1)积的乘方的意义

积的乘方是指底数是乘积形式的乘方.如$(ab)^3$,$(ab)^n$等.

$(ab)^3=(ab)\cdot(ab)\cdot(ab)$ (积的乘方的意义)

$=(a\cdot a\cdot a)\cdot(b\cdot b\cdot b)$ (乘法交换律、结合律)

$=a^3b^3$.

$$(ab)^n=\underbrace{(ab)\cdot(ab)\cdot\cdots\cdot(ab)}_{n\text{个}(ab)}=\underbrace{(a\cdot a\cdot\cdots\cdot a)}_{n\text{个}a}\cdot\underbrace{(b\cdot b\cdot\cdots\cdot b)}_{n\text{个}b}=a^nb^n.$$

(2)积的乘方的法则,即

$$\boxed{(ab)^n=a^nb^n(n\text{为正整数})}$$

这就是说,积的乘方等于把积的每一个因式分别乘方,再把所得的幂相乘.

拓展:①三个或三个以上因式的积的乘方,也具有这一性质.例如:$(abc)^n=a^nb^nc^n$.

②此性质可以逆用:$a^nb^n=(ab)^n$.

例5 计算:$(-x^3)^2\cdot(-x^2)^3$.

分析:$(-x^3)^2$与$(-x^2)^3$都是积的乘方,$(-x^3)^2=(-1)^2\cdot(x^3)^2=x^6$,$(-x^2)^3=(-1)^3\cdot(x^2)^3=-x^6$.

解:$(-x^3)^2\cdot(-x^2)^3=x^6\cdot(-x^6)=-x^6\cdot x^6=-x^{12}$.

点拨 DIANBO

本题看似简单,但对初学者来说,由于涉及"$-$"问题,往往把$-x^2$与$(-x)^2$混淆,前者的底数为x,而后者的底数是$-x$,常出现$(-x^2)^3=x^6$的错误.

例6 计算:(1)$(-xy)^4$;(2)$-(3a^2b^3)^3$.

分析:应用积的乘方时,特别注意观察底数含有几个因式,每个因式都分别乘方;还应注意系数及系数的符号,对系数是-1的不可忽略.

解:(1)$(-xy)^4=(-1)^4x^4y^4=x^4y^4$;

(2)$-(3a^2b^3)^3=-3^3\cdot(a^2)^3\cdot(b^3)^3=-27a^6b^9$.

点拨 DIANBO

注意算式中的符号、因式个数和系数.

例7　已知$10^a=5$,$10^b=6$,求10^{2a+3b}的值.

分析:若把10^a、10^b分别作为一个整体,可以把10^{2a+3b}化为$10^{2a}\cdot10^{3b}=(10^a)^2\cdot(10^b)^3$,再代入$10^a$,$10^b$的值即可求解.

解:$10^{2a+3b}=10^{2a}\cdot10^{3b}=(10^a)^2\cdot(10^b)^3=5^2\times6^3=25\times216=5\ 400$.

方法

当已知条件无法变形时,可尝试从要求的结论入手分析,逆用乘法公式叫执果索因.

例8　计算:(1)$\left(\frac{99}{100}\right)^{2\ 009}\times\left(\frac{100}{99}\right)^{2\ 008}$;(2)$0.125^{15}\times(2^{15})^3$.

分析:此类题应逆用幂的运算性质:$a^{m+n}=a^m\cdot a^n$,$a^n\cdot b^n=(ab)^n$,$a^{mn}=(a^m)^n=(a^n)^m$.由于底数乘积可以化为1,即$\frac{99}{100}\times\frac{100}{99}=1$,$0.125\times8=1$,应逆用性质化简即可,注意幂指数相同才可以运用公式求解.

解:(1)原式$=\frac{99}{100}\times\left(\frac{99}{100}\right)^{2\ 008}\times\left(\frac{100}{99}\right)^{2\ 008}=\frac{99}{100}\times\left(\frac{99}{100}\times\frac{100}{99}\right)^{2\ 008}=\frac{99}{100}\times1^{2\ 008}=\frac{99}{100}$.

(2)$0.125^{15}\times(2^{15})^3=0.125^{15}\times(2^3)^{15}=(0.125\times8)^{15}=1^{15}=1$.

知能点4　单项式的乘法法则(重点)

一般地,单项式乘单项式,把它们的系数、相同字母分别相乘,对于只在一个单项式里含有的字母,则连同它的指数作为积的一个因式.

方法:(1)积的系数等于各项系数的积,是有理数的乘法运算,应先确定符号,再计算绝对值.

(2)相同字母相乘,是同底数幂的乘法,按照"底数不变,指数相加"进行计算.

(3)只在一个单项式里含有的字母,要连同它的指数写在积里,注意不要把这个因式丢掉.

(4)单项式乘法法则对于三个以上的单项式相乘同样适用.

(5)单项式乘单项式的结果仍然是单项式.

例9　计算:

(1)$3ab^2\cdot\left(-\frac{1}{3}a^2b\right)\cdot2abc$;

(2)$(-2x^{n+1}y^n)\cdot(-3xy)\cdot\left(-\frac{1}{2}x^2z\right)$;

(3) $-6m^2n\cdot(x-y)^3\cdot\frac{1}{3}mn^2\cdot(y-x)^2$.

分析:前两个题只要按单项式乘法法则运算即可,第(3)题应把 $x-y$ 与 $y-x$ 分别看成一个整体,那么此题也属于单项式乘法,可以按单项式乘法法则计算.

解:(1) $3ab^2\cdot\left(-\frac{1}{3}a^2b\right)\cdot 2abc$

$=\left[3\times\left(-\frac{1}{3}\right)\times 2\right](a\cdot a^2\cdot a)(b^2\cdot b\cdot b)c=-2a^4b^4c$;

(2) $(-2x^{n+1}y^n)\cdot(-3xy)\cdot\left(-\frac{1}{2}x^2z\right)$

$=\left[(-2)\times(-3)\times\left(-\frac{1}{2}\right)\right](x^{n+1}\cdot x\cdot x^2)(y^n\cdot y)z=-3x^{n+4}y^{n+1}z$;

(3) $-6m^2n\cdot(x-y)^3\cdot\frac{1}{3}mn^2\cdot(y-x)^2=-6m^2n\cdot(x-y)^3\cdot\frac{1}{3}mn^2\cdot(x-y)^2$

$=\left[(-6)\times\frac{1}{3}\right](m^2\cdot m)(n\cdot n^2)\left[(x-y)^3\cdot(x-y)^2\right]=-2m^3n^3(x-y)^5$.

点拨 DIANBO

凡是在单项式里出现过的字母,在其结果里也应全都有,不能漏掉.

知能点5 单项式与多项式相乘的运算法则(重点)

根据乘法对加法的分配律,即可得到单项式与多项式相乘的运算法则:

$\boxed{m(a+b+c)=ma+mb+mc\text{(}m,a,b,c\text{ 都是单项式)}}$.

单项式与多项式相乘,就是用单项式去乘多项式的每一项,再把所得的积相加.

单项式与多项式相乘的计算方法,实质是利用分配律将其转化为前面学过的单项式乘单项式的问题.

提示:(1)单项式与多项式相乘,结果是一个多项式,其项数与因式中多项式的项数相同.

(2)计算时要注意符号问题,多项式中每一项都包括它前面的符号,同时还要注意单项式的符号.

(3)对于混合运算,应注意运算顺序,最后有同类项时,必须合并,从而得到最简结果.

例10 计算:

(1) $\left(-\frac{3}{2}xy\right)\cdot\left(\frac{2}{3}x^2y-4xy^2+\frac{4}{3}y\right)$;

(2) $6mn^2\cdot\left(2-\frac{1}{3}mn^4\right)+\left(-\frac{1}{2}mn^3\right)^2$.

分析:用单项式乘多项式的每一项,按照单项式乘单项式的法则运算,再把所得积相加.

解:(1) $\left(-\frac{3}{2}xy\right)\cdot\left(\frac{2}{3}x^2y-4xy^2+\frac{4}{3}y\right)$

$=\left(-\frac{3}{2}xy\right)\cdot\left(\frac{2}{3}x^2y\right)+\left(-\frac{3}{2}xy\right)\cdot(-4xy^2)+\left(-\frac{3}{2}xy\right)\cdot\frac{4}{3}y$

$=-x^3y^2+6x^2y^3-2xy^2$;

(2) $6mn^2\cdot\left(2-\frac{1}{3}mn^4\right)+\left(-\frac{1}{2}mn^3\right)^2=6mn^2\cdot 2-\frac{1}{3}mn^4\cdot 6mn^2+\frac{1}{4}m^2n^6$

$=12mn^2-2m^2n^6+\frac{1}{4}m^2n^6=12mn^2-\frac{7}{4}m^2n^6$.

点拨 DIANBO

在单项式乘多项式的计算中，可把单项式前及多项式各项前的“+”、“-”看成性质符号，把单项式乘多项式的结果用“+”连接，最后写成省略加号的代数形式.

知能点6　多项式与多项式相乘(难点)

(1)法则：一般地，多项式与多项式相乘，先用一个多项式的每一项乘另一个多项式的每一项，再把所得的积相加，即

$$\boxed{(a+b)(m+n)=am+an+bm+bn}.$$

方法：①运用多项式乘法法则时，必须做到不重不漏. 为此，相乘时，要按一定的顺序进行. 例如 $(m+n)(a+b+c)$，可先用第一个多项式中的每一项与第二个多项式相乘，得 $m(a+b+c)$ 与 $n(a+b+c)$，再用单项式乘多项式的法则展开，即

$(m+n)(a+b+c)=m(a+b+c)+n(a+b+c)=ma+mb+mc+na+nb+nc$.

②多项式与多项式相乘，仍得多项式. 在合并同类项之前，积的项数应该等于两个多项式的项数之积.

(2)特殊二项式相乘(重点)

$(x+a)(x+b)=x^2+bx+ax+ab$(多项式乘法法则)

$=x^2+(a+b)x+ab$(合并同类项).

这里 a、b 分别是关于 x 的一次二项式 $x+a$ 和 $x+b$ 中的常数项，所以 ax 与 bx 可看作是同类项.

$$\boxed{(x+a)(x+b)=x^2+(a+b)x+ab\text{(}a\text{、}b\text{ 是常数项)}}$$

公式的特点：①相乘的两个因式都只含有一个相同的字母，都是一次二项式，并且一次项系数都为 1.

②乘积是二次三项式，二次项系数是 1，一次项系数等于两个因式中常数项之和，常数项等于两个因式中常数项之积.

例11　计算：

(1) $(3a+2b)(4a-5b)$；(2) $(x-1)(x+1)(x^2+1)$；(3) $(3x^4-3x^2+1)(x^4+x^2-2)$.

分析：按多项式相乘的法则进行，注意符号，防止漏乘，结果要合并同类项，三个多项式相乘，可先将其中两个相乘，再把积与剩下的一个多项式相乘.

解：(1)原式$=12a^2-15ab+8ba-10b^2=12a^2-7ab-10b^2$；

(2)原式$=[x^2+(-1+1)x+(-1)\times1](x^2+1)=(x^2-1)(x^2+1)$

$=(x^2)^2+(-1+1)x^2+(-1)\times1=x^4-1$；

(3)$(3x^4-3x^2+1)(x^4+x^2-2)$

$=3x^8+3x^6-6x^4-3x^6-3x^4+6x^2+x^4+x^2-2=3x^8-8x^4+7x^2-2$.

例 12 计算：(1)$(x-4)(x+1)$；(2)$\left(y+\frac{1}{3}\right)\left(y-\frac{1}{2}\right)$.

分析：此题中的两个小题都是$(x+a)(x+b)$型的多项式乘法，它既可以利用多项式的乘法法则计算，又可以直接利用公式：$(x+a)(x+b)=x^2+(a+b)x+ab$计算.

解：(1)$(x-4)(x+1)=x^2+(-4+1)x+(-4)\times1=x^2-3x-4$；

(2)$\left(y+\frac{1}{3}\right)\left(y-\frac{1}{2}\right)=y^2+\left(\frac{1}{3}-\frac{1}{2}\right)y+\frac{1}{3}\times\left(-\frac{1}{2}\right)=y^2-\frac{1}{6}y-\frac{1}{6}$.

点拨 DIANBO

$(x+a)(x+b)$型的多项式乘法，用公式计算比利用乘法法则计算简便，但利用公式时要注意a、b的符号.

全解小博士在线答疑

课本P141(探究)：填空：(1)$2^5\times2^2=2^{(7)}$；(2)$a^3\cdot a^2=a^{(5)}$；(3)$5^m\cdot5^n=5^{(m+n)}$.

课本P142(探究)：(1)$(3^2)^3=3^2\times3^2\times3^2=3^{(6)}$；

(2)$(a^2)^3=a^2\cdot a^2\cdot a^2=a^{(6)}$；(3)$(a^m)^3=a^m\cdot a^m\cdot a^m=a^{(3m)}$($m$是正整数).

课本P143(探究)：(1)$(ab)^2=(ab)\cdot(ab)=(a\cdot a)\cdot(b\cdot b)=a^{(2)}\cdot b^{(2)}$；

(2)$(ab)^3=(ab)\cdot(ab)\cdot(ab)=(a\cdot a\cdot a)\cdot(b\cdot b\cdot b)=a^{(3)}\cdot b^{(3)}$.

课本P144(思考)：(1)$(3\times10^5)\times(5\times10^2)=(3\times5)\times(10^5\times10^2)=15\times10^7=1.5\times10^8$；计算过程中运用了乘法交换律、结合律及同底数幂的运算.

(2)$ac^5\cdot bc^2=a\cdot b\cdot c^5\cdot c^2=abc^7$.

典型例题全解
DIANXINGLITIQUANJIE

题型一 求面积题

例 1 计算如图 15-1-1 所示的阴影图形的面积.

分析：本题可以从两个角度考虑：一种方法是将原图形面积分解为几块长方形的面积，如图 15-1-2(1)所示，$S_{阴影}=S_1+S_2+S_3+S_4$；另一种方法是从整体上来考虑，如图 15-1-2(2)所示，$S_{阴影}=S_{矩形ABCD}-S_1-S_2$，而$S_1=S_2$，从而较简捷地解决问题.

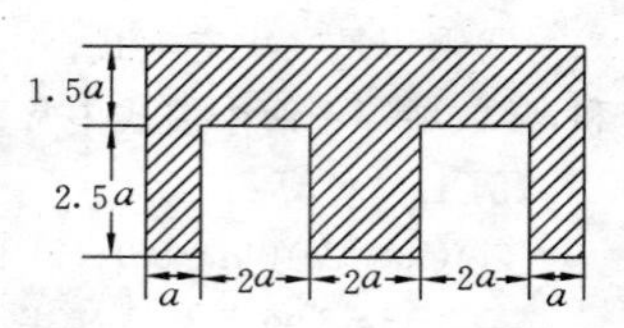

图 15-1-1

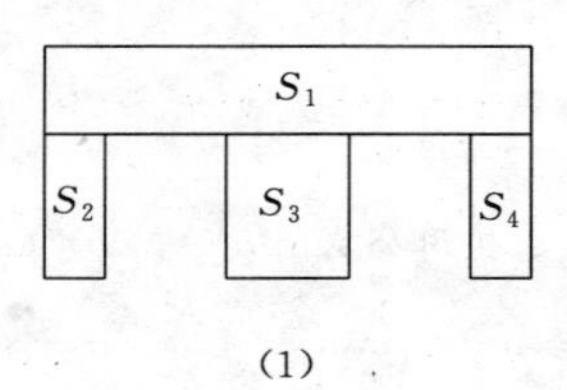

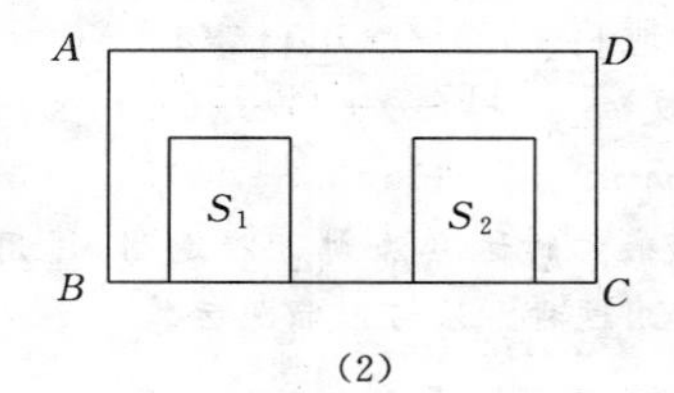

图 15-1-2

解法 1: 如图 15-1-2(1)，$S_{阴影}=S_1+S_2+S_3+S_4=(a+2a+2a+2a+a)\cdot 1.5a+2.5a\cdot a+2.5a\cdot 2a+2.5a\cdot a=12a^2+2.5a^2+5a^2+2.5a^2=22a^2$.

解法 2: 如图 15-1-2(2)，$S_{阴影}=S_{矩形ABCD}-S_1-S_2=(a+2a+2a+2a+a)\cdot(1.5a+2.5a)-2.5a\cdot 2a-2.5a\cdot 2a=32a^2-5a^2-5a^2=22a^2$.

答: 阴影部分的面积是 $22a^2$.

规律

求某给定几何图形的面积问题往往有三种考虑方式:(1)各部分面积和等于该图形面积;(2)全部图形的面积减去几部分图形面积等于该图形面积;(3)不规则图形,通过辅助线分割成特殊几何图形来求面积.

题型二　整式乘法与逆向思维

例 2　若 $a=7^8$，$b=8^7$，则 $56^{56}=$________(用 a、b 的代数式表示).

分析: 利用 $56=7\times 8$，结合积的乘方、幂的乘方的逆运算方法解答，灵活转化为以 7^8、8^7 为底的两个幂相乘.

解: $\because 56^{56}=(7\times 8)^{56}=7^{56}\times 8^{56}=(7^8)^7\times(8^7)^8$，又 $\because a=7^8$，$b=8^7$，

$\therefore 56^{56}=(7^8)^7\times(8^7)^8=a^7b^8$.

点拨 DIANBO

本例中的幂 7^8、8^7、56^{56} 三者之间有一定联系，只要把"未知"向"已知"转化，再代入即可.

例 3　计算: $\left(0.5\times 3\frac{2}{3}\right)^{2\,009}\times\left(-2\times\frac{3}{11}\right)^{2\,008}$.

分析: 本题实质上是利用积的乘方法则进行去括号，再利用积的乘方公式的逆用进行化简，但采取不同的方法，效果也不一样.

解法 1: 原式 $=\left(\frac{1}{2}\right)^{2\,009}\times\left(\frac{11}{3}\right)^{2\,009}\times(-2)^{2\,008}\times\left(\frac{3}{11}\right)^{2\,008}$

$=\frac{1}{2}\times\left(\frac{1}{2}\times 2\right)^{2\,008}\times\frac{11}{3}\times\left(\frac{11}{3}\times\frac{3}{11}\right)^{2\,008}=\frac{1}{2}\times 1\times\frac{11}{3}\times 1=\frac{11}{6}$;

解法 2: 原式 $=\left(\frac{1}{2}\times\frac{11}{3}\right)^{2\,009}\times\left(-\frac{6}{11}\right)^{2\,008}$

$=\left(\frac{11}{6}\right)^{2\,009}\times\left(\frac{6}{11}\right)^{2\,008}=\frac{11}{6}\times\left(\frac{11}{6}\right)^{2\,008}\times\left(\frac{6}{11}\right)^{2\,008}$

$=\frac{11}{6}\times\left(\frac{11}{6}\times\frac{6}{11}\right)^{2\,008}=\frac{11}{6}$.

点拨 DIANBO

积的乘方的运算法则可以逆用，逆用即是利用公式 $a^nb^n=(ab)^n$（n 为正整数），有时用这种方法可以简化运算.

题型三　解不等式

例 4　求出使 $(3x+2)(3x-4)>9(x-2)(x+3)$ 成立的非负整数解.

分析：不等式两边分别相乘后，再移项、合并、求解.

解：$9x^2-12x+6x-8>9(x^2+x-6)$，

$9x^2-6x-8>9x^2+9x-54$，

$9x^2-6x-9x^2-9x>8-54$，$-15x>-46$，$x<\frac{46}{15}$.

$\therefore$ x 取非负整数 0，1，2，3.

方法

本题是多项式乘法与解不等式、求特殊解的综合题. 注意非负整数解中不能丢掉 0.

题型四　整体变换求值

例 5　已知 $2x+5y-3=0$，求 $4^x\cdot 32^y$ 的值.

分析：4^x、32^y 不是同底数幂，所以应先化为同底数幂的形式，再计算或求值.

解：$4^x\cdot 32^y=(2^2)^x\cdot(2^5)^y=2^{2x}\cdot 2^{5y}=2^{2x+5y}$.

$\because$ $2x+5y-3=0$，$\therefore$ $2x+5y=3$. $\therefore$ 原式 $=2^{2x+5y}=2^3=8$.

例 6　计算：$(a_1+a_2+\cdots+a_{n-1})(a_2+\cdots+a_n)-(a_2+a_3+\cdots+a_{n-1})(a_1+a_2+\cdots+a_n)$.

分析：直接利用多项式乘法展开很复杂，观察发现各个因式中都有 $a_2+a_3+\cdots+a_{n-1}$，可用整体换元法，设 $a_2+a_3+\cdots+a_{n-1}=k$.

解：设 $a_2+a_3+\cdots+a_{n-1}=k$，则原式 $=(a_1+k)(k+a_n)-k(a_1+k+a_n)$

$=a_1k+a_1a_n+k^2+a_nk-a_1k-k^2-a_nk=a_1a_n$.

点拨 DIANBO

换元思想是数学中的重要思想，一些不能直接解决的问题，通过巧妙地换元，能起到“化繁为简”的作用.

题型五　同底数幂在科学记数法中的运用

例 7　光的速度约为 3×10^5 km/s，太阳光照射到地球上大约需要 5×10^2 s. 问：地球距离太阳大约有多远？

分析：此题为科学记数法的计算，计算时科学记数法 $a\times10^n$ 中的 a 分别相乘，10^n 分别相乘，最后用科学记数法表示.

解：$3\times10^5\times5\times10^2=(3\times5)\times(10^5\times10^2)=15\times10^7=1.5\times10^8$ (km).

例 8　如图 15-1-3 所示，张华的爸爸承包了一块宽为 m 米的长方形土地，准备在这块土地上种四种不同的蔬菜，其中长为 a 米的一块种香菜，长为 b 米的一块种菠菜，长为 c 米的一块种芹菜，余下长为 d 米的种白菜.请你用几种方法来表示这块菜地的面积？从不同的表示方法中，你能得到什么结论？

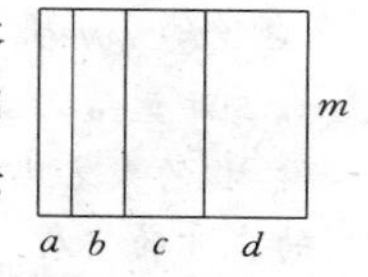

图 15-1-3

分析：应用多项式表示长方形的长，再结合长方形面积公式推导.

解：答案不唯一，如：方法 1：$(a+b)m+(c+d)m$；

方法 2：$am+(b+c+d)m$；方法 3：$m(a+b+c+d)$；

方法 4：$ma+mb+mc+md$.

得到结论：$m(a+b+c+d)=ma+mb+mc+md$.

点拨 DIANBO

本题中由方法 3、方法 4，得 $m(a+b+c+d)=ma+mb+mc+md$，从这两种不同的表示方法中，能验证单项式与多项式相乘的计算法则.

题型六　利用乘方比较大小

例 9　比较大小：3^{555}，4^{444}，5^{333}.

分析：先计算出它们的结果，再比较大小是相当困难的，若逆用幂的乘方的运算性质，将它们变形为指数相同的乘方的形式，通过比较底数的大小就可以使问题解决.

解：$3^{555}=(3^5)^{111}=243^{111}$，$4^{444}=(4^4)^{111}=256^{111}$，$5^{333}=(5^3)^{111}=125^{111}$，

因为 $125^{111}<243^{111}<256^{111}$，所以 $5^{333}<3^{555}<4^{444}$.

方法

当 $a>1$，$b>1$ 时，如果 $a>b$，则 $a^n>b^n$（n 为正整数）.本例解答中应用了此结论.

例 10　试比较：$2\,008^{2\,009}$ ________ $2\,009^{2\,008}$（填写"$>$""$=$"或"$<$"）.

解析：$1^2=1<2^1=2$，$2^3=8<3^2=9$，$3^4=81>4^3=64$，$4^5=1\,024>5^4=625$，…，因此 $n^{n+1}>(n+1)^n$（n 为不小于 3 的正整数）.故 $2\,008^{2\,009}>2\,009^{2\,008}$.

答案：$>$

点拨 DIANBO

当 $n<3$ 时，$n^{n+1}<(n+1)^n$，当 $n\geqslant 3$ 时，$n^{n+1}>(n+1)^n$，这类题目要注重利用归纳的方法去寻找规律，即由特殊到一般总结规律.

题型七　合并同类项在同底数幂中的运用

例 11　计算：$a^3a^4a+(a^2)^4+(2a^4)^2$.

分析：前一项运用同底数幂的乘法法则，中间一项是幂的乘方法则，最后一项是积的乘方法则.

解：原式$=a^{3+4+1}+a^{2\times 4}+2^2(a^4)^2=a^8+a^8+4a^8=6a^8$.

点拨 DIANBO

注意结果要合并同类项，比较三种运算法则的不同，理解运算的实质，避免混淆.积的乘方比另外两种幂的运算更复杂一些，也更容易出错，所以应好好理解积的乘方的实质.

例 12 从 2 开始连续的偶数相加，它们和的情况如下表：

加数的个数 n	和 s
1	$2=1\times 2$
2	$2+4=6=2\times 3$
3	$2+4+6=12=3\times 4$
4	$2+4+6+8=20=4\times 5$
…	…

(1)探求 s 与 n 之间的关系，并用式子表示；

(2)根据上面的关系，计算 $2+4+6+8+\cdots+2\ 008$.

分析：观察上表，当 $n=1$ 时，$s=1\times 2$，即第一个数字是 1，第二个数字是 2；当 $n=2$ 时，$s=2+4=2\times 3$，第一个数字是 2，第二个数字是 3；当 $n=3$ 时，$s=2+4+6=3\times 4$，第一个数字是 3，第二个数字是 4；…，依次类推，发现第一个数字是 n，第二个数字比 n 大 1.

解：(1)s 与 n 的关系式为 $s=n(n+1)$.

(2)当 $n=\frac{2\ 008}{2}=1\ 004$ 时，$s=2+4+6+8+\cdots+2\ 008=1\ 004\times(1\ 004+1)=1\ 009\ 020$.

点拨 DIANBO

观察是解题的前提条件，当已知数据有很多组时，需要仔细观察、反复比较，才能发现其中的规律.

题型八　本节例 3(P144)与中考真题解密

计算：(1)$(2a)^3$；(2)$(-5b)^3$；(3)$(xy^2)^2$；(4)$(-2x^3)^4$.

中考真题

(2009·烟台中考)计算：$-(-3a^2b^3)^4$ 的结果是(　　)

A. $81a^8b^{12}$　　B. $12a^6b^7$

C. $-12a^6b^7$　　D. $-81a^8b^{12}$

解析：由积的乘方和幂的乘方法则得 $-(-3a^2b^3)^4=-(-3)^4\cdot(a^2)^4\cdot(b^3)^4=-81a^8b^{12}$.故应选择 D.　**答案**：D

考题点睛

此考题是考查积的乘方和幂的乘方的综合运算能力，与教材例 3 所考查的知识点完全一致.

挑战课标中考

TIAOZHANKEBIAOZHONGKAO

中考考点解读

整式的乘法是本章的重点内容之一，在中考试卷中，这部分知识也有较重的分值，常见的题型有填空题、选择题、化简求值题，尤其渗透在解不等式(组)、解方程(组)中，所以必须掌握好法则，并用法则灵活、准确地进行整式乘法计算.

中考典题全解

例 1　(2009・江苏中考)计算：$(a^2)^3$ 的结果是(　　)

A. a^5　　B. a^6　　C. a^8　　D. $3a^2$

解析：由幂的乘方，底数不变，指数相乘，可得$(a^2)^3=a^{2\times3}=a^6$，故应选择 B.

答案：B

例 2　(2009・泸州中考)化简：$(-3x^2)2x^3$ 的结果是(　　)

A. $-6x^5$　　B. $-3x^5$　　C. $2x^5$　　D. $6x^5$

解析：由单项式乘单项式的法则可得$(-3)\times2\cdot x^2\cdot x^3=-6x^5$. 故应选择 A.

答案：A

例 3　(2009・南充中考)化简$(x^{-1})^2\cdot x^3$ 的结果是(　　)

A. x^5　　B. x^4　　C. x　　D. $\frac{1}{x}$

解析：由幂的乘方的性质和同底数幂的乘法性质可得$(x^{-1})^2\cdot x^3=x^{-2}\cdot x^3=x^{-2+3}=x$. 故应选择 C.　　**答案**：C

易错易误点全解

YICUOYIWUDIANQUANJIE

易错点 1：幂的运算中，由于法则掌握不准出现错误

在有关幂的运算中，应首先分清属于哪一类运算，再确定运用哪一条法则，要特别注意指数间的运算，不要混淆.

例 1　计算.

(1)$a\cdot a^2$；(2)$a^3\cdot a^2$；(3)$(a^2)^3$；(4)$(-2x^2y^3)^2$.

解：(1)$a\cdot a^2=a^{1+2}=a^3$. (2)$a^3\cdot a^2=a^{3+2}=a^5$. (3)$(a^2)^3=a^{2\times3}=a^6$.

(4)$(-2x^2y^3)^2=(-2)^2\cdot(x^2)^2\cdot(y^3)^2=4x^4y^6$.

误区防火墙

此类题易错原因就是不能正确把握好幂的运算法则，同底数幂相乘，底数不变，指数相加. 特别地，a 的指数为 1，而不是 0；幂的乘方，应将指数相乘，而不是相加，$(a^m)^n=a^{mn}$；积的乘方应将积中每个因式分别乘方，(4)题中(−2)忘记平方等.

易错点 2：有关多项式的乘法计算出现错误

有关多项式相乘的计算，注意不要漏乘某项，特别是常数项，另外，符号问题在多项式的乘法中也应特别注意.

例 2 化简下列各式.

(1)$3ab(2a^2b-5ab+1)$;(2)$(a+b)(a+b)$;(3)$(-2ab)(2a^2+2b^2-3ab)$.

解:(1)$3ab(2a^2b-5ab+1)=6a^3b^2-15a^2b^2+3ab$.

(2)$(a+b)(a+b)=a^2+ab+ab+b^2=a^2+2ab+b^2$.

(3)$(-2ab)(2a^2+2b^2-3ab)=-4a^3b-4ab^3+6a^2b^2$.

误区防火墙

(1)题易忽略乘最后一项;(2)题多项式乘多项式易漏乘其中的某一项;(3)题易忽略单项式的系数为负数.

知识梳理

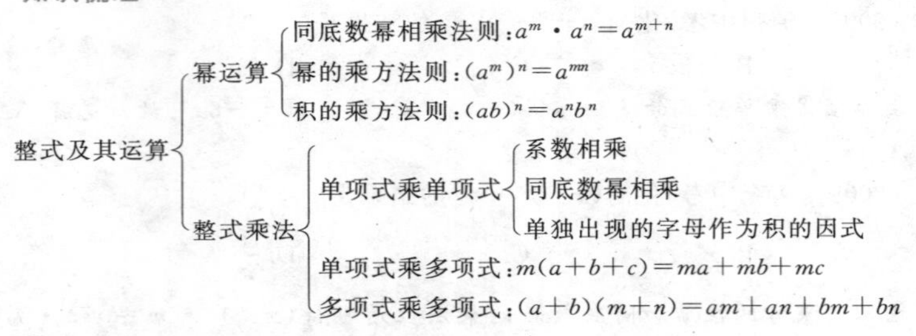

技巧平台

1. 本节学习幂的三个运算性质及三类整式的乘法形式.幂的三个运算性质是整式乘法的基础,也是整式乘法的主要依据.进行幂的运算,关键是熟练掌握幂的三个运算性质,深刻理解每种运算的意义,避免互相混淆.此外,有时逆用运算性质,还可简化运算;三类整式的乘法不仅是学习乘法公式的基础,也是中考中的必考内容,同学们在学习过程中一定要注意正确运用运算法则.

2. 幂的运算主要从系数、次数两方面计算,整式乘法要注意符号及不要漏乘某项.

跟踪训练

1. 下列计算中正确的是( )

A. $a^3\cdot a^3=2a^6$ B. $b\cdot b^3\cdot b^4=b^7$

C. $(x-y)^2\cdot(y-x)^3=(x-y)^5$ D. $(x-y)^2\cdot(y-x)^3=(y-x)^5$

2. 如果 $A\cdot x^3=x^9$,那么 A 等于( )

A. x^3 B. x^6 C. x^{12} D. x^{27}

3. $2x^5\cdot x^6+3x^3\cdot x^8=$________.

4. $(a+1)^5\cdot(1+a)\cdot(a+1)^2=$________.

5. 观察下列各式:$1=1^2$;$1+3=4=2^2$;$1+3+5=9=3^2$;$1+3+5+7=16=4^2$;$1+3+5+7+9=25=5^2$;….请求 $1+3+5+7+9+\cdots+(2n-1)$(n 为正整数)的值.

6. 已知 $2^x=a$,$2^y=b$,求 $2^{x+y}+2^{3x+2y}$ 的值.

7. 计算：(1)$2^4\times4^5\times(-0.125)^4$；(2)$8^{90}\times\left(\frac{1}{2}\right)^{90}\times\left(\frac{1}{2}\right)^{180}$.

跟踪训练答案

1. D　点拨：$(x-y)^2=(y-x)^2$，且要把$(y-x)$看成一个整体.
2. B　点拨：同底数幂相乘，底数不变，指数相加.
3. $5x^{11}$　4. $(a+1)^8$
5. 解：由 $1=1^2$；$1+3=4=2^2$；$1+3+5=9=3^2$；$1+3+5+7=16=4^2$；…，可知 $1+3+5+7+9+\cdots+(2n-1)=n^2$.

　点拨：要注重利用由特殊到一般的归纳方法去寻找一般规律.
6. 解：∵ $2^x=a,2^y=b$，∴ $2^{x+y}+2^{3x+2y}=2^x\cdot2^y+2^{3x}\cdot2^{2y}=2^x\cdot2^y+(2^x)^3\cdot(2^y)^2=ab+a^3b^2$.
7. 解：(1)原式$=(2\times4\times0.125)^4\times4=4$.

　(2)原式$=(2^3)^{90}\times\left(\frac{1}{2}\right)^{90}\times\left(\frac{1}{2}\right)^{180}=2^{270}\times\left(\frac{1}{2}\right)^{270}=\left(2\times\frac{1}{2}\right)^{270}=1$.

课本习题解答

KEBENXITIJIEDA

练习(P142)

(1)b^6　(2)10^6　(3)$-a^8$　(4)y^{3n+1}

练习(P143)

(1)10^9　(2)x^6　(3)$-x^{5m}$　(4)a^{11}

练习(P144)

(1)a^4b^4；(2)$-8x^3y^3$；(3)-2.7×10^7；(4)$8a^3b^6$.

练习(P145)

1. (1)$15x^5$；(2)$-8xy^3$；(3)$-108x^7y^3$；(4)$-72a^5$.
2. (1)不对，$3a^3\cdot2a^2=6a^5$；(2)对；

　(3)不对，$3x^2\cdot4x^2=12x^4$；(4)不对，$5y^3\cdot3y^5=15y^8$.

练习(P146)

1. (1)$15a^2-6ab$；(2)$-6x^2+18xy$.
2. 解：原式$=x^2-x+2x^2+2x-6x^2+15x=-3x^2+16x$.

练习(P148)

1. (1)$2x^2+7x+3$；(2)$m^2-mn-6n^2$；(3)a^2-2a+1；(4)a^2-9b^2；

　(5)$2x^3-8x^2-x+4$；(6)$2x^3-5x^2+6x-15$.
2. (1)x^2+5x+6；(2)x^2-3x-4；(3)y^2+2y-8；(4)$y^2-8y+15$.

　$(x+p)(x+q)=x^2+(p+q)x+pq$.

习题 15.1(P148)

1. (1)不对，$b^3\cdot b^3=b^6$；(2)不对，$x^4\cdot x^4=x^8$；(3)不对，$(a^5)^2=a^{10}$；

　(4)不对，$(a^3)^2\cdot a^4=a^{10}$；(5)不对，$(ab^2)^3=a^3b^6$；(6)不对，$(-2a)^2=4a^2$.

2. (1)$2x^4$;(2)$-p^3q^3$;(3)$-16a^8b^4$;(4)$6a^8$.

3. (1)$18x^3y$;(2)$-6a^2b^3$;(3)$-4x^5y^7$;(4)4.94×10^8.

4. (1)$-8ab+2b^3$;(2)$2x^3-x^2$;(3)$10a^2b-5ab^2+ab$;(4)$-18a^3+6a^2+4a$.

5. (1)$x^2-9x+18$;(2)$x^2+\frac{1}{6}x-\frac{1}{6}$;(3)$3x^2+8x+4$;(4)$4y^2-21y+5$;

(5)x^3-2x^2+4x-8;(6)x^3-y^3.

6. 解:$x^2(x-1)-x(x^2+x-1)=x^3-x^2-x^3-x^2+x=-2x^2+x$,

当$x=\frac{1}{2}$时,原式$=-2\times\left(\frac{1}{2}\right)^2+\frac{1}{2}=0$.

7. 解:(1)原式$=x^2-6x+9-6x^2-6x+6=-5x^2-12x+15$;

(2)原式$=4x^2+4x+1-x^2-6x-9-x^2+2x-1+1=2x^2-8$.

8. 解:$\because$ $1.44\times2^{10}\times2^{10}=1.44\times2^{20}$(字节),$\therefore$ 容量有 1.44×2^{20} 个字节.

9. 解:$\because$ $(7.9\times10^3)\times(2\times10^2)=1.58\times10^6$(米),

$\therefore$ 卫星绕地球运行 2×10^2 秒走过 1.58×10^6 米.

10. 解:$(a+2a+2a+2a+a)(1.5a+2.5a)-2\times(2.5a\times2a)$

$=8a\times4a-2\times5a^2=32a^2-10a^2=22a^2(\text{m}^2)$.

11. 解:(1)$x^2-5x+6+18=x^2+10x+9$,$x^2-5x-x^2-10x=9-6-18$,

$-15x=-15$,$\therefore$ $x=1$.

(2)$9x^2-16<9x^2+9x-54$,$9x^2-9x^2-9x<-54+16$,$-9x<-38$,

$\therefore$ $x>\frac{38}{9}$,即$x>4\frac{2}{9}$.

12. (1)13;(2)-20;(3)15;(4)-12;(5)37,20,15,13,12.

15.2 乘法公式

课程标准要求

KECHENGBIAOZHUNYAOQIU

1. 理解乘法公式的意义,并会推导和叙述公式.
2. 掌握乘法公式的结构特征.
3. 能正确地运用乘法公式进行多项式的乘法运算和某些数的平方运算.
4. 会用几何图形说明乘法公式的意义.
5. 经历乘法公式的探索活动与推导过程.

相关知识链接

XIANGGUANZHISHILIANJIE

我们学习了不少利用公式的运算:如正方形、长方形、三角形、圆和梯形面积的计算.行程问题中,速度、时间和路程的关系用公式计算简洁明了、不易出错,在多项式乘法中是否存在着特殊的相乘形式,不通过计算而直接可以写出它的结果呢?这就是本节将要学习的问题.

教材知能全解

JIAOCAIZHINENGQUANJIE

知能点1　乘法公式

把具有特殊形式的多项式相乘的式子及其结果写成公式的形式,就是乘法公式,本节主要研究平方差公式和完全平方公式,它们是最基本的、应用最广泛的公式.

知能点2　平方差公式(重点)

(1)探究平方差公式

如图15-2-1(1),边长为a的大正方形中有一个边长为b的小正方形.

①请表示出图(1)中阴影部分的面积.

②小颖将阴影部分拼成了一个长方形,如图(2),这个长方形的长和宽分别是多少?你能表示出阴影部分的面积吗?

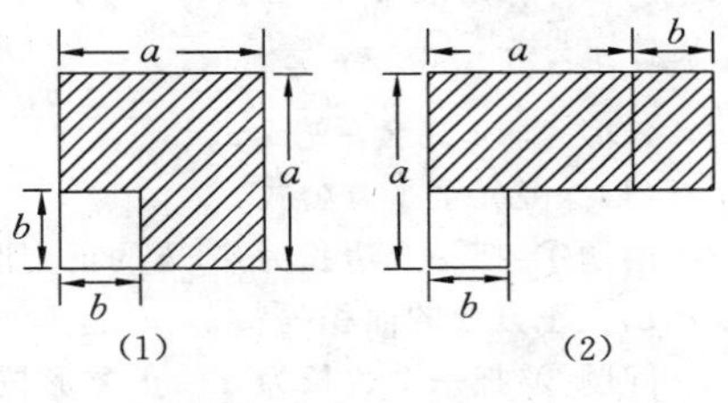

图 15-2-1

探究:比较①②的结果,你能得出什么结论?

解答:①图(1)中阴影部分的面积为$S=a^2-b^2$;

②图(2)中阴影部分的长为$a+b$,宽为$a-b$,面积为$S=(a+b)(a-b)$.

由①②可得$(a+b)(a-b)=a^2-b^2$.

(2)平方差公式的推导

$(a+b)(a-b)=a^2-ab+ab-b^2$(多项式乘法法则)

$=a^2-b^2$.(合并同类项)

(3)平方差公式

$$\boxed{(a+b)(a-b)=a^2-b^2}$$

语言叙述:两个数的和与这两个数的差的积,等于这两个数的平方差.

提示:注意两数的“平方差”与“差的平方”的区别.

这个公式的特点是:

①左边是两个二项式相乘,并且这两个二项式中有一项完全相同,另一项互为相反数.

②右边是相同项的平方减去相反项的平方.

③公式中的a和b可以是具体数,也可以是单项式或多项式.

④对形如两数和与这两数差相乘的多项式的乘法,都可以用上述公式来计算.

例1　下列两个多项式相乘,哪些可用平方差公式,哪些不能?能用平方差公式计算的,写出计算结果.

(1)$(2a-3b)(3b-2a)$;　(2)$(-2a+3b)(2a+3b)$;

(3)$(-2a+3b)(-2a-3b)$;　(4)$(2a+3b)(2a-3b)$;

(5)$(-2a-3b)(2a-3b)$;　(6)$(2a+3b)(-2a-3b)$.

分析:依据平方差公式的特点来判断,把这两个多项式中每一个多项式分成两部分，其中一部分完全相同，另一部分互为相反数.

解：(2)(3)(4)(5)可以用平方差公式计算，(1)(6)不能用平方差公式计算.

(2)$(-2a+3b)(2a+3b)=(3b)^2-(2a)^2=9b^2-4a^2$；

(3)$(-2a+3b)(-2a-3b)=(-2a)^2-(3b)^2=4a^2-9b^2$；

(4)$(2a+3b)(2a-3b)=(2a)^2-(3b)^2=4a^2-9b^2$；

(5)$(-2a-3b)(2a-3b)=(-3b)^2-(2a)^2=9b^2-4a^2$.

点拨 DIANBO

在计算结果中，完全相同部分的平方结果符号为正，符号不同部分的平方结果符号为负.

知能点3 完全平方公式(重点)

(1)探究完全平方公式

问题①：把一个边长为$a+b$的正方形按图15-2-2分割成4块，你能用两种方法表示出大正方形的面积吗？

问题②：把一个边长为a的正方形按图15-2-3分割成4块，你能用两种不同的方法表示出阴影部分的面积吗？

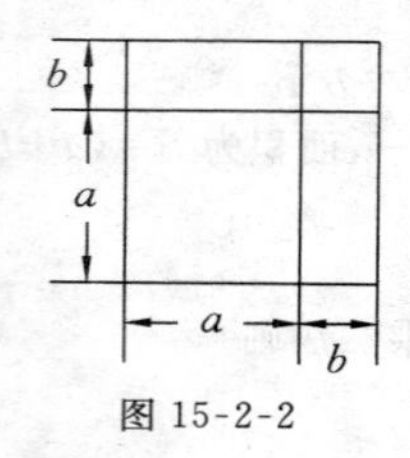

图15-2-2

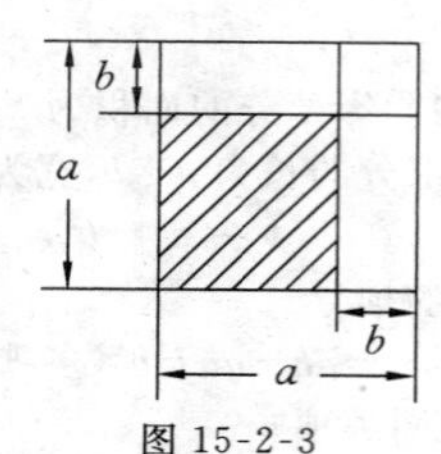

图15-2-3

(2)完全平方公式的推导

①两数和的平方

$(a+b)^2=(a+b)(a+b)=a^2+ab+ab+b^2$(多项式乘法法则)

$=a^2+2ab+b^2$.(合并同类项)

②两数差的平方

$(a-b)^2=(a-b)(a-b)=a^2-ab-ab+b^2$(多项式乘法法则)

$=a^2-2ab+b^2$.(合并同类项)

(3)完全平方公式

$$(a+b)^2=a^2+2ab+b^2$$
$$(a-b)^2=a^2-2ab+b^2$$

语言叙述：两数和(或差)的平方，等于它们的平方和，加(或减)它们的积的2倍.

方法：①$(a+b)^2=a^2+2ab+b^2$与$(a-b)^2=a^2-2ab+b^2$都叫做完全平方公式.为了区别，我们把前者叫做两数和的完全平方公式，后者叫做两数差的完

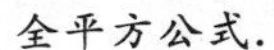

全平方公式.

②公式的特点:两个公式的左边都是一个二项式的完全平方,二者仅差一个“符号”不同;右边都是二次三项式,其中有两项是公式左边两项中每一项的平方,中间一项是左边二项式中两项乘积的2倍,二者也仅有一个“符号”不同.

③公式中的a、b可以是数,也可以是单项式或多项式.

④对于形如两数和(或差)的平方的乘法,都可以运用上述公式计算.

例2　化简:

(1)$(a+3b)^2$;(2)$(-x+3y)^2$;(3)$(-m-n)^2$;(4)$(2x+3)(-2x-3)$.

分析:此题可利用完全平方公式计算.(1)题是两数和的平方,应选用“和”的完全平方公式,其中a相当于公式中的a,$3b$相当于公式中的b;(2)题$(-x+3y)^2=(3y-x)^2=(x-3y)^2$,应选用“差”的完全平方公式;(3)题$(-m-n)^2=[-(m+n)]^2=(m+n)^2$,应选择“和”的完全平方公式计算;(4)题中的$-2x-3=-(2x+3)$,原式可变形为$-(2x+3)^2$,且选择“和”的完全平方公式计算.

解:(1)$(a+3b)^2=a^2+2a\cdot 3b+(3b)^2=a^2+6ab+9b^2$;

(2)$(-x+3y)^2=(3y-x)^2=(3y)^2-2\cdot 3y\cdot x+x^2=9y^2-6xy+x^2$;

(3)$(-m-n)^2=(m+n)^2=m^2+2mn+n^2$;

(4)$(2x+3)(-2x-3)=-(2x+3)^2=-(4x^2+12x+9)=-4x^2-12x-9$.

点拨 DIANBO

(1)通过本例可以发现,当所给二项式中两项的符号相同时,一般选用“和”的完全平方公式;当二项式中两项的符号相反时,一般选用“差”的完全平方公式.

(2)$(-x+3y)^2$先转化为$(3y-x)^2$或$(x-3y)^2$便于运用完全平方公式,这是一个常用的技巧.

(3)遇到$(-m-n)^2$形式,可先转化为$(m+n)^2$形式,再按和的完全平方公式进行计算.

例3　计算:

(1)$2\ 009^2$;(2)$1\ 999^2$.

分析:根据数的特征,将底数化成整千数与一个较小整数的和或差的形式,然后再利用完全平方式展开运算就比较简便.

解:(1)$2\ 009^2=(2\ 000+9)^2=2\ 000^2+2\times 2\ 000\times 9+9^2$

$=4\ 000\ 000+36\ 000+81=4\ 036\ 081$;

(2)$1\ 999^2=(2\ 000-1)^2=2\ 000^2-2\times 2\ 000\times 1+1^2$

$=4\ 000\ 000-4\ 000+1=3\ 996\ 001$.

点拨 DIANBO

利用完全平方公式进行计算一些数的平方时,关键是把已知数的底数拆成两数和或两数差的平方的形式.

全解小博士在线答疑

课本P152(思考):如图15-2-4，$S_2=S_3$，$\because S_1+S_2=S_1+S_3$，且$S_1+S_2=(a+b)(a-b)$，$S_1+S_3=a^2-b^2$，

$\therefore (a+b)(a-b)=a^2-b^2$.

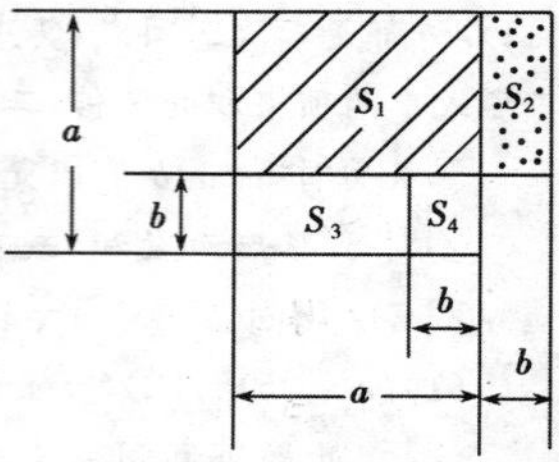

图15-2-4

课本P153(探究):(1)$(p+1)^2=(p+1)(p+1)=$ $\underline{p^2+2p+1}$.

(2)$(m+2)^2=$ $\underline{m^2+4m+4}$.

(3)$(p-1)^2=(p-1)(p-1)=$ $\underline{p^2-2p+1}$.

(4)$(m-2)^2=$ $\underline{m^2-4m+4}$.

课本P154(思考):教材图15.2-2的面积说明完全平方公式$(a+b)^2=a^2+2ab+b^2$;图15.2-3的面积说明完全平方公式$(a-b)^2=a^2-2ab+b^2$.

课本P155(思考):$(a+b)^2=(-a-b)^2$，$(a-b)^2=(b-a)^2$，

$(a-b)^2\neq a^2-b^2$，原因是$(-a-b)^2=[-(a+b)]^2=(a+b)^2$;

$(a-b)^2=[-(b-a)]^2=(b-a)^2$;$(a-b)^2=a^2-2ab+b^2\neq a^2-b^2$.

典型例题全解

DIANXINGLITIQUANJIE

题型一　乘法公式在解方程或不等式组中的应用

例1　解方程:$(2x+1)(2x-1)+3(x+2)(x-2)=(7x+1)(x-1)$.

分析:按照解方程的步骤即可求解.

解:$(2x)^2-1+3(x^2-4)=7x^2-7x+x-1$，$4x^2-1+3x^2-12=7x^2-6x-1$，

$7x^2-7x^2+6x=-1+1+12$，$6x=12$，$\therefore x=2$.

方法

先利用平方差公式，再按多项式乘法法则展开，此题把平方差公式与解方程综合起来考查.

例2　解不等式组:$\begin{cases}(x+3)(x-3)-x(x-2)>1,\\(2x-5)(-2x-5)<4x(1-x).\end{cases}$

分析:先利用平方差公式与单项式乘多项式法则去括号，再分别解两个不等式求解.

解:$\begin{cases}(x+3)(x-3)-x(x-2)>1, & ①\\(2x-5)(-2x-5)<4x(1-x). & ②\end{cases}$

由①得$x^2-9-x^2+2x>1$，$2x>10$，$x>5$.

由②得$5^2-(2x)^2<4x-4x^2$，$25-4x^2<4x-4x^2$，

$-4x<-25$，$x>6.25$. $\therefore$ 不等式组的解集为$x>6.25$.

警示

去括号时不要出现符号错误及漏乘项.

例 3　已知$(a+b)^2=7$，$(a-b)^2=4$，求a^2+b^2和ab的值.

分析：由于$(a+b)^2$和$(a-b)^2$的展开式中都只含有a^2+b^2和ab，所以把$(a+b)^2$和$(a-b)^2$展开，把两个等式看成是关于a^2+b^2和ab的二元一次方程，组成方程组可求a^2+b^2和ab的值.

解：由$(a+b)^2=7$，得$a^2+2ab+b^2=7$；　①

由$(a-b)^2=4$，得$a^2-2ab+b^2=4$.　②

①+②得$2(a^2+b^2)=11$，$\therefore a^2+b^2=\frac{11}{2}$. ①−②得$4ab=3$，$\therefore ab=\frac{3}{4}$.

方法

解答本题关键是不求出a、b的值，主要利用完全平方公式的整体变换求代数式的值.

题型二　巧用乘法公式简算

例 4　计算：$3(2^2+1)(2^4+1)(2^8+1)+1$.

分析：观察$(2^2+1)(2^4+1)(2^8+1)$可知，直接计算较麻烦，由2^2+1，2^4+1，2^8+1可判断具有平方差公式的形式，因此增加因式2^2-1即可计算，由$3=2^2-1$即可得到方法.

解：$3(2^2+1)(2^4+1)(2^8+1)+1=(2^2-1)(2^2+1)(2^4+1)(2^8+1)+1$

$=(2^4-1)(2^4+1)(2^8+1)+1=(2^8-1)(2^8+1)+1=2^{16}-1+1=2^{16}$.

点拨 DIANBO

通过变化 3 为2^2-1，没有改变原式的值，而使原式能够使用$(a+b)\cdot(a-b)=a^2-b^2$进行化简运算.

题型三　利用乘法公式证明

例 5　对任意整数n，整式$(3n+1)(3n-1)-(3-n)(3+n)$是否是 10 的倍数？为什么？

分析：要判断整式$(3n+1)(3n-1)-(3-n)(3+n)$是否是 10 的倍数，应用平方差公式化简后，看是否有因数 10.

解：$(3n+1)(3n-1)-(3-n)(3+n)$是 10 的倍数.

$(3n+1)(3n-1)-(3-n)(3+n)=(3n)^2-1-(3^2-n^2)$

$=9n^2-1-9+n^2=10n^2-10=10(n^2-1)$，

$\because 10(n^2-1)$是 10 的倍数，$\therefore$ 原式是 10 的倍数.

点拨 DIANBO

本题中逆用乘法的分配律，使结果含有因数 10. 判断是否是 10 的倍数，只要判断是否含有因数 10 即可.

题型四　平方差公式在几何中的应用

例 6　小红家有一块 L 型的菜地，如图 15-2-5 所示，要把 L 型的菜地按图那样分成面积相等的梯形，种上两种不同的蔬菜. 这两个梯形的上底都是a米，下底都是b米，高都是$(b-a)$米. 请你给小红家算一算，小红家的菜地的面积共有多少？当$a=10$，$b=30$时，面积是多少？

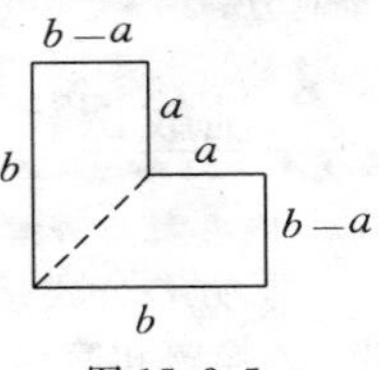

图 15-2-5

分析:利用梯形面积公式及平方差公式推导出菜地面积,并把 $a=10,b=30$ 代入式子中求值即可.

解:$\frac{1}{2}(b+a)(b-a)\times2=b^2-a^2$,

把 $a=10,b=30$,代入式中得 $30^2-10^2=900-100=800$(平方米).

点拨 DIANBO

本题是平方差公式在具体的实际问题中的应用,培养同学们的数学应用能力.

题型五　完全平方公式在三角形中的运用

例 7　已知△ABC 的三边长 a、b、c 满足 $a^2+b^2+c^2-ab-bc-ac=0$,试判断△ABC 的形状.

分析:式子 $a^2+b^2+c^2-ab-bc-ac=0$ 体现了三角形三边长之间的关系,从形式上看与完全平方式相仿,但差着 $2ab$ 中的 2 倍,故想到等式两边同时扩大 2 倍,从而得到结论.

解:$\because a^2+b^2+c^2-ab-bc-ac=0$,$\therefore 2a^2+2b^2+2c^2-2ab-2bc-2ac=0$,

即 $(a^2-2ab+b^2)+(b^2-2bc+c^2)+(a^2-2ac+c^2)=0$,

即 $(a-b)^2+(b-c)^2+(a-c)^2=0$. $\therefore a-b=0,b-c=0,a-c=0$,

即 $a=b=c$,$\therefore$ △ABC 为等边三角形.

点拨 DIANBO

通过对式子变化,化为平方和等于零的形式,从而求出三边长的关系.

题型六　本节习题 15.2(P156)综合运用第 4 题与中考真题解密

先化简,再求值:

$(2x+3y)^2-(2x+y)(2x-y)$,其中 $x=\frac{1}{3},y=-\frac{1}{2}$.

中考真题

(2009・长沙中考)先化简,再求值:

$(a+b)(a-b)+(a+b)^2-2a^2$,其中 $a=3,b=-\frac{1}{3}$.

解:原式 $=a^2-b^2+a^2+2ab+b^2-2a^2=2ab$.

当 $a=3,b=-\frac{1}{3}$ 时,原式 $=2\times3\times\left(-\frac{1}{3}\right)=-2$.

考题点睛

此考题与课本习题考查点完全一致,都是考查学生运用乘法公式进行化简计算的能力,这一题型也是中考必考题型之一,要熟练掌握做题格式与步骤.

中考考点解读

平方差公式是中考命题中比较重要的考点之一,单独命题的题型多为填空题、选择题和简单的计算题,这一知识点也常融入其他知识综合命题;完全平方公式在中考中占有很重要的地位，它在数的运算、代数式的化简、方程、函数等方面都有极其广泛的应用.

中考典题全解

例 1　(2009·台州中考)下列运算正确的是(　　)

A. $3a+2a=5a^2$　　B. $a^2\cdot a^3=a^6$

C. $(a+b)(a-b)=a^2-b^2$　　D. $(a+b)^2=a^2+b^2$

解析:A 项正确答案为 $5a$,B 项正确答案为 a^5,D 项正确答案为 $a^2+2ab+b^2$. 故应选 C.　　**答案**:C

例 2　(2009·宁波中考)先化简,再求值:$(a-2)(a+2)-a(a-2)$,其中 $a=-1$.

解:原式 $=a^2-4-a^2+2a=2a-4$.

当 $a=-1$ 时,原式 $=2\times(-1)-4=-6$.

易错易误点全解

YICUOYIWUDIANQUANJIE

易错点 1:错误地运用平方差公式

在运用平方差公式进行有关整式乘法计算时,部分初学者由于对平方差公式的结构特征掌握不好,只了解表面形式,而未真正掌握其实质,在运用平方差公式时,容易出现以下错误:(1)不能准确判断能否利用平方差公式;(2)运用平方差公式时,弄不清等于谁与谁的平方差;(3)写平方差时,容易只把字母平方,而遗漏系数平方,只有正确理解平方差公式,熟练掌握公式的结构特征,规范地套用公式,才能避免以上错误.

例 1　计算:(1)$(3x-1)(-1-3x)$;(2)$(-m+1)(m-1)$;

(3)$\left(\frac{1}{2}x+\frac{1}{3}y\right)\left(\frac{1}{3}y-\frac{1}{2}x\right)$.

解:(1)$(3x-1)(-1-3x)=(-1+3x)(-1-3x)=(-1)^2-(3x)^2=1-9x^2$;

(2)$(-m+1)(m-1)=-m^2+m+m-1=-m^2+2m-1$;

(3)$\left(\frac{1}{2}x+\frac{1}{3}y\right)\left(\frac{1}{3}y-\frac{1}{2}x\right)=\left(\frac{1}{3}y\right)^2-\left(\frac{1}{2}x\right)^2=\frac{1}{9}y^2-\frac{1}{4}x^2$.

误区防火墙

(1)题中易不能分清平方差公式中相同项和互为相反数的项;(2)题中没有相同项,只有互为相反数的项,不符合平方差公式的结构特点,只能用多项式乘多项式法则进行计算;(3)题中易漏掉系数的平方.

易错点 2:错误运用完全平方公式

由于对完全平方公式的结构特点掌握不熟练,有些同学在运用此公式进行运算时,容易出现以下错误:(1)漏掉"2 倍之积项";(2)漏掉乘积中的因数"2";(2)弄错"2 倍之积项"的符号,尤其当两数都是负数时易出现符号错误;(4)与平方差公式相混淆. 正确理解完全平方公式,熟练掌握其结构特点是避免错误的有效手段,另外做题时还必须认真、细心.

例 2 计算：(1) $(-2x-3y)^2$；(2) $(2a+b)^2$；

(3) $(a-b)(a+b)(a^2-b^2)$.

解：(1) $(-2x-3y)^2=(-2x)^2+2(-2x)(-3y)+(-3y)^2=4x^2+12xy+9y^2$；

(2) $(2a+b)^2=4a^2+4ab+b^2$；

(3) $(a-b)(a+b)(a^2-b^2)=(a^2-b^2)(a^2-b^2)=(a^2-b^2)^2=a^4-2a^2b^2+b^4$.

误区防火墙

(1)题易出现不能正确套用公式，把“2倍之积项”的符号弄错的错误；(2)题易漏掉“2倍之积项”；(3)题易错在计算两数差的完全平方时，与平方差公式相混淆.

知能综合提升

ZHINENGZONGHETISHENG

知识梳理

乘法公式及应用
- 乘法公式
  - 平方差公式：$(a+b)(a-b)=a^2-b^2$
  - 完全平方公式
    - 两数和的平方公式：$(a+b)^2=a^2+2ab+b^2$
    - 两数差的平方公式：$(a-b)^2=a^2-2ab+b^2$
- 应用
  - 代数式化简
  - 数的计算
  - 求特殊代数式的值
  - 方程、函数等知识综合解题

技巧平台

平方差公式和完全平方公式都是特殊的多项式相乘的结果，其目的是使运算简便，但应用时要注意两个公式中条件的特点，平方差公式是：两个二项式相乘，并且这两个二项式中有一项完全相同，另一项互为相反数，其结果是这两项的平方差，即 $(a+b)(a-b)=a^2-b^2$；完全平方公式是：完全相同的两个二项式相乘，写成幂的形式，其结果为三项，即 $(a+b)^2=a^2+2ab+b^2$，$(a-b)^2=a^2-2ab+b^2$，可用口诀记忆：首平方，尾平方，首尾乘积2倍在中央.平方差公式和完全平方公式在今后的学习中有着广泛的应用，要记清这些公式的结构特点，以便能够正确使用.

跟踪训练

1. 下列各式相乘时，可以利用平方差公式的是(　　)

   A. $(-x-y)(x-y)$　　B. $(-x-y)(x+y)$

   C. $(x-y)(-x+y)$　　D. $(x-y-z)(-x+y+z)$

2. 若 $x^2+4x+a=(x-b)^2$，则 a,b 的值为(　　)

   A. $a=4,b=-2$　B. $a=2,b=2$　C. $a=4,b=4$　D. $a=2,b=-2$

3. $(a+b-c)(a-b+c)=$______.

4. 已知 $x-y=2$，则 $x^2-2xy+y^2=$______.

5. 已知 $x^2+y^2=13$，$xy=5$，求 $(x-y)^2$ 的值.

6. 已知 $m^2+n^2-6m+10n+34=0$，求 $m+n$ 的值.

7. 已知 $a+\frac{1}{a}=4$，求 $a^2+\frac{1}{a^2}$ 和 $a^4+\frac{1}{a^4}$ 的值.

8. 已知 $(t+58)^2=654\ 481$，求 $(t+48)(t+68)$ 的值.

跟踪训练答案

1. A　2. A　点拨：$x^2+4x+4=(x+2)^2$.

3. $a^2-b^2+2bc-c^2$

4. 4　点拨：$x^2-2xy+y^2=(x-y)^2=2^2=4$.

5. 解：∵ $(x+y)^2=x^2+2xy+y^2=x^2+y^2+2xy=13+2\times5=23$，
∴ $(x-y)^2=(x+y)^2-4xy=23-4\times5=3$.
点拨：$(x-y)^2=x^2+y^2-2xy=x^2+2xy+y^2-2xy-2xy=(x+y)^2-4xy$.
这样的变形在 $(a+b)^2$ 与 $(a-b)^2$ 之间是经常用到的，因此要灵活运用.

6. 解：∵ $m^2+n^2-6m+10n+34=0$，∴ $(m^2-6m+9)+(n^2+10n+25)=0$，即 $(m-3)^2+(n+5)^2=0$. 由平方的非负性可知 $\begin{cases}m-3=0,\\n+5=0,\end{cases}$ ∴ $\begin{cases}m=3,\\n=-5.\end{cases}$
∴ $m+n=3+(-5)=-2$.
点拨：逆向应用整式乘法的完全平方公式和平方的非负性.

7. 解：∵ $a+\frac{1}{a}=4$，∴ $\left(a+\frac{1}{a}\right)^2=4^2$. ∴ $a^2+2a\cdot\frac{1}{a}+\frac{1}{a^2}=16$，即 $a^2+\frac{1}{a^2}+2=16$. ∴ $a^2+\frac{1}{a^2}=14$. 同理 $a^4+\frac{1}{a^4}=194$.
点拨：应用倒数的乘积为 1 和整式乘法的完全平方公式.

8. 解：∵ $(t+58)^2=654\ 481$，∴ $t^2+116t+58^2=654\ 481$. ∴ $t^2+116t=654\ 481-58^2$. ∴ $(t+48)(t+68)=(t^2+116t)+48\times68=654\ 481-58^2+48\times68=654\ 481-58^2+(58-10)(58+10)=654\ 481-58^2+58^2-10^2=654\ 481-100=654\ 381$.
点拨：整体的数学思想，把 t^2+116t 看做一个整体.

课本习题解答

KEBENXITIJIEDA

练习(P153)

1. 解：(1)不对，应改为 $(x+2)(x-2)=x^2-4$；
(2)不对，应改为 $(-3a-2)(3a-2)=4-9a^2$.

2. (1)a^2-9b^2；(2)$4a^2-9$；(3)$51\times49=(50+1)(50-1)=2\ 499$；
(4)$3x^2-5x-10$.

练习(P155)

1. 解：(1)$(x+6)^2=x^2+2\times x\times6+6^2=x^2+12x+36$；
(2)$(y-5)^2=y^2-2\times y\times5+5^2=y^2-10y+25$；
(3)$(-2x+5)^2=(5-2x)^2=5^2-2\times5\times2x+(2x)^2=25-20x+4x^2$，
或者 $(-2x+5)^2=(-2x)^2+2\times(-2x)\times5+5^2=4x^2-20x+25$；

(4) $\left(\frac{3}{4}x-\frac{2}{3}y\right)^2=\left(\frac{3}{4}x\right)^2-2\times\frac{3}{4}x\times\frac{2}{3}y+\left(\frac{2}{3}y\right)^2$

$=\frac{9}{16}x^2-xy+\frac{4}{9}y^2$.

2. 解：完全平方公式运用不当，改正为：(1) $(a+b)^2=a^2+2ab+b^2$；

(2) $(a-b)^2=a^2-2ab+b^2$.

练习(P156)

1. (1) $b-c$；(2) $b-c$；(3) $b+c$；(4) $-b-c$.

2. (1) $a^2+4ab+4b^2-2a-4b+1$；(2) $4x^2-y^2-2yz-z^2$.

习题 15.2(P156)

1. (1) $\frac{4}{9}x^2-y^2$；(2) x^2y^2-1；(3) $4a^2-9b^2$；

(4) $25-4b^2$；(5) 3 999 999；(6) 999 996.

2. (1) $4a^2+20ab+25b^2$；(2) $16x^2-24xy+9y^2$；

(3) $4m^2+4m+1$；(4) $2.25a^2-2ab+\frac{4}{9}b^2$；(5) 3 969；(6) 9 604.

3. 解：(1) 原式 $=[(3x-5)+(2x+7)][(3x-5)-(2x+7)]$

$=(5x+2)(x-12)=5x^2-60x+2x-24=5x^2-58x-24$，

或者：原式 $=(9x^2-30x+25)-(4x^2+28x+49)$

$=9x^2-30x+25-4x^2-28x-49=5x^2-58x-24$；

(2) 原式 $=(x+y)^2-1^2=x^2+2xy+y^2-1$；

(3) $(2x-y-3)^2=(2x-y)^2-2(2x-y)\times3+3^2$

$=4x^2-4xy+y^2-12x+6y+9$；

(4) $[(x+2)(x-2)]^2=(x^2-4)^2=x^4-8x^2+16$.

4. 解：原式 $=4x^2+12xy+9y^2-4x^2+y^2=12xy+10y^2$.

当 $x=\frac{1}{3}$，$y=-\frac{1}{2}$ 时，原式 $=12\times\frac{1}{3}\times\left(-\frac{1}{2}\right)+10\times\left(-\frac{1}{2}\right)^2=\frac{1}{2}$.

5. 解：设这个正方形的边长是 x cm，则 $(x+3)^2-x^2=39$，解这个方程，得 $x=5$.

∴ 这个正方形的边长是 5 cm.

6. 解：$\pi\left(\frac{a+b}{2}\right)^2-\pi\left(\frac{a}{2}\right)^2-\pi\left(\frac{b}{2}\right)^2=\frac{\pi}{4}[(a+b)^2-a^2-b^2]=\frac{\pi}{4}\times2ab=\frac{\pi ab}{2}$.

7. 解：$a^2+b^2=(a+b)^2-2ab=25-6=19$.

8. 解：$(2x-5)^2+(3x+1)^2>13(x^2-10)$，

$4x^2-20x+25+9x^2+6x+1>13x^2-130$，

$4x^2-13x^2-20x+9x^2+6x>-130-25-1$，

$-14x>-156$，$x<11\frac{1}{7}$.

9. 解：化简方程组，得 $\begin{cases}4x+6y=5,\\x-3y=2,\end{cases}$ 解得 $\begin{cases}x=1\frac{1}{2},\\y=-\frac{1}{6}.\end{cases}$

15.3　整式的除法

课程标准要求
KECHENGBIAOZHUNYAOQIU

1. 掌握同底数幂的除法、单项式除以单项式、多项式除以单项式的运算法则，并能熟练地运用这些法则进行有关计算.

2. 通过自主探索、合作交流，真正理解并体会法则的来源、意义及应用.

相关知识链接
XIANGGUANZHISHILIANJIE

一种数码照片的文件大小是 2^8 KB，一个存储量为 2^6 MB(1 MB$=2^{10}$ KB)的移动存储器，即容量为 $2^6\times2^{10}=2^{16}$(KB)，那么它能存储多少张这样的数码照片？要求可存储多少张大小为 2^8 KB 的照片，实际是求 $2^{16}\div2^8$ 的解，那么 $2^{16}\div2^8$ 应如何去算呢？

教材知能全解
JIAOCAIZHINENGQUANJIE

知能点 1　同底数幂的除法(重点)

(1)同底数幂的除法法则的推导

计算下列各式：① $a^5\div a^2$；② $b^6\div b^4$.

解：根据“除法是乘法的逆运算”可知：

如果 $a^5\div a^2=x$，那么 $a^2\cdot x=a^5$，由同底数幂的乘法法则可知，x 应该是 a^3.

因此得 $a^5\div a^2=a^3$，同理可得 $b^6\div b^4=b^2$.

观察这两个算式，你能发现什么规律？

$a^5\div a^2=a^3=a^{5-2}$，$b^6\div b^4=b^2=b^{6-4}$.

这个规律就是两个同底数幂相除，底数不变，指数相减.

(2)同底数幂的除法法则

同底数幂相除，底数不变，指数相减
$a^m\div a^n=a^{m-n}$($a\neq0$，m、n 都是正整数，并且 $m>n$)

提示：(1)底数 a 不能为 0，若 a 为零，则除数为零，除法就没有意义了.

(2)运算要注意顺序，如 $x^5\div x^3\cdot x^2=x^{5-3}\cdot x^2=x^2\cdot x^2=x^4$，如不注意顺序，则可能错写成 $x^5\div x^3\cdot x^2=x^5\div x^{3+2}=x^5\div x^5=1$.

(3)当三个或三个以上同底数幂相除时，也具有这一性质，例如：$a^m\div a^n\div a^p=a^{m-n-p}$($a\neq0$，$m$、$n$、$p$ 是正整数，且 $m>n+p$).

(4)应用这一法则时，必须明确底数是什么，指数是什么，然后按同底数幂除法法则进行计算.

例 1　判断下列各式从左至右计算的结果是否正确，不正确的给予改正，并简述错误的原因.

(1)$a^{12}\div a^{3}=a^{4}$；(2)$a^{3}\div a=a^{3}$；(3)$(-x)^{4}\div(-x)^{2}=-x^{2}$；

(4)$(-y)^{7}\div y^{3}=(-y)^{4}=y^{4}$；(5)$(-xy)^{12}\div(-xy)^{5}=-x^{7}y^{7}$.

分析：进行数或式的运算，首先要弄清楚这是哪一种运算，在运算过程的每一步都要严格按照有关法则或公式进行.

解：(1)不正确.这是同底数幂的除法运算，其法则是“底数不变，指数相减”，而不是相除，$a^{12}\div a^{3}=a^{12\div 3}=a^{4}$ 这是错误的，正确的是 $a^{12}\div a^{3}=a^{12-3}=a^{9}$.

(2)不正确.这是同底数幂的除法运算，应为“底数不变，指数相减”.出现这种错误有两种可能，①$a^{3}\div a=a^{3\div 1}=a^{3}$；②$a^{3}\div a=a^{3-0}=a^{3}$.这两种运算方法都是错误的.①中，同底数幂的除法，指数不能相除；②中，除式中字母 a 的项，指数是 1，而不是零.正确的是 $a^{3}\div a=a^{3-1}=a^{2}$.

(3)不正确.注意理解同底数幂的除法，“底数不变，指数相减”.原计算$(-x)^{4}\div(-x)^{2}$ 的底数是$(-x)$，故其结果应为$(-x)^{2}=x^{2}$，而不是$-x^{2}$，则$(-x)^{4}\div(-x)^{2}=(-x)^{2}=x^{2}$.

(4)不正确.同底数幂的除法运算，注意同底.这里底不相同，一个为$(-y)$，另一个为$(+y)$.正确的计算是将其转化为同底，化$(-y)^{7}=-y^{7}$，则$(-y)^{7}\div y^{3}=-y^{7}\div y^{3}=-y^{7-3}=-y^{4}$.

(5)正确.按照同底数幂的除法运算法则，$(-xy)$是相同的底，因而$(-xy)^{12}\div(-xy)^{5}=(-xy)^{7}$，再根据积的乘方的法则，原式$=-x^{7}y^{7}$.

点拨 DIANBO

要严格按照同底数幂的除法法则去运算，运算中要特别注意底数的符号.

例 2　计算：

(1)$x^{15}\div x^{6}$；(2)$(-xy)^{13}\div(-xy)^{8}$；(3)$a^{2m+4}\div a^{m-2}$；(4)$(x-2y)^{3}\div(2y-x)^{2}$.

分析：利用同底数幂的除法法则即可进行计算，其中第(2)题把$-xy$看作一个整体作为底数，注意符号；第(4)题中第一个幂的底数是 $x-2y$，第二个幂的底数是 $2y-x$，需把 $2y-x$ 改写为$-(x-2y)$，那么它们的底数就相同了.

解：(1)$x^{15}\div x^{6}=x^{15-6}=x^{9}$；

(2)$(-xy)^{13}\div(-xy)^{8}=(-xy)^{13-8}=(-xy)^{5}=-x^{5}y^{5}$；

(3)$a^{2m+4}\div a^{m-2}=a^{(2m+4)-(m-2)}=a^{2m+4-m+2}=a^{m+6}$；

(4)$(x-2y)^{3}\div(2y-x)^{2}=(x-2y)^{3}\div(x-2y)^{2}=(x-2y)^{3-2}=x-2y$.

点拨 DIANBO

在商中要把括号去掉，注意指数的奇、偶性与商的符号.

知能点 2　零指数幂的性质(重点)

(1)零指数幂的性质规定的原因

计算：$a^{m}\div a^{m}$.

一方面：根据除法的意义，可知 $a^m \div a^m = 1$；

另一方面：依照同底数幂的除法，又可得 $a^m \div a^m = a^{m-m} = a^0$.

于是规定：任何不等于 0 的数的 0 次幂都等于 1.

(2)零指数幂的性质

任何不等于 0 的数的 0 次幂都等于 1. 即 $\boxed{a^0 = 1 (a \neq 0)}$

归纳总结：底数 a 不能为 0，0^0 无意义. 任何一个常数都可以看作与字母 0 次方的积，如 $5 = 5a^0 (a \neq 0)$，因此常数项也叫 0 次单项式.

例 3　已知 $2 \times 5^m = 5 \times 2^m$，求 m 的值.

分析：将等式化为方程的形式，利用 $a^0 = 1$ 的性质解答.

解：由 $2 \times 5^m = 5 \times 2^m$ 得 $5^{m-1} = 2^{m-1}$，即 $5^{m-1} \div 2^{m-1} = 1$，

$\left(\frac{5}{2}\right)^{m-1} = 1$. ∵ 底数 $\frac{5}{2}$ 不等于 0 和 1，∴ $\left(\frac{5}{2}\right)^{m-1} = \left(\frac{5}{2}\right)^0$.

∴ $m - 1 = 0$，即 $m = 1$.

点拨 DIANBO

在解答时应注意 $a^0 = 1$ 成立的条件 $a \neq 0$，利用整式除法的法则将等式化为 $a^m = a^0$ 的形式.

知能点 3　单项式除以单项式法则及推导(重点)

计算 $6a^3b^2c \div 3ab^2$ 就是要求一个单项式，使它与 $3ab^2$ 的乘积等于 $6a^3b^2c$.

∵ $2a^2c \cdot 3ab^2 = 6a^3b^2c$，∴ $6a^3b^2c \div 3ab^2 = 2a^2c$.

$$\text{而商式 } 2a^2c \begin{cases} \text{系数 } 2 = 6 \div 3, \\ a \text{ 的指数 } 2 = 3 - 1, \\ b \text{ 的指数 } 0 = 2 - 2, \\ c \text{ 的指数 } 1 = 1 - 0. \end{cases}$$

由此得到单项式的相除法则是：单项式相除，把系数与同底数幂分别相除作为商的因式，对于只在被除式里含有的字母，则连同它的指数作为商的一个因式.

方法：(1)法则包括三个方面：①系数相除；②同底数幂相除；③只在被除式里出现的字母，连同它的指数作为商的一个因式.

(2)计算结果是否正确，可由单项式乘法验证.

例 4　计算：

(1) $-3a^7b^4c \div 9a^4b^2$；(2) $28x^4y^2 \div 7x^3y$；(3) $4a^{3m+1}b \div (-8a^{2m+1})$.

分析：根据单项式相除法则即可解答.

解：(1)原式 $= [(-3) \div 9]a^{7-4}b^{4-2}c = -\frac{1}{3}a^3b^2c$；

(2)原式 $= (28 \div 7)x^{4-3}y^{2-1} = 4xy$；

(3)原式 $= [4 \div (-8)]a^{(3m+1)-(2m+1)}b = -\frac{1}{2}a^mb$.

点拨 DIANBO

(1)字母部分相除时,尽量按字母的顺序去写,这样可以防止把未除的字母漏写.(2)在计算中应注意运算顺序和符号的变化.

知能点 4　多项式除以单项式法则及推导(重点)

计算$(8a^2+ab)\div a$,即求一个多项式,使它与a的积是$8a^2+ab$.

$\because (8a+b)a=8a^2+ab$,$\therefore (8a^2+ab)\div a=8a+b$.

又$\because 8a^2\div a+ab\div a=8a+b$,

$\therefore (8a^2+ab)\div a=8a^2\div a+ab\div a=8a+b$.

由此得到多项式除以单项式法则:

多项式除以单项式,先把这个多项式的每一项除以这个单项式,再把所得的商相加.

注意:(1)由法则可知,多项式除以单项式转化为单项式除以单项式来解决.

(2)利用法则计算时,不能漏项.(3)运算时要注意符号的变化.

例 5　计算:(1)$(6x^3y^2-7x^4y)\div xy$;(2)$\left(0.3a^2b-\frac{1}{3}a^3b^2-\frac{1}{6}a^4b^3\right)\div(-0.5a^2b)$.

分析:根据多项式除以单项式法则计算时一定要细心、认真,注意多项式项的符号且不能漏项.

解:(1)原式$=6x^3y^2\div xy-7x^4y\div xy=6x^2y-7x^3$;

(2)原式$=0.3a^2b\div(-0.5a^2b)-\frac{1}{3}a^3b^2\div(-0.5a^2b)-\frac{1}{6}a^4b^3\div(-0.5a^2b)$

$=-\frac{3}{5}+\frac{2}{3}ab+\frac{1}{3}a^2b^2$.

多项式除以单项式就是转化为单项式除以单项式的运算,再把商相加.

全解小博士在线答疑

课本 P159(探究):

(1)$5^5\div5^3=5^{(2)}$;(2)$10^7\div10^5=10^{(2)}$;(3)$a^6\div a^3=a^{(3)}$.

规律:$a^m\div a^n=a^{m-n}$,其中$a\neq0$,m,n都是正整数.

课本 P160(探究):

(1)$3^2\div3^2=(1)$;(2)$10^3\div10^3=(1)$;(3)$a^m\div a^m=(1)(a\neq0)$.

结论:$a^0=1(a\neq0)$.

典型例题全解

DIANXINGLITIQUANJIE

题型一　利用整式除法化简求解

例 1　已知$(-2x^3y^2)^3\div\left(-\frac{1}{2}x^ny^2\right)=-mx^7y^p$,求$n$、$m$、$p$的值.

分析:先计算积的乘方,再结合单项式除法法则得$(-2)^3\div\left(-\frac{1}{2}\right)=-m$,

$(x^3)^3\div x^n=x^{9-n}=x^7$，$y^{6-2}=y^p$，利用等式关系求 m、n、p 的值.

解：$(-2x^3y^2)^3\div\left(-\dfrac{1}{2}x^ny^2\right)=-mx^7y^p$，

$(-8x^9y^6)\div\left(-\dfrac{1}{2}x^ny^2\right)=-mx^7y^p$，$16x^{9-n}y^4=-mx^7y^p$.

依题意列方程组得 $\begin{cases}16=-m,\\9-n=7,\\4=p,\end{cases}$ 解得 $\begin{cases}m=-16,\\n=2,\\p=4.\end{cases}$

点拨 DIANBO

此题体现了转化的数学思想，通过对等式化简，把系数和指数间关系转化为方程.

题型二　整式的混合运算

例 2　$\left[\left(\dfrac{x}{2}+3y\right)^2-\left(\dfrac{y}{2}+x\right)^2+\left(3x-\dfrac{y}{2}\right)^2-\left(\dfrac{x}{2}+3y\right)\left(3y-\dfrac{x}{2}\right)\right]\div\dfrac{x}{2}$.

分析：整式的混合运算和有理数的混合运算法则一样：先算乘方，再算乘除，最后算加减，有括号的先算括号里的.

解：原式 $=\left(\dfrac{x^2}{4}+3xy+9y^2-\dfrac{y^2}{4}-xy-x^2+9x^2-3xy+\dfrac{y^2}{4}-9y^2+\dfrac{x^2}{4}\right)\div\dfrac{x}{2}$

$=\left(\dfrac{17}{2}x^2-xy\right)\div\dfrac{x}{2}=\dfrac{17}{2}x^2\div\dfrac{x}{2}-xy\div\dfrac{x}{2}=17x-2y$.

点拨 DIANBO

严格按照运算顺序对其进行解答. 复杂的多项式除以单项式，一般先将被除式化简，然后再进行除法运算，适当的运算顺序是解决本题的关键. 单项式除以单项式，区分系数相除，同底数幂相除.

题型三　化简求值题

例 3　先化简，再求值.

$[(x-y)^2+(x+y)(x-y)]\div 2x$，其中 $x=3$，$y=-1.5$.

分析：此题属于先化简，再求值的问题，一定不能直接把 x、y 的值直接代入，应先适当化简，再代入求值.

解法 1：$[(x-y)^2+(x+y)(x-y)]\div 2x$

$=(x-y)[(x-y)+(x+y)]\div 2x=(x-y)\cdot 2x\div 2x=x-y$.

当 $x=3$，$y=-1.5$ 时，原式 $=3-(-1.5)=4.5$.

解法 2：$[(x-y)^2+(x+y)(x-y)]\div 2x$

$=[(x^2-2xy+y^2)+x^2-y^2]\div 2x=(2x^2-2xy)\div 2x=x-y$.

当 $x=3$，$y=-1.5$ 时，原式 $=3-(-1.5)=4.5$.

方法

此类题一般不直接代入求值.

解法1逆用了乘法分配律,提出了$(x-y)$;解法2先运用乘法公式进行括号内的运算,最后算除法.

题型四 利用整式的除法解决实际问题

例4 某高分子聚合材料的性能优于铝合金材料,密度为9×10^2 kg/m³.又知铝的密度为2.7×10^3 kg/m³,求铝的密度是这种材料密度的多少倍?

分析:应用单项式除法法则进行化简计算.

解:$(2.7\times10^3)\div(9\times10^2)=(2.7\div9)\times(10^3\div10^2)=0.3\times10=3$.

点拨 DIANBO

把系数、同底数的幂分别相除,再把结果相乘.

题型五 整式除法的拓展应用

例5 小明与小亮在做游戏,两人各报一个整式,小明报一个被除式,小亮报一个除式,要求商式必须为$2xy$.若小明报的是x^3y-2xy^2,小亮应报什么整式?若小明报$3x^2$,小亮能报出一个整式吗?说说你的理由.

解:$\because (x^3y-2xy^2)\div2xy=\frac{1}{2}x^2-y$,$\therefore$ 小明报x^3y-2xy^2时,小亮报$\frac{1}{2}x^2-y$.

$\because 3x^2\div2xy$的结果不是整式,$\therefore$ 小明报$3x^2$时,小亮不能报出一个整式.

点拨 DIANBO

充分利用被除式、除式和商式三者之间的关系解决问题,本题利用了除式=被除式÷商式这个关系,当然被除式=除式×商式,商式=被除式÷除式也要掌握.

例6 已知一个多项式除以多项式a^2+4a-3所得的商式是$2a+1$,余式是$2a+8$,求这个多项式.

分析:本题的关键是明确"除式、被除式、商式和余式"的关系:被除式=除式×商式+余式.

解:所求的多项式为$(a^2+4a-3)(2a+1)+2a+8$
$=2a^3+8a^2-6a+a^2+4a-3+2a+8=2a^3+9a^2+5$.

规律

被除式=除式×商式+余式是解答本题的依据,应牢记这一关系式.

题型六 本节例2(P161)与中考真题解密

计算:(1)$28x^4y^2\div7x^3y$;(2)$-5a^5b^3c\div15a^4b$.

中考真题

(2009·重庆中考)计算:$2x^3 \div x^2$的结果是(　　)

A. x　　B. $2x$　　C. $2x^5$　　D. $2x^6$

解析:由$2x^3 \div x^2=(2\div 1)x^{3-2}=2x$.故应选择B.　　**答案**:B

考题点睛

中考题与例2都考查了单项式除以单项式,两题在解题过程、方法运用上都一样,由此我们应得到一点启示,中考题其实并不神秘,很多情况其实就是从课本中演变而来的.

挑战课标中考

TIAOZHANKEBIAOZHONGKAO

中考考点解读

整式除法即同底数幂的除法、单项式除以单项式、多项式除以单项式在中考中出现的频率比较高,题型多见选择题和填空题,有时也会出现化简求值题,因此运算必须熟练.

中考典题全解

例1　(2009·南宁中考)计算:$(a^2b)^2 \div a=$________.

解析:由$(a^2b)^2 \div a=a^4b^2 \div a=a^{4-1}b^2=a^3b^2$.　　**答案**:$a^3b^2$

例2　(2009·泰安中考)若$2^x=3$,$4^y=5$,则2^{x-2y}的值为(　　)

A. $\frac{3}{5}$　　B. -2　　C. $\frac{3\sqrt{5}}{5}$　　D. $\frac{6}{5}$

解析:由$2^x=3$,$4^y=5$,所以$2^{x-2y}=2^x \div 2^{2y}=2^x \div 4^y=3\div 5=\frac{3}{5}$.故应选择A.

答案:A

点拨 DIANBO

此题主要考查了式子变形、整体代入及逆用同底数幂的除法运算等知识和方法.

易错易误点全解

YICUOYIWUDIANQUANJIE

易错点1:误用同底数幂的除法法则

由于对同底数幂的除法法则理解不深,只看表面形式,而没有把握其实质,在进行同底数幂的除法运算时,容易出现以下错误:(1)同底数幂的运算与指数运算相混淆;(2)底数确定不对,出现符号错误;(3)运算时,出现顺序错误.只要熟练掌握同底数幂的除法法则,按正确运算顺序计算,就能避免上述错误.

例1　计算:(1)$(-x^4)^3 \div (-x^7)$;(2)$(-2a^3)^4 \div (a^2)^3 \div a^6$.

解:(1)$(-x^4)^3 \div (-x^7)=(-x^{12}) \div (-x^7)=x^{12} \div x^7=x^{12-7}=x^5$;

(2)$(-2a^3)^4 \div (a^2)^3 \div a^6=(-2)^4(a^3)^4 \div a^6 \div a^6=16a^{12} \div a^6 \div a^6=16a^{12-6-6}=16$.

误区防火墙

(1)易错的原因是底数确定的不对,出现符号错误;(2)易错的原因是运算顺序出现错误,同底数幂相除,属于除法运算,与乘法运算属于同一级,应按从左到右的顺序进行.

易错点2:用单项式除以单项式法则或多项式除以单项式法则出错

在进行单项式除以单项式的运算时,由于对法则理解不到位,容易出现以下几种常见的错误:(1)忽略符号;(2)遗漏被除式中单独存在的字母;(3)当字母的指数为1时,通常省略不写,但在计算时,容易忽略该指数.在进行多项式除以单项式的运算时,容易出现漏项或符号错误.避免以上错误的方法是熟练掌握整式除法的运算法则,理解法则的意义,准确运用法则,计算时一定要细心、认真.

例2 计算:(1)$-9a^2b^3c^2\div(-3ab)^2$;

(2)$8x^3y^2\div5x^3y$;(3)$(4x^5-3x^3+2x^2)\div2x^2$.

解:(1)$-9a^2b^3c^2\div(-3ab)^2=-9a^2b^3c^2\div9a^2b^2=-bc^2$;

(2)$8x^3y^2\div5x^3y=\frac{8}{5}x^{3-3}y^{2-1}=\frac{8}{5}y$;

(3)$(4x^5-3x^3+2x^2)\div2x^2=4x^5\div2x^2+(-3x^3)\div2x^2+2x^2\div2x^2=2x^3-\frac{3}{2}x+1$.

误区防火墙

(1)易漏掉被除式中的c^2和"$-$",导致结果错误;(2)易将除式$5x^3y$中的y的指数误认为是0,导致结果错误;(3)在进行多项式除以单项式的运算时,由于不写出详细步骤,易把商是1的项漏掉,导致结果错误.

易错点3:乘除混合运算顺序出错

在整式的乘除混合运算中,要特别注意运算顺序,应从左向右算,不可以随意交换除式与被除式的位置.

例3 计算:$a^7\div a^2\cdot a^4$.

解:$a^7\div a^2\cdot a^4=a^{7-2}\cdot a^4=a^5\cdot a^4=a^{5+4}=a^9$.

误区防火墙

此题易出现不按正确顺序计算和先算乘法后算除法的错误.

知识梳理

整式除法
- 同底数幂的除法
  - 法则:$a^m\div a^n=a^{m-n}$($a\neq0$,m、n都是正整数,且$m>n$)
  - 注意:$a^m\div a^m=1$($a\neq0$,m是正整数)
- 单项式除以单项式
  - 系数相除
  - 同底数幂相除
  - 对于只在被除式里出现的字母连同它的指数作为商的一个因式
- 多项式除以单项式:先把多项式的每一项除以这个单项式,再把商相加,注意不能漏项

技巧平台

1.掌握好同底数幂的除法与单项式除以单项式的法则,学会用乘法进行验证计算结果的正确性.

2.整式除法运算应按法则进行仔细计算,注意符号问题.

3. 在进行乘除的混合运算时，一定要按照从左向右的顺序来完成.

跟踪训练

1. 下列运算正确的是(　　)

A. $a^{10}\div a^5=a^2$　　B. $10^8\div 10^8=10$

C. $x^3\div x=x^3$　　D. $(-m)^4\div(-m)^2=m^2$

2. 已知 $4a^3b^m\div 9a^nb^2=\frac{4}{9}b^2$，则 m、n 的值分别为(　　)

A. $m=4,n=3$　　B. $m=4,n=1$

C. $m=1,n=3$　　D. $m=2,n=3$

3. $3^{2n+1}=1$，则 $n=$________.

4. $4x^2y^3z\div\left(\frac{1}{2}xyz\right)=$________.

5. 一个多项式除以 $2x^2y$，其商为 $(4x^3y^2-6x^3y+2x^4y^2)$ 则此多项式为________.

跟踪训练答案

1. D

2. A　点拨：由整式的除法法则可得 $3=n,m-2=2$，∴ $m=4,n=3$.

3. $-\frac{1}{2}$　点拨：$2n+1=0$.　4. $8xy^2$

5. $8x^5y^3-12x^5y^2+4x^6y^3$　点拨：由题意得 $(4x^3y^2-6x^3y+2x^4y^2)\cdot 2x^2y=8x^5y^3-12x^5y^2+4x^6y^3$. 故答案为：$8x^5y^3-12x^5y^2+4x^6y^3$.

课本习题解答
KEBENXITIJIEDA

练习(P160)

1. (1)a^2；(2)m^5；(3)x^4；(4)$(-6)^2$ 或 6^2.

2. (1)x^2；(2)1；(3)$-a^3$；(4)x^2y^2.

3. (1)不对，改正 $x^6\div x^2=x^4$；(2)不对，改正 $6^4\div 6^4=1$；

(3)不对，改正 $a^3\div a=a^2$；(4)不对，改正 $(-c)^4\div(-c)^2=c^2$.

练习(P162)

1. (1)$-2b^2$；(2)$-\frac{4}{3}ab$；(3)$7y$；(4)2×10^3.

2. 右边括号里自上而下依次为 $-6x^2y^2$，$-8z$，$\frac{1}{4}$.

练习(P163)

(1)$6y+5$；(2)$3x-2y$；(3)$-2a+b$；(4)$-5x^2-3x+4$.

习题 15.3(P164)

1. (1)a^2x^2；(2)x^6；(3)1；(4)ab^4.

2. (1)$-4x$；(2)5；(3)$16m^3p^2$；(4)-48.

3. (1) $-3x^2+4x$; (2) $2a^2-\frac{5}{4}ab$;

(3) $\frac{3}{5}y^2-\frac{21}{2}y+1$; (4) $-0.5+ab+\frac{1}{3}a^2b^2$.

4. $(2.88\times10^7)\div(1.8\times10^6)=1.6\times10=16$.

答:人造地球卫星的速度是这架喷气式飞机的速度的16倍.

5. $(10^9\div10^3)\div100=10^6\div10^2=10^4=10\ 000$.

答:10 000个这种病毒能排成1毫米长.

6. $2\pi(R+1)-2\pi R=2\pi=6.28$(米).

∴ 这条绳长比地球仪的赤道的周长多6.28米.

如果在地球赤道表面也同样做,情况不变.

7. $2^{3m+10n}=2^{3m}\cdot2^{10n}=(2^m)^3\cdot(2^5)^{2n}=(2^m)^3\cdot(32^n)^2=a^3b^2$.

8. $[(x^2+y^2)-(x-y)^2+2y(x-y)]\div4y=(x^2+y^2-x^2+2xy-y^2+2xy-2y^2)\div4y=(4xy-2y^2)\div4y=x-\frac{1}{2}y$.

∵ $2x-y=10$, ∴ $x-\frac{1}{2}y=5$. ∴ 原式$=5$.

15.4 因式分解

课程标准要求

KECHENGBIAOZHUNYAOQIU

1. 了解因式分解的含义及它与整式乘法的区别与联系.

2. 理解提公因式法和公式法,能准确熟练地把某些多项式用提公因式法或公式法分解.

相关知识链接

XIANGGUANZHISHILIANJIE

在一条宽阔的马路上,整齐地排列着十个花坛,每个花坛都栽种了丁香树和各种颜色的花卉,每个花坛的形状都像操场上的跑道一样,两端呈半圆形,半圆的半径均为3 m,连接两个半圆的边缘部分是直的,已知每个花坛边缘直的部分的长分别为36 m,25 m,30 m,28 m,25 m,32 m,24 m,24 m,22 m,32 m,你能求出这些花坛的总面积吗?

要求花坛总面积,就是求每个花坛中两个半圆及中间长方形的面积,再把这十个花坛面积相加即可,即$10\times\pi\times3^2+6\times36+6\times25+6\times30+6\times28+6\times25+6\times32+6\times24+6\times24+6\times22+6\times32$的结果为所求,那么这个式子怎样算简单呢?

教材知能全解
JIAOCAIZHINENGQUANJIE

知能点1　因式分解(重点)

把一个多项式化成几个整式积的形式，叫做把这个多项式因式分解，也叫做把这个多项式分解因式.

对因式分解的理解，一般从分解的“对象”和分解的“结果”两个方面去理解：①对象：因式分解只针对多项式，而$\frac{1}{2}a^2b=\frac{1}{2}a\cdot ab$这一变形则不属于因式分解，$\frac{1}{2}a^2b$不是多项式；②结果：因式分解的结果只能是整式的积的形式，例如$-\frac{1}{2}a^2b+2ab^2=-\frac{1}{2}ab(a-4b)$属于因式分解，而$x^2-3x+2=x(x-3)+2$这一变形不属于因式分解，结果不是积的形式，$x^2-\frac{1}{x^2}=\left(x+\frac{1}{x}\right)\left(x-\frac{1}{x}\right)$，也不属于因式分解，因为$-\frac{1}{x^2}$，$\frac{1}{x}$，$-\frac{1}{x}$都不是整式.

例1　下列由左到右的变形，哪些是因式分解？哪些不是？请说出理由.

(1)$a(x+y)=ax+ay$；(2)$x^2+2xy+y^2-1=x(x+2y)+(y+1)(y-1)$；

(3)$ax^2-9a=a(x+3)(x-3)$；(4)$x^2+2+\frac{1}{x^2}=\left(x+\frac{1}{x}\right)^2$；(5)$2a^3=2a\cdot a\cdot a$.

分析：依据因式分解的定义是将多项式形式变成几个整式的积的形式，从对象和结果两方面去判断.

解：因为(1)(2)的右边都不是积的形式，所以它们不是因式分解；(4)中$\frac{1}{x^2}$，$\frac{1}{x}$都不是整式；(5)中的$2a^3$不是多项式，所以它们也不是因式分解. 只有(3)的左边是多项式，右边是整式的积的形式，所以(3)属于因式分解.

点拨 DIANBO

因式分解与整式乘法是互逆变形.

知能点2　提公因式法(重点)

(1)公因式

一个多项式各项都含有的公共的因式叫做这个多项式的公因式.

例如：多项式$2ab^2c+8a^3b$中的第一项$2ab^2c=2ab\cdot bc$，第二项$8a^3b=2ab\cdot 4a^2$. 这两项中都含有因式$2ab$，那么$2ab$就是这个多项式的公因式. 但在多项式$ma-mb+c$中，虽然m是第一、二两项的公因式，但不是第三项的因式，所以m不是多项式$ma-mb+c$的公因式.

(2)确定公因式的方法

确定一个多项式的公因式时，要对数字系数和字母分别进行考虑：

①对于数字系数，如果是整数系数，取各项系数的最大公约数作为公因式的系数；

②对于字母，需考虑两条：一是取各项相同的字母；二是各相同字母的指数，即取其次数最低的.

(3)提公因式法

一般地，如果多项式的各项都含有公因式，可以把这个公因式提到括号外面，将多项式写成因式乘积的形式，这种分解因式的方法叫做提公因式法. 例如：$4x^2y^2z-12x^3y^4=4x^2y^2(z-3xy^2)$.

(4)提公因式的方法步骤

提公因式法分解因式的一般步骤是：第一步找出公因式；第二步提公因式并确定另一个因式. 提公因式时可多项式除以公因式，所得的商即是提公因式后剩下的另一个因式. 也可以用公因式分别去除原多项式的每一项，求得剩下的另一个因式.

例如：分解因式 $8a^3b^2-12ab^3c$，提公因式 $4ab^2$ 时，用 $4ab^2$ 分别去除原多项式的每一项，得 $8a^3b^2\div 4ab^2-12ab^3c\div 4ab^2=2a^2-3bc$，即 $8a^3b^2-12ab^3c=4ab^2(2a^2-3bc)$.

例 2 把下列各式分解因式.

(1)$ab+a+b+1$；(2)$-4m^3+16m^2-26m$；

(3)$m(a-3)+2(3-a)$；(4)$6a(b-a)^2-2(a-b)^3$.

分析：提取公因式的方法有①直接提取，如(2)题. ②变换符号后提取，如(3)(4)题. 分组结合后，得到公因式，再提取如(1)题.

解：(1)$ab+a+b+1=a(b+1)+(b+1)=(b+1)(a+1)$；

(2)$-4m^3+16m^2-26m=-2m(2m^2-8m+13)$；

(3)$m(a-3)+2(3-a)=m(a-3)-2(a-3)=(a-3)(m-2)$；

(4)$6a(b-a)^2-2(a-b)^3=6a(a-b)^2-2(a-b)^3=2(a-b)^2[3a-(a-b)]$
$=2(a-b)^2(2a+b)$.

方法

因式分解的关键是确定公因式，公因式有单项式，也有多项式，注意符号的变化，结果要化简即合并同类项.

知能点 3 平方差公式(重点)

把乘法公式中的平方差公式逆用，即 $a^2-b^2=(a+b)(a-b)$，其中 a、b 既可以是单项式，也可以是多项式.

也就是说：两个数的平方差，等于这两个数的和与这两个数的差的积.

平方差公式的特点：

左边是二项式，两项都能写成平方的形式，且符号相反；

右边是两个数的和与这两个数的差的积.

例 3 下列各式中能用平方差公式分解因式的是(   )

①$-a^2-b^2$；②$2a^2-4b^2$；③x^2-y^2-4；④$-9a^2b^2+1$；⑤$(x-y)^2+(y-x)^2$；⑥x^4-1.

A. ①②⑥　　B. ③④⑤⑥　　C. ②④⑥　　D. ①③④⑤⑥

解析：①⑤是两个同号项，不能用平方差公式；③是三项式，不满足平方差公式的特点；②④⑥可以运用平方差公式，所以答案是C.　**答案**：C

点拨 DIANBO

应紧紧抓住平方差公式的特点进行判断.

知能点4　完全平方公式(重点)

把乘法公式中的完全平方公式$(a\pm b)^2=a^2\pm 2ab+b^2$逆过来，就得到：

$$a^2+2ab+b^2=(a+b)^2$$
$$a^2-2ab+b^2=(a-b)^2$$

公式中的a、b即“这两个数”，既可以用单项式代替，又可以用多项式代替.

也就是说，两个数的平方和加上这两个数积的2倍，等于这两个数的和的平方.

两个数的平方和，减去这两个数积的2倍，等于这两个数的差的平方.

完全平方公式特点：

左边是三项式，其中首末两项分别是两个数(或两个式子)的平方，且这两项的符号相同，中间一项是这两个数(或两个式子)的积的2倍，符号正负均可；

右边是这两个数(或两个式子)的和(或者差)的平方.当中间的乘积项与首末两项符号相同时，是和的平方；当中间的乘积项与首末两项的符号相反时，是差的平方.

凡符合完全平方公式左边特点的三项式，叫做完全平方式.

提示：在熟练掌握完全平方式结构特征的前提下，更要注意理解公式中字母a和b的广泛意义.

例4　把下列各式分解因式.

(1)$a^2-14a+49$；(2)$-m^2-m-\frac{1}{4}$；(3)$a^2+2a(b+c)+(b+c)^2$；(4)$-3x^2+6xy-3y^2$.

分析：(1)式可直接利用完全平方公式；(2)式提出“$-$”得$-\left(m^2+m+\frac{1}{4}\right)$，括号内的二次三项式恰好为完全平方式，即可分解；(3)式可以把$(b+c)$作为一个整体；(4)式先提公因式-3，后运用完全平方式分解因式.

解：(1)$a^2-14a+49=a^2-2\cdot a\cdot 7+7^2=(a-7)^2$；

(2)$-m^2-m-\frac{1}{4}=-\left(m^2+m+\frac{1}{4}\right)=-\left(m+\frac{1}{2}\right)^2$；

(3)$a^2+2a(b+c)+(b+c)^2=[a+(b+c)]^2=(a+b+c)^2$；

(4)$-3x^2+6xy-3y^2=-3(x^2-2xy+y^2)=-3(x-y)^2$.

方法

运用完全平方公式分解因式，关键是掌握多项式的特点，如果有公因式，应先提公因式，后运用公式法.

全解小博士在线答疑

课本 P165(探究):(1)$x^2+x=\underline{x(x+1)}$;(2)$x^2-1=\underline{(x+1)(x-1)}$.

课本 P166(问题):另一个因式还有公因式 b,因此,提出公因式一定要提彻底,使另一个因式不再有公因式.

课本 P167(问题):根据因式分解与整式乘法互为逆运算,可以用整式乘法的运算检查因式分解的正确性.

典型例题全解

DIANXINGLITIQUANJIE

题型一　因式分解在求图形面积中的应用

例 1　一条水渠,其横断面为梯形,根据图 15-4-1 中的长度求出横断面面积的代数式,并计算当 $a=2,b=0.8$ 时的面积.

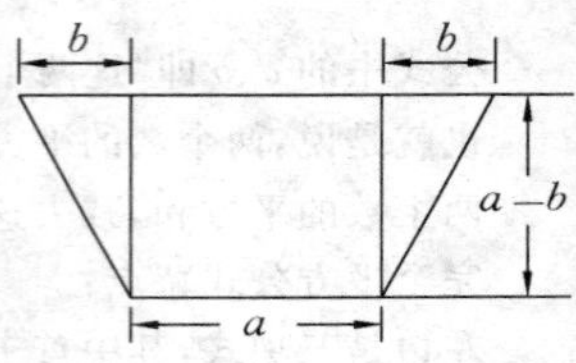

图 15-4-1

分析:梯形的面积$=\frac{1}{2}$(上底+下底)×高.

解:根据题意,得 $S_{梯}=\frac{1}{2}(a+a+2b)\times(a-b)$

$=\frac{1}{2}(2a+2b)(a-b)=\frac{1}{2}\times2\cdot(a+b)(a-b)=(a+b)(a-b)$.

当 $a=2,b=0.8$ 时,$S_{梯}=(a+b)(a-b)=(2+0.8)(2-0.8)=3.36$.

例 2　给你多个长方形和正方形卡片如图 15-4-2,请你运用拼图的方法,选取相应种类和数量的卡片,拼成一个矩形,使它的面积等于 $2a^2+5ab+2b^2$,并根据你拼成的图形分解多项式 $2a^2+5ab+2b^2$.

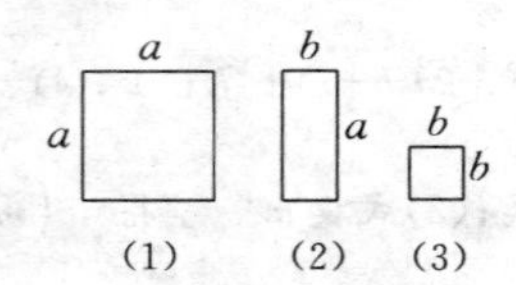

图 15-4-2

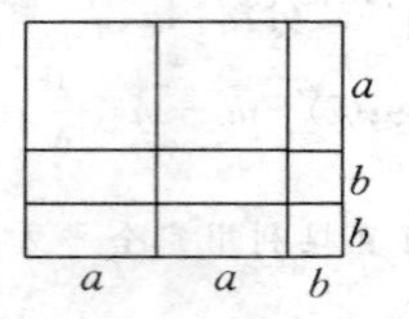

图 15-4-3

分析:由图 15-4-2 可知,图(1)的面积为 a^2,图(2)的面积为 ab,图(3)的面积为 b^2,可选 2 张图(1),2 张图(3),5 张图(2),其面积可为 $2a^2+5ab+2b^2$,并且能够拼成一个矩形.

解:用图 15-4-2 中所示的卡片,2 张图(1)、5 张图(2)、2 张图(3)就可以拼成一个长为$(2a+b)$、宽为$(a+2b)$的矩形,如图 15-4-3 所示,且这个矩形的面积为$(2a+b)(a+2b)$.

因此,$2a^2+5ab+2b^2=(2a+b)(a+2b)$.

规律

通过动手操作可知,多项式的因式分解也是式子的恒等变形.

题型二　因式分解在解方程与等式变换中的应用

例 3　解方程：$(55x+35)(53x+26)-(55x+35)(53x+27)=0$.

分析：本例如果直接去做，将会出现很大的麻烦，甚至出现错误，通过细心观察不难发现，可以用提取公因式法进行简便计算.

解：$(55x+35)(53x+26)-(55x+35)(53x+27)=0$,

$(55x+35)[53x+26-(53x+27)]=0$,

$(55x+35)(53x+26-53x-27)=0$,

$(55x+35)\times(-1)=0$,

$\therefore\ -5(11x+7)=0, 11x+7=0, \therefore\ x=-\frac{7}{11}$.

规律

解方程运用整式运算法则进行解答，既麻烦又易出错，为了避免这些问题，我们根据题目的特点，应用因式分解改变了运算顺序，从而达到简化运算的目的.

题型三　因式分解在计算中的应用

例 4　计算$\frac{1^2-2^2}{1+2}+\frac{3^2-4^2}{3+4}+\frac{5^2-6^2}{5+6}+\cdots+\frac{2\,008^2-2\,009^2}{2\,008+2\,009}+\frac{2\,009^2-2\,010^2}{2\,009+2\,010}$.

分析：本题直接运算较为困难，观察各分数中的分子和分母，不难发现，各分数中的分母是分子的一个因式，因此，可把每个分子分解因式.

解：$\frac{1^2-2^2}{1+2}+\frac{3^2-4^2}{3+4}+\frac{5^2-6^2}{5+6}+\cdots+\frac{2\,008^2-2\,009^2}{2\,008+2\,009}+\frac{2\,009^2-2\,010^2}{2\,009+2\,010}$

$=\frac{(1+2)(1-2)}{1+2}+\frac{(3+4)(3-4)}{3+4}+\frac{(5+6)(5-6)}{5+6}+\cdots+\frac{(2\,009+2\,010)(2\,009-2\,010)}{2\,009+2\,010}$

$=\underbrace{(1-2)+(3-4)+(5-6)+\cdots+(2\,009-2\,010)}_{\text{共}(2\,010\div 2)\text{个}(-1)}$

$=(-1)\times(2\,010\div 2)=-1\,005$.

规律

本题主要考查因式分解的灵活运用，通过因式分解，巧妙地解决了问题.

题型四　利用因式分解解决实际问题

例 5　已知电学公式 $U=IR_1+IR_2+IR_3$，当 $R_1=12.9, R_2=18.5, R_3=18.6$，$I=2$时，利用因式分解求出 U 的值.

分析：在利用公式计算时，等式右边可提取公因式 I，使问题变得简便.

解：当 $R_1=12.9, R_2=18.5, R_3=18.6, I=2$ 时，

$U=IR_1+IR_2+IR_3=I(R_1+R_2+R_3)$

$=2\times(12.9+18.5+18.6)=2\times 50=100$.

技巧

在计算中运用提公因式法能使物理学中烦琐的运算变得简捷.

题型五 利用因式分解化简

例 6 用简便方法计算：

求$\left(1-\frac{1}{2^2}\right)\left(1-\frac{1}{3^2}\right)\left(1-\frac{1}{4^2}\right)\cdots\left(1-\frac{1}{99^2}\right)\left(1-\frac{1}{100^2}\right)$的值.

分析:每个括号中都符合平方差公式.

解:原式$=\left(1+\frac{1}{2}\right)\left(1-\frac{1}{2}\right)\left(1+\frac{1}{3}\right)\left(1-\frac{1}{3}\right)\left(1+\frac{1}{4}\right)\left(1-\frac{1}{4}\right)\cdots\left(1+\frac{1}{99}\right)\left(1-\frac{1}{99}\right)\left(1+\frac{1}{100}\right)\left(1-\frac{1}{100}\right)=\frac{1}{2}\times\frac{3}{2}\times\frac{2}{3}\times\frac{4}{3}\times\frac{3}{4}\times\frac{5}{4}\times\cdots\times\frac{98}{99}\times\frac{100}{99}\times\frac{99}{100}\times\frac{101}{100}=\frac{1}{2}\times\frac{101}{100}=\frac{101}{200}$.

点拨 DIANBO

注意观察因式分解后分子与分母中数字的规律是解题关键.

例 7 已知 $a=2\ 009x+2\ 008$,$b=2\ 009x+2\ 009$,$c=2\ 009x+2\ 010$,则 $a^2+b^2+c^2-ab-bc-ca=$ ________.

解析:直接代入不易计算,观察已知的式子和所求式子的特点可知:$a-b=-1$,$b-c=-1$,$c-a=2$,于是可将所求式子进行变形.即 $a^2+b^2+c^2-ab-bc-ca=\frac{1}{2}(2a^2+2b^2+2c^2-2ab-2bc-2ca)=\frac{1}{2}[(a^2-2ab+b^2)+(b^2-2bc+c^2)+(c^2-2ac+a^2)]=\frac{1}{2}[(a-b)^2+(b-c)^2+(c-a)^2]=\frac{1}{2}[(-1)^2+(-1)^2+2^2]=3$. **答案**:3

点拨 DIANBO

认真观察已知条件和所求结论的特点,从而得到解题的思路,是解决本题的关键.

挑战课标中考

TIAOZHANKEBIAOZHONGKAO

中考考点解读

本节在中考中主要考查因式分解的概念及利用提公因式法、公式法分解因式,是中考命题中的必考内容之一.单独命题时题型以选择题、填空题为主,分值一般为3分～5分.有时以解答题的形式出现,难度一般不大,只要抓住公式的特点,一般不会失分.

中考典题全解

例 1 (2009·安顺中考)因式分解:$a^3-ab^2=$ ________.

解析:$a^3-ab^2=a(a^2-b^2)=a(a+b)(a-b)$.

答案:$a(a+b)(a-b)$

例 2 (2009·安徽中考)因式分解:$a^2-b^2-2b-1=$ ________.

解析:$a^2-b^2-2b-1=a^2-(b^2+2b+1)=a^2-(b+1)^2=(a+b+1)(a-b-1)$.

答案：$(a+b+1)(a-b-1)$

点拨 DIANBO

对原式合理分组是解题关键.

易错易误点全解

YICUOYIWUDIANQUANJIE

易错点 1：用提公式法分解因式时易出现漏项，丢系数或符号错误

运用提公因式法分解因式时，提公因式后，括号里的多项式项数与原多项式项数应一致. 若系数有公约数时，注意系数不能丢掉. 若提出公因式系数为负时，括号里各项要改变符号.

例 1　分解因式：

(1)$3x^2-9xy+x$；(2)$\frac{2}{3}x^2-4x+6$；(3)$x^2-4-x+2$.

解：(1)$3x^2-9xy+x=x(3x-9y+1)$；

(2)$\frac{2}{3}x^2-4x+6=\frac{2}{3}(x^2-6x+9)=\frac{2}{3}(x-3)^2$；

(3)$x^2-4-x+2=(x^2-4)-(x-2)=(x-2)(x+2-1)=(x-2)(x+1)$.

误区防火墙

(1)单独一个字母或单项式或多项式作为公因式提取后，易忽略 1. 当某项是公因式时，提取后要相应地添上 1 或 -1；(2)错在易改变二次项系数，改变代数式；(3)易错在添括号时，前面加“$-$”却没有注意各项要改变符号.

易错点 2：运用完全平方公式时漏解出错

我们知道，完全平方公式有两个，两数和的完全平方和两数差的完全平方，二者不能互相代替，有的同学对完全平方公式的特点把握不准，因而在解答相关题目时出现漏解错误. 只有正确理解完全平方公式，熟记完全平方公式的结构特点，才能有效避免这类错误.

例 2　若$\frac{1}{4}y^2+ay+36$是完全平方式，求 a 的值.

解：因为$\frac{1}{4}y^2+ay+36=\left(\frac{1}{2}y\right)^2+ay+6^2$，所以 $ay=\pm2\times\frac{1}{2}y\times6$，即 $a=\pm2\times\frac{1}{2}\times6=\pm6$.

误区防火墙

解此题时易漏掉 a 为负数的情况.

易错点 3：分解因式不彻底，半途而废

分解因式时必须进行到每一个因式都不能再分解为止，否则会“半途而废”. 例如：$x^4-y^4=(x^2+y^2)(x^2-y^2)$，其中因式 x^2-y^2 还可以继续分解，正确的应是：

$x^4-y^4=(x^2+y^2)(x^2-y^2)=(x^2+y^2)(x+y)(x-y)$. 在进行因式分解时，能分解的因式而没有进行因式分解是初学者易犯的通病，应当注意. 结果要彻底是指：(1)其中一个因式能继续分解因式的，必须继续分解；(2)因式中带有中括号，必须去掉中括号，有同类项的要合并同类项，把每一个因式化为最简因式，使结果中只含有小括号.

例 3　分解因式：$2n(m+n)^2+2m(m+n)^2+(m+n)^3$.

解：$2n(m+n)^2+2m(m+n)^2+(m+n)^3=(m+n)^2[2n+2m+(m+n)]=(m+n)^2(2n+2m+m+n)=(m+n)^2(3m+3n)=3(m+n)^2(m+n)=3(m+n)^3$.

误区防火墙

此题易出现分解不彻底现象，其中因式 $3m+3n$ 还可以再分解成 $3(m+n)$.

知识梳理

分解因式
- 定义：把一个多项式化成几个整式积的形式
- 方法
  - 提公因式法
  - 公式法
- 一般步骤
  - 如果多项式各项有公因式，那么先提公因式
  - 若各项没有公因式，考虑运用公式法分解
  - 用其他方法分解
  - 分解因式必须进行到每个因式不能再分解为止

技巧平台

1. 学习本节知识，要对比整式乘法运算进行，掌握二者之间的区别与联系，才能更好地掌握因式分解的实质. 在学习本节时，要运用比较、类比的学习方法记忆、理解分解因式，要多加练习以达到巩固、熟练知识的目的.

2. 对多项式进行因式分解时，有公因式应先提公因式，之后再用公式法进行分解，而且要分解到不能再分解为止.

跟踪训练

1. 多项式 $-6ab^2+18a^2b^2-12a^3b^2c$ 的公因式是(　　)

A. $-6ab^2c$　　B. $-ab^2$　　C. $-6ab^2$　　D. $-6a^3b^2c$

2. 在多项式：①$x^2+2xy-y^2$；②$-x^2+2xy-y^2$；③x^2+xy+y^2；④$1+x+\frac{x^2}{4}$中，能用完全平方公式分解的是(　　)

A. ①②　　B. ①③　　C. ①④　　D. ②④

3. a^2-9 与 a^2-3a 的公因式是________.

4. 若 $(a-b)^2+kab$ 是完全平方式，则 $k=$________.

5. 已知 $a-b=3$，$ab=4$. 求 a^2b-ab^2 的值.

6. 利用分解因式计算：(1)$2\,008^2-2\,007\times2\,009-999^2$；

(2)$2\,000^2-4\,000\times1\,999+1\,999^2$.

跟踪训练答案

1. C　2. D　3. $a-3$

4. 0 或 4　点拨：当 $k=0$ 时，$(a-b)^2$ 为完全平方式；当 $k=4$ 时，
原式 $=a^2-2ab+b^2+4ab=(a+b)^2$.

5. 解：$a^2b-ab^2=ab(a-b)=4\times3=12$.

6. 解：(1) $2\,008^2-2\,007\times2\,009-999^2=2\,008^2-(2\,008-1)(2\,008+1)-999^2$
$=2\,008^2-(2\,008^2-1)-999^2=2\,008^2-2\,008^2+1-999^2=1-999^2=(1+999)(1-999)=1\,000\times(-998)=-998\,000$;
(2) $2\,000^2-4\,000\times1\,999+1\,999^2=2\,000^2-2\times2\,000\times1\,999+1\,999^2=(2\,000-1\,999)^2=1^2=1$.
点拨：(1)题运用平方差公式简化运算；(2)题运用完全平方公式简化运算.

课本习题解答

KEBENXITIJIEDA

练习(P167)

1. (1) $2mn(4m+1)$；(2) $3xy(4z-3xy)$；
(3) $(y-z)(2a+3b)$；(4) $(a^2+b^2)(p-q)$.

2. $4a^2(x+7)-3(x+7)=(x+7)(4a^2-3)$.
当 $a=-5$，$x=3$ 时，原式 $=(3+7)(4\times25-3)=970$.

3. $5\times3^4+24\times3^3+63\times3^2=3^4\times(5+8+7)=3^4\times20=1\,620$.

练习(P168)

1. (1)(4)不能，因为多项式不符合平方差的形式；
(2)(3)能，因为多项式符合平方差的形式.

2. (1) $\left(a+\frac{1}{5}b\right)\left(a-\frac{1}{5}b\right)$；(2) $(3a+2b)(3a-2b)$；(3) $y(x+2)(x-2)$；
(4) $-(a^2+4)(a+2)(a-2)$.

练习(P170)

1. (1)是，因为多项式符合完全平方式的条件；(2)(3)(4)不是，因为它们不符合完全平方式的条件.

2. (1) $(x+6)^2$；(2) $-(x+y)^2$；(3) $(a+1)^2$；(4) $(2x-1)^2$；
(5) $a(x+a)^2$；(6) $-3(x-y)^2$.

习题 15.4(P170)

1. (1) $5a^2(3a+2)$；(2) $3bc(4a-c)$；(3) $2(p+q)(3p-2q)$；(4) $(a-3)(m-2)$.

2. (1) $(1+6b)(1-6b)$；(2) $3(2x+y)(2x-y)$；(3) $(0.7p+12)(0.7p-12)$；
(4) $3(x+y)(x-y)$.

3. (1) $(5t+1)^2$; (2) $(m-7)^2$; (3) $\left(y+\frac{1}{2}\right)^2$; (4) $(n-m)^2$; (5) $(5a-8)^2$;

(6) $(a+b+c)^2$.

4. (1) 原式 $=3.14\times(21+62+17)=314$;

(2) 原式 $=(758+258)(758-258)=1\,016\times500=5.08\times10^5$.

5. (1) $(a+b)^2$; (2) $(p+2)(p-2)$; (3) $-y(2x-y)^2$; (4) $3a(x+y)(x-y)$.

6. $V=2.5\times(19.7+32.4+35.9)=2.5\times88=220$.

7. $\pi R^2-4\pi r^2=\pi(R+2r)(R-2r)$

$=3.14\times(7.8+2.2)(7.8-2.2)=3.14\times10\times5.6=175.84(\text{cm}^2)$.

8. $2\times2x-2^2=4(x-1)$ 或 $x^2-(x-2)^2=4(x-1)$.

9. $m=\pm12$. 10. 略.

11. (1) $(x+\sqrt{2})(x-\sqrt{2})$; (2) $(\sqrt{5}x+\sqrt{3})(\sqrt{5}x-\sqrt{3})$.

章末总结与复习

知识网络归纳

ZHISHIWANGLUOGUINA

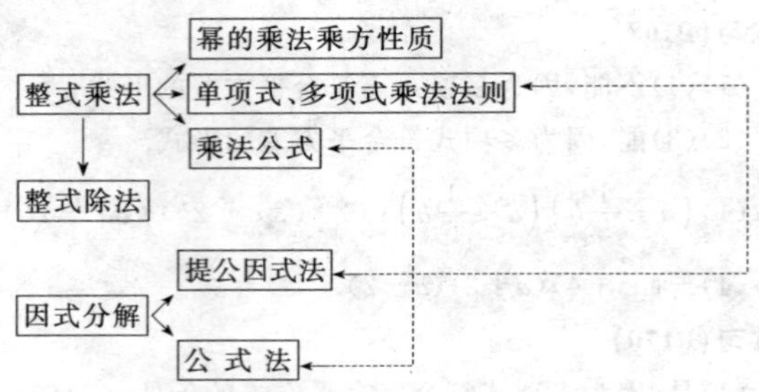

专题综合讲解

ZHUANTIZONGHEJIANGJIE

专题一 乘法公式的运用

完全平方公式 $(a\pm b)^2=a^2\pm2ab+b^2$ 常作如下变形:

(1) $a^2+b^2=(a+b)^2-2ab$;

(2) $(a+b)^2-(a-b)^2=4ab$;

(3) $(a+b)^2+(a-b)^2=2(a^2+b^2)$;

(4) $a^2+b^2+c^2+ab+bc+ca=\frac{1}{2}[(a+b)^2+(b+c)^2+(c+a)^2]$；

(5) $a^2+b^2+c^2-ab-bc-ca=\frac{1}{2}[(a-b)^2+(b-c)^2+(c-a)^2]$.

上述完全平方公式的变形在求值、证明、判定关系中有广泛应用.

例1　已知 $x+y=7$，$xy=10$，求 $3x^2+3y^2$ 的值.

分析：关键把 $3x^2+3y^2$ 用含有 $x+y$，xy 的式子表示出来. 由 $3x^2+3y^2=3(x^2+y^2)=3[(x+y)^2-2xy]$，代入 $x+y$ 与 xy 的值即可解答.

解：∵ $x+y=7$，$xy=10$，

∴ $3x^2+3y^2=3(x^2+y^2)=3[(x+y)^2-2xy]=3\times(49-20)=87$.

例2　已知 $x^2+y^2+z^2-xy-xz-yz=0$，试判断 x、y、z 的关系.

分析：化为几个完全平方和的形式再求解.

解：∵ $x^2+y^2+z^2-xy-yz-zx=0$，两边乘 2 得

$2x^2+2y^2+2z^2-2xy-2yz-2zx=0$，

$(x^2-2xy+y^2)+(x^2-2zx+z^2)+(y^2-2yz+z^2)=0$，

$(x-y)^2+(x-z)^2+(y-z)^2=0$，

∴ $\begin{cases}x-y=0,\\x-z=0,\\y-z=0,\end{cases}$ ∴ $\begin{cases}x=y,\\x=z,\\y=z,\end{cases}$ ∴ $x=y=z$. ∴ x、y、z 是相等关系.

点拨 DIANBO

由已知 $x^2+y^2+z^2-xy-xz-yz=0$ 得左边式子的特征是有 x、y、z 的平方项及每两个字母之积项，这样便可考虑组成完全平方公式.

由于所给的式子是方程，故方程两边乘 2，再通过"拆项"组合，从而得到非负数的和为零.

例3　已知 $a=x+6$，$b=x+4$，$c=x+3$，求 $a^2+b^2+c^2-ab-bc-ca$ 的值.

解：∵ $a=x+6$，$b=x+4$，$c=x+3$，∴ $a-b=2$，$a-c=3$，$b-c=1$.

∴ $a^2+b^2+c^2-ab-bc-ac=\frac{1}{2}(2a^2+2b^2+2c^2-2ab-2bc-2ac)$

$=\frac{1}{2}[(a-b)^2+(b-c)^2+(c-a)^2]$

$=\frac{1}{2}\times(2^2+1^2+3^2)=\frac{1}{2}\times(4+9+1)=7$.

方法

例 3 与例 2 在条件上有变化，但都是应用完全平方公式，在变形过程中，此题必须保证代数式的值不变，所以乘 2 后还要乘 $\frac{1}{2}$.

例 4　已知代数式 $x^2+y^2-6x+4y+20$. 你能把它化为 M^2+N^2+P 的形式吗?(其中 P 为常数)进一步,你能求出这个代数式的最小值吗?此时 x、y 的值又是多少?

分析:逆用完全平方公式可知 $x^2+y^2-6x+4y+20=(x^2-6x+9)+(y^2+4y+4)+7=(x-3)^2+(y+2)^2+7$,由此得到该代数式的最小值.

解:$x^2+y^2-6x+4y+20=(x^2-6x+9)+(y^2+4y+4)+7$

$=(x-3)^2+(y+2)^2+7$.

因为 $(x-3)^2\geqslant 0$,$(y+2)^2\geqslant 0$,

所以,这个代数式的最小值为 7,此时 $x=3$,$y=-2$.

规律

代数式的最小(大)值的求法通常通过逆用完全平方公式将它写成 $P\pm(M_1^2+M_2^2+\cdots+M_n^2)$ 的形式(P 为常数),则该代数式的最小(大)值就是 P.

专题二　整式与图形

例 5　如图 15-5-1,在一块边长为 a cm 的正方形纸片的四角,各剪去一个边长为 b cm 的正方形,求剩余部分的面积. 如果 $a=3.6$,$b=0.8$ 呢?

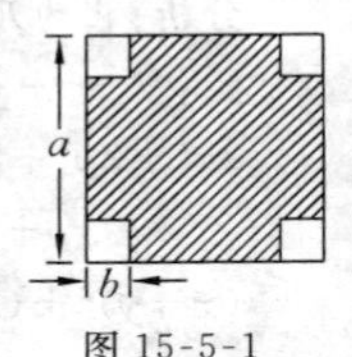

图 15-5-1

分析:由图形的特点可得,阴影部分的面积等于大正方形的面积 a^2 减去四个相等的小正方形的面积 b^2 即可.

解:阴影部分的面积为:a^2-b^2.

当 $a=3.6$,$b=0.8$ 时,

$a^2-b^2=(a+b)(a-b)=(3.6+0.8)(3.6-0.8)=4.4\times 2.8=12.32(\text{cm}^2)$.

方法

考查学生对数形结合思想的理解和掌握.

例 6　(1)如图 15-5-2 所示是一个长为 $2a$,宽为 $2b$ 的矩形,若把此图沿图中虚线用剪刀均分为四块小长方形,然后按图 15-5-3 的形状拼成一个正方形,请问:这两个图形的什么量不变?所得的正方形的面积比原矩形的面积多出的阴影部分的面积用含 a、b 的代数式表示为________.

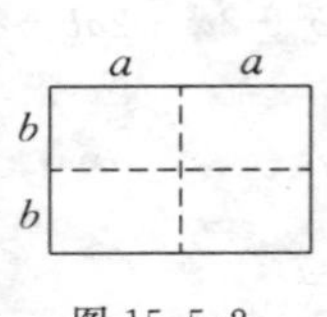

图 15-5-2

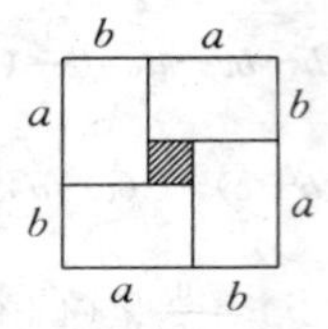

图 15-5-3

(2)由(1)的探索中,可得出的结论是:在周长一定的矩形中,________时,面积最大.

(3)若一矩形的周长为 36 cm,则当边长为多少时,该图形的面积最大?最大面积是多少?

解:(1)这两个图形的周长不变,$(a-b)^2=a^2-2ab+b^2$ (2)长等于宽 (3)9 cm,81 cm^2.

技 巧

本题用数形结合的思想，直观地说明了当矩形周长一定时，正方形面积最大.

专题三 除法的运算

例 7 已知一个多项式与单项式$-7x^5y^4$的积为$21x^5y^7-28x^7y^4+7y(2x^3y^2)^2$，求这个多项式.

分析：由于这个多项式乘$-7x^5y^4$等于$21x^5y^7-28x^7y^4+7y(2x^3y^2)^2$，那么这个多项式等于$[21x^5y^7-28x^7y^4+7y(2x^3y^2)^2]\div(-7x^5y^4)$，从而转化为多项式除以单项式.

解：$[21x^5y^7-28x^7y^4+7y(2x^3y^2)^2]\div(-7x^5y^4)$

$=(21x^5y^7-28x^7y^4+28x^6y^5)\div(-7x^5y^4)$

$=21x^5y^7\div(-7x^5y^4)+(-28x^7y^4)\div(-7x^5y^4)+28x^6y^5\div(-7x^5y^4)$

$=-3y^3+4x^2-4xy$，

∴ 这个多项式为$-3y^3+4x^2-4xy$.

规 律

多项式乘单项式的运算可利用有理数的运算，有加、减、乘、除、乘方、开方的运算时，应先进行乘方、开方运算.

专题四 因式分解

例 8 因式分解：(1)$(x-y)^3+4(y-x)$；(2)$(x+y)^2+4(y+x+1)$；(3)$(a-b)^{2n-1}+2(b-a)^{2n}+(a-b)^{2n+1}$.

分析：(1)中把$(x-y)^3$化为$-(y-x)^3$或$(y-x)=-(x-y)$；(2)中把$x+y$看作一个整体，再分解；(3)除化为$(a-b)$的形式外，还要明确提公因式法分解因式时，要提相同字母的最低次幂.

解：(1)$(x-y)^3+4(y-x)=(x-y)^3-4(x-y)$

$=(x-y)[(x-y)^2-4]=(x-y)(x-y+2)(x-y-2)$；

(2)$(x+y)^2+4(y+x+1)=(x+y)^2+4(x+y)+4=(x+y+2)^2$；

(3)$(a-b)^{2n-1}+2(b-a)^{2n}+(a-b)^{2n+1}=(a-b)^{2n-1}+2(a-b)^{2n}+(a-b)^{2n+1}$

$=(a-b)^{2n-1}+2(a-b)^{2n-1}\cdot(a-b)+(a-b)^{2n-1}\cdot(a-b)^2$

$=(a-b)^{2n-1}\cdot[1+2(a-b)+(a-b)^2]=(a-b)^{2n-1}(a-b+1)^2$.

提 示

此题是提公因式法及公式法的综合应用，一般需先提公因式，然后再使用公式，其中(1)提公因式后应用平方差公式，(2)(3)提公因式后应用完全平方式. 要注意指数的奇偶性.

知识拓展：十字相乘法分解因式

二次项系数为 1 的二次三项式的因式分解

例 9 因式分解：(1)x^2-x-6；(2)$x^2+2x-15$；(3)x^4+6x^2+8；(4)$(a+b)^2-$

$4(a+b)+3$;(5)$x^2-3xy+2y^2$.

解:(1)$x^2-x-6=(x-3)(x+2)$;(2)$x^2+2x-15=(x+5)(x-3)$;

(3)$x^4+6x^2+8=(x^2+2)(x^2+4)$;

(4)$(a+b)^2-4(a+b)+3=(a+b-1)(a+b-3)$;

(5)$x^2-3xy+2y^2=(x-2y)(x-y)$.

专题五 思想方法专题

1. 整体思想

整体思想也是一种重要的数学思想方法,它要求我们在研究数学问题时,不要只着眼于它的局部特征,而要把注意力放在问题的整体结构上,通过对其全面深刻地分析,从宏观整体的角度来认识问题,整体代入或整体求解,该思想方法的运用可以使某些复杂的问题简单化.

例10 若$(x-1)(x+3)(x-4)(x-8)+m$是完全平方式,求m的值.

分析:利用配方法及整体换元法分解因式,从而求出m的值.

解:$(x-1)(x+3)(x-4)(x-8)+m$

$=[(x-1)(x-4)][(x+3)(x-8)]+m$

$=(x^2-5x+4)(x^2-5x-24)+m$.

设$y=x^2-5x+4$,则原式变形为$y^2-28y+m$.

要使$y^2-28y+m$为完全平方式,则$m=\left(-\frac{28}{2}\right)^2=196$.

2. 逆向思维的思想方法

逆向思维是指由果索因,知本求源,从原问题的相反方向着手的一种思维方式.

数学定义、公式总是双向的,公式从等式左边到等式右边及从等式右边到等式左边,这样的转换正是由正向思维到逆向思维的体现,在本章中逆向思维的方法应用较多,幂的运算法则、两个乘法公式等都可以逆用.运用该方法,可以使烦琐的问题简单化、直接化,从而大大地简化解题步骤,减少错误,从而达到简化计算的目的.

例11 计算:(1)$0.125^{2\,008}\times[(-2)^{2\,009}]^3$;(2)$(a^2+2ab+b^2)\div(a+b)$;

(3)502^2-498^2.

解:(1)$0.125^{2\,008}\times[(-2)^{2\,009}]^3=0.125^{2\,008}\times[(-2)^3]^{2\,009}=0.125^{2\,008}\times(-8)^{2\,009}=0.125^{2\,008}\times(-8)^{2\,008}\times(-8)=[0.125\times(-8)]^{2\,008}\times(-8)=(-1)^{2\,008}\times(-8)=-8$;

(2)$(a^2+2ab+b^2)\div(a+b)=(a+b)^2\div(a+b)=a+b$;

(3)$502^2-498^2=(502+498)(502-498)=1\,000\times4=4\,000$.

点拨 DIANBO

(1)题巧妙地逆用了同底数幂的乘法、幂的乘方、积的乘方,在计算高指数幂中起到了简化作用;(2)题逆用了完全平方公式,简化了解题过程;(3)题逆用了平方差公式进行计算.

3. 化归的思想方法

数学中化归的思想方法就是将复杂的、未知的数学问题转化成简单的、已知的数学问题，从而将问题解决的思想方法. 化归的思想方法是数学上重要且常用的思想方法. 在本章化归的思想得以充分的体现，如：单项式乘单项式可化归为有理数乘法和同底数幂的乘法运算，单项式乘多项式、多项式乘多项式都化归成了单项式乘单项式的乘法运算，多项式除以单项式可化归为单项式除以单项式来运算等.

例 12　计算：(1)$(2x-1)(4x^2+2x+1)$；(2)$(x+y+z)^2$.

解：(1)$(2x-1)(4x^2+2x+1)=(2x-1)\cdot 4x^2+(2x-1)\cdot 2x+(2x-1)\cdot 1=8x^3-4x^2+4x^2-2x+2x-1=8x^3-1$；

(2)$(x+y+z)^2=[(x+y)+z]^2=(x+y)^2+2z(x+y)+z^2=x^2+2xy+y^2+2xz+2yz+z^2=x^2+y^2+z^2+2xy+2xz+2yz$.

点拨 DIANBO

(1)题把 $2x-1$ 看成一个单项式，将多项式的乘法转化为单项式与多项式的乘法，再转化为单项式与单项式相乘，这种化归转化的思想在数学学习中经常用到，要好好领悟.

(2)题是将三个数和的平方化归为两个数和的平方，再利用完全平方公式展开，从而简化了计算.

专题六　中考热点聚焦

1. 本章是初中阶段要求学生重点掌握的内容之一，也是中考必考内容，题型多以填空题，选择题等为主，要注意透彻理解基本概念和定义，熟悉运算法则，公式及使用条件，并能迅速而准确地进行基本运算.

2. 近几年的中考试题中出现了一些创新性的题目，如规律探索题，考查学生从特殊到一般的认识水平、运算能力.

例 13　(2009·潍坊中考)因式分解：$27x^2+18x+3=$________.

解析：$27x^2+18x+3=3(9x^2+6x+1)=3(3x+1)^2$.　　**答案**：$3(3x+1)^2$

点拨 DIANBO

此题考查运用提公因式法及完全平方公式进行因式分解.

例 14　(2009·威海中考)先化简，再求值：$(a+b)^2+(a-b)(2a+b)-3a^2$，其中 $a=-2-\sqrt{3}$，$b=\sqrt{3}-2$.

解：$(a+b)^2+(a-b)(2a+b)-3a^2=a^2+2ab+b^2+2a^2-ab-b^2-3a^2=ab$.

当 $a=-2-\sqrt{3}$，$b=\sqrt{3}-2$ 时，原式$=(-2-\sqrt{3})(\sqrt{3}-2)=(-2)^2-(\sqrt{3})^2=1$.

点拨 DIANBO

先化简，再求值，求值时注意运用平方差公式，使运算简便、准确.

本章达标测评

BENZHANGDABIAOCEPING

一、填空题

1. 单项式$-\frac{x^2y}{8}$的系数是________，次数是________.

2. m^2n^2-8mn+________$=(mn-$________$)^2$；

$16x^2-$________$=(4x+y)(4x-y)$.

3. 已知$a^2+2a+b^2-6b+10=0$，那么$a=$________，$b=$________.

4. 若$(x+6)(x-7)=x^2+mx+n$，则$m=$________，$n=$________.

5. 长方形的一边长为$3a+2b$，另一边比它小$b-2a$，则这个长方形的周长是________.

6. 观察下列各式：$1\times3=1^2+2\times1$，$2\times4=2^2+2\times2$，$3\times5=3^2+2\times3$，…. 请你将猜想到的规律用自然数$n(n\geqslant1)$表示出来：________.

二、选择题

7. 若$2ab^{2m+3n}$与$a^{2n-3}b^8$的和仍是一个单项式，则m与n的值分别是(　　)

A. 1,2　　B. 2,1　　C. 1,1　　D. 1,3

8. 计算$(-2)^{100}+(-2)^{101}$的结果是(　　).

A. -2　　B. 2　　C. 2^{100}　　D. -2^{100}

9. 若多项式$k(k-1)x^2-kx+x+8$是关于x的一次多项式，则k的值是(　　)

A. 0　　B. 1　　C. 0 或 1　　D. 不能确定

10. 化简$(-2a)\cdot a-(-2a)^2$的结果是(　　)

A. 0　　B. $2a^2$　　C. $-6a^2$　　D. $-4a^2$

11. 若$x^2+mx-15=(x+3)(x+n)$，则m的值为(　　)

A. -5　　B. 5　　C. -2　　D. 2

12. 计算$2\,004^2-2\,003\times2\,005$的结果是(　　)

A. 1　　B. -1　　C. 0　　D. $2\times2\,004^2-1$

三、解答题

13. 分解因式x^3-4xy^2.

14. 分解因式$(x^2-2x)^2+2(x^2-2x)+1$.

15. 若$x^2-4y^2=-15$，$x+2y=3$，求x、y的值.

本章达标测评答案

1. $-\frac{1}{8}$　3　点拨：根据单项式系数和次数的定义来解题.

2. 16　4　y^2　点拨：观察式子的特点，它们分别是完全平方差和平方差式.

3. -1　3　点拨：a、b包含在非负数中，$a^2+2a+b^2-6b+10=a^2+2a+1+b^2-6b+9=(a+1)^2+(b-3)^2=0$.

4. -1　-42　点拨：乘法展开后，m等于一次项系数，n等于常数项.

5. $16a+6b$　点拨：由题意知另一边长为$(3a+2b)-(b-2a)=5a+b$，所以其周长为$2[(3a+2b)+(5a+b)]=16a+6b$.

6. $n\cdot(n+2)=n^2+2n$　点拨：这是一道规律总结题，其中渗透着因式分解的方法.

7. A　点拨：只有同类项合并后的结果为单项式，这里$2n-3=1$，$2m+3n=8$，解关于m、n的方程组.

8. D　点拨：用提取公因式法，公因式为$(-2)^{100}$.

9. A　点拨：若$k=0$，多项式为$x+8$，若$k=1$，多项式变为8(不成立).

10. C　点拨：$(-2a)\cdot a-(-2a)^2=-2a^2-4a^2=-6a^2$. 故选C.

11. C　点拨：由题意得$x^2+mx-15=x^2+(n+3)x+3n$，所以$\begin{cases}3n=-15,\\m=n+3,\end{cases}$

所以$\begin{cases}m=-2,\\n=-5.\end{cases}$故选C.

12. A　点拨：$2\,004^2-(2\,004-1)(2\,004+1)=2\,004^2-(2\,004^2-1)=2\,004^2-2\,004^2+1=1$. 故选A.

13. 解：原式$=x(x^2-4y^2)=x(x+2y)(x-2y)$.

14. 解：原式$=[(x^2-2x)+1]^2=(x^2-2x+1)^2=(x-1)^4$.

15. 解：$\because x^2-4y^2=(x+2y)(x-2y)=-15$且$x+2y=3$，$\therefore x-2y=\frac{-15}{3}=-5$. ①

又$x+2y=3$，②

$\therefore$ 由①②得$x=-1$，$y=2$.

本章复习题全解

BENZHANGFUXITIQUANJIE

复习题15(P175)

1. (1)$4x^7y^9$；(2)$4a^2+4ab-3b^2$；(3)$5x^4-5x^2$；(4)$4x^2+4xy+y^2-4x-2y+1$；(5)3 599.96；(6)39 204.

2. (1)$\frac{2}{3}b^2$；(2)$-\frac{4}{9}a^5$；(3)$2a^2x-\frac{3}{2}$；(4)$\frac{7}{8}y-xz$；(5)432；(6)1 055.

3. (1)$(5x+4y)(5x-4y)$；(2)$2x(a-b)$；(3)$(a-2b)^2$；(4)$(3x-3y+2)^2$.

4. (1)$8x+29$；(2)$-4x$；(3)$-y^2-6yz+4z^2$；(4)$\frac{2}{3}xy-\frac{2}{3}$.

5. (1)$x(x+3)(x-3)$;(2)$(4x^2+1)(2x+1)(2x-1)$;(3)$-y(3x-y)^2$;(4)$(2a+b)^2$.

6. ∵ $(x+y)^2=25$,∴ $x^2+2xy+y^2=25$. ①

∵ $(x-y)^2=9$,∴ $x^2-2xy+y^2=9$. ②

①+②,得 $2(x^2+y^2)=34$. ∴ $x^2+y^2=17$.

①-②,得 $4xy=16$. ∴ $xy=4$.

7. $(1.3\times10^5)\times(9.6\times10^6)=1.248\times10^{12}$(吨).

8. 图(1)的喷水池中各圆形水池周长的和为 $2\pi r+2\pi r=4\pi r$;

图(2)的喷水池中各圆形水池周长的和为 $2\pi\left(\frac{r}{6}+\frac{r}{3}+\frac{r}{2}\right)+2\pi r=4\pi r$,因此两种方案砌各圆形水池的周边需用的材料一样多.

9. $\left[\pi\left(\frac{1}{2}\right)^2\times18-\pi(0.2)^2\times18\right]\times7.8\times4\approx370.32$(吨).

10. $(x+7)(x+5)-(x+1)(x+5)=42$,

$x^2+12x+35-x^2-6x-5=42$,$6x=12$. ∴ $x=2$.

11. $\begin{cases}x(2x-5)>2x^2-3x-4, & ①\\(x+1)(x+3)+8x>(x+5)(x-5)-2. & ②\end{cases}$

由①,得 $2x^2-5x>2x^2-3x-4$,∴ $x<2$.

由②,得 $x^2+4x+3+8x>x^2-25-2$,

∴ $x>-\frac{5}{2}$. ∴ 不等式组的解为 $-\frac{5}{2}<x<2$.

12. 证明:∵ $(2n+1)^2-(2n-1)^2=[(2n+1)+(2n-1)][(2n+1)-(2n-1)]=4n\times2=8n$,又∵ n 是整数,∴ $8n$ 是 8 的倍数.

∴ 两个连续奇数的平方差是 8 的倍数.

13. 方案 1 提价后价格为$(1+p\%)a(1+q\%)=(1+q\%+p\%+p\%q\%)a$;

方案 2 提价后价格为$(1+q\%)a(1+p\%)=(1+p\%+q\%+p\%q\%)a$;

方案 3 提价后价格为

$\left(1+\frac{p+q}{2}\%\right)a\left(1+\frac{p+q}{2}\%\right)=\left[1+p\%+q\%+\frac{(p\%+q\%)^2}{4}\right]a$.

∵ $p\%q\%-\frac{(p\%+q\%)^2}{4}=p\%q\%-\frac{1}{4}[(p\%)^2+2p\%q\%+(q\%)^2]$

$=-\frac{1}{4}(p\%)^2+\frac{1}{2}p\%q\%-\frac{1}{4}(q\%)^2=-\left(\frac{1}{2}p\%-\frac{1}{2}q\%\right)^2$,

∵ $p\neq q$,∴ $-\left(\frac{1}{2}p\%-\frac{1}{2}q\%\right)^2<0$.

∴ 第三种方案提价最多.

55